HIER BEGINT HET VERHAAL

Tobias Wolff

Hier begint het verhaal

Vertaald door Guido Golüke

'In de hof van de Noord-Amerikaanse martelaren',
'Hiernaast', 'Jagers in de sneeuw' en 'De leugenaar'
zijn vertaald door Peter Bergsma

Uitgeverij Atlas
Amsterdam/Antwerpen

De vertaler ontving voor deze vertaling een beurs van
het Nederlands Letterenfonds

Omslagontwerp: Zeno
Omslagillustratie: Alexa Garbarino/Trevillion Images

ISBN 978 90 450 1608 5
D/2010/0108/560
NUR 302

www.uitgeverijatlas.nl

Wederom, en zoals altijd, wil ik Catherine Wolff en Gary Fisketjon diep danken voor de aandacht die ze keer op keer, jaar na jaar aan deze verhalen hebben besteed. En, zoals altijd, dank ik ook Amanda Urban voor haar vriendschap en steun.

INHOUD

NIEUWE VERHALEN

VOORWOORD VAN DE AUTEUR

Het eerste van deze verhalen is zo'n drie decennia geleden geschreven, het meest recente pas vorig jaar. Bij het samenstellen van een dergelijke selectie moest ik mijzelf de volgende vraag stellen: Moet ik mijn verhalen, van welke datum ook, in hun oorspronkelijke vorm presenteren? Of moet ik mezelf de vrijheid gunnen ze hier en daar te herzien?

Er zijn goede argumenten aan te voeren voor de eerste aanpak. Je zou kunnen zeggen dat ik niet meer de man ben die een verhaal schreef dat vijfentwintig, of tien, of zelfs twee jaar geleden is gepubliceerd, en dat ik me zou moeten gedragen als een gewetensvol executeur en de werkelijke, nu verdwenen schrijver zou moeten respecteren door met mijn fikken van zijn werk af te blijven. Maar daarin schuilt een probleem. Wat zou die 'originele vorm' van een verhaal dan zijn? De allereerste versie van bij elkaar misschien wel twintig versies? Zeker niet, die zou niemand willen lezen. Bedoelen we het verhaal zoals het zijn debuut maakte in een tijdschrift? Of zoals het werd gepubliceerd in de eerste editie van de bundel waar het deel van uitmaakte? Denk erom dat voor zo'n tijdschrift het verhaal uit bracht, een redacteur het had gelezen met een potlood in de aanslag, en dat op zijn minst enkele van haar suggesties onze onderhandelingen hebben overleefd, niet omdat ik werd geprest maar omdat ik dacht dat ze het verhaal beter maakten. Vervolgens heeft een andere redacteur ernaar gekeken voor hij de bundel voor akkoord gaf, en ongetwijfeld had hij ook nog enkele zinvolle suggesties. En als het verhaal werd uitgekozen voor een bloemlezing, zoals met veel zo niet de meeste van deze verhalen is gebeurd, heb ik ze zelf nog een keer bekeken, en dan nog eens voor de bundel in paperback verscheen.

Eerlijk gezegd heb ik mijn verhalen nooit als heilige teksten beschouwd. In de mate waarin de verhalen voor mij nog leven blijf ik me ervoor inzetten dat leven zo goed mogelijk tot uitdrukking te brengen. Daarmee kom ik tegemoet aan een zekere esthetische onrust, maar ik beschouw het ook als een vorm van hoffelijkheid. Als ik een onhandige of overbodige passage zie, zult u die ook zien, en waarom zou ik u uit het verhaal gooien met ergernissen die ik had kunnen voorkomen? Waar ik behoefte voelde aan iets beters heb ik zo goed mogelijk aan die behoefte voldaan, voorlopig.

Tobias Wolff
Augustus 2007

In de hof van de
Noord-Amerikaanse martelaren

Toen ze jong was, zag Mary een briljante en originele man zijn baan kwijtraken omdat hij ideeën had verkondigd die het bestuur van de universiteit waaraan zij beiden doceerden onwelgevallig waren. Ze deelde zijn denkbeelden, maar ondertekende de petitie tegen zijn ontslag niet. Ook zijzelf stond tenslotte ter discussie: als docente, als vrouw, als interpretator van de geschiedenis.

Mary was op haar hoede. Voordat ze een college gaf, schreef ze het helemaal uit, met gebruikmaking van de argumenten en vaak zelfs de woorden van andere, goedgekeurde schrijvers, om maar niet per ongeluk iets aanstootgevends te zeggen. Haar eigen denkbeelden hield ze voor zich en de woorden om die te uiten werden in de loop van de tijd steeds vager; zonder helemaal te verdwijnen slonken ze tot verre, nerveuze puntjes, als wegvliegende vogels.

Toen de sectie een broeinest van kliekjes werd, ging Mary haar eigen gang en deed alsof ze niet doorhad dat de mensen elkaar haatten. Om geen grijze muis te lijken permitteerde ze zich enkele onschuldige buitenissigheden. Ze ging bowlen, iets waar ze verzot op raakte, en stichtte op Brandon College een eigen afdeling van een vereniging tot herstel van de goede naam van Richard iii. Ze leerde komische sketches van platen en grappen uit boeken uit haar hoofd; mensen begonnen te kreunen als ze die afdraaide, maar daar liet ze zich niet door weerhouden en na een poosje werd het gekreun zelfs het doel van haar grappen. Het was een soort eerbetoon aan Mary's bereidheid om zich bloot te geven.

Eigenlijk had niemand op de hele universiteit minder te duchten dan Mary, want ze verhief zichzelf tot een soort instituut, zoals een gebruik of een mascotte – iets wat bij het zelfbeeld van de universiteit hoorde.

Af en toe vroeg ze zich af of ze niet te voorzichtig was geweest. De dingen die ze zei en schreef kwamen haar slap voor, pulpachtig, alsof iemand anders er het sap had uitgeperst. En op een keer, toen ze in gesprek was met een hoogleraar, zag Mary zichzelf weerspiegeld in een ruit: ze boog zich naar hem over en had haar hoofd zo gedraaid dat haar oor zich precies voor zijn bewegende mond bevond. Wat ze zag, vervulde haar van walging. Jaren later, toen ze een hoorapparaat nodig had, bedacht Mary dat haar doofheid vermoedelijk te wijten was aan haar pogingen om altijd alles op te vangen wat iedereen zei.

Tijdens de tweede helft van Mary's vijftiende jaar op Brandon riep de rector alle studenten en docenten bijeen om bekend te maken dat de universiteit failliet was en haar poorten niet meer zou openen. Hij was net zo stomverbaasd als zij; het rapport van het bestuur had pas die ochtend zijn bureau bereikt. Het scheen dat de financieel directeur van Brandon in een soort termijnhandel had gespeculeerd en alles verloren had. De rector wilde het nieuws persoonlijk meedelen voor het in de krant kwam. Hij huilde openlijk, net als de studenten en docenten, met uitzondering van enkele cynische ouderejaars die het onderwijs dat ze hadden genoten zeiden te verachten.

Mary kon het woord 'speculeren' niet meer uit haar hoofd zetten. Het betekende 'gissen', en in termen van geld 'gokken'. Hoe kon iemand een universiteit vergokken? Waarom zou hij zoiets willen doen, en hoe was het mogelijk dat niemand hem had tegengehouden? In Mary's ogen hoorde zoiets in een andere tijd thuis; het deed haar aan een dronken plantagehouder denken die zijn slaven vergokte.

Ze begon te solliciteren en kreeg een baan aangeboden aan een nieuwe experimentele universiteit in Oregon. Het was het enige wat ze krijgen kon, dus ze accepteerde het. De universiteit was in één gebouw gevestigd. Er gingen voortdurend bellen, aan weerskanten van de gangen waren kluisjes en in elke hoek stond een zoemend drinkfonteintje. De studentenkrant verscheen tweemaal per maand op stencilpapier dat nat aanvoelde. De bibliotheek, die naast de muziekzaal gelegen was, had geen bibliothecaris en maar weinig boeken. 'Wij zijn een werk in uitvoering,' liet de bestuursvoorzitter niet na monter op te merken.

Maar het landschap was prachtig en Mary had daar naar hartenlust van kunnen genieten als de regen haar niet zoveel last bezorgde. Er was iets aan de hand met haar longen waarover de artsen het maar niet eens konden worden en dat ze evenmin konden genezen. Wat het ook was, de vochtigheid maakte het nog erger. Op regenachtige dagen vormde zich condens in Mary's hoorapparaat, zodat het niet meer werkte. Ze begon ertegen op te zien om met mensen te praten, omdat ze nooit wist of ze haar ontvangertje er niet uit zou moeten halen om ermee tegen haar been te slaan.

Het regende praktisch elke dag. Als het niet regende, dreigde het wel te gaan regenen of klaarde het net op. De grond glinsterde onder het gras en het licht had een gele zweem die fel oplichtte tijdens stortbuien.

Er stond water in Mary's souterrain. Haar muren zweetten en achter de ijskast trof ze paddenstoelen aan. Ze had het gevoel dat ze wegroestte, als zo'n oude auto die de mensen in die contreien op houtblokken in hun voortuin hadden staan. Mary wist dat iedereen doodging, maar ze had de indruk dat zijzelf sneller doodging dan de meesten.

Ze bleef uitkijken naar een andere baan, maar zonder succes. Toen, in de herfst van haar derde jaar in Oregon, kreeg ze een brief van ene Louise, die ooit aan Brandon had gedoceerd. Louise had veel succes geoogst met een boek over Benedict Arnold en was nu stafdocente aan een beroemde universiteit in het noorden van de staat New York. Ze zei dat een van haar collega's aan het eind van het jaar met pensioen zou gaan en vroeg of Mary in de baan geïnteresseerd was.

De brief verraste Mary. Louise beschouwde zichzelf als een groot historica en bijna ieder ander als nutteloos; Mary had niet geweten dat ze over haarzelf anders dacht. Bovendien was Louise niet iemand die gauw warmliep voor andermans zaken en had ze de gewoonte haar adem in te houden als er bekende namen ter sprake kwamen, alsof ze dingen wist die ze om redenen van vriendschap niet kon onthullen.

Mary verwachtte er niets van, maar stuurde een cv en een exemplaar van haar boek. Kort daarna belde Louise op om te zeggen dat de sollicitatiecommissie, waarvan zij voorzitter was, had besloten Mary begin november voor een gesprek uit te nodigen. 'Heb geen ál te hooggespannen verwachtingen,' zei Louise.

'O, nee,' zei Mary, maar ze dacht: waarom zou ik geen verwachtingen hebben? Ze zouden zich heus niet alle moeite en kosten op de hals halen om haar naar de universiteit te laten overkomen als ze niet serieus geïnteresseerd waren. En ze wist zeker dat het gesprek goed zou verlopen. Ze zou wel zorgen dat ze haar aardig vonden, of hun in elk geval geen reden geven haar niet aardig te vinden.

Bij het lezen over het gebied kreeg ze een vreemd, vertrouwd gevoel, alsof het land en zijn geschiedenis haar al bekend waren. En toen haar vliegtuig Portland verliet en in oostelijke richting de wolken in klom, had Mary het gevoel dat ze naar huis ging. Dit gevoel raakte ze niet meer kwijt en het werd nog sterker toen ze landden. Ze probeerde het Louise te beschrijven terwijl ze van het vliegveld van Syracuse naar de universiteit reden, een rit van ongeveer een uur. 'Het is net een déjà vu,' zei ze.

'Déjà vu's zijn bedrog,' zei Louise. 'Die komen gewoon voort uit een soort chemische onbalans.'

'Misschien wel,' zei Mary, 'maar ik raak dat gevoel niet kwijt.'

'Ga nou niet serieus doen,' zei Louise. 'Dat is niet je sterkste kant. Wees gewoon geestig en vol grappen, zoals altijd. En zeg nu eens eerlijk... hoe zie ik eruit?'

Het was avond, te donker om Louises gezicht goed te kunnen zien, maar op het vliegveld had ze een uitgemergelde en bleke en gespannen indruk gemaakt. Ze deed Mary denken aan een beschrijving in het boek dat ze aan het lezen was geweest, van Irokese krijgers die zichzelf visioenen voorschotelden door te vasten. Zo zag zij er ook een beetje uit. Maar dat zou ze wel niet willen horen. 'Je ziet er fantastisch uit,' zei Mary.

'Dat heeft een reden,' zei Louise. 'Ik heb een minnaar genomen. Mijn concentratie is verbeterd, ik heb veel meer energie en ik ben vijf kilo kwijt. Ik krijg ook wat kleur op mijn wangen, maar dat kan ook aan het weer liggen. Ik kan je de ervaring van harte aanbevelen. Maar jij zult het wel afkeuren.'

Mary wist niet wat ze zeggen moest. Ze zei dat Louise het zelf ongetwijfeld het beste wist, maar dat leek niet genoeg. 'Het huwelijk is een prachtige instelling,' voegde ze eraan toe, 'maar wie wil er nou in een instelling leven?'

Louise kreunde. 'Ik ken jou,' zei ze, 'en ik weet dat je op ditzelfde moment denkt: Maar hoe moet het dan met Ted? Hoe moet het met de kinderen? Ik kan je zeggen, Mary, dat ze er absoluut niet blij mee zijn. Ted is een zeurpiet geworden.' Ze gaf Mary haar tasje. 'Wees lief en steek even een sigaret voor me aan, wil je? Ik weet dat ik tegen je heb gezegd dat ik was gestopt, maar deze hele toestand heeft me nogal aangepakt, heel erg zelfs, en ik ben helaas weer begonnen.'

Ze reden nu in noordelijke richting door de heuvels over een smalle weg. Hoge bomen welfden zich boven hun hoofd. Toen ze de top van een heuvel bereikten, zag Mary overal om zich heen bos, dat gitzwart afstak onder de paarsrode hemel. De paar lichtjes die er waren, deden de duisternis alleen nog maar dieper lijken.

'Ted is erin geslaagd de kinderen volledig van me te vervreemden,' zei Louise. 'Met geen van allen valt meer te praten. Ze weigeren zelfs maar een woord over de kwestie te zeggen, wat heel ironisch is omdat ik jarenlang heb geprobeerd een bereidheid bij ze te kweken om de dingen ook eens vanuit het oogpunt van een ander te bezien. Als ze Jonathan nou eens gewoon konden ontmóéten, dan zouden ze er vast anders over denken. Maar daar willen ze niets van weten. Jonathan,' verklaarde ze, 'is mijn minnaar.'

'Ik snap het,' zei Mary.

Toen ze een bocht omkwamen, beschenen de koplampen twee herten. Mary kon ze zien trillen terwijl de auto passeerde. 'Herten,' zei ze.

'Ik weet het niet meer,' zei Louise. 'Ik weet het gewoon niet meer. Ik doe mijn best, maar het lijkt nooit voldoende. Maar genoeg over mij nu... laten we het over jou hebben. Hoe vond je mijn laatste boek?' Ze lachte kakelend en sloeg met haar handpalmen op het stuur. 'Maar even serieus, hoe is het met je? Het zal wel een hele klap zijn geweest toen dat goeie ouwe Brandon op de fles ging.'

'Het was moeilijk. Het heeft allemaal niet meegezeten, maar dat wordt een stuk beter als ik deze baan krijg.'

'Je hebt tenminste werk,' zei Louise. 'Je moet het van de zonnige kant zien.'

'Dat probeer ik ook.'

'Je lijkt zo somber. Ik hoop maar dat je je niet druk maakt over het sollicitatiegesprek of het college. Met je druk maken schiet je geen snars op. Beschouw dit als een vakantie.'

'College? Wat voor college?'

'Het college dat je morgen moet geven, na het sollicitatiegesprek. Heb ik je dat niet verteld? *Mea culpa*, schat, *mea maxima culpa*. Ik ben de laatste tijd ongewoon vergeetachtig.'

'Maar wat moet ik doen?'

'Maak je geen zorgen,' zei Louise. 'Je neemt gewoon een onderwerp bij de kop en begint op goed geluk.'

'Op goed geluk?'

'Je weet wel, gewoon je mond opendoen en kijken wat er uitkomt. Voor de vuist weg.'

'Maar ik werk altijd met een geschreven dictaat.'

'Goed. Ik heb een idee. Ik heb vorig jaar een artikel over het Marshallplan geschreven dat me de keel uit ging hangen zodat ik het nooit heb gepubliceerd. Lees dat maar voor.'

Aanvankelijk leek het Mary verkeerd om als een papegaai na te zeggen wat Louise geschreven had, tot ze bedacht dat ze dat al vele jaren deed en dat dit niet het moment was voor scrupules.

'We zijn er,' zei Louise, en ze draaide een ronde oprijlaan op waar verscheidene hutten omheen stonden gegroepeerd. In twee hutten brandde licht; rook zweefde recht omhoog vanuit de schoorstenen. 'De universiteit ligt nog drie kilometer die kant op.' Louise wees de weg af. 'Ik had je wel willen uitnodigen om bij mij thuis te logeren, maar ik slaap vannacht bij Jonathan en Ted is tegenwoordig geen erg aangenaam gezelschap. Je zou hem nauwelijks terug kennen.'

Ze pakte Mary's bagage uit de kofferbak en droeg die de trap van een donkere hut op. 'Kijk,' zei ze, 'ze hebben al een vuur voor je aangelegd. Je hoeft het alleen nog maar aan te steken.' Ze stond midden in de kamer met haar armen over elkaar en keek hoe Mary een lucifer onder het aanmaakhout hield. 'Zo,' zei ze. 'Nog even en je hebt het hier maar wat knus. Ik zou dolgraag willen blijven om bij te kletsen, maar ik moet er echt vandoor. Ga maar lekker slapen, dan zie ik je morgenochtend.'

Mary stond in de deuropening en wuifde terwijl Louise de oprijlaan af reed en het grind deed opspatten. Ze zoog haar longen vol om de lucht te proeven: die was scherp en zuiver. Ze zag de sterren in hun constellaties staan en de vage lichtsporen die van ster naar ster liepen.

Ze vond het nog steeds geen prettig idee Louises werk als dat van haarzelf voor te lezen. Het zou de eerste keer zijn dat ze zich voor honderd procent aan plagiaat zou bezondigen. Het zou haar ongetwijfeld veranderen. Ze zou zich erdoor verlagen, al wist ze niet hoe erg. Maar wat moest ze anders? 'Op goed geluk' was in elk geval uitgesloten. Straks kon ze niet uit haar woorden komen, en wat dan? Mary was bang voor stilte. Als ze aan stilte dacht, dacht ze aan verdrinken, alsof het een soort water was waarin ze niet kon zwemmen.

'Ik wil deze baan,' zei ze en ze dook diep weg in haar jas. Hij was van kasjmier en Mary had hem niet meer gedragen sinds ze naar Oregon was verhuisd, want daar vonden ze dat je het hoog in de bol had als je iets anders aantrok dan een blouse van het merk Pendleton of, uiteraard, een regenjas. Ze wreef met haar wang langs de opstaande kraag en dacht aan een zilveren maan die door kale zwarte takken scheen, een wit huis met groene luiken, vallende rode bladeren in een hardblauwe hemel.

Een paar uur later maakte Louise haar wakker. Ze zat op de rand van het bed en duwde luid snuffend tegen Mary's schouder. Toen Mary haar vroeg wat eraan scheelde, zei ze: 'Ik wil ergens je mening over weten. Het is heel belangrijk. Vind je mij vrouwelijk?'

Mary ging rechtop zitten. 'Louise, kan dit wachten?'

'Nee.'

'Vrouwelijk?'

Louise knikte.

'Je bent heel mooi,' zei Mary, 'en je weet je goed te presenteren.'

Louise stond op en begon door de kamer te ijsberen. 'Die hufter,' zei ze. Ze kwam terug en boog zich over Mary heen. 'Stel dat iemand zei dat ik geen gevoel voor humor heb. Zou je het daarmee eens zijn of oneens?'

'In sommige opzichten heb je dat wel. Ik bedoel, ja, je hebt veel gevoel voor humor.'

'Wat bedoel je met "in sommige opzichten"? Wat voor opzichten?'

'Nou, als je zou horen dat iemand op een ongebruikelijke manier aan zijn eind was gekomen, bijvoorbeeld door een ontplofte sigaar, dan zou je dat grappig vinden.'

Louise lachte.

'Dat bedoel ik nou,' zei Mary.

Louise bleef maar lachen. 'Hemeltjelief,' zei ze. 'Nu is het mijn beurt om iets over jou te zeggen.' Ze ging naast Mary zitten.

'Doe me een lol,' zei Mary.

'Eén dingetje maar,' zei Louise.

Mary wachtte.

'Je trilt,' zei Louise. 'Ik wou alleen maar zeggen... O, laat ook maar zitten. Zeg, vind je het erg als ik op de bank slaap? Ik kan niet meer.'

'Ga je gang.'

'Vind je het echt goed? Morgen is een belangrijke dag voor je.' Ze liet zich achterover op de sofa vallen en schopte haar schoenen uit. 'Ik wou alleen maar zeggen dat je die wenkbrauwen van je eens wat moet aanzetten. Ze verdwijnen zowat en daar raken de mensen van in de war.'

Geen van beiden deed een oog dicht. Louise rookte de ene sigaret na de andere en Mary keek hoe de kooltjes opbrandden. Toen het licht genoeg was om elkaar te zien, stond Louise op. 'Ik laat je wel ophalen door een student,' zei ze. 'Veel succes.'

De universiteit zag eruit zoals universiteiten eruit horen te zien. Roger, de student die Mary moest rondleiden, legde uit dat het een getrouwe kopie was van een universiteit in Engeland, tot de gargouilles en de gebrandschilderde ramen aan toe. Het was zo'n typisch universiteitsgebouw dat filmers het soms als locatie gebruikten. *Andy Hardy Goes to College* was er opgenomen en elke herfst hadden ze een Andy Hardy Goes to College-dag, met jassen van wasberenbont en wedstrijdjes goudvissen slikken.

Boven de deur van het naar de stichter vernoemde hoofdgebouw prijkte een Latijnse spreuk, die vrij vertaald 'God helpt degenen die zichzelf helpen' betekende. Terwijl Roger de namen opnoemde van beroemde afgestudeerden werd Mary getroffen door de mate waarin die dit motto ter harte hadden genomen. Ze hadden zichzelf aan spoorlijnen, mijnen, legers en staten geholpen, aan financiële imperia met buitenposten over de hele wereld.

Roger nam Mary mee naar de kapel en toonde haar een gedenkplaat met de namen van alle oud-studenten die waren gesneuveld in de strijd, tot de Amerikaanse Burgeroorlog aan toe. Veel namen waren het niet. Ook hier hadden de afgestudeerden zichzelf kennelijk geholpen. 'O ja,' zei Roger toen ze weggingen, 'dat vergat ik u nog te vertellen. De communiebank komt uit een kerk in Europa waar Karel de Grote vaak naartoe ging.'

Ze liepen naar het gymnastieklokaal, en de drie ijshockeybanen, en de bibliotheek, waar Mary de kaartenbak inspecteerde alsof ze de baan zou weigeren als ze niet de juiste boeken hadden. 'We hebben nog wat tijd over,' zei Roger terwijl ze naar buiten liepen. 'Wilt u de energiecentrale zien?'

Mary wilde tot de laatste minuut bezig blijven, dus stemde ze ermee in.

Roger ging haar voor naar de catacomben van het gebouw

van de technische dienst en gaf uitleg over de centrale die ze zo dadelijk zouden zien, duidelijk de meest geavanceerde van het hele land. 'De mensen vinden de universiteit eigenlijk maar ouderwets,' zei hij, 'maar dat is niet zo. Ze laten hier nu meisjes toe en er zijn ook een paar vrouwelijke docenten. Er is zelfs een statuut dat bepaalt dat ze bij elke vacature minstens één vrouw voor een gesprek moeten uitnodigen. Dat is hem.'

Ze stonden op een ijzeren looppad boven het grootste apparaat dat Mary ooit had gezien. Roger, die geowetenschappen studeerde, zei dat het was gebouwd volgens een baanbrekend ontwerp van een hoogleraar van zijn vakgroep. Waar hij er eerst maar op los had gekletst, werd Roger nu eerbiedig. Het was duidelijk dat dit apparaat in zijn ogen de ziel van de universiteit belichaamde, dat de universiteit zelfs tot doel had het apparaat tot zijn recht te laten komen. Samen leunden ze tegen de reling en keken hoe het gonsde.

Precies op tijd voor haar gesprek arriveerde Mary bij de kamer van de sollicitatiecommissie, maar er was niemand te bekennen. Haar boek lag op de tafel, naast een karaf water en enkele glazen. Ze ging zitten en pakte het boek. De band kraakte toen ze het opensloeg. De bladzijden waren glad, schoon, ongelezen. Mary bladerde naar het eerste hoofdstuk, dat begon met: 'In brede kring wordt aangenomen dat...' Wat saai, dacht ze.

Bijna twintig minuten later kwam Louise binnen met enkele mannen. 'Sorry dat we zo laat zijn,' zei ze. 'We hebben niet veel tijd, dus we moesten maar meteen beginnen.' Ze stelde Mary aan de commissie voor, maar de namen en gezichten bleven niet bij elkaar, op één uitzondering na. Die uitzondering was dr. Howells, het hoofd van de vakgroep, die een poreuze blauwe neus had en een afschuwelijk gebit.

Een man met een glimmend gezicht aan dr. Howells' rechterhand sprak als eerste. 'Zo,' zei hij, 'ik heb begrepen dat u nog aan Brandon College hebt gedoceerd?'

'Het was doodzonde dat Brandon dicht moest,' zei een jongeman met een pijp in zijn mond. 'Er is plaats voor universiteiten als Brandon.' Onder het praten ging de pijp op en neer.

'En nu zit u in Oregon,' zei dr. Howells. 'Daar ben ik nog nooit geweest. Hoe bevalt het u daar?'

'Niet zo best,' zei Mary.

'O nee?' Dr. Howells boog zich in haar richting. 'Ik dacht dat Oregon bij iedereen in de smaak viel. Ik hoor dat het er erg groen is.'

'Dat is waar,' zei Mary.

'Het zal er wel veel regenen,' zei hij.

'Bijna elke dag.'

'Dat lijkt me niks,' zei hij hoofdschuddend. 'Ik hou van droog weer. Hier sneeuwt het natuurlijk, en je hebt af en toe regen, maar dat is dróge regen. Bent u wel eens in Utah geweest? Dat is pas een staat. Bryce Canyon. Het Mormoons Tabernakelkoor.'

'Dr. Howells is opgegroeid in Utah,' zei de jongeman met de pijp.

'In die dagen was het er nog heel anders,' vervolgde dr. Howells. 'Mevrouw Howells en ik hebben het er altijd over gehad om na mijn pensionering terug te gaan, maar nu weet ik dat niet meer zo zeker.'

'We zitten een beetje krap in de tijd,' zei Louise.

'En ik zit maar te oreren,' zei dr. Howells. 'Wilt u ons misschien nog iets zeggen voordat we de zaak afronden?'

'Ja. Ik vind dat u de baan aan mij moet geven.' Mary zei het lachend, maar niemand lachte mee of keek haar zelfs maar aan. Ze keken allemaal de andere kant op. Op dat moment begreep Mary dat ze haar niet werkelijk op het oog hadden voor de vacature. Ze was hierheen gehaald om aan een regel te voldoen. Ze hoopte nergens op.

De mannen pakten hun papieren bijeen en gaven Mary een hand en zeiden dat ze zich erg op haar college verheugden. 'Ik krijg nooit genoeg van het Marshallplan,' zei dr. Howells.

'Het spijt me,' zei Louise toen ze alleen waren. 'Ik had niet gedacht dat het zo erg zou zijn. Wat een afgang.'

'Zeg eens,' zei Mary. 'Jullie weten al wie je gaat aannemen, hè?'

Louise knikte.

'Waarom heb je mij dan laten overkomen?'

Toen Louise aan een uitleg over het statuut begon, viel Mary haar in de rede. 'Dat weet ik allemaal al. Maar waarom mij? Waarom heb je míj uitgekozen?'

Louise liep naar het raam en sprak met haar rug naar Mary toe. 'Het gaat niet zo best met de oude Louise,' zei ze. 'Ik was ongelukkig en dacht dat jij me wel zou kunnen opvrolijken. Je was altijd zo geestig en ik wist zeker dat je van de reis zou genieten; het kostte je geen cent en het is hier mooi in deze tijd van het jaar met de bladeren en zo. Mary, jij weet niet wat mijn ouders me hebben aangedaan. En Ted is ook niet om echt vrolijk van te worden. Of Jonathan, die hufter. Ik heb ook recht op mijn portie liefde en vriendschap, maar ik krijg helemaal niks.' Ze draaide zich om en keek op haar horloge. 'Het is bijna tijd voor je college. Laten we maar gaan.'

'Dat geef ik liever niet. Het heeft tenslotte toch niet veel zin meer, zeg nou zelf.'

'Maar je móét het geven. Dat hoort bij de sollicitatieprocedure.' Louise overhandigde haar een map. 'Je hoeft alleen dit maar voor te lezen. Dat lijkt me niet te veel gevraagd, na al het geld dat we op tafel hebben moeten leggen om je hier te krijgen.'

Mary volgde Louise via de hal naar de collegezaal. De docenten zaten op de voorste rij met hun benen over elkaar. Ze glimlachten en knikten Mary toe. Achter hen zat de zaal vol studenten, van wie sommigen zelfs de gangpaden bezetten. Een van de docenten stelde de microfoon in op Mary's hoogte en liep gebukt het podium weer af alsof hij liever niet gezien wilde worden.

Louise verzocht de zaal om stilte, stelde toen Mary voor en noemde het onderwerp van het college. Maar Mary had besloten het toch op goed geluk te proberen. Op het moment dat ze het podium op kwam, wist ze nog niet zeker wat ze zou gaan zeggen; het enige wat ze zeker wist, was dat ze nog liever doodging dan dat ze Louises artikel zou voorlezen. De zon scheen via het gebrandschilderde glas op de mensen om haar heen en kleurde hun gezichten. Dikke rookpluimen uit de pijp van de jonge docent zweefden door een cirkel van rood licht aan Mary's voeten en werden karmozijn en grillig als vlammen.

'Ik vraag me af hoevelen onder u weten,' begon ze, 'dat we ons in het Long House bevinden, het oude domein van de vijf stammen van de Irokezen.'

Twee docenten keken elkaar aan.

'De Irokezen kenden geen genade,' zei Mary. 'Ze maakten jacht op mensen met knuppels en pijlen en speren en netten, en met blaaspijpen die van volgroeide stengels waren gemaakt. Ze martelden hun gevangenen zonder iemand te ontzien, zelfs de kleine kinderen niet. Ze maakten scalpen buit en deden aan kannibalisme en slavernij. Omdat ze geen genade kenden, werden ze machtig, zo machtig dat geen enkele andere stam hun een strobreed in de weg durfde te leggen. Ze legden de andere stammen schattingen op en als ze niet meer konden betalen, vielen de Irokezen hen aan.'

Verscheidene docenten begonnen te fluisteren. Dr. Howells zei iets tegen Louise, die haar hoofd schudde.

'Bij een van hun aanvallen,' zei Mary, 'namen ze twee jezuïetenpaters gevangen, Jean de Brébeuf en Gabriel Lalement. Ze overgoten Lalement met pek en staken hem voor de ogen van Brébeuf in brand. Toen Brébeuf hun de les las, sneden ze zijn lippen af en staken een brandijzer in zijn keel. Ze hingen een ketting van roodgloeiende strijdbijlen om zijn nek en goten kokend water over zijn hoofd. Toen hij tegen hen bleef preken, sneden ze repen vlees van zijn lichaam en aten die voor zijn ogen op. Terwijl hij nog leefde, scalpeerden ze hem en sneden zijn borst open en dronken zijn bloed. Later rukte hun opperhoofd Brébeufs hart uit en at het op, maar vlak voordat hij dit deed sprak Brébeuf hen voor de laatste maal toe. Hij zei –'

'Nu is het welletjes!' schreeuwde dr. Howells en hij sprong overeind. Louise hield op met hoofdschudden. Haar ogen waren kogelrond.

Mary was door haar feiten heen. Ze wist niet wat Brébeuf had gezegd. Het werd steeds stiller om haar heen. Net toen ze dacht dat ze in de stilte zou wegzakken en verdrinken, hoorde ze buiten op de gang iemand fluiten, met trillende uithalen als een vogel, als vele vogels.

'Beter uw leven,' zei ze. 'Uw schrikkelijkheid heeft u bedrogen en de trotsheid uws harten, en de kracht uwer armen. Ook al houdt gij u op de hoogte van de arend, ook al maakt gij uw nest tussen de sterren, zo zal ik u vandaar nederstoten, zegt de Heer. Verruil macht voor liefde. Wees zachtmoedig. Betracht rechtvaardigheid. Ga in deemoed.'

Louise zwaaide met haar armen. 'Mary!' schreeuwde ze.

Maar Mary had nog meer te zeggen, nog veel meer. Ze zwaaide terug naar Louise en zette toen haar hoorapparaat uit om zich niet meer te laten afleiden.

Hiernaast

Angstig word ik wakker. Mijn vrouw zit op de rand van mijn bed en schudt aan me. 'Ze zijn weer bezig,' zegt ze.

Ik ga naar het raam. Al hun lampen zijn aan, boven en beneden, alsof ze het geld voor het verbranden hebben. Hij schreeuwt, zij gilt iets terug, de hond blaft. Even is het stil, dan huilt de baby, arm ding.

'Ga daar maar niet staan,' zegt mijn vrouw. 'Straks zien ze je nog.'

Ik zeg: 'Ik ga de politie bellen,' wetende dat ze dat niet hebben wil.

'Niet doen,' zegt ze.

Ze is bang dat ze onze kat zullen vergiftigen als we klagen.

De man van hiernaast is nog steeds aan het schreeuwen, maar door de hond en de baby kan ik niet verstaan wat hij zegt. De vrouw lacht, niet echt van harte: '*Ha! Ha! Ha!*' en geeft plotseling een korte doordringende gil. Het wordt doodstil.

'Hij heeft haar geslagen,' zegt mijn vrouw. 'Ik voelde het, net alsof hij mij sloeg.'

De baby van hiernaast jammert langdurig en de hond slaat ook weer aan. De man loopt zijn pad op en smijt de deur achter zich dicht.

'Voorzichtig,' zegt mijn vrouw. Ze kruipt weer in haar bed en trekt de dekens tot haar nek.

De man mompelt in zichzelf en rukt aan zijn gulp. Ten slotte krijgt hij hem open en loopt naar ons hek. Het is een hek van witte paaltjes, meer voor de sier dan voor iets anders. Het kan niemand tegenhouden. Ik heb het zelf geplaatst en er over de hele lengte kamperfoelie en bougainville langs geplant.

Mijn vrouw vraagt: 'Wat doet hij?'

'Sst,' zeg ik.

Hij leunt met zijn ene hand tegen het hek en gaat met de andere op de bloemen naar de wc. Zo loopt hij het hele hek langs, zonder er eentje over te slaan. Als hij klaar is, schudt hij Florida uit, doet de rits weer dicht en loopt terug over het pad. Hij glijdt bijna uit over het grind, maar hij herstelt zich en vloekt en gaat het huis binnen, de deur weer met een klap dichttrekkend.

Als ik me omdraai, ligt mijn vrouw voorover geleund naar me te kijken. Ze trekt haar wenkbrauwen op. 'Niet weer,' zegt ze.

Ik knik.

'Met hem en die hond is het een wonder dat daar nog wat wil groeien.'

Ik zou het liever over iets anders hebben. Ik word treurig als ik aan de bloemen denk. De vrouw van hiernaast schreeuwt. 'Moet je horen,' zeg ik.

'Eerst had ik met haar te doen,' zegt mijn vrouw. 'Nu niet meer. Niet na vorige maand.'

'Mijn idee,' zeg ik, terwijl ik me probeer te herinneren wat er vorige maand is gebeurd. Ik heb ook niet met haar te doen, maar dat heb ik nooit gehad. Ze schreeuwt tegen de baby en neem me niet kwalijk, maar ik ga niet sentimenteel worden over iemand die zo tegen een kind doet. Ze gilt dingen als: 'Ik had toch gezegd dat je in je kamertje moest blijven!' en dat tegen een baby die nog niet eens kan praten.

Wat haar uiterlijk betreft, ze is best knap om te zien. Maar dat zal niet lang duren. Haar botstructuur is niet goed. Ze heeft iets weeks over zich, alsof ze nooit wat anders heeft gegeten dan donuts en milkshakes. Haar huid is wit. De baby lijkt op haar, maar je kan moeilijk verwachten dat die op hém lijkt, donker en harig. Zelfs met zijn overhemd aan weet je dat zijn rug en schouders onder het haar zitten, van dat dikke en springerige airedalehaar.

Nu gaan ze daar allemaal tegelijk tekeer en ze hebben ook de stereo nog keihard aanstaan. Zo'n band. 'Ik heb wel met die baby te doen,' zeg ik.

Mijn vrouw drukt haar handen tegen haar oren. 'Dit hou ik geen minuut langer uit,' zegt ze. Ze haalt haar handen weer weg. 'Misschien is er iets op tv.' Ze gaat rechtop zitten. 'Kijk eens wie er bij Johnny Carson is.'

Ik zet de televisie aan. Die stond altijd in de studeerkamer, maar ik heb hem een paar jaar geleden naar boven gehaald toen mijn vrouw ziek werd. Ik verpleegde haar zelf – kookte het eten en de hele rataplan. Op het laatst kon ik zelfs de lakens verschonen terwijl zij nog in bed lag. Ik was altijd van plan de televisie weer beneden te zetten als mijn vrouw van haar ziekte was hersteld, maar dat is er nog nooit van gekomen. Hij staat tussen onze bedden op een tafeltje dat ik heb gemaakt. Johnny zegt iets tegen Sammy Davis jr. Ed McMahon ligt dubbel van het lachen. Die is altijd zo vrolijk. Als je echt een heel lange reis zou gaan maken, zou je slechter gezelschap kunnen treffen dan Ed McMahon.

Mijn vrouw wil weten wat er verder nog is. '"*El Dorado*",' lees ik. '"Pittig avonturenverhaal over een groep inwoners op zoek naar de legendarische goudstad". Er staat tweeënhalve ster bij.'

'Inwoners waarvan?' vraagt mijn vrouw.

'Dat staat er niet bij.'

Ten slotte kijken we naar de film. Een blinde komt aan in een stadje. Hij zegt dat hij in El Dorado is geweest en dat hij daar een expeditie heen wil leiden in ruil voor een deel van de opbrengst. Hij kan ze niet zien, maar onder het rijden zal hij de oriëntatiepunten stuk voor stuk opnoemen. Eerst lachen de mensen hem uit, maar uiteindelijk komen alle vooraanstaande inwoners bij elkaar en besluiten het erop te wagen. Ze worden onmiddellijk aangevallen door de Apaches en sommigen willen omdraaien, maar elke keer als ze daartoe aanstalten maken noemt de blinde weer een oriëntatiepunt, zodat ze maar doorrijden.

De vrouw van hiernaast gaat door het lint. Ze zegt dingen tegen hem die geen mens ooit tegen een ander mens zou mogen zeggen. Mijn vrouw wordt er onrustig van. Ze kijkt naar me. 'Mag ik bij je komen?' vraagt ze. 'Alleen maar even op bezoek?'

Ik sla de dekens terug en ze kruipt erin. Het bed is prima voor één, maar met z'n tweeën is het een krappe bedoening. We liggen op onze zij, ik als achterste. Het is niet mijn bedoeling, maar het duurt niet lang of de oude Florida wordt vanzelf stijf. Ik sla mijn armen om mijn vrouw heen. Ik laat mijn handen omhooggaan naar de Rocky's en dan omlaag over de vlakte naar het zuiden.

'Hé,' zegt ze. 'Geen aardrijkskunde. Vanavond niet.'

'Sorry,' zeg ik.

'Kan ik niet alleen even op bezoek komen?'

'Laat maar. Ik zei toch sorry?'

De inwoners steken een woestijn over. Ze hebben praktisch geen water meer en hun lippen zijn gebarsten. Hoewel de blinde hen heeft gewaarschuwd, drinkt iemand uit een vergiftigde bron en komt gruwelijk aan zijn eind. Die avond, rond het kampvuur, beginnen de anderen ruzie te maken. De meesten willen naar huis. 'Dit is geen gebied voor een blanke,' zegt er een, 'en als je het mij vraagt, is hier nog nooit iemand geweest.' Maar de blinde beschrijft een stuk goud dat zo groot en zuiver is dat je ogen verbranden als je er rechtstreeks naar kijkt. 'Ik kan het weten,' zegt hij. Als hij is uitgesproken, zijn de inwoners stil: een voor een staan ze op en gaan op hun opgerolde beddengoed liggen. Ze leggen hun handen onder hun hoofd en kijken omhoog naar de sterren. Er huilt een coyote.

Bij het horen van de coyote herinner ik me waarom mijn vrouw niet met de vrouw van hiernaast te doen heeft. Het was op een maandagavond, ongeveer een maand geleden, vlak nadat ik van mijn werk was gekomen. De man van hiernaast begon de hond te slaan, en dan bedoel ik niet een of twee petsen. Hij sloeg hem en bleef hem slaan tot de hond niet eens meer kon janken; je hoorde de stem van het arme beest breken. Ten slotte hield het op. Toen, een paar minuten later, hoorde ik mijn vrouw 'O!' zeggen en ik ging naar de keuken om te kijken wat er was. Ze stond bij het raam, vanwaar je in de keuken van hiernaast kunt kijken. De man had zijn vrouw met haar rug tegen de ijskast gedreven. Hij had zijn knie tussen haar benen en zij had haar knie tussen zijn benen en ze waren aan het zoenen, en niet zo'n beetje ook. Tot een paar uur daarna kon mijn vrouw amper een woord uitbrengen. Later zei ze dat ze haar medeleven nooit meer aan die vrouw zou verspillen.

Het is rustig daar. Mijn vrouw is in slaap gevallen, net als mijn arm, die onder haar hoofd ligt. Ik trek hem eronderuit en open en sluit mijn vingers, me afvragend of ik haar wakker zal maken. Ik slaap graag in mijn eigen bed en er is niet genoeg ruimte voor ons tweeën. Uiteindelijk besluit ik dat het geen kwaad kan om voor één nacht van plaats te ruilen.

Ik sta op en rommel een tijdje met de planten, geef ze water en schuif sommige naar het raam en andere ervandaan. Ik knip de siernetel bij, die begint door te schieten, en zet de stekjes in een glas water op de vensterbank. Al het licht hiernaast is uit, behalve achter hun slaapkamerraam. Ik denk na over het leven dat ze leiden en hoe dat zich maar voortsleept totdat het lijkt op het leven waartoe ze zijn voorbestemd. Iedereen zegt altijd dat het zo fantastisch is dat de mens zich zo goed kan aanpassen, maar dat weet ik nog niet zo net. In Istanbul zag een vriend van mij een man over straat lopen met een concertvleugel op zijn rug. Iedereen liep gewoon om hem heen en vervolgde zijn weg. Afschuwelijk waar we niet allemaal aan wennen.

Ik zet de televisie uit en stap in het bed van mijn vrouw. Haar geur stijgt zoet en zwaar op van de lakens. Ik word er een beetje duizelig van, maar ik vind het wel lekker. Het doet me aan gardenia's denken.

De reden waarom ik de film niet uitkijk, is dat ik al weet hoe hij afloopt. De inwoners zullen elkaar afmaken, waarschijnlijk op maar drie meter afstand van de legendarische goudstad, en de blinde zal in zijn eentje El Dorado binnenstrompelen, zonder te beseffen dat hij het opnieuw heeft gehaald.

Ik zou wel een betere film kunnen schrijven. Mijn film zou over een groep ontdekkingsreizigers gaan, mannen en vrouwen, die hun huis en hun werk en hun gezin achterlaten – alles wat ze ooit hebben gekend. Ze steken de zee over en lijden schipbreuk op de kust van een land dat niet op hun kaarten staat. Een van hen verdrinkt. Een ander wordt aangevallen door een wild dier en opgegeten. Maar de rest wil verdergaan. Ze waden door rivieren en steken met een hondenslee een enorme gletsjer over. Dit duurt maanden. Op de gletsjer raken ze door hun voedsel heen en even ziet het ernaar uit dat ze zich op elkaar zullen storten, maar dat gebeurt niet. Uiteindelijk lossen ze hun probleem op door de honden op te eten. Dat is het droevige deel van de film.

Aan het eind zien we de ontdekkingsreizigers slapen in een wei vol witte bloemen. De bloemblaadjes zijn nat van de dauw en kleven aan hun lichaam, akelei, clematis, liatris, bruidssluier, ridderspoor, iris, wijnruit – ze zijn er van top tot teen mee bedekt en zien helemaal wit, zodat je hen niet meer van elkaar kunt onderscheiden, man niet van vrouw, vrouw niet van man. De zon komt op. Ze gaan staan en steken hun armen in de lucht, als witte bomen in een land waar nog nooit iemand is geweest.

Jagers in de sneeuw

Tub stond al een uur te wachten in de vallende sneeuw. Hij ijsbeerde over de stoep om warm te blijven en stak zijn hoofd over de stoeprand als hij lichten zag naderen. De sneeuw begon dichter te vallen. Tub ging onder het overhangende deel van een gebouw staan. Aan de overkant van de straat vlak boven de toppen van de daken begonnen de wolken wit te worden en de witheid sijpelde door de hemel omhoog. Hij hing de geweerriem over zijn andere schouder.

Een pick-uptruck kwam met loeiende claxon en uitbrekende achterkant de hoek om gegleden. Tub liep naar de stoep en stak zijn hand op. De truck sprong de stoeprand op en kwam recht op hem af, half op straat en half op de stoep. Hij minderde absoluut geen vaart. Tub bleef een ogenblik staan met zijn hand nog in de lucht en sprong toen achteruit. Zijn geweer gleed van zijn schouder en kwam kletterend op het ijs terecht, een boterham viel uit zijn zak. De truck denderde hem voorbij en stopte bij de volgende zijstraat.

Tub raapte zijn boterham op, zwaaide het geweer over zijn schouder en liep naar de truck. De bestuurder lag over het stuur heen en sloeg zich op de knieën en roffelde met zijn voeten op de bodemplaat. Hij zag eruit als een spotprent van iemand die lacht. 'Tub, je zou jezelf eens moeten zien,' zei hij. 'Je bent net een strandbal met een pet op. Vind je ook niet, Frank?'

De man naast hem glimlachte en keek de andere kant op.

'Je hebt me zowat overreden,' zei Tub. 'Je had me wel dood kunnen rijden.'

'Kom op, Tub,' zei de man naast de bestuurder. 'Doe niet zo moeilijk. Kenny maakte maar een geintje.' Hij deed het portier open en schoof naar het midden van de bank.

Tub ontgrendelde zijn geweer en klom op de plaats naast hem. 'Mijn voeten zijn bevroren,' zei hij. 'Als je tien uur bedoelde, waarom zéí je dan niet tien uur?'

'Tub, je hebt alleen nog maar zitten mekkeren sinds we hier zijn,' zei de man in het midden. 'Als je de hele dag wilt zeiken en janken kan je beter naar huis gaan en je koters afkatten. Zeg het maar.' Toen Tub niets terugzei, wendde hij zich tot de bestuurder. 'Oké, Kenny, rijden maar.'

Een paar jeugdige delinquenten hadden aan de bestuurderskant een baksteen door de voorruit gegooid, zodat de kou en de sneeuw regelrecht de cabine binnenstroomden. De verwarming deed het niet. Ze dekten zich toe met een paar dekens die Kenny had meegebracht en trokken de oorkleppen van hun pet omlaag. Tub probeerde zijn handen warm te houden door er onder de deken in te wrijven, maar Frank liet hem daarmee stoppen.

Ze verlieten Spokane en reden diep het binnenland in langs zwarte strepen van hekken. Het hield op met sneeuwen, maar er was nog steeds geen rand te zien op de plek waar het land de hemel ontmoette. Niets bewoog in de krijtwitte velden. De kou maakte hun gezicht bleek en zette de stoppels op hun wangen en langs hun bovenlip overeind. Ze stopten twee keer voor koffie voordat ze bij het bos kwamen waar Kenny wilde jagen.

Tub was ervoor een andere plek te proberen; ze hadden dit gebied nu twee jaar achtereen naar weerskanten afgestruind zonder iets tegen te komen. Frank was het om het even, hij wilde alleen die verrekte auto uit. 'Moet je voelen,' zei Frank, terwijl hij het portier dichtsmeet. Hij zette zijn voeten uit elkaar, sloot zijn ogen, legde zijn hoofd in zijn nek en haalde diep adem. 'Laat die energie op je inwerken.'

'En dan nog wat anders,' zei Kenny. 'Dit is openbaar terrein. Het meeste land hier is afgezet.'

'Ik heb het koud,' zei Tub.

Frank liet zijn adem ontsnappen. 'Zit niet te zeiken, Tub. Concentreer je.'

'Ik zit niet te zeiken.'

'Concentreer je,' zei Kenny. 'Straks trek je nog een nachtpon aan, Frank. Verkoop je bloemen op het vliegveld.'

'Kenny,' zei Frank, 'je lult te veel.'

'Goed,' zei Kenny. 'Ik zeg al niks meer. Ook niet over een zekere babysitter.'

'Wat voor babysitter?' vroeg Tub.

'Dat blijft onder ons,' zei Frank, terwijl hij Kenny aankeek.

Kenny lachte.

'Je vraagt erom,' zei Frank.

'Waarom?'

'Hé,' zei Tub, 'gaan we nog jagen of hoe zit het?'

Ze begonnen het veld over te steken. Tub had moeite om tussen de hekken door te komen. Frank en Kenny hadden hem kunnen helpen; ze hadden het bovenste prikkeldraad kunnen optillen en op het onderste kunnen gaan staan, maar dat deden ze niet. Ze bleven naar hem staan kijken. Er waren een heleboel hekken en Tub pufte toen ze het bos bereikten.

Ze jaagden twee uur en zagen geen hert, geen sporen, geen teken. Uiteindelijk stopten ze bij het riviertje om te eten. Kenny had een paar pizzapunten en wat repen bij zich. Frank had een boterham, een appel, twee wortels en een plak chocola; Tub at één hardgekookt ei en een selderiestengel.

'Vraag me vandaag hoe ik wil doodgaan,' zei Kenny, 'en ik zeg je gooi mij maar op de brandstapel.' Hij draaide zich om naar Tub. 'Nog altijd op dieet?' Hij knipoogde naar Frank.

'Wat denk je? Denk je dat ik hardgekookte eieren lekker vind?'

'Ik kan alleen maar zeggen dat ik nooit eerder van een dieet heb gehoord waar je van aankomt.'

'Wie zegt dat ik aankom?'

'O, neem me niet kwalijk. Dat neem ik terug. Je kwijnt gewoon weg voor mijn ogen. Wat jou, Frank?'

Frank had zijn vingers als een waaier uitgespreid op de stronk waarop hij zijn eten had gelegd. Zijn knokkels waren harig. Hij droeg een dikke trouwring en aan zijn rechterpink nog een gouden ring met een platte bovenkant en een 'F' van iets wat op diamantjes leek. 'Tub,' zei hij, 'jij hebt in geen tien jaar je eigen ballen gezien.'

Kenny sloeg dubbel van het lachen. Hij nam zijn pet af en sloeg ermee op zijn been.

'Wat moet ik dan?' vroeg Tub. 'Het komt door mijn klieren.'

Ze verlieten het bos en jaagden langs het riviertje. Frank en Kenny werkten de ene oever af en Tub de andere, in stroomopwaartse richting. Het sneeuwde maar zachtjes, maar de sneeuwbanken waren diep en moeilijk om doorheen te komen. Waar Tub ook keek, overal was het oppervlak glad, onberoerd, en na een tijdje verloor hij zijn belangstelling. Hij keek niet meer naar sporen en probeerde alleen nog Frank en Kenny aan de overkant bij te houden. Op een gegeven moment realiseerde hij zich dat hij hen al een hele tijd niet had gezien. De wind waaide van hem naar hen; tijdens windstilten kon hij Kenny soms horen lachen – verder niets. Hij versnelde zijn pas en worstelde zich door de banken, de sneeuw wegduwend. Hij hoorde zijn hart en voelde de blos op zijn gezicht, maar hij bleef geen enkele keer staan.

Bij een bocht in het riviertje haalde Tub Frank en Kenny in. Ze stonden op een boomstam die zich van hun oever naar de zijne uitstrekte. Achter de stam had zich ijs opgehoopt. Hieruit stak bevroren riet omhoog.

'Wat gezien?' vroeg Frank.

Tub schudde zijn hoofd.

Er was niet veel daglicht meer over en ze besloten terug te gaan naar de weg. Frank en Kenny staken de boomstam over en begonnen stroomafwaarts te lopen, over het pad dat Tub had gebaand. Ze waren nog niet erg ver toen Kenny bleef staan. 'Kijk daar eens,' zei hij en hij wees op een paar sporen die van het riviertje het bos in gingen. Tubs voetafdrukken liepen er dwars overheen. Daar op de oever lagen open en bloot enkele hopen hertenpoep. 'Wat denk je dat dat zijn, Tub?' Kenny schopte ertegen. 'Walnoten op vanilleglazuur?'

'Die heb ik zeker over het hoofd gezien.'

Kenny keek naar Frank.

'Ik was verdwaald.'

'Verdwaald. Lulkoek.'

Ze volgden de sporen het bos in. Het hert was over een hek gesprongen dat half begraven was in de stuifsneeuw. Boven aan een van de palen was een verboden-te-jagenbord gespijkerd. Kenny wilde achter hem aan, maar Frank zei niks ervan, de mensen daar hielden niet van gerotzooi. Hij dacht dat de boer die eigenaar was van het land hun misschien toestemming zou geven als ze het gingen vragen. Kenny was daar niet zo zeker van. Trouwens, hij verwachtte dat het tegen de tijd dat ze naar de truck waren gelopen en de weg op waren gereden en waren omgedraaid wel bijna donker zou zijn.

'Doe niet zo opgefokt,' zei Frank. 'De natuur laat zich niet opjagen. Als het de bedoeling is dat we dat hert te pakken krijgen, dan krijgen we het. Zo niet, dan krijgen we het niet.'

Ze begonnen terug te lopen naar de truck. Dit deel van het bos bestond voornamelijk uit dennenbomen. De sneeuw was overschaduwd en met een laagje ijs bedekt. Het ijs was sterk genoeg om Kenny en Frank te dragen, maar Tub zakte er voortdurend doorheen. Terwijl hij zich al schoppend een weg baande, kneusde hij zijn schenen aan de rand van de korst. Kenny en Frank liepen voor hem uit, tot hij hun stemmen niet eens meer kon horen. Hij ging op een stronk zitten en veegde zijn gezicht af. Op zijn dooie gemak at hij zijn beide boterhammen en de helft van de koekjes op. Het was doodstil.

Toen Tub over het laatste hek de weg op stapte, kwam de truck al in beweging. Hij moest erachteraan rennen en kreeg nog maar net op tijd de achterklep te pakken om zich op de laad-vloer te hijsen. Daar bleef hij hijgend liggen. Kenny keek door de achterruit en grijnsde. Tub kroop in de luwte van de cabine om uit de ijskoude wind te komen. Hij trok zijn oor-kleppen omlaag en duwde zijn kin in de kraag van zijn jas. Er roffelde iemand op de ruit, maar Tub vertikte het zich om te draaien.

Hij en Frank wachtten buiten terwijl Kenny de boerderij binnenging om toestemming te vragen. De boerderij was oud en de verf bladderde van de zijkanten. De rook stroomde west-waarts uit de top van de schoorsteen en dreef in een dunne grijze pluim uiteen. Boven de rand van de heuvels verhief zich een andere rand van blauwe wolken.

'Je bent kort van memorie,' zei Tub.

'Wat?' vroeg Frank. Hij had de andere kant op zitten staren.

'Ik ben ook altijd voor jou opgekomen.'

'Goed, dus je bent altijd voor mij opgekomen. Wat zit je dwars?'

'Je had me daar niet zo mogen achterlaten.'

'Je bent een volwassen kerel, Tub. Je kan best op jezelf pas-sen. Trouwens, als je denkt dat je de enige bent met proble-men, dan kan ik je verzekeren van niet.'

'Zit je ergens mee, Frank?'

Frank schopte tegen een tak die uit de sneeuw stak. 'Laat maar,' zei hij.

'Wat bedoelde Kenny met die babysitter?'
'Kenny lult te veel,' zei Frank.

Kenny kwam de boerderij uit en stak zijn duimen omhoog, en ze begonnen terug te lopen naar het bos. Toen ze een schuur passeerden, kwam er een grote zwarte hond met een grijze snuit naar buiten rennen die tegen hen blafte. Bij elke blaf gleed hij een stukje achteruit, als een terugslaand kanon. Kenny liet zich op zijn handen en voeten zakken en grauwde en blafte naar hem terug, en de hond sloop de schuur weer in, onderweg over zijn schouder kijkend en een beetje piesend.

'Dat is een oudje,' zei Frank. 'Zijn baard is helemaal grijs. Die is minstens vijftien.'

'Te oud,' zei Kenny.

Voorbij de schuur staken ze de velden over. Het land was niet afgezet en de korst dik aangevroren, dus ze schoten flink op. Ze bleven aan de rand van het veld tot ze de sporen weer vonden en ze volgden die tot in het bos, steeds verder in de richting van de heuvels. De bomen begonnen wazig te worden door de schemering en de wind stak op en striemde hun gezicht met de van de ijslaag opwaaiende kristallen. Uiteindelijk raakten ze het spoor bijster.

Kenny vloekte en smeet zijn pet op de grond. 'Zo'n slechte jachtdag als vandaag heb ik nog nooit meegemaakt, mijn hele leven niet.' Hij raapte zijn pet op en veegde de sneeuw eraf. 'Dit wordt het eerste seizoen sinds mijn vijftiende dat ik geen hert schiet.'

'Het gaat niet om het hert,' zei Frank. 'Het gaat om het jagen. Er zijn hier allemaal krachten en daardoor moet je je laten meevoeren.'

'Laat jij je maar meevoeren,' zei Kenny. 'Ik ben hier om een hert te schieten, niet om naar van dat hippiegelul te luisteren. En als híj er niet was geweest met zijn kuiltjes in zijn wangen, dan was me dat gelukt ook.'

'Nou is het welletjes,' zei Frank.

'En jij – jij zit zo met je gedachten bij dat vrijkaartje voor de bajes van je dat je nog geen hert zou herkennen als je erover struikelde.'

'Val dood,' zei Frank en hij draaide zich om.

Kenny en Tub volgden hem terug over de velden. Toen ze bij de schuur kwamen, bleef Kenny staan en wees. 'Ik heb de pest aan die paal,' zei hij. Hij hief zijn geweer en schoot. Het klonk als het knappen van een droge tak. De rechterkant van de paal versplinterde, helemaal tot aan de top. 'Zo,' zei Kenny. 'Die is dood.'

'Schei uit,' zei Frank en hij liep verder.

Kenny keek naar Tub. Hij glimlachte. 'Ik heb de pest aan die boom,' zei hij en hij schoot opnieuw. Tub haastte zich om Frank in te halen. Hij begon wat te zeggen, maar net op dat moment kwam de hond de schuur uit rennen en blafte tegen hen. 'Koest maar, jongen,' zei Frank.

'Ik heb de pest aan die hond.' Kenny liep achter hen.

'Nou is het welletjes,' zei Frank. 'Laat dat geweer zakken.'

Kenny schoot. De kogel drong tussen de ogen van de hond naar binnen. Hij zakte meteen in de sneeuw, zijn poten naar weerskanten uitgespreid, zijn gele ogen open en starend. Afgezien van het bloed leek hij op een tapijtje van berenvel. Het bloed liep van de snuit van de hond in de sneeuw.

Ze keken alle drie hoe de hond daar lag.

'Wat heeft hij je gedaan?' vroeg Tub. 'Hij blafte alleen maar.'

Kenny draaide zich om naar Tub. 'Ik heb de pest aan jou.'

Tub schoot vanaf zijn middel. Kenny werd achteruit geslingerd tegen het hek en zakte door zijn knieën. Hij bleef geknield zitten met zijn handen tegen zijn buik gedrukt. 'Kijk,' zei hij. Zijn handen zaten onder het bloed. In de schemering was zijn bloed eerder blauw dan rood. Het leek bij de schaduwen te horen. Het leek niet misplaatst. Kenny liet zich op zijn rug glijden. Hij zuchtte een paar keer, diep. 'Je hebt op me geschoten,' zei hij.

'Ik moest wel,' zei Tub. Hij knielde naast Kenny neer. 'O god,' zei hij. 'Frank. Frank.'

Frank had zich niet verroerd sinds Kenny de hond had doodgeschoten.

'Frank!' schreeuwde Tub.

'Ik maakte maar een geintje,' zei Kenny. 'Het was een grap. O!' zei hij en hij kromde plotseling zijn rug. 'O!' zei hij weer en hij boorde zijn hielen in de sneeuw en duwde zichzelf voort op zijn hoofd. Toen bleef hij liggen en wiegde heen en weer op zijn hielen en zijn hoofd, als een worstelaar die zijn spieren losmaakt.

'Kenny,' zei Frank. Hij bukte zich en legde zijn gehandschoende hand op Kenny's voorhoofd. 'Je hebt op hem geschoten,' zei hij tegen Tub.

'Hij vroeg erom,' zei Tub.

'Nee, nee, nee,' zei Kenny.

Tub huilde uit zijn ogen en neusgaten. Zijn hele gezicht was nat. Frank deed zijn ogen dicht en keek daarna weer omlaag naar Kenny. 'Waar doet het pijn?'

'Overal,' zei Kenny, 'echt overal.'

'O god,' zei Tub.

'Ik bedoel, waar ging hij erin?' vroeg Frank.

'Hier.' Kenny wees op de wond in zijn buik. Er welde langzaam bloed uit op.

'Bof jij even,' zei Frank. 'Hij zit aan de linkerkant. Hij heeft je blindedarm gemist. Als hij je blindedarm had geraakt was je pas goed in de aap gelogeerd.' Hij draaide zich om en gaf over op de sneeuw, met zijn armen om zich heen als om warm te blijven.

'Gaat het?' vroeg Tub.

'Er ligt aspirine in de truck,' zei Kenny.

'Ik mankeer niks,' zei Frank.

'Voor mij,' zei Kenny.

'We kunnen beter een ambulance bellen,' zei Tub.

'Jezus,' zei Frank. 'Wat moeten we zeggen?'

'Precies hoe het gegaan is,' zei Tub. 'Hij wou op mij schieten, maar ik schoot het eerst op hem.'

'Niet waar!' zei Kenny. 'Dat wou ik helemaal niet!'

Frank klopte op Kenny's arm. 'Maak je niet dik, maat.' Hij stond op. 'Laten we gaan.'

Tub raapte Kenny's geweer op terwijl ze omlaag liepen naar de boerderij. 'Dit zal ik maar niet laten rondslingeren,' zei hij. 'Kenny zou eens verkeerde ideeën kunnen krijgen.'

'Eén ding kan ik je wel vertellen,' zei Frank. 'Dit keer heb je het eindelijk voor elkaar. Dit slaat werkelijk alles.'

Ze moesten twee keer op de deur kloppen voor hij werd opengedaan door een magere man met spriethaar. De kamer achter hem stond blauw van de rook. Hij gluurde naar hen. 'Wat geschoten?' vroeg hij.

'Nee,' zei Frank.

'Dat wist ik wel. Dat zei ik al tegen die andere kerel.'

'We hebben een ongeluk gehad.'

De man keek langs Frank en Tub de schemering in. 'Je vriend neergeschoten, hè?'

Frank knikte.

'Ik heb het gedaan,' zei Tub.

'Jullie willen zeker de telefoon gebruiken?'

'Als het mag.'

De man in de deuropening keek over zijn schouder en stapte daarna achteruit. Frank en Tub volgden hem het huis binnen. Bij de kachel in het midden van de kamer zat een vrouw. De kachel rookte vreselijk. Ze keek op en daarna weer omlaag naar het slapende kind op haar schoot. Haar gezicht was wit en vochtig, slierten haar waren over haar voorhoofd geplakt. Tub warmde zijn handen boven de kachel terwijl Frank de keuken in liep om te bellen. De man die hen had binnengelaten stond bij het raam, met zijn handen in zijn zakken.

'Mijn vriend heeft uw hond neergeschoten,' zei Tub.

De man knikte zonder zich om te draaien. 'Ik had het zelf moeten doen. Ik kon het gewoon niet.'

'Hij hield zoveel van die hond,' zei de vrouw. Het kind wrong zich in allerlei bochten en ze wiegde het.

'Hebt u het hem gevraagd?' vroeg Tub. 'Hebt u hem gevraagd om uw hond dood te schieten?'

'Hij was oud en ziek. Kon zijn eten niet meer kauwen. Ik had het zelf moeten doen.'

'Dat had je toch niet gekund,' zei de vrouw. 'Nog in geen miljoen jaar.'

De man haalde zijn schouders op.

Frank kwam de keuken uit. 'We zullen hem zelf moeten brengen. Het dichtstbijzijnde ziekenhuis is tachtig kilometer verderop en al hun ambulances zijn al op pad.'

De vrouw wist een kortere weg, maar de aanwijzingen waren ingewikkeld en Tub moest ze opschrijven. De man zei hun waar ze wat planken konden vinden om Kenny op te dragen. Hij had geen zaklantaarn, maar zei dat hij het verandalicht aan zou doen.

Buiten was het donker. De wolken waren laag en dik en de wind blies met gure vlagen. Een hor van het huis hing los en klapperde eerst langzaam en dan snel als de wind weer opstak. Frank ging op de planken uit terwijl Tub Kenny zocht, die niet meer was waar ze hem hadden achtergelaten. Tub vond hem verderop op het pad, liggend op zijn buik. 'Gaat het?' vroeg Tub.

'Het doet pijn.'

'Frank zei dat je blindedarm niet is geraakt.'

'Mijn blindedarm is er al uitgehaald.'

'Mooi,' zei Frank, die naar hen toe kwam lopen. 'Voor je tot drie kan tellen lig je in een lekker warm bed.' Hij legde de twee planken aan Kenny's rechterkant.

'Als ik maar niet zo'n vent als verpleger krijg,' zei Kenny.

'Ha ha,' zei Frank. 'Zo mag ik het horen. Zet je maar schrap, daar gaat ie dan,' en hij rolde Kenny op de planken. Kenny gilde en schopte met zijn benen in de lucht. Toen hij wat rustiger was, tilden Frank en Tub de planken op en droegen hem het pad af. Tub had de achterkant vast en terwijl de sneeuw in zijn gezicht blies, had hij moeite om op de been te blijven. Bovendien was hij moe en had de man binnen vergeten het verandalicht aan te doen. Even voorbij het huis gleed Tub uit en stak zijn armen uit om zichzelf op te vangen. De planken vielen en Kenny tuimelde eraf en rolde naar het begin van het pad, de hele weg schreeuwend. Hij kwam tot stilstand tegen het rechter voorwiel van de truck.

'Dikke imbeciel,' zei Frank. 'Jij deugt ook nergens voor.'

Tub greep Frank bij zijn kraag en duwde hem hard achteruit tegen het hek. Frank probeerde zijn handen weg te trekken, maar Tub rammelde hem door elkaar en liet zijn hoofd van voor naar achter knakken, en ten slotte gaf Frank het op.

'Wat weet jij nou van dik zijn?' zei Tub. 'Wat weet jij nou van klieren?' Terwijl hij dit zei, bleef hij Frank door elkaar rammelen. 'Wat weet jij nou van mij?'

'Goed,' zei Frank.

'Nooit meer,' zei Tub.

'Goed.'

'Nooit meer van die praatjes tegen me. Nooit meer dat gekijk. Nooit meer dat gelach.'

'Oké, Tub. Dat beloof ik.'

Tub liet Frank los en draaide zich om. Zijn armen hingen recht langs zijn zijden.

'Het spijt me, Tub.' Frank raakte zijn schouder aan. 'Ik wacht wel bij de truck.'

Tub bleef nog een tijdje bij het hek staan en haalde toen de geweren van de veranda. Frank had Kenny weer op de planken gerold en ze tilden hem in de laadbak van de truck. Frank spreidde de dekens van de bank over hem uit. 'Warm genoeg?' vroeg hij.

Kenny knikte.

'Oké. Hoe werkt de achteruit op dit ding?'

'Helemaal naar links en omhoog.' Kenny ging rechtop zitten terwijl Frank naar de cabine begon te lopen. 'Frank!'

'Wat?'

'Niet forceren als hij blijft haken.'

De truck startte meteen. 'Eén ding,' zei Frank, 'moet je die jappen nageven. Met hun oeroude, oerspirituele cultuur kunnen ze toch maar mooi een dijk van een truck maken.' Hij keek naar Tub. 'Hé, het spijt me. Ik wist niet dat je het je zo aantrok, dat zweer ik je. Had dan wat gezegd.'

'Dat heb ik gedaan.'

'Wanneer dan? Noem me één keer.'

'Een paar uur terug.'

'Dan lette ik zeker niet op.'

'Dat is waar, Frank,' zei Tub. 'Erg oplettend ben je niet.'

'Tub,' zei Frank, 'ik had meer met je moeten meevoelen bij wat er daarginds gebeurde. Dat besef ik. Je had het behoorlijk te kwaad. Ik wil dat je weet dat het jouw schuld niet was. Hij vroeg erom.'

'Vind je?'

'Absoluut. Het was hij of jij. Ik had hetzelfde gedaan als ik in jouw schoenen had gestaan, zeker weten.'

De wind blies in hun gezicht. De sneeuw was een bewegende witte muur voor hun koplampen; ze dwarrelde de cabine binnen via het gat in de voorruit en bleef op hen liggen. Tub klapte in zijn handen en schoof in het rond om warm te blijven, maar het hielp niet.

'Ik zal moeten stoppen,' zei Frank. 'Ik voel mijn vingers niet meer.'

Voor zich uit zagen ze een paar lichtjes langs de weg. Het was een kroeg. Op de parkeerplaats stonden verscheidene jeeps en trucks. Bij enkele was een hert op de motorkap vastgesjord. Frank parkeerde en ze liepen achterom naar Kenny. 'Hoe is het, maat?' vroeg Frank.

'Ik heb het koud.'

'Nou, dan ben je de enige niet. Binnen is het nog erger, neem dat maar van mij aan. Je moet die voorruit eens laten maken.'

'Kijk,' zei Tub, 'hij heeft de dekens van zich af gegooid.' Ze lagen op een hoop tegen de achterklep.

'Hoor eens, Kenny,' zei Frank, 'het heeft geen zin te janken dat je het koud hebt als je niet probeert warm te blijven. Je moet zelf ook je steentje bijdragen.' Hij spreidde de dekens over Kenny uit en stopte ze bij de hoeken in.

'Ze zijn eraf gewaaid.'

'Hou ze dan vast.'

'Waarom stoppen we, Frank?'

'Omdat als Tub en ik ons niet gaan opwarmen, we stijf bevriezen, en hoe moet het dan met jou?' Hij stompte zachtjes tegen Kenny's arm. 'Dus even geduld.'

Het café zat vol mannen in gekleurde jacks, meest oranje. De serveerster bracht koffie. 'Precies wat de dokter heeft voorgeschreven,' zei Frank en hij omvatte de dampende kop met zijn hand. 'Tub, ik heb zitten nadenken. Wat jij zei over dat ik niet erg oplettend ben, is waar.'

'Het is al goed.'

'Nee. Ik heb het echt verdiend. Ik geloof dat ik een beetje te veel naar mijn eigen navel heb zitten staren. Ik heb een hoop aan mijn kop. Niet dat dat een excuus is...'

'Laat maar, Frank. Ik werd daarginds een beetje driftig. Ik geloof dat we allemaal nogal over onze toeren zijn.'

Frank schudde zijn hoofd. 'Dat is het niet alleen.'

'Wil je erover praten?'

'Blijft het onder ons, Tub?'

'Tuurlijk, Frank. Het blijft onder ons.'

'Tub, ik denk dat ik bij Nancy wegga.'

'O, Frank. O, Frank.' Tub ging achterover zitten en schudde zijn hoofd.

Frank stak zijn hand uit en legde hem op Tubs arm. 'Tub, ben jij wel eens echt verliefd geweest?'

'Nou...'

'Ik bedoel écht verliefd.' Hij kneep in Tubs pols. 'Met je hele ziel en zaligheid.'

'Ik weet het niet. Als je het zo stelt, weet ik het niet.'

'Niet dus. Het is niet persoonlijk bedoeld, maar anders zou je het wel weten.' Frank liet Tubs arm los. 'Ik heb het niet over zomaar een slippertje.'

'Wie is het, Frank?'

Frank zweeg even. Hij keek in zijn lege kop. 'Roxanne Brewer.'

'De dochter van Cliff Brewer? Die babysitter?'

'Je kan mensen niet zomaar in hokjes stoppen, Tub. Daarom deugt het hele systeem niet. En daarom dobbert dit land op de verdommenis af.'

Tub schudde zijn hoofd. 'Maar die is vast niet ouder dan...'

'Zestien. In mei wordt ze zeventien.' Frank glimlachte. 'Vier mei, om drie voor half vier 's middags. Jezus, Tub, honderd jaar geleden zou ze op die leeftijd een ouwe vrijster zijn geweest. Julia was nog maar dertien.'

'Julia? Julia Miller? Jezus, Frank, die heeft nog niet eens borsten. Ze spaart nog kikkers.'

'Niet Julia Miller. De échte Julia. Tub, zie je niet hoe je mensen in hokjes stopt? Hij is directeur, zij is secretaresse, hij is vrachtwagenchauffeur, zij is zestien. Tub, die zogenaamde babysitter, die zogenaamde zestienjarige heeft meer in haar pink dan de meesten van ons in hun hele lijf. Neem maar van mij aan dat het een heel bijzonder wijffie is.'

'Ik weet dat de kinderen dol op haar zijn.'

'Ze heeft hele werelden voor me geopend waarvan ik niet eens wist dat ze bestonden.'

'Wat vindt Nancy van deze hele toestand?'

'Ze weet het niet.'

'Heb je het haar niet verteld?'

'Nog niet. Het is niet zo makkelijk. Ze is al die jaren verdomd goed voor me geweest. En de kinderen zijn er ook nog.' De glinstering in Franks ogen trilde en hij veegde er haastig langs met de rug van zijn hand. 'Je zal me wel een vreselijke klootzak vinden.'

'Nee, Frank. Dat vind ik niet.'

'Dat zou je anders wel móéten.'

'Frank, een vriend hebben betekent dat er altijd iemand naast je staat, wat er ook gebeurt. Zo denk ik er tenminste over.'

'Meen je dat, Tub?'

'Natuurlijk meen ik dat.'

'Je weet niet hoe fijn het voelt om je dat te horen zeggen.'

Kenny had geprobeerd de truck uit te komen. Hij hing als een knipmes over de laadklep, met zijn hoofd boven de bumper. Ze tilden hem weer op de laadvloer en dekten hem weer toe. Hij zweette en klappertandde. 'Het doet pijn, Frank.'

'Het zou niet zoveel pijn doen als je stil bleef liggen. Nu gaan we naar het ziekenhuis. Begrepen? Zeg het na: "Ik ga naar het ziekenhuis."'

'Ik ga naar het ziekenhuis.'

'Nog een keer.'

'Ik ga naar het ziekenhuis.'

'Blijf dat maar tegen jezelf zeggen, dan zijn we er voor je het weet.'

Toen ze een paar kilometer gereden hadden, draaide Tub zich opzij naar Frank. 'Ik ben daarnet goed stom geweest,' zei hij.

'Hoe dat zo?'

'Ik heb de routebeschrijving op tafel laten liggen.'

'Dat is niet erg. Ik weet het nog wel min of meer.'

Het ging minder hard sneeuwen en de wolken begonnen van de velden af te rollen, maar het werd niet warmer en na een poosje zat zowel Frank als Tub helemaal versteend te bibberen. Frank vloog bijna uit de bocht en ze besloten bij de eerstkomende uitspanning te stoppen.

Er was een automatische handendroger in het toilet en ze gingen er om beurten voor staan, knoopten hun jack en overhemd open en lieten de straal hete lucht over hun gezicht en borst stromen.

'Weet je,' zei Tub, 'wat je me daarnet hebt gezegd, dat waardeer ik. Dat je me vertrouwt.'

Frank opende en sloot zijn vingers voor de luchtmond. 'Ik zeg altijd maar zo, Tub, de mens is geen eiland. Je moet iemand vertrouwen.'

'Frank?'

Frank wachtte.

'Wat ik over mijn klieren zei, dat was niet waar. Ik stouw het gewoon naar binnen. Dag en nacht. Onder de douche. Op de snelweg.' Hij draaide zich om en liet de lucht over zijn rug spelen. 'Zelfs in de papierenhanddoekjesautomaat op mijn werk heb ik van alles verstopt.'

'Mankeert er helemaal niks aan je klieren?' Frank had zijn schoenen en sokken uitgetrokken. Hij hield eerst zijn rechter- en daarna zijn linkervoet bij de luchtmond.

'Nee. Daar is nooit wat mee geweest.'

'Weet Alice daarvan?' De droger sloeg af en Frank begon zijn schoenen dicht te rijgen.

'Niemand weet het. Dat is nog het ergste, Frank. Niet het dik zijn – van dun zijn heb ik nooit wakker gelegen – maar dat gelieg. Dat je een dubbelleven moet leiden als een spion of een huurmoordenaar. Ik begrijp die kerels wel, ik weet wat ze doormaken. Altijd moeten nadenken bij wat je zegt en doet. Altijd het gevoel hebben dat de mensen naar je kijken, je ergens op proberen te betrappen. Nooit gewoon jezelf kunnen zijn. Zoals toen ik met veel ophef alleen maar een sinaasappel als ontbijt nam en dan de hele weg naar mijn werk zat te schransen. Pennywafels, Marsen, Nutsen, Milky Ways, Snickers.' Tub wierp een blik op Frank en keek gauw weer de andere kant op. 'Behoorlijk walgelijk, vind je niet?'

'Tub. Tub.' Frank schudde zijn hoofd. 'Kom mee.' Hij pakte Tubs arm en loodste hem het restaurantgedeelte in. 'Mijn vriend heeft honger,' zei hij tegen de serveerster. 'Breng maar vier pannenkoeken met volop boter en stroop.'

'Frank...'

'Ga zitten.'

Toen de borden kwamen, sneed Frank plakken boter af en legde ze op de pannenkocken. Daarna goot hij de fles stroop leeg door hem heen en weer te bewegen boven de borden. Hij leunde voorover op zijn ellebogen met zijn hand onder zijn kin. 'Tast toe, Tub.'

Tub nam een paar happen en veegde toen zijn lippen af. Frank pakte het servet van hem af. 'Geen geveeg,' zei hij. Tub at stug door. Zijn kin zat onder de stroop; die droop op één punt samen, als een sikje. 'Schouders eronder, Tub,' zei Frank en hij schoof nog een bord over de tafel. 'Aan de slag.' Tub nam de vork in zijn linkerhand, liet zijn hoofd zakken en propte zich met overgave vol. 'Maak je bord schoon,' zei Frank toen de pannenkoeken op waren en Tub tilde de vier borden stuk voor stuk op en likte ze schoon. Daarna ging hij achterover zitten en probeerde op adem te komen.

'Mooi zo,' zei Frank. 'Zit je vol?'

'Ik zit vol,' zei Tub. 'Ik heb nog nooit zo vol gezeten.'

Kenny's dekens lagen weer op een hoop tegen de laadklep.

'Ze zijn er zeker afgewaaid,' zei Tub.

'Hij heeft er toch niks aan,' zei Frank. 'We kunnen ze net zo goed zelf gebruiken.'

Kenny mompelde iets. Tub boog zich over hem heen. 'Wat? Zeg op.'

'Ik ga naar het ziekenhuis,' zei Kenny.

'Zo mag ik het horen,' zei Frank.

De dekens hielpen. De wind blies nog steeds in hun gezicht en op Franks handen, maar het ging stukken beter. De verse sneeuw op de weg en de bomen glinsterde in de straal van de koplampen. Vierkanten van licht uit de ramen van boerderijen vielen op de blauwe sneeuw op de velden.

'Frank,' zei Tub na een tijdje, 'weet je die boer? Hij had Kenny gezegd dat hij zijn hond moest doodschieten.'

'Ga weg!' Frank leunde naar voren, erover nadenkend. 'Die Kenny. Wat een rare zak.' Hij lachte, en Tub ook.

Tub glimlachte naar buiten door de achterruit. Kenny lag met zijn armen over zijn buik gevouwen en bewoog zijn lippen naar de sterren. Recht boven zijn hoofd stond de Grote Beer en daarachter, tussen Kenny's in de richting van het ziekenhuis wijzende tenen, hing de Noordster, de Poolster, het baken der zeelieden. Terwijl de truck zich door de glooiende heuvels kronkelde, bewoog de ster heen en weer tussen Kenny's schoenen en bleef voortdurend in zijn gezichtsveld. 'Ik ga naar het ziekenhuis,' zei Kenny. Maar hij had het mis. Ze hadden al een heel eind terug een verkeerde afslag genomen.

De leugenaar

Mijn moeder las alles behalve boeken. Reclames op bussen, hele menu's als we uit eten waren, aanplakborden; zolang het maar geen omslag had, interesseerde het haar. Dus toen ze een brief in mijn la vond die niet aan haar was gericht, las ze hem. *Wat maakt het uit als James niks te verbergen heeft?* – dat was wat ze dacht. Ze stopte de brief weer in de la toen ze hem uit had en liep van kamer tot kamer door het grote lege huis, terwijl ze in zichzelf praatte. Ze pakte de brief opnieuw en las hem nogmaals. Daarna liep ze zonder haar jas aan te trekken of de deur op slot te doen de trap af en zette koers naar de kerk aan het eind van de straat. Hoe boos of in de war ze ook was, ze ging altijd naar de mis van vier uur.

Het was een mooie dag, blauw en koud en rustig, maar moeder liep alsof ze sterke tegenwind had, voorovergebogen bij haar middel terwijl haar voeten er met korte, bedrijvige stapjes achteraan jachtten. Mijn broer en zussen en ik vonden dit loopje van haar grappig en we grijnsden naar elkaar als ze voor ons langs liep om het vuur op te porren of een plant water te geven. We zorgden wel dat ze ons niet betrapte. De gedachte dat er iets amusant aan haar was, zou haar in verwarring hebben gebracht. Haar enige concessie aan het feit dat er zoiets als humor bestond, was een ongemeende, alarmerende lach. Onbekenden staarden haar soms aan.

Terwijl moeder op de pastoor wachtte, die te laat was, bad ze. Ze bad op een vertrouwde, ordelijke, vastberaden manier: eerst voor wijlen haar man, mijn vader, daarna voor haar ouders – ook dood. Ze deed een schietgebedje voor de ouders van mijn vader – maar heel oppervlakkig; ze had hen nooit gemogen – en ten slotte voor haar kinderen, in volgorde van leeftijd, te besluiten met mij. Moeder beschouwde originaliteit niet als een deugd en totdat mijn naam aan de beurt kwam, waren haar gebeden precies als op elke andere dag.

Maar toen ze bij mij was, nam ze geen blad voor de mond. 'Ik dacht dat hij dat niet meer zou doen. Murphy zei dat hij genezen was. Wat moet ik nu beginnen?' Er klonk verwijt in haar stem. Moeder had al haar hoop gevestigd op haar idee dat ik genezen was, dat ze als een antwoord op haar gebeden beschouwde. Ze had als dank een heleboel geld naar de missie van de Heilige Thomas in India gestuurd, geld dat ze had gespaard voor een reis naar Rome. Nu voelde ze zich bedrogen en ze maakte geen geheim van haar gevoelens. Toen de pastoor binnenkwam, gleed moeder weer in de bank en volgde de mis. Na de communie kreeg ze het weer te kwaad en ging regelrecht naar huis zonder met Dorothea te blijven praten, de vrouw die moeder na afloop van de mis altijd in het nauw dreef om haar te vertellen over de complotten die tegen haar werden gesmeed door communisten, duivelvereerders en rozenkruisers. Dorothea keek haar met toegeknepen ogen na.

Eenmaal in huis haalde moeder de brief uit mijn la en ging ermee naar de keuken. Ze hield hem tussen haar nagels boven het fornuis, haar blik afgewend om niet weer in de verleiding te komen, en stak hem in brand. Toen hij haar vingers begon te branden, liet ze hem in de gootsteen vallen en keek hoe hij zwart blakerde en flakkerde en zich sloot als een vuist. Daarna spoelde ze hem door de afvoer en belde dokter Murphy.

De brief was aan mijn vriend Ralphy in Arizona gericht. Hij woonde vroeger tegenover ons in de straat maar was verhuisd. De brief ging voornamelijk over een schoolreisje van onze klas, de derde, naar Alcatraz. Dat was best. Wat verkeerd bij moeder viel, was de laatste alinea waarin ik zei dat ze bloed had opgehoest en dat de dokters nog niet zeker wisten wat haar mankeerde, maar dat we er maar het beste van hoopten.

Dit was niet waar. Moeder ging prat op haar lichamelijke conditie en beschouwde zichzelf als een paard: 'Ik ben zo sterk als een paard,' antwoordde ze als mensen naar haar gezondheid informeerden. Ik zei nu al verscheidene jaren onaangename dingen die niet waar waren en daar ergerde moeder zich zo enorm aan dat ze besloot me naar dokter Murphy te sturen, in wiens spreekkamer ik zat toen ze de brief verbrandde. Dokter Murphy was onze huisarts en hij had geen psychoanalytische opleiding genoten, maar stelde belang in 'geestelijke zaken', zoals hij het noemde. Hij had mij van mijn blindedarm en mijn amandelen afgeholpen en moeder dacht dat hij met hetzelfde gemak als waarmee hij van alles uit me vandaan haalde ook de waarheid in me kon stoppen, een verwachting die dokter Murphy niet deelde. Het ging hem er voornamelijk om me te laten begrijpen wat ik deed, en de laatste tijd neigde hij tot de conclusie dat ik verdraaid goed wist wat ik deed.

Dokter Murphy luisterde naar moeders verhaal over de brief. Hij was nieuwsgierig naar de bewoordingen die ik had gebruikt en raakte geïrriteerd toen moeder hem vertelde dat ze de brief had verbrand. 'Waar het om gaat,' zei ze, 'is dat hij genezen zou zijn en dat is hij niet.'

'Margaret, ik heb nooit gezegd dat hij genezen was.'

'Dat heb je wel degelijk. Waarom zou ik anders meer dan duizend dollar naar de missie van de Heilige Thomas hebben gestuurd?'

'Ik zei dat hij toerekeningsvatbaar was. Dat betekent dat James weet wat hij doet, niet dat hij ermee zal ophouden.'

'Ik weet zeker dat je zei dat hij genezen was.'

'Nooit. Wat versta je eigenlijk onder het genezen van James?'

'Dat weet je best.'

'Vertel het me toch maar.'

'Hem de werkelijkheid weer onder ogen laten zien, wat anders?'

'Wiens werkelijkheid? De mijne of de jouwe?'

'Murphy, waar heb je het toch over? James is niet gek, hij is een leugenaar.'

'Nou, daar heb je gelijk in.'

'Wat moet ik met hem beginnen?'

'Ik denk niet dat je er veel aan kan doen. Wees geduldig.'

'Ik ben geduldig geweest.'

'Als ik jou was, Margaret, zou ik er niet te veel drukte over maken. James steelt toch niet?'

'Natuurlijk niet.'

'En hij slaat toch geen mensen in elkaar en heeft toch geen grote mond?'

'Nee.'

'Dan heb je een heleboel om dankbaar voor te zijn.'

'Ik denk niet dat ik er nog langer tegen kan. Van de zomer dat leukemieverhaal. En nu dit weer.'

'Op den duur groeit hij er wel overheen, denk ik.'

'Murphy, hij is zestien. Stel dat hij er niet overheen groeit? Dat hij er alleen nog maar beter in wordt?'

Ten slotte kreeg moeder in de gaten dat ze van dokter Murphy, die haar maar aan haar zegeningen bleef herinneren, geen bevredigende oplossing te verwachten had. Ze zei iets scherps tegen hem en hij zei iets opgeblazens terug en ze legde neer. Dokter Murphy staarde naar de hoorn. 'Hallo,' zei hij, en daarna legde hij hem weer op de haak. Hij streek met zijn hand over zijn hoofd, een gewoonte die dateerde uit de tijd dat hij nog haar had. Om te laten zien dat hij niet kleinzielig was, maakte hij vaak grappen over zijn kaalheid, maar ik had het gevoel dat hij er erg onder leed. Terwijl hij me aankeek van over de schrijftafel, moet hij wel gewenst hebben dat hij me nooit als patiënt had aangenomen. Het behandelen van het kind van een vriendin was als het beleggen van het geld van een vriendin.

'Ik hoef je niet te vertellen wie dat was.'

Ik schudde mijn hoofd.

Dokter Murphy schoof zijn stoel achteruit en draaide erop rond zodat hij uit het raam achter hem kon kijken, dat het grootste deel van de muur besloeg. Er voeren nog een paar zeilboten in de baai, maar ze keerden allemaal terug naar het strand. Een wollige grijze mist had de brug bedekt en kwam snel naderbij. Van zo veraf bezien leek het water kalm, maar toen ik aandachtig keek zag ik overal witte vlekjes, zodat het behoorlijk tekeer moest gaan.

'Ik sta versteld van je,' zei hij. 'Om zoiets te laten slingeren zodat ze het vindt. Als je dit soort dingen per se moet doen, zou je op zijn minst zo vriendelijk kunnen zijn enige discretie te betrachten. Je moeder heeft het niet makkelijk, nu je vader dood is en alle anderen het huis uit zijn.'

'Dat weet ik. Het was niet mijn bedoeling dat ze het vond.'

'Je meent het.' Hij tikte met het potlood tegen zijn tanden. Beroepsmatig was hij niet overtuigd, maar persoonlijk misschien wel. 'Ik denk dat je maar beter naar huis kan gaan om het bij te leggen.'

'Dat lijkt mij ook.'

'Zeg tegen je moeder dat ik nog wel even aanwip, vanavond of anders morgen. En James... onderschat haar niet.'

Toen mijn vader nog leefde, gingen we 's zomers gewoonlijk drie of vier dagen naar Yosemite. Mijn moeder reed en hij wees de interessante plekken aan, weiden waarop ooit stadjes als paddenstoelen uit de grond waren verrezen, hangende bomen, rivieren waarvan werd beweerd dat ze op bepaalde momenten stroomopwaarts vloeiden. Of hij las ons voor; hij had dat typische volwassenenidee dat kinderen van Dickens en Sir Walter Scott houden. Wij vieren zaten met kalme, aandachtige gezichten op de achterbank, terwijl onze handen en voeten duwden, knepen, stompten, porden, prikten, stootten en schopten.

Op een avond kwam er vlak na het eten een beer in ons kamp. Moeder had een tonijnstoofschotel gemaakt en de geur daarvan leek hem kennelijk het risico van het sterven waard. Hij kwam aanzetten terwijl we om het vuur zaten en bleef heen en weer staan zwaaien. Mijn broer Michael zag hem het eerst en gaf me een por met zijn elleboog, daarna zagen mijn zusjes hem en begonnen te gillen. Moeder en vader zaten met hun rug naar hem toe, maar ze had blijkbaar al geraden wat er was want ze zei meteen: 'Gil niet zo. Als je hem bang maakt weet je nooit wat hij doet. Laten we gewoon zingen, dan gaat hij wel weg.'

We zongen 'Row Row Row Your Boat', maar de beer bleef. Hij liep een paar keer om ons heen, zich zo nu en dan verheffend op zijn achterpoten om zijn neus in de lucht te steken. In het licht van het vuur kon ik zijn hondenkop zien en kijken hoe de spieren onder zijn losse vel rolden als stenen in een zak. We zongen steeds harder terwijl hij om ons heen liep en steeds dichterbij kwam. 'Zo,' zei moeder, 'nu is het welletjes.' Ze stond abrupt op. De beer bleef staan en keek naar haar. 'Wegwezen,' zei moeder. De beer ging zitten en liet zijn kop heen en weer gaan. 'Wegwezen,' zei ze weer, en ze pakte een steen.

'Margaret, niet doen,' zei mijn vader.

Ze gooide de steen en trof de beer hard in zijn buik. Zelfs in het zwakke licht zag ik het stof uit zijn vacht vliegen. Hij gromde en verhief zich tot zijn volle lengte. 'Zien jullie dat?' schreeuwde moeder. 'Hij is smerig. Smerig!' Een van mijn zusjes giechelde. Moeder pakte weer een steen. 'Toe, Margaret,' zei mijn vader. Net op dat moment draaide de beer zich om en sukkelde weg. Moeder smeet de steen achter hem aan.

De rest van die nacht hing hij rond bij het kamp tot hij de boom vond waarin we ons eten hadden gehangen. Hij at het allemaal op. De volgende dag reden we terug naar de stad. We hadden nieuw eten in het dal kunnen kopen, maar mijn vader wilde naar huis en was niet voor rede vatbaar. Hoewel hij iedereen probeerde op te vrolijken door grapjes te maken, negeerden Michael en mijn zusjes hem en keken ijzig uit de raampjes.

Mijn moeder en ik konden niet goed met elkaar opschieten, maar ik onderschatte haar nooit. Zij onderschatte mij. Toen ik klein was, verdacht ze me ervan dat ik een teer poppetje was omdat ik er niet van hield in de lucht te worden gegooid en omdat ik, als ik zag dat zij en de anderen zich opmaakten voor een stoeipartij, mijn heil elders zocht. Als ze me erbij sleurden, bezeerde ik me, een knie tegen mijn lip, een verstuikte vinger, een bloedneus, en ook dat leek moeder me kwalijk te nemen, alsof ik mijn pijntjes opzettelijk opliep om maar niet mee te hoeven spelen.

Zelfs dingen waar ik goed in was, werkten op haar zenuwen. We waren allemaal dol op woordspelingen, behalve moeder, die ze niet snapte, en na mijn vader was ik de beste van het gezin. Mijn specialiteit was de Tom Swifty: '"Leid de verdachte maar voor," zei Tom voorkomend.' Tijdens het avondeten moedigde vader me aan om mijn kunsten te vertonen, wat voor buitenstaanders een beproeving moet zijn geweest. Moeder wist niet goed wat er gebeurde, maar ze vond het maar niks.

Ze verdacht me ook van andere dingen. Ik kon nooit naar de bioscoop gaan zonder dat ze mijn zakken doorzocht om er zeker van te zijn dat ik genoeg geld had voor het kaartje. Als ik op kamp ging, haalde ze mijn hele rugzak overhoop ten overstaan van alle jongens die in de bus voor het huis zaten te wachten. Ik was liever zonder mijn slaapzak en een paar schone onderbroeken vertrokken, die ik vergeten was, dan dat ik zo voor gek werd gezet.

En ze dacht dat ik een kouwe kikker was vanwege wat er gebeurde op de dag dat mijn vader doodging en daarna. Ik huilde niet tijdens zijn begrafenis en toonde tijdens de grafpreek tekenen van verveling door met het gezangboek te klieren. Moeder legde mijn handen in mijn schoot en ik liet ze daar liggen als iets waar ik voor iemand anders op paste; dit had een ironisch effect en dat nam ze me kwalijk. Een paar dagen later vond er een soort verzoening tussen ons plaats nadat ik op school mijn ogen had dichtgedaan en weigerde ze weer open te doen. Toen verscheidene onderwijzers en vervolgens het hoofd der school me niet konden overhalen hen aan te kijken, of naar een of andere beloning te kijken die ze beweerden me voor te houden, werd ik toevertrouwd aan de schoolzuster, die de oogleden probeerde open te wrikken en er eentje lelijk openhaalde. Mijn oog zwol op en ik verstarde. Het hoofd raakte in paniek en belde moeder, die me kwam ophalen. Ik weigerde tegen haar te praten, of mijn ogen open te doen, en toen we thuiskwamen moest moeder me tree voor tree de trap op loodsen. Daarna legde ze me op de bank en speelde de hele middag piano voor me. Ten slotte deed ik mijn ogen open, we omhelsden elkaar en ik huilde. Moeder geloofde mijn tranen niet echt, maar ze was bereid ze voor lief te nemen, al was het maar omdat ik ze speciaal voor haar plezier liet rollen.

Ook mijn gelieg dreef ons uit elkaar, en het feit dat mijn beloften om niet meer te liegen niets voor me leken te betekenen. Vaak kwamen mijn leugens haar ter ore doordat mensen haar staande hielden op straat en zeiden hoe het hun speet te horen dat... Niemand in de buurt hield ervan moeder in verlegenheid te brengen, en aan deze situaties kwam een eind zodra iedereen me doorhad. Maar tegenover onbekenden stond ze machteloos. De zomer na mijn vaders dood ging ik bij mijn oom in Redding op bezoek en bij mijn terugkomst op het busstation probeerde ik te ontkomen aan de meneer die naast me had gezeten, maar ik kon hem niet kwijtraken. Toen hij zag hoe moeder me omhelsde, kwam hij naar ons toe en gaf haar een kaartje en zei dat ze contact met hem moest opnemen als het erger werd. Ze gaf hem zijn kaartje terug en zei dat hij zich met zijn eigen zaken moest bemoeien.

Het waren niet alleen de leugens die moeder dwarszaten; het was het morbide karakter ervan. Dat was het werkelijke geschilpunt tussen ons, zoals het dat ook tussen haar en mijn vader was geweest. Zij werkte als vrijwilligster in het kinderziekenhuis en de St. Anthony-gaarkeuken en zamelde spullen in voor de St. Vincent de Paul-vereniging. Ze was een kaarsenbrandster, en wat dat betreft aardden mijn broer en zussen naar haar. Mijn vader was een vervloeker van de duisternis. En hij hield ervan de duisternis te vervloeken. Hij was op zijn levendigst als hij ergens verontwaardigd over was. Om deze reden was het lezen van de avondkrant zijn belangrijkste dagelijkse bezigheid.

We hadden een vreselijke krant, niet geïnteresseerd in de stad van zijn lezers, niet geïnteresseerd in politiek en kunst. Het was hem alleen om geweld, afgrijzen en gruwelijke toevalligheden te doen. Als mijn vader met de krant in de woonkamer ging zitten, bleef mijn moeder in de keuken en hield de kinderen bezig, mij als enige uitgezonderd, omdat ik toch al rustig was en ze mocht aannemen dat ik mezelf wel kon vermaken. Ik vermaakte me met het kijken naar mijn vader.

Hij zat met zijn knieën uit elkaar, voorovergebogen, zijn ogen maar enkele centimeters boven de drukletters en voortdurend bij zichzelf knikkend tijdens het lezen. Soms smeet hij de krant op de grond en ijsbeerde door de kamer, om hem vervolgens weer op te rapen en verder te lezen. Af en toe las hij een passage hardop. Hij begon altijd bij de societypagina, die hij de parasietenpagina noemde. Deze rubriek begon het karakter van een stripverhaal of een feuilleton te krijgen, met elke dag dezelfde knipogende mensen in chiffon die onhandig hun glas hieven op buitenlandse weeskinderen of grijnsden achter hun zonnebril op het terras van een skihut in de Sierra's. De skiërs maakten hem pas goed razend, waarschijnlijk omdat hij hen niet begreep. Bij de bezigheid zelf kon hij zich niets voorstellen. Toen mijn zussen terugkwamen van een winterweekendje aan het Tahoemeer en niet uitgepraat raakten over hoe mooi het daar was, maande mijn vader hen ogenblikkelijk tot kalmte. 'Sneeuw,' zei hij, 'wordt overschat.'

Daarna het nieuws, of wat in die krant voor nieuws doorging: opgegraven lijken in Schotland; ex-nazi's die verkiezingen wonnen; zeldzame dieren die waren afgeslacht; vrekken die naakt omkwamen in ijskoude huizen op matrassen waarin duizenden, miljoenen waren gepropt; trouwende pastoors; scheidende actrices; poenige olieboeren die ongelooflijke mausoleums lieten bouwen ter ere van een lievelingspaard; kannibalisme. Dit alles doorwaadde mijn vader met een strakke en vermoeide glimlach.

Moeder moedigde hem aan om zich voor dingen in te zetten, om zich ergens bij aan te sluiten, maar dat wilde hij niet. Hij voelde zich ongemakkelijk bij mensen van buiten het gezin. Mijn ouders gingen maar zelden uit en kregen zelden mensen over de vloer, behalve op particuliere en nationale feestdagen. Hun gasten waren altijd dezelfden, dokter Murphy en zijn vrouw en nog een paar anderen die ze al sinds hun kinderjaren kenden. De meeste van deze mensen zagen elkaar nooit buiten ons huis en hadden weinig plezier met elkaar. Vader kweet zich van zijn taak als gastheer door iedereen te plagen met stomme dingen die ze in het verleden hadden gezegd of gedaan en hen te dwingen om zichzelf te lachen.

Hoewel mijn vader zelf niet dronk, wilde hij met alle geweld cocktails voor de gasten mixen. Hij serveerde geen eenvoudige drankjes als rum-cola of zelfs whisky met ijs, alleen drankjes die hij zelf had bedacht. Deze gaf hij juridisch getinte namen als 'De strafrechter', 'De broodpleiter', 'De advocaat van kwade zaken', en hij beschreef hun samenstelling in detail. Hij hield lange, ingewikkelde verhalen op bijna fluisterende toon, zodat iedereen zich in zijn richting boog, en herhaalde belangrijke zinnen; ook herhaalde hij de belangrijke zinnen uit de verhalen die mijn moeder vertelde en verbeterde hij haar als ze het niet bij het rechte eind had. Als de gasten hun eigen verhaal hadden beëindigd, wees hij hun op de moraal ervan.

Dokter Murphy had verscheidene theorieën over mijn vader, die hij in de loop van onze gesprekken op mij uitprobeerde. Dokter Murphy had tegen die tijd zijn bril voor contactlenzen verruild en was afgevallen als gevolg van het vasten waaraan hij zich regelmatig onderwierp. Ondanks zijn kaalheid zag hij er jaren jonger uit dan toen hij op de feestjes bij ons thuis kwam. Hij zag er beslist niet uit als een leeftijdgenoot van mijn vader, wat hij wel was.

Een van dokter Murphy's theorieën was dat mijn vader een klassieke trek had vertoond van mensen die begaafde kinderen waren geweest, door een bescheiden positie te bekleden op een oninteressant kantoor. 'Hij durfde zijn grenzen niet te verkennen,' zei dokter Murphy tegen mij. 'Zolang hij maar doorging met papieren stempelen en testamenten opmaken, kon hij blijven geloven dat hij geen grenzen hád.' Het gaf me een onbehaaglijk gevoel dat dokter Murphy zo door mijn vader gefascineerd werd en terwijl ik naar hem luisterde, voelde ik me een verrader. Tijdens zijn leven zou mijn vader zich nooit aan een analyse hebben onderworpen; het leek een vorm van verraad om hem op de divan te leggen nu hij dood was.

Wel genoot ik van dokter Murphy's herinneringen aan mijn vader als kind. Hij vertelde me iets wat was gebeurd toen ze bij de padvinderij zaten. Hun troep had een lange wandeltocht gemaakt en vader was achteropgeraakt. Dokter Murphy en de anderen besloten hem in een hinderlaag te laten lopen als hij het pad af kwam. Ze verstopten zich in het bos aan weerskanten en wachtten. Maar toen mijn vader in de val liep, was er niemand die zich verroerde of een kik gaf en hij kuierde verder zonder zelfs maar te weten dat ze er waren. 'Hij had zo'n lieve uitdrukking op zijn gezicht,' zei dokter Murphy, 'terwijl hij naar de vogels luisterde, de bloemen rook, als een goedmoedige stier.' Hij vertelde me ook dat mijn vaders cocktails naar doktersdrankjes smaakten.

Terwijl ik naar huis fietste van de praktijk van dokter Murphy, zat mijn moeder zich op te vreten. Ze voelde zich vreselijk alleen in haar verwarring maar belde niemand op omdat ze zich ook een mislukkeling voelde. Die uitwerking had mijn geliegen op haar. Ze trok het zich persoonlijk aan. Op zulke momenten dacht ze niet aan mijn zussen, van wie de een gelukkig was getrouwd en de ander briljante cijfers haalde op Fordham. Ze dacht niet aan mijn broer Michael, die zijn studie had opgegeven om in Los Angeles met weggelopen kinderen te gaan werken. Ze dacht aan mij. Ze dacht dat ze haar gezin naar de bliksem had geholpen.

In werkelijkheid bestierde ze het gezin uitstekend. Terwijl mijn vader boven op sterven lag, reorganiseerde ze het huishouden. Ze maakte lijsten met karweitjes en gaf ons allemaal een redelijk zakgeld. De bedtijden werden aangepast en ze hield er strikt de hand aan. Ze voerde vaste huiswerkuren in. Elk kind werd verantwoordelijk gesteld voor degene die na hem of haar kwam, en ik kreeg een hond. Ze zei ons dikwijls, en op voorspelbare momenten, dat ze van ons hield. We moesten allemaal ons steentje bijdragen aan het avondeten en na het eten speelde ze piano en probeerde ons in koor te laten zingen, iets waartoe ik niet in staat was. Moeder, die een bewonderaarster was van de familie Von Trapp, hield dit voor een karakterfout.

Ons gezinsleven verliep ordelijker, natuurlijker terwijl mijn vader op sterven lag dan daarvoor. Hij had regels opgesteld waaraan we ons moesten houden, en hoewel deze niet veel verschilden van degene die moeder ons oplegde toen hij ziek werd, was hij nogal wispelturig geweest in het handhaven ervan. Hoewel we recht hadden op zakgeld moesten we hem er altijd om vragen en dan gaf hij ons te veel omdat hij graag voor grootmoedig doorging. Soms strafte hij ons zonder enige reden, omdat hij uit zijn humeur was. Hij was in staat om te beslissen, als een van mijn zussen op het punt stond om naar een dansfeest te gaan, dat ze maar liever thuis moest blijven om aan haar zelfontplooiing te werken. Of hij nam ons op een woensdagavond plotseling allemaal mee uit schaatsen.

Hij veranderde terwijl de kanker zijn werk deed. Hij was rustiger, minder nadrukkelijk en muggenzifterig. Zijn afstandelijke plagerijtjes bleven ons bespaard. Voor het eerst van mijn leven begon ik zijn gezelschap te zoeken, aanvankelijk op aandringen van mijn moeder, daarna omdat ik merkte dat ik hem graag mocht. Hij leerde me pokeren en schaken en hielp me soms met mijn huiswerk. Meestal zaten we gewoon maar te lezen. Ik worstelde me door Sherlock Holmes; hij was gestopt met de krant en weer de Noorse sagen gaan lezen waarop hij op de universiteit zo hevig verliefd was geworden dat hij had overwogen zich er als geleerde aan te wijden. De sagen gaven hem iets jongensachtigs. Af en toe stopte hij om een bijzonder bloederige passage voor te lezen. 'Ruige kerels!' zei hij dan blij. 'Kerels die je liever niet buiten de bladzijden van een boek zou tegenkomen.'

Op een middag keek hij op en zag dat ik hem zat gade te slaan. 'Wat is er?' vroeg hij.

'Niks.'

'Zeg op, wat is er?'

'Ben je bang?'

'Natuurlijk niet.' Hij keek naar zijn boek, en daarna weer naar mij. 'Ja.'

'Ik ook.'

'Ach, knul. Het spijt me. Maar vraag me dat niet nog eens, alsjeblieft.'

Op het eind sliep hij meestal. Van beneden drong soms zwakjes moeders pianospel tot me door. Zo nu en dan dommelde hij weg in zijn stoel terwijl ik hem voorlas; zijn kamerjas viel daarbij open, zodat ik het lange litteken op zijn maag zag. Zijn ribben waren stuk voor stuk te zien en zijn benen leken wel kabels.

Ik las eens in een biografie van een groot man dat hij 'stierf zoals het hoort'. Ik neem aan dat de schrijver daarmee bedoelde dat hij zijn pijn verzweeg, geen loos alarm sloeg en de achterblijvers niet al te veel ongerief bezorgde. Mijn vader stierf zoals het hoort, sereen zelfs. Het was alsof de opvliegendheid en eenzaamheid van zijn leven een soort plankenkoorts was geweest. Hij bespeelde zijn publiek – ons – met een geroutineerd gevoel voor de momenten waarop hij de clown moest uithangen of aan zijn waardigheid vasthouden. We waren allemaal ontroerd en bewonderden zijn moed, precies zoals hij van ons verwachtte. Hij stierf beneden in zijn lievelingsstoel terwijl ik een opstel voor school zat te schrijven. Ik was alleen thuis en wist niet wat ik moest doen. Zijn lichaam maakte me niet bang, maar ik miste mijn vader onmiddellijk en hevig. Het leek verkeerd om hem daar te laten zitten en ik probeerde hem naar de slaapkamer boven te dragen, maar dat was in mijn eentje onbegonnen werk. Daarom belde ik mijn vriendje Ralphy van de overkant. Toen hij kwam en zag waarvoor ik hem nodig had, begon hij te huilen. Toch kreeg ik hem zover dat hij me hielp. Niet lang daarna kwam moeder thuis en toen ik haar vertelde dat vader dood was, rende ze naar boven onder het roepen van zijn naam. Een paar minuten later kwam ze weer beneden. 'Goddank,' zei ze, 'hij is tenminste in bed gestorven.' Dit was kennelijk belangrijk voor haar en ik maakte haar maar niet wijzer. Maar die avond belden Ralphy's ouders. Ze waren, zeiden ze, geschokt door wat ik had gedaan en moeder ook toen ze het verhaal hoorde, geschokt en woedend. Waarom? Omdat ik haar niet de waarheid had verteld? Of omdat ze, nu ze de waarheid kende, niet langer kon geloven dat mijn vader in bed gestorven was?

Toen ik thuiskwam, was mijn moeder hout in de haard aan het leggen en het duurde even voor ze naar me opkeek en iets zei. Ten slotte was ze klaar en ging rechtop staan en veegde haar handen af. Ze deed een stap achteruit en keek naar het vuur dat ze had aangelegd. 'Mooi zo,' zei ze. 'Niet slecht voor een tbc-patiënt.'

'Het spijt me van die brief.'

'Wat spijt je? Dat je hem hebt geschreven of dat ik hem vond?'

'Ik wou hem niet posten. Het was een soort grap.'

'Ha, ha.' Ze pakte de bezem en veegde stukjes schors in de haard, deed vervolgens de gordijnen dicht en nam plaats op de bank. 'Ga zitten,' zei ze. Ze sloeg haar benen over elkaar. 'Zeg eens, geef ik jou de hele tijd raad?'

'Ja.'

'Echt waar?'

Ik knikte.

'Nou, dat hoort ook zo. Ik ben je moeder. Ik zal je nog wat raad geven, voor je eigen bestwil. Je hoeft al die dingen niet te verzinnen, James. Ze gebeuren toch wel.' Ze pulkte aan de zoom van haar rok. 'Begrijp je wat ik zeg?'

'Ik geloof van wel.'

'Je houdt jezelf voor de gek, dat probeer ik je duidelijk te maken. Als je zo oud bent als ik, zul je helemaal niks van het leven weten. Het enige wat je dan weet, is wat je hebt verzonnen.'

Ik dacht erover na. Het leek me logisch.

Ze ging verder. 'Ik denk dat je misschien eens wat meer uit je eigen wereldje moet komen. Meer aan andere mensen moet denken.'

De deurbel ging.

'Ga eens kijken wie daar is,' zei moeder. 'We hebben het er later nog wel over.'

Het was dokter Murphy. Hij en moeder boden elkaar hun verontschuldigingen aan en ze stond erop dat hij bleef eten. Ik ging naar de keuken om ijs voor hun drankjes te halen en toen ik terugkwam hadden ze het over mij. Ik ging op de bank zitten en luisterde. Dokter Murphy zei haar dat ze zich geen zorgen moest maken. 'James is een goeie knul,' zei hij. 'Ik heb zitten piekeren over die oudste van mij, Terry. Hij is niet echt oneerlijk, weet je, maar echt eerlijk is hij ook niet. Ik schijn maar geen vat op hem te kunnen krijgen. James is tenminste niet stiekem.'

'Nee,' zei moeder, 'stiekem is hij nooit geweest.'

Dokter Murphy klemde zijn handen ineen tussen zijn knieën en staarde ernaar. 'Nou, dat is Terry wel. Stiekem.'

Voordat we gingen eten dankte moeder. Dokter Murphy boog zijn hoofd en deed zijn ogen dicht en sloeg op het eind een kruis, hoewel hij zijn geloof al op de universiteit verloren had. Toen hij me dat vertelde, tijdens een van onze gesprekken, in precies diezelfde bewoordingen, zag ik een regenjas voor me die helemaal alleen buiten een eetzaal hing. Hij dronk een heleboel wijn en bracht het gesprek telkens hardnekkig weer op zijn relatie met Terry. Hij gaf toe dat hij een hekel aan de jongen was gaan krijgen. Hij gebruikte het woord 'hekel' genietend, als iemand die op dieet is en zichzelf één chipje gunt.

'Ik weet niet wat ik verkeerd heb gedaan,' zei hij ineens, zonder dat duidelijk was waar hij op doelde. 'Maar misschien heb ik wel helemaal niets verkeerd gedaan. Ik weet niet meer wat ik ervan denken moet. Dat weet niemand.'

'Ik weet wel wat ik denken moet,' zei mijn moeder.

'De solipsist ook. Hoe bewijs je een solipsist dat hij niet de schepper van de rest van ons is?'

Dit was een van dokter Murphy's lievelingsraadsels, en bijna elk voorwendsel greep hij aan om ermee voor de dag te komen. Hij was een kind met een kaarttruc.

'Stuur hem zonder eten naar bed,' zei moeder. 'Dan schept hij dat maar.'

Dokter Murphy wendde zich tot mij. 'Waarom doe je het?' vroeg hij. Het was alleen maar een vraag, het had geen ander doel dan de bevrediging van zijn nieuwsgierigheid. Moeder keek me aan en op haar gezicht stond diezelfde nieuwsgierigheid te lezen.

'Ik weet het niet,' zei ik, en dat was de waarheid.

Dokter Murphy knikte, niet omdat hij mijn antwoord had voorzien maar omdat hij het accepteerde. 'Is het leuk?'

'Nee, het is niet leuk. Ik kan het niet uitleggen.'

'Waarom moet het allemaal zo treurig?' vroeg moeder. 'Waarom al die ziektes?'

'Misschien,' zei dokter Murphy, 'zijn treurige dingen interessanter.'

'Voor mij niet,' zei moeder.

'Voor mij ook niet,' zei ik. 'Het gaat gewoon vanzelf.'

Na het eten verzocht dokter Murphy moeder piano te spelen. Hij wilde vooral 'I'll Take You Home Again, Kathleen' zingen.

'Dat is een oudje, ' zei moeder. Ze ging staan en vouwde bedachtzaam haar servet op, en we volgden haar naar de woonkamer. Dokter Murphy stond achter haar terwijl ze inspeelde. Toen zongen ze 'I'll Take You Home Again, Kathleen' en ik keek hoe hij aandachtig op mijn moeder neerstaarde, alsof hij zich iets probeerde te herinneren. Haar ogen waren dicht. Daarna zongen ze 'O Magnum Mysterium'. Ze zongen het in partijen en het speet me dat ik geen goede stem had, zo mooi klonk het.

'Vooruit, James,' zei dokter Murphy terwijl moeder de slotakkoorden speelde. 'Zijn deze oude liedjes je soms te min?'

'Hij kan gewoon niet zingen,' zei moeder.

Toen dokter Murphy weg was, stak moeder het vuur aan en zette nieuwe koffie. Ze liet zich in de grote stoel ploffen, strekte haar benen en bewoog haar voeten heen en weer. 'Dat was leuk,' zei ze.

'Deden jij en vader ook wel eens zulke dingen?'

'Een paar keer, toen we pas verkering hadden. Ik geloof niet dat hij er veel aan vond. Hij was net als jij.'

Ik vroeg me af of ze een goed huwelijk hadden gehad. Hij bewonderde haar en mocht graag naar haar kijken: elke avond tijdens het eten liet hij ons de kandelaars een beetje naar rechts of naar links van het midden schuiven zodat hij haar kon zien aan het andere eind van de tafel. En elke avond als ze de tafel dekte, zette zij ze weer in het midden. Ze scheen hem niet erg te missen. Maar als ze hem wel miste, had ik dat onmogelijk kunnen weten, en zelf miste ik hem ook niet meer zo erg. Meestal dacht ik aan andere dingen.

'James?'

Ik wachtte.

'Ik heb zitten bedenken dat je misschien wel eens een weekje of twee bij Michael zou willen logeren.'

'En de school dan?'

'Ik praat wel met pater McSorley. Hij zal het niet erg vinden. Misschien lost dit probleem zich vanzelf op als je eens aan andere mensen gaat denken — als je ze helpt, net als Michael. Je hoeft niet te gaan als je niet wilt.'

'Ik vind het best. Ik zou het leuk vinden om Michael te zien.'

'Ik probeer niet van je af te komen.'

'Dat weet ik wel.'

Moeder strekte zich uit en stopte haar voeten onder zich. Ze nam een slokje van haar koffie. 'Wat betekende dat woord dat Murphy gebruikte? Ken jij dat?'

'Paranoïde? Dat is als iemand denkt dat iedereen het op hem gemunt heeft. Zoals die vrouw die jou altijd aanklampt na de mis – Dorothea.'

'Niet paranoïde. Iedereen weet wat dat betekent. Solipsist.'

'O. Een solipsist is iemand die denkt dat hij de schepper is van alles om hem heen.'

Moeder knikte en blies in haar koffie, die ze vervolgens neerzette zonder ervan te drinken. 'Dan was ik nog liever paranoïde. Geloof je heus dat Dorothea dat is?'

'Natuurlijk. Dat staat als een paal boven water.'

'Ik bedoel... echt zíék?'

'Dat ís paranoia nu juist, een ziekte. Wat denk jij dan, moeder?'

'Waarom ben je zo boos?'

'Ik ben niet boos.' Ik liet mijn stem dalen. 'Ik ben niet boos.'

'Ik geloof niet dat ze weet wat ze zegt, ze wil alleen dat er iemand luistert. Ze woont waarschijnlijk helemaal alleen in een klein kamertje. We moeten voor haar bidden. Zul je erom denken dat je dat doet?'

Ik dacht eraan hoe moeder 'O Magnum Mysterium' zong, hoe ze dankte, hoe ze in het volste vertrouwen bad. In haar verbeelding kwam van alles samen, in plaats van uit elkaar te vallen. Ze keek me aan en ik kromp ineen; ik wist precies wat ze ging zeggen.

'Zoon,' zei ze, 'weet je wel hoeveel ik van je hou?'

De volgende middag nam ik de bus naar Los Angeles. Ik verheugde me op de reis, op de eentonigheid van de weg en de lege velden daarlangs. Moeder liep met me mee door de lange stationshal. Het was er vol en drukkend. 'Weet je zeker dat dit de goede bus is?' vroeg ze op het perron.

'Ja.'

'Hij ziet er zo oud uit.'

'Moeder...'

'Goed dan.' Ze trok me tegen zich aan en kuste me, hield me nog een extra seconde vast om te tonen dat haar omhelzing oprecht gemeend was, niet als die van ieder ander, zonder zich ooit gerealiseerd te hebben dat ieder ander precies hetzelfde doet. Ik stapte in de bus en we wuifden naar elkaar tot het gênant begon te worden. Toen begon ze naar iets te zoeken in haar handtas. Toen ze klaar was, stond ik op en verschikte wat aan de bagage boven mijn stoel. Ik ging zitten en we glimlachten naar elkaar, wuifden toen de chauffeur een dot gas gaf, haalden onze schouders op toen hij plotseling opstond om de passagiers te tellen, wuifden opnieuw toen hij weer op zijn stoel ging zitten. Terwijl de bus wegreed, keken mijn moeder en ik elkaar met onverholen opluchting aan.

Ik was in de verkeerde bus gestapt. Deze ging ook naar Los Angeles, maar niet linea recta. We stopten in San Mateo, Palo Alto, San Jose, Castroville. Toen we Castroville uit reden, begon het te regenen, keihard; mijn raampje wilde niet helemaal dicht en een dun stroompje water liep via de wand op mijn stoel. Om droog te blijven moest ik voorover zitten en het raampje mijden. Het ging nog harder regenen. De motor van de bus klonk alsof hij uit elkaar viel.

In Salinas sprong de man die naast me had zitten slapen overeind maar voordat ik de kans had om op zijn plaats te gaan zitten, werd deze bezet door een reusachtige vrouw met een bedrukt katoenen jurk en een boodschappentas. Ze nam haar hele plaats in beslag en ook nog de helft van de mijne. 'Wat een noodweer,' zei ze luid, en daarna draaide ze zich opzij en keek me aan. 'Honger?' Zonder op antwoord te wachten dook ze in haar tas, haalde een stuk kip tevoorschijn en stak het me toe. 'Heremijntijd,' brulde ze, 'moet je hem op die kippenbout zien aanvallen!' Een paar mensen draaiden zich om en glimlachten. Ik glimlachte om het bot heen terug zonder op te houden met kluiven. Ik kloof die bout helemaal af en ze gaf me er nog een. Daarna begon ze kip uit te delen aan de mensen om ons heen.

Buiten San Luis Obispo werd het lawaai van de motor luider en even plotseling was er helemaal geen geluid meer. De chauffeur stopte langs de weg en stapte uit, om vervolgens druipnat weer in te stappen. Even later deelde hij mee dat de bus kapot was en dat ze een andere stuurden om ons op te halen. Iemand vroeg hoe lang dat ging duren en de chauffeur zei dat hij geen idee had. 'Niet zo heetgebakerd!' schreeuwde de vrouw naast me. 'Iedereen die haast heeft om in LA te komen is niet goed bij zijn hoofd.'

Het waaide hard en vlagen regen werden aan weerskanten tegen de ramen gezwiept. De bus schudde zachtjes. Het licht buiten was bruin en troebel. De vrouw naast me hoorde iedereen om ons heen uit over zijn bestemming en zei of ze al of niet was geweest waar ze vandaan kwamen of naartoe gingen. 'En jij?' Ze sloeg op mijn knie. 'Hebben je ouwelui een kippenfokkerij? Ik hoop maar van wel!' Ze lachte. Ik zei haar dat ik uit San Francisco kwam. 'San Francisco, daar was mijn man gestationeerd.' Ze vroeg me wat ik daar deed en ik zei dat ik met vluchtelingen uit Tibet werkte.

'O ja? Wat doe je dan met zo'n zootje Tibetanen?'

'Andere plekken genoeg waar ze heen hadden kunnen gaan, lijkt me,' zei een man voor ons. 'Wij gaan daar ook niet heen.'

'Wat doe je met zo'n zootje Tibetanen?' herhaalde de vrouw.

'Ik probeer banen voor ze te vinden, en woonruimte, en naar hun problemen te luisteren.'

'Versta je dat taaltje dan?'

'Ja.'

'Spreek je het ook?'

'Best aardig. Ik ben in Tibet geboren en getogen. Mijn ouders waren daar zendeling.'

'Zendeling!'

'Ze zijn vermoord toen de communisten de macht overnamen.'

De dikke vrouw klopte op mijn arm.

'Het gaat wel,' zei ik.

'Waarom zeg je niet eens wat in het Tibetaans?'

'Wat zou u willen horen?'

'Zeg maar: "De koe sprong over de maan."' Ze keek me aan, glimlachend, en toen ik klaar was, keek ze naar de anderen en schudde haar hoofd. 'Dat was mooi. Net muziek. Zeg nog eens iets.'

'Wat?'

'Maakt niet uit.'

Ze bogen zich in mijn richting. De ramen werden geblindeerd door de regen. De chauffeur was in slaap gevallen en snurkte zachtjes op het wiegen van de bus. Het troebele licht buiten flikkerde vaalgeel op en in de verte donderde het. De vrouw naast me leunde achterover en deed haar ogen dicht en daarna volgden alle anderen haar voorbeeld terwijl ik voor hen zong in een ongetwijfeld oeroude en heilige taal.

Soldatenhart

Op vrijdag werd Hooper voor de derde nacht die week aange- wezen als chauffeur van de wacht. Hij was onlangs weer gede- gradeerd, ditmaal van korporaal tot soldaat 1, en de compag- nies-sergeant-majoor had besloten Hooper 's avonds bezig te houden, zodat hij geen tijd had om te mokken. Dat zei de CSM tegen Hooper toen hij het compagnieskantoor binnenkwam om zich te beklagen.

'Het is voor je eigen bestwil,' zei de CSM. 'Niet dat ik ver- wacht dat je me ervoor zult bedanken.' Hij schoof het boek dat hij aan zijn bureau had zitten lezen opzij en leunde achterover. 'Hooper, ik heb een theorie over jou,' zei hij. 'Wil je hem ho- ren?'

'Ik ben een en al oor, majoor,' zei Hooper.

De CSM legde zijn laarzen op het bureau en keek uit het raam aan zijn linkerhand. Het liep tegen vijven. De corveeploegen begonnen terug te keren van de schietbaan, de wasserij en het kinderdagverblijf, waar Hooper en enkele andere manschap- pen bezig waren zonder hulp van machines een pierenbadje uit te graven. Eenmaal afgezet door de vrachtwagens verzamel- den de mannen zich op de treden voor de kazerne, onder de dode iep naast de mess, en hun stemmen drongen gestaag roe- zemoezend door tot in het compagnieskantoor waar Hooper stond te wachten op een analyse van zijn persoonlijkheid.

'Je hebt iets tegen mij,' zei de CSM. 'Je vindt dat jij hier zou moeten zitten. Je weet niet dat je dat vindt omdat je je wrokge- voelens volledig hebt gesublimeerd, maar zo zit het, en daarom zijn jij en ik bezig een permanente conflictsituatie te ontwikkelen. Het is of je het iedere keer weer moet verkloten om jezelf te bewijzen dat het je niks kan schelen. Dat is mijn theorie. Kun je me volgen?'

'Ik ben u ver vooruit, majoor,' zei Hooper. 'Dit is maar geneuzel van een avondcursus.'

De csm bleef uit het raam kijken. 'Ik weet het niet,' zei hij. 'Ik weet niet wat jij nog doet in mijn leger. Je hebt je twintig jaar volgemaakt. Je zou kunnen afnokken naar Mexico en daar kunnen leven als een dictator. Dus wat doe jij nog in mijn leger, Hooper?'

Hooper staarde naar het bureaublad. Hij schraapte zijn keel maar zei niets.

'Denk er eens over na,' zei de csm. Hij stond op en begeleidde Hooper naar de deur. 'Ik ben je niet vijandig gezind,' zei hij. 'Ik ben bereid je te steunen. Denk eens positief na over Mexico, oké? Oké, Hooper?'

Hooper belde Mickey en zei dat hij die avond toch niet zou komen. Ze herinnerde hem eraan dat dit al de derde keer was in één week en zei dat ze er ook niet jonger op werd.

'Wat moet ik dan doen?' vroeg Hooper. 'Zonder verlof de poort uit lopen?'

'Ik heb vandaag drie keer gehuild,' zei Mickey. 'Ik kreeg het gewoon te kwaad en begon te huilen, en zal ik je eens wat zeggen? Ik weet niet eens waarom.'

'Wat heb je gisteravond gedaan?' vroeg Hooper. Toen Mickey geen antwoord gaf, zei hij: 'Is Briggs nog langs geweest?'

'Ik heb de hele dag binnen gezeten,' zei Mickey. 'Ik zit hier maar te zitten. Ik vlieg tegen de muren op.' Daarna zei ze, met dezelfde vermoeide stem: 'Voel eens, Hoop.'

'Ik moet ophangen,' zei Hooper.

'Nog niet. Wacht. Ik loop naar de slaapkamer. Ik pak de telefoon daar op. Blijf aan de lijn, Hoop. Denk aan de slaapkamer. Denk aan mij op het bed. Wacht even, schatje.'

Er liepen een paar mannen langs de telefooncel. Hooper keek naar hen en probeerde niet aan Mickeys slaapkamer te denken, maar nu kon hij nergens anders meer aan denken. Mickeys echtgenoot was sergeant-foerier. De muren van de slaapkamer waren betimmerd met kwastige schrootjes die op weg naar het kantoor van een of andere kolonel van zijn vracht-auto waren gevallen. De messing schemerlampen naast het bed waren gemaakt van granaathulzen. De lakens waren van parachutezijde. Soms dacht Hooper, op die lakens liggend, aan de mannen die eronder naar de aarde waren gezweefd. Hij was geen geweldige minnaar, zoals de vrouwen met wie hij vrij-de hem meestal toch maar vertelden, maar in Mickeys slaapka-mer had Hooper zijn bedroevendste prestaties geleverd en dan altijd als hij weer eens acuut besefte dat alles om hem heen gestolen was. Hij wist niet goed waarom hij bleef terugkomen. Het was gewoon iets wat hij deed, steeds maar weer.

'Oké,' zei Mickey. 'Daar ben ik weer.'

'Er staat een vent te wachten tot hij kan bellen,' zei Hooper tegen haar.

'Ik zit op het bed, Hoop. Ik ben mijn schoenen aan het uit-trekken.'

Hooper zag haar helemaal voor zich. Hij stak een sigaret op en opende de deur van de cel om de rook eruit te laten.

'Hoop?' zei ze.

'Ik zei toch dat er een vent staat te wachten.'

'Draai je dan om.'

'Je hebt mij niet nodig,' zei Hooper. 'Het enige wat jij nodig hebt is die telefoon. Waarom bel je Briggs niet? Dat ga je toch doen als ik heb opgehangen.'

'Waarschijnlijk wel, ja,' zei ze. 'Luister, Hoop. Ik zit niet echt op het bed. Ik hield je maar voor de gek.'

'Wist ik wel,' zei Hooper. 'Je zit tv te kijken, hè?'

'Er heeft net iemand een zaag gewonnen,' zei Mickey.

'Een zaag?'

'Ja, ze reden naar die vent zijn huis, kieperden een hele lading boomstammen in zijn tuin en gaven hem een kettingzaag. Dat was zijn grote droom.'

'Misschien kan ik later vanavond nog even langswippen,' zei Hooper. 'Voor heel eventjes.'

'Ik weet het niet,' zei Mickey. 'Bel dan eerst maar even.'

Nadat Mickey had opgehangen probeerde Hooper zijn vrouw te bellen, maar er werd niet opgenomen. Hij stond te luisteren hoe de telefoon overging. Ten slotte legde hij de hoorn erop en stapte uit de cel, op het moment dat de bugel werd geblazen over de luidsprekers. Net als de mannen om hem heen ging Hooper in de houding staan en salueerde. De plaat zat vol krassen, maar zoals altijd maakte de muziek dat Hooper op slag volkomen rustig werd in zijn hoofd. Hij bleef zo staan tot de laatste noot was weggeëbd, brak zijn saluut toen strak af en liep door de straat naar de mess.

De officier van de dag was kapitein King van de stafcompagnie. Hij was maandag- en dinsdagnacht ook officier van de dag geweest en Hooper was blij hem weer te zien, want kapitein King was te lui om zijn eigen werk te doen of ervoor te zorgen dat de wachtposten hun plicht deden. Hij bleef in het wachtgebouw en liet alles aan Hooper over.

Kapitein King had grijs haar en een lang, grauw gezicht. Hij had op de militaire academie in West Point gezeten. Zijn klasgenoten waren nu allemaal majoor of zelfs luitenant-kolonel, maar hijzelf was terecht blijven steken in zijn carrière, om redenen die hij uitgebreid aan Hooper bekende tijdens hun eerste nacht samen. Eerst vond Hooper het maar vreemd dat die officier hem vertelde over zijn onvermogen om te presteren, zijn zenuwinzinkingen en zijn valiumverslaving, maar uiteindelijk begreep hij het wel: kapitein King beschouwde hem, een soldaat 1 met eenentwintig dienstjaren, als een broeder in rampspoed, een mislukkeling zoals hijzelf die niet langer in een positie verkeerde om anderen te veroordelen.

Het was een warme, drukkende avond. Kapitein King stapte langs de mannen die voor de stoep van het wachtgebouw stonden aangetreden. Hij had aanmerkingen op een koppelgesp die scheef zat. Hij stelde vragen over de bevelstructuur maar liet niet blijken of de antwoorden die hij kreeg goed of fout waren. Hij inspecteerde een paar geweren en deed bij elk of hij iets ontdekte wat niet in orde was, en bij de laatste man in het gelid aangekomen begon hij een preek af te steken. Hij zei dat hij van zijn leven nog nooit zo'n stel zielenpoten bij elkaar had gezien. Hij vroeg hun hoe ze zich dachten te weren tegen een vastberaden vijand. Hij ging maar door. Hooper stak nog een sigaret op en ging op de treeplank zitten van de vrachtwagen waar hij tegenaan had staan leunen.

De lucht kreeg een vreemde paarse tint. Hij zag er vochtig en zwaar uit, hij voelde ook zwaar en hing vlak boven hen, vol onrustig gerommel en dunne flitsen in de verte. Hooper begon daar zittend al te zweten. Achter het wachtgebouw suisde een stroom auto's over de weg naar Tacoma. Vanuit de officiersclub verderop aan de weg kwam de gedempte dreun van rockmuziek die, zoals alle andere avondgeluiden, bijna verloren ging in het gegons van de krekels dat overal opsteeg en de lucht dikker maakte zoals warmte dat ook doet.

Toen kapitein King was uitgepraat droeg hij de mannen over aan Hooper voor het vervoer naar hun posten. Twee van hen, beiden soldaat, waren van Hoopers compagnie en mochten bij hem in de cabine zitten terwijl alle anderen achterin heen en weer schoven. Een van de twee was een kok die Schnittger heette en Schnitzel werd genoemd. De ander was een radiotelefonist die Trac heette en erin geslaagd zou zijn Saigon tijdens de val van de stad te ontvluchten door aan de landingsbeugels van een helikopter te gaan hangen. Dat was in elk geval het verhaal. Hooper geloofde het niet. Als hij zich probeerde voor te stellen dat zijn zoon Woody het op dezelfde leeftijd, als jochie van een jaar of acht, had klaargespeeld om aan zijn vingertoppen boven een brandende stad te blijven bungelen, moest hij glimlachen.

Trac praatte er niet over. Niets aan zijn voorkomen sugge- reerde een hard verleden, behalve misschien het diepe, sik- kelvormige litteken boven zijn rechteroog. Het litteken kwam Hooper bekend voor. Toen hij Trac op een avond bezig zag aan de flipperkast in de recreatieruimte, werd hij ineens overwel- digd door de zekerheid dat hij hem eerder ergens had gezien – schrijlings op een waterbuffel in een stinkend rijstveld, of met Hoopers M113 meerennend in een troep kinderen die om geld bedelden, en meloenen, een zak wiet of een uitgehongerd aap- je op een stokje in de hoogte hielden.

Hoewel Hooper de ramen open had, rook het in de cabine van de vrachtwagen sterk naar aftershave. Hooper zag dat Trac onder zijn binnenhelm oranje oordopjes van een walkman droeg. Het was tegen de regels, maar Hooper zei er niets van. Zolang Trac zijn oren dichtgestopt had zou hij niet luisteren of hij indringers hoorde en dan een heel magazijn leegknallen op een eekhoorntje dat een eikeltje zat te kraken. Van alle wachtposten zouden alleen Schnittger en Trac munitie krij- gen, omdat zij de wacht moesten houden bij het verbindings- centrum van het bataljon, dat was aangesloten op de centrale computer van de divisie. Het idee was dat een indringer die zijn zaakjes kende, uiterst geheime gegevens in handen zou kunnen krijgen. Zo was het uitgelegd aan Hooper, die het alle- maal flauwekul vond. De Russen wisten alles toch al.

Hooper zette de eerste twee mannen af bij de kazernewinkel en de volgende twee op het parkeerterrein bij de grootste officiersclub, waar de laatste tijd verscheidene auto's waren vernield. Toen ze wegreden, leunde Schnittger over Trac heen opzij en greep Hooper bij zijn mouw. 'Jij was vroeger korporaal,' zei hij.

Hooper schudde zijn arm los en zei: 'Ik ben een vrachtwagen aan het besturen, voor het geval je dat niet in de gaten had.'

'Waarvoor ben je teruggezet?'

'Gaat je niks aan.'

'Ik vraag het alleen maar,' zei Schnittger. 'Nou, wat was er gebeurd?'

'Dimmen, Schnitzel,' zei Trac. 'Hij wil het er niet over hebben, oké?'

'Je moet zelf dimmen, zeiklul.' Schnittger keek Trac aan. 'Had ik het soms tegen jou?'

Trac zei: 'God man, je hebt vanavond zeker een bord van je eigen eten op.'

'Ik geloof niet dat ik het tegen jou had,' zei Schnittger. 'Ik geloof zelfs dat wij niet eens fatsoenlijk aan elkaar zijn voorgesteld. Dat is ook iets wat me niet bevalt aan het leger, dat mensen die niet eens aan je zijn voorgesteld zich volkomen vrij voelen om alle shit die ze in hun kop hebben zo in je bek te schijten. Het gebeurt aan de lopende band. Maar ik heb nog nooit eerder iemand "dimmen" horen zeggen. Je bent wel een originele zeiklul.'

'Zo is het wel genoeg,' zei Hooper.

Schnittger leunde achterover en zei met een falsetstemmetje: 'Zo is het wel genoeg.' Even later begon hij in zichzelf te neuriën.

Hooper zette de rest van de wachtposten af en draaide de heuvel op naar het verbindingscentrum. Er stonden appelbessen langs de grindweg, met witte bloesems die grijs werden in het schemerlicht. De steentjes spatten van de banden en ratelden tegen de bodemplaten. Schnittger hield op met neuriën. 'Ik heb kramp,' zei hij.

Hooper stopte naast het hek en zette de motor af, keek daarna opzij naar Schnittger. 'Wat is het probleem?' zei hij.

'Ik heb kramp,' herhaalde Schnittger.

'Jezus Christus, man,' zei Hooper. 'Waarom heb je dat niet eerder gezegd?'

'Dat heb ik wel gedaan. Ik ben op ziekenrapport geweest maar de dokter kon het niet vinden. Het zit steeds ergens anders. Nu zit het hier.' Schnittger raakte zijn nek even aan. 'Eerlijk waar, man.'

'Hou het in de gaten,' zei Hooper tegen hem. 'Morgenochtend kun je weer op ziekenrapport.'

'Je gelooft me niet,' zei Schnittger.

De drie stapten uit de vrachtwagen. Hooper telde de patronen uit voor Schnittger en Trac en keek toe terwijl ze hun magazijnen laadden. 'Die patronen zijn puur voor de show,' zei hij. 'Doe maar alsof je ze niet eens hebt gekregen. Als je problemen krijgt, wat niet zal gebeuren, gebruik dan de telefoon in het wachthuisje. Jullie kunnen je aflossingen zelf regelen.' Hooper opende het hek en deed het achter de mannen op slot. Ze stonden naar hem te kijken, hun gezichten in donkere schaduwen gehuld, de geweerlopen zwart boven hun schouder. 'Luister,' zei Hooper, 'er gaat hier niemand inbreken, begrepen?'

Trac knikte. Schnittger keek hem alleen maar aan.

'Oké,' zei Hooper. 'Ik kom later nog een keer langs. Met de kaptein.' Kapitein King ging helemaal nergens heen, maar dat wisten Trac en Schnittger niet. Hooper gedroeg zich beter wanneer hij dacht dat hij in de gaten werd gehouden en veronderstelde dat dit voor iedereen gold.

Hij klom weer in de vrachtwagen, startte de motor en stak twee vingers op naar de mannen aan het hek. Trac beantwoordde het teken en draaide zich om. Schnittger verroerde zich niet. Hij bleef daar staan, met zijn vingers door het gaas gevlochten. Hij leek op het punt te gaan huilen. 'Godverdomme,' zei Hooper en gaf een dot gas. Het grind ratelde door de wielkasten. Toen Hooper bij de grote weg aankwam begon het licht te regenen, maar het hield alweer op voor hij de ruitenwissers had aangezet.

Hooper en kapitein King zaten tegenover elkaar op twee stapelbedden in het wachtgebouw, dat leeg was afgezien van hen beiden en een vleermuis die tussen de vage hanenbalken heen en weer schoot. Net als op maandag- en dinsdagavond had kapitein King een koelbox vol flesjes Perrier meegebracht. Van tijd tot tijd probeerde hij er een op te dringen aan Hooper, wiens herhaalde weigeringen kapitein King noopten zich te verontschuldigen. 'Het heeft niks met klasse te maken,' zei hij, naar het flesje in zijn hand kijkend. 'Ik drink dat dure spul niet omdat ik op West Point heb gezeten of zo.' Hij boog zich voorover en zette het flesje tussen zijn blote voeten. 'Ik ben allergisch voor alcohol,' zei hij. 'Anders was ik waarschijnlijk alcoholist. Waarom niet? Al het andere ben ik ook.' Hij glimlachte tegen Hooper.

Hooper liet zich met zijn handen om zijn hoofd achterover zinken en staarde naar het matras boven hem. 'Ik ben zelf ook niet zo'n drinker,' zei hij. Hij wist dat kapitein King wilde dat hij hem uitlegde waarom hij het flesje Perrier had geweigerd, maar hij had er geen speciale reden voor.

'Ik heb als kind met Kerstmis een keer advocaat gedronken en daar ben ik bijna dood aan gegaan,' zei kapitein King. 'Mijn armen en benen werden twee keer zo dik als normaal. De doktoren konden mijn bril niet van mijn hoofd krijgen omdat de huid er helemaal omheen was gezwollen. Ken je dat, zoals een boom om een rotsblok heen groeit? Zo zag het eruit. Een paar maanden later probeerde ik op een eindexamenfeestje een biertje en toen gebeurde hetzelfde. Vreemd, hè?'

'Ja, kaptein,' zei Hooper.

'Ik dacht altijd dat het maar beter was zo. Ik ben iemand die makkelijk verslaafd raakt en je kunt er vergif op innemen dat ik een probleemdrinker was geworden. Absoluut. Maar nu vraag ik het me toch af. Met één grote zwakheid had ik misschien niet in plaats daarvan allemaal van die lullige kleine zwakheden gehad. Ik weet dat het slap geouwehoer lijkt, maar kijk eens naar Alexander de Grote. Alexander de Grote was aan de drank. Wist je dat?'

'Nee, kaptein,' zei Hooper.

'Nou, het was zo. Lees de geschiedenis er maar op na. Churchill ook. Churchill dronk een fles cognac per dag. En Grant natuurlijk. Weet je wat Lincoln zei toen iemand klaagde over dat drinken van Grant?'

'Ja, kaptein. Dat verhaal heb ik wel eens gehoord.'

'Hij zei: "Probeer erachter te komen wat voor merk hij drinkt, dan kan ik de rest van mijn generaals een doos sturen." Is dat de versie die jij gehoord hebt?'

'Ja, kaptein.'

Kapitein King knikte. 'Ik ben doodop,' zei hij. Hij strekte zich uit en ging in precies dezelfde houding liggen als Hooper. Het gaf Hooper een ongemakkelijk gevoel. Hij ging zitten en zette zijn voeten op de vloer.

'Getrouwd?' vroeg kapitein King.

'Ja, kaptein.'

'Kinderen?'

'Ja, kaptein. Eén. Woodrow.'

'O, mijn god, een jongen,' zei kapitein King. 'Die bezorgen je alleen maar problemen, neem dat maar van mij aan. Ze zijn geprogrammeerd om je te haten. Dat moet, anders zouden ze hun hele leven thuis blijven rondhangen. Maar het is evengoed niet leuk als het begint. Ik heb er twee, en ze kunnen me allebei niet uitstaan. Ik heb er pijn in mijn hart van. Ik was natuurlijk wel een slechtere vader dan de meeste. Hoe oud is jouw zoon?'

'Zestien of zeventien,' zei Hooper. Hij legde zijn handen op zijn knieën en keek naar de vloer. 'Zeventien. Hij woont bij de zus van mijn vrouw in Spokane.'

Kapitein King draaide zijn hoofd opzij en keek hem aan. 'Zo te horen ben je zelf ook niet zo'n geweldige papa.'

Hooper begon de veters van zijn laarzen vast te maken.

'Dat is geen kritiek,' zei kapitein King. 'Jij bent tenminste zo slim geweest iemand anders het werk te laten opknappen.' Hij geeuwde. 'Heb je me nog ergens bij nodig? Wil je dat ik samen met je de ronde doe?'

'Ik regel het wel, kapitein.'

'Goed zo.' Kapitein King sloot zijn ogen. 'Als je me nodig hebt, geef je maar een gil.'

Hooper liep naar buiten en stak een sigaret op. Het was bijna middernacht, ver voorbij het tijdstip waarop de wachtposten geïnspecteerd moesten worden. Terwijl hij naar de vrachtwagen liep gonsden er muggen om zijn hoofd. Er ritselde een briesje door de boomtoppen, maar aan de grond bleef de lucht warm en roerloos hangen.

Hooper nam de tijd voor zijn inspectieronde. Hij ging alle wachtposten af behalve Schnittger en Trac en bevond alles in orde. Er waren geen problemen. Hij reed de weg op naar het verbindingscentrum, maar toen hij bij de afslag kwam reed hij rechtdoor. Een warme, geurige lucht woei door het open raam in zijn gezicht. De weg voor hem uit was verlaten. Hooper leunde achterover en gaf plankgas. De motor begon te brullen. Nu kwam hij op gang, nu had hij echt de gang erin langs de donker geworden kazernegebouwen en lege vlaggenmasten en struiken waarvan de bloemen opflitsten in het schijnsel van de koplampen. Hooper grijnsde. Hij voelde geen vreugde maar hij grijnsde en joeg de vrachtwagen zo hard hij kon over de weg.

Hooper minderde vaart toen hij de basis had verlaten. Hij was nu in overtreding. Al kon hij het niet opbrengen daar erg over in te zitten, hij zag er ook het nut niet van in om aandacht op zich te vestigen.

Dronken bestuurders zwalkten heen en weer over de rijstroken. Het leek wel of er om de kilometer iemand aan de kant werd gezet door een politiewagen met flitsende zwaailichten. Andere patrouillewagens wachtten stationair draaiend achter reclameborden. Hooper bleef op de rechter rijstrook en reed langzaam tot hij zijn afslag had bereikt, toen gaf hij weer vol gas en scheurde door de pokdalige straat naar Mickeys huis. Hij passeerde een stel jongelui die met blikjes bier in de hand op de motorkap van een auto zaten. Het portier stond open en Hooper moest ervoor uitwijken. In het voorbijrijden hoorde hij een vlaag muziek.

Toen hij Mickeys huis naderde zette Hooper de motor af. De vrachtwagen rolde stil door de straat, en wederom werd Hooper zich bewust van het geluid van de krekels. Hij stopte in de berm tegenover Mickeys huis en zat ernaar te luisteren. Het dichte, pulserende geluid leek met de seconde luider te worden. Hooper zakte weg in herinneringen, zijn sigaret hing ongerookt omlaag en brandde op tot aan zijn vingers. Op het moment dat hij de hitte van het vuurbolletje tegen zijn huid voelde, werd hij opgeschrikt door een andere pijn, de pijn zichzelf op deze plek aan te treffen. Hij schudde zichzelf wakker en stapte uit.

De ramen waren donker. Mickeys Buick stond op de oprit naast een auto die Hooper niet herkende. Hij was niet van haar man en ook niet van Briggs. Hooper keek om zich heen naar de andere huizen, stak toen de straat over en dook onder de neerhangende bladeren door van de treurwilg in Mickeys voortuin. Daar zonk hij op een knie en hield zijn adem in om beter te kunnen luisteren, maar er was geen ander geluid dan het getsjirp van de krekels en het geruis van de airco. Hooper kwam overeind en liep naar het huis. Hij keek weer om zich heen, dook toen in elkaar en schoof langs de muur. Hij was nu om de hoek van het huis en wilde langs de zijkant naar Mickeys slaapkamer lopen toen er een lichtkring om zijn hoofd aanfloepte en een vrouwenstem zei: 'Gij zult niet echtbreken.'

Hooper sloot zijn ogen. Er volgde een lange stilte. Toen zei de vrouw: 'Kom hier.'

Ze stond op de oprit van het huis ernaast. Toen Hooper naar haar toe liep stak ze een pistool in zijn gezicht en beval hem zijn handen omhoog te steken. 'Een soldaat,' zei ze, terwijl ze de lichtbundel van top tot teen over zijn uniform liet glijden. 'Goed, laat je handen maar zakken.' Ze knipte de lantaarn uit en stond Hooper op te nemen in het flikkerende blauwe schijnsel uit de open deur achter haar. Hooper hoorde een hond tweemaal blaffen en een mannenstem die zei: 'Denk erom, niets is goed genoeg voor uw hond. Maar bij het zien van de dubbele W gaat het van Woef-Woef.' De hond blafte weer tweemaal.

'Ik wil weten wat jij denkt dat je hier aan het doen bent,' zei de vrouw.

Hooper zei: 'Dat weet ik niet precies.' Hij zag haar nu duidelijker. Ze was lang en dun. Ze droeg een bril met een zwart montuur en had een blauwe badjas aan met een leren riem als ceintuur. In haar holle wangen lagen donkere schaduwen. Onder de zoom van haar badjas zag hij grote blote voeten.

'Ik weet wel wat jij hier aan het doen bent,' zei ze. Ze wees met het wapen, een klein zilverkleurig automatisch pistool, naar Mickeys huis. 'Je bent bij die hoer aan het rondsnuffelen.'

Achter de vrouw kwam iemand naar de deur. Een zware stem riep: 'Is hij het?'

'Binnen blijven, paps,' antwoordde de vrouw. 'Er is niks.'

'Het is hem!' schreeuwde de man. 'Laat je niet weer door hem ompraten!'

'Wat moet je met die hoer?' vroeg de vrouw aan Hooper. Voor hij antwoord kon geven, zei ze: 'Ik zou je zo kunnen neerschieten zonder dat iemand er iets van zou zeggen. Je bent nu op mijn terrein. Ik zou kunnen zeggen dat ik dacht dat je mijn man was. Hij heeft een straatverbod.'

Hooper knikte.

'Ik zie de lol er niet van in,' zei ze. 'Maar ja, ik ben geen man.' Ze maakte een lachend geluid. 'Zal ik je eens wat zeggen? Ik had het bijna gedaan. Ik had je bijna neergeschoten. Het scheelde niks, maar toen zag ik dat uniform.' Ze schudde haar hoofd. 'Je moest je schamen. Waar is je trots?'

'Laat hem niet met je gaan praten,' zei de man in de deuropening. Hij kwam de treden af, een lange, witharige man in een gestreepte pyjama. 'Zo ben je daar weer, schoft,' zei hij. 'Ik zal op je graf dansen.'

'Het is hem niet, paps,' zei de vrouw spijtig. 'Het is iemand anders.'

'Dat zegt hij,' snauwde de man. Hij begon de oprit af te lopen, daarbij van de ene voet op de andere over het grind springend. De vrouw gaf hem de zaklantaarn en hij scheen hem in Hoopers gezicht, liet de bundel toen langzaam afdalen naar zijn gevechtslaarzen. 'Goeie grutten, het is een soldaat,' zei hij.

'Ik zei toch dat het hem niet was,' zei de vrouw.

'Dan is dit een verschrikkelijke vergissing,' zei de man. 'Ik weet niet wat ik moet zeggen, meneer.'

'Laat maar zitten,' zei Hooper tegen hem. 'Niks aan de hand.'

'Dat is wel heel aardig van u,' zei de man. Hij stapte naar voren en schudde Hooper de hand, knikte toen in de richting van het huis. 'Kom binnen wat drinken.'

'Hij moet weg,' zei de vrouw.

'Zo is het,' zei Hooper tegen hem. 'Ik ging net terug naar de kazerne.'

De man maakte een lichte buiging met zijn hoofd. 'Naar de kazerne dan. Goedenavond, meneer.'

Kapitein King sliep nog steeds toen Hooper terugkwam in het wachtgebouw. Hij had zijn duim in zijn mond. Hooper lag op het bed ernaast, met zijn ogen open. Hij was nog wakker toen om vier uur 's morgens de telefoon ging.

Het was Trac, die belde vanuit het verbindingscentrum. Hij zei dat Schnittger dreigde zichzelf dood te schieten. En hem ook, als hij probeerde hem tegen te houden. 'Die gozer is gestoord,' zei Trac. 'Haal me hier weg, nu meteen.'

'We komen eraan,' zei Hooper. 'Geef hem alle ruimte. Probeer niet zijn geweer af te pakken of zo.'

'Weinig kans,' zei Trac. 'Godverdomme man, weet je wat hij tegen me zei? Spleetoog, zei hij tegen me. Ik hoop dat hij zichzelf van kant maakt. Ik zit niet te wachten op een klootzak met een geladen geweer die mij de oorlog verklaart, man.'

'Hou nog even vol,' zei Hooper tegen hem. Hij hing op en ging kapitein King wekken, want dit was een probleem en hij had wel graag dat het kapitein Kings probleem was en dat híj het voor zijn kloten kreeg als er iets misging. Hij liep naar kapitein King en keek op hem neer. Zijn duim was uit zijn mond gegleden. Hooper besloot hem toch maar niet te wekken. Kapitein King zou waarschijnlijk toch weigeren om mee te gaan, en als hij wel meeging zou hij er gegarandeerd een grote puinhoop van maken.

Het was lichtjes gaan regenen. De weg was verlaten afgezien van één tegemoetkomende jeep. Hooper zwaaide naar de twee mannen voorin toen ze passeerden, en ze zwaaiden alle twee terug. Hij volgde hun achterlichten in het spiegeltje tot ze achter hem waren verdwenen.

Hooper parkeerde de vrachtwagen halverwege de grindweg en legde de resterende afstand te voet af. Het regende nu harder, de druppels tikten gestaag op de schouders van zijn poncho. Van de grond stegen zoete, dikke, bijna niet in te ademen geuren op. Hij liep langzaam, en het grind knarste onder zijn laarzen. Toen hij bij het hek aankwam zei een stem links van hem: 'Godverdomme, man, wat duurde dat lang.' Trac stapte uit het donker naar voren en wachtte terwijl Hooper probeerde de sleutel in het slot te krijgen. 'Schiet op, man,' zei Trac, en hij ging met zijn rug naar het hek op een knie zitten en zwaaide de loop van zijn geweer van links naar rechts.

'Zo,' zei Hooper. Hij haalde het slot eraf en Trac duwde het hek open. 'De wagen staat daar,' zei Hooper tegen hem, 'net voorbij de bocht.'

Tracs gezicht was donker onder de capuchon van zijn glinsterende poncho. 'Wil je dit hebben?' vroeg hij, zijn geweer ophoudend.

Hooper keek ernaar. Hij schudde zijn hoofd. 'Waar is Schnittger?'

'Daarachter,' zei Trac. 'Daar staan een paar picknicktafels.'

'Goed,' zei Hooper. 'Ik regel het wel. Wacht in de vrachtwagen.'

'Kut, man, dit vind ik echt kut,' zei Trac. 'Ik zal je wel dekken.'

'Hoeft niet,' zei Hooper. 'Ik kan het wel alleen af.'

'Ik laat niemand in de steek.' Trac schoof heen en weer.

'Je laat ook niemand in de steek,' zei Hooper. 'Er gaat niks gebeuren.'

Trac begon de grindweg af te lopen. Toen hij om de bocht verdween bleef Hooper nog even kijken om er zeker van te zijn dat hij niet terugkwam. Er stak een harde wind op die de bomen door elkaar schudde, zodat de regendruppels met veel geratel door de bladeren omlaagvielen.

Hooper draaide zich om en liep door het hek het terrein op. De omtrekken van de struiken en dennen waren donker en vaag in de schuin neerkomende regen. Hij volgde de afrastering naar rechts en tuurde in de schaduwen, en toen zag hij Schnittger voorovergebogen aan een picknicktafel zitten. Hij bleef staan en riep hem. 'Hé, Schnittger! Ik ben het, Hooper.'

Schnittger hief zijn hoofd op.

'Ik ben het maar,' zei Hooper en liet zijn lege handen zien. Het geweer lag voor Schnittger op de tafel. 'Ik ben het maar,' herhaalde hij, zo toonloos als hij kon. Hij bleef op een meter of drie bij een andere picknicktafel staan en liet zich op de bank zakken. Hij keek opzij naar Schnittger. Een tijdje lang zeiden ze geen van tweeën iets. Toen zei Hooper: 'Oké, laten we erover praten. Volgens Trac heb jij een beetje een gedragsprobleem.'

Schnittger gaf geen antwoord. De regendruppels stroomden van zijn helm op zijn schouders en drupten gestaag voor zijn gezicht langs. Zijn uniform was doorweekt en donker en plakte tegen zijn huid. Hij staarde Hooper aan en zei niets. Nu en dan schokten zijn schouders.

'Ben je homo?' vroeg Hooper.

Schnittger schudde zijn hoofd.

'Nou, wat is er dan? Heb je acid genomen of zo? Je kunt het mij wel vertellen, Schnittger. Mij maakt het niet uit.'

'Ik gebruik geen drugs.' Het was de eerste keer dat Schnittger had gesproken. Zijn stem klonk kalm.

'Goed zo,' zei Hooper. 'Ik bedoel, dan weet ik tenminste dat ik met jou praat en niet met een of ander chemisch goedje. Oké, luister, Schnittger, ik wil niet dat jij dat geweer op mij gaat richten. Begrepen?'

Schnittger keek naar het geweer, dan weer naar Hooper. 'Laat me met rust, dan laat ik jou ook met rust.'

'Er heeft vannacht al iemand zijn hele ziel op mij afgeladen,' zei Hooper. 'Daar wou ik het maar bij laten.' Hij reikte onder zijn poncho en haalde zijn sigarettenkoker tevoorschijn. Hij hield hem voor Schnittger in de hoogte.

'Ik gebruik geen tabak,' zei Schnittger.

'Nou, ik wel.' Hooper schudde er een sigaret uit en boog zich voorover om hem aan te steken. 'Hé, hé!' zei hij. 'Eén lucifer.' Hij stopte de koker weer in zijn zak en hield de sigaret binnen in zijn hand onder de picknicktafel om hem droog te houden. Het regende nu licht, in fijne, nevelige vlagen. Aan de hemel verspreidde zich een mistige, grauwe gloed. Schnittgers schouders bleven schokken en zijn lippen waren blauw en trilden. 'Trek je poncho aan,' zei Hooper tegen hem.

Schnittger schudde zijn hoofd.

'Probeer je een longontsteking op te lopen?' Hooper knikte naar Schnittger. 'Toe maar, jongen. Trek je poncho nou maar aan.'

Schnittger boog zich voorover en bedekte zijn gezicht met zijn handen. Hooper realiseerde zich dat hij huilde. Hij rookte en wachtte tot hij ermee ophield, maar Schnittger bleef huilen en Hooper werd ongeduldig. Hij zei: 'Wat is dat allemaal, dat je jezelf gaat doodschieten?'

Schnittger wreef met de muis van zijn duimen in zijn ogen. 'Waarom zou ik dat niet doen?'

'Waarom je dat niet zou doen? Wat bedoel je daarmee, waarom je dat niet zou doen?'

'Waarom zou ik mezelf niet doodschieten? Geef me eens een goede reden.'

'Nee. Maar ik zal je wel een goede raad geven,' zei Hooper. 'Je gaat niet lopen vragen waarom je jezelf niet zou doodschieten. Dat is decadent, Schnittger. Doe me nou een plezier en trek die poncho aan.'

Schnittger zat nog even te huiveren. Toen haalde hij de poncho van zijn koppel, rolde hem uit en begon hem over zijn hoofd te trekken. Hooper overwoog even een greep te doen naar het geweer, maar hield zich in. Het was niet nodig, het gevaar was geweken. Mensen die zichzelf gingen doodschieten, hoefden niet meer te schuilen voor de regen.

'Weet je hoe ze mij noemen?' zei Schnittger.

'Wie zijn die "ze", Schnittger?'

'Iedereen.'

'Nou, nee, dat weet ik niet. Hoe noemt iedereen je dan?'

'Schnitzel. Schnítzel!'

'Kom nou toch,' zei Hooper. 'Wat zou dat? Iedereen wordt voor van alles uitgemaakt.'

'Maar zo héét ik,' zei Schnittger. 'Dat bén ik. Het gaat zelfs zo ver dat als iemand me bij mijn echte naam noemt, ik nog steeds "Schnitzel" hoor. Het enige waar ik aan kan denken is zo'n kruimelige lap vlees. En dat is ook wat zij voor zich zien, zo'n lap vlees. Je kunt wel zeggen dat het niet zo is, maar dat weet ik gewoon.'

Hooper herkende hierin een kern van waarheid, een hoop waarheid zelfs, want als hij zelf Schnitzel zei was dat ook wat hij voor zich zag: een schnitzel.

'Ik heb de hele tijd kramp,' zei Schnittger, 'maar niemand gelooft me. Zelfs de dokters niet. Jij gelooft me ook niet.'

'Ik geloof je wel,' zei Hooper.

Schnittger knipperde met zijn ogen. 'Ja ja,' zei hij.

'Ik geloof je wel,' zei Hooper, met zijn ogen steeds op het geweer gericht. Hij stond op het punt Schnittger te vragen het aan hem te geven, maar besloot nog even te wachten. Op de een of andere manier was dit niet het goede moment. Hooper schoof de capuchon van zijn poncho naar achteren en zette zijn vechtpet af. Hij keek op naar de bleke wolken.

'Ik heb geen vrienden,' zei Schnittger.

'Geen wonder,' zei Hooper, 'als je mensen uitscheldt voor spleetoog en gaat bedreigen. Laten we er niet omheen draaien, Schnittger, jouw persoonlijkheid is hard aan een opknapbeurt toe.'

'Maar ze geven me geen kans,' zei Schnittger. 'Het enige wat ik ooit doe is eten koken. Ik schep het op hun borden en dan maken ze een of andere opmerking en lopen ze weer door.'

Hooper staarde nog steeds omhoog naar de wolken en voelde de zachte regen op zijn gezicht. In het bos achter de afrastering begonnen vogels te zingen. 'Ik weet het niet. Het heeft gewoon te maken met die dagelijkse sleur waar we allemaal in zitten.' Hij liet zijn hoofd zakken en keek opzij naar Schnittger, die daar ineengedoken in zijn poncho zat en steeds even rilde als er weer een lichte siddering door zijn lichaam trok. 'Het duurt niet lang meer,' zei Hooper, 'dan gaat alles veranderen.'

'Mijn vader zat in Ohio bij de Nationale Garde,' zei Schnittger. 'Hij heeft het altijd over de geweldige dingen die hij daar met zijn maten heeft beleefd. Zoiets overkomt mij nou nooit.' Hij keek naar de tafel, sloeg toen zijn ogen weer op en zei: 'En jij? Wat was jouw beste tijd?'

'Mijn beste tijd,' zei Hooper. Hij dacht erover een leugen te vertellen, maar de moeite om iets te verzinnen was hem te veel, en de herinneringen die Schnittger wilde horen waren nog tastbaar. Voor Hooper waren ze tastbaarder dan zijn herinneringen aan thuis. Eigenlijk waren ze een soort thuis. Daar ging hij naartoe om weer bij zijn vrienden te zijn, om zichzelf terug te vinden. 'Vietnam,' zei hij.

Schnittger keek hem alleen maar aan.

'Toen wisten we dat nog niet,' zei Hooper. 'We hadden het er altijd over wat we allemaal zouden gaan doen als we weer terug waren in het gewone leven. In de gewone maatschappij zouden we het helemaal gaan maken. Maar sindsdien heerst er alleen maar verwarring.' Hooper pakte de sigarettenkoker uit zijn zak maar maakte hem niet open. Hij leunde voorover op de tafel.

'Daar was alles duidelijk,' zei hij. 'Je leerde wat je moest weten en vergat de rest. Al dit soort gelul. Je zat niet elke minuut van de dag te piekeren over je eigen zielige persoontje. Heb ik wel genoeg seks? Wat is er met mijn zoontje? Moet ik dat rothuis gaan isoleren? Dat krijg je ervan, Schnittger. Van dat nadenken over jezelf. Daar ga je uiteindelijk aan kapot.'

Schnittger had zich niet verroerd. In het grauwe licht zag Hooper Schnittgers vingers voor hem uitgespreid op het tafelblad, wit en roerloos alsof ze er met krijt op waren getekend. Zijn gezicht had dezelfde kleur.

'Jij denkt dat je problemen hebt, Schnittger, maar te velde zouden ze geen vijf minuten standhouden. Wat jij mankeert is met één nachtpatrouille verholpen.' Hooper zweeg even en glimlachte inwendig, al diep afgedaald in zijn herinneringen. Hij wilde dat gevoel terughalen voor Schnittger, het onder woorden brengen zodat Schnittger het ook kon zien, de schoonheid van dat leven, dat vertrouwen dat zo diep was dat ze na verloop van tijd geen afzonderlijke mannen meer waren, maar in elkaar opgingen.

Maar het was moeilijk te verwoorden. Hooper zag dat Schnittger het niet begreep, en dat hij het hem niet duidelijk zou kunnen maken. Hij zei: 'Je komt er nog wel achter, Schnittger. Jouw kans komt nog wel.'

Schnittger staarde hem aan. 'Je bent gek,' zei hij.

'We krijgen allemaal nog een kans,' zei Hooper. 'Ik voel het aankomen. Anders zou ik ontslag nemen en mijn helm aan de wilgen hangen. Je komt er nog wel achter. Het enige wat jij nodig hebt is een beetje vuurcontact. Wij allemaal. Om uit die sleur te komen.'

Schnittger schudde zijn hoofd. 'Jij bent echt gek.'

'Laten we er maar een punt achter zetten,' zei Hooper. Hij stond op en stak zijn hand uit. 'Geef mij dat geweer.'

'Nee.' Schnittger schoof het geweer dichter naar zich toe. 'Aan jou geef ik het niet.'

'Er is hier niemand anders,' zei Hooper.

'Ga kapitein King halen.'

'Kapitein King slaapt.'

'Maak hem dan wakker.'

'Nee,' zei Hooper. 'Ik zeg het je niet nog een keer, Schnittger, geef mij dat geweer.' Hij liep naar hem toe, maar bleef staan toen Schnittger het wapen oppakte en op zijn borst richtte.

'Laat me met rust,' zei Schnittger.

'Rustig maar,' zei Hooper tegen hem. 'Ik ga je niets doen.'

Schnittger likte zijn lippen. 'Nee,' zei hij. 'Jij niet.'

Achter Hooper riep een stem: 'Hé! Schnitzel! Laat dat geweer vallen!'

Schnittger schoot recht overeind. 'Jezus,' zei hij.

'Dat is Trac,' zei Hooper. 'Leg dat geweer neer, Schnittger, nu!'

'Laat vallen!' schreeuwde Trac.

'O Jezus,' zei Schnittger, en hij kwam struikelend overeind met het geweer nog in zijn handen. Toen knikte zijn hoofd opzij en vloog zijn helm weg en tuimelde hij over de bank achterover. Hoopers hart sloeg over bij de knal van het schot. Daarna trok het geluid dwars door hem heen en ging het door de bomen de lucht in, in de verte echoënd als een donderslag. Daarna was het stil. Hooper deed een stap naar voren, zonk toen op zijn knieën en legde zijn voorhoofd in het natte gras. De regen viel rondom hem neer met een zacht fluisterend geluid. Ergens kraste een blauwe gaai.

Achter zich hoorde Hooper het geruis van laarzen door het gras. Hij ging op zijn hielen zitten en haalde diep adem.

'Gaat het?' zei Trac.

Hooper knikte.

Trac liep door naar de plek waar Schnittger lag. Hij zei iets in het Vietnamees, keek toen om naar Hooper en schudde zijn hoofd.

Hooper probeerde op te staan, maar viel weer op zijn knieën.

'Heb je hulp nodig?' vroeg Trac.

'Ik geloof het wel,' zei Hooper.

Trac liep naar Hooper toe. Hij hing zijn geweer aan zijn schouder en boog zich voorover en de twee mannen grepen elkaars polsen beet. Tracs huid was droog en glad, zijn botten waren zo tenger als die van een kind. 'Daar gaat ie,' zei hij, zich schrap zettend terwijl Hooper zichzelf overeind trok, en even stonden ze oog in oog en wankelden lichtjes heen en weer, hun handen nog in elkaar verstrengeld. 'Oké,' zei Hooper. Beiden lieten langzaam hun greep verslappen.

Trac zei zacht, bijna fluisterend: 'Gaan ze me nou opsluiten?'

'Nee,' zei Hooper. Hij liep naar Schnittger en keek op hem neer. Hij wendde zich onmiddellijk af en zag dat Trac nog met glazige ogen stond te wankelen. 'Ga er maar even bij zitten,' zei Hooper. Trac keek hem dromerig aan, nam toen het geweer van zijn schouder en zette het tegen de picknicktafel die het verst van Schnittger verwijderd was. Hij ging zitten, zette zijn helm af en legde zijn hoofd op zijn gekruiste onderarmen.

De wind was weer aangewakkerd en voerde het gejank aan van auto's in de verte. Hooper frunnikte een sigaret uit zijn koker en rookte hem op terwijl hij het bos in staarde en de regen over zijn gezicht en hals voelde stromen. Toen de sigaret uitging liet Hooper hem vallen, pakte hem toen weer op en verkruimelde de tabak rond zijn voeten zodat er geen spoor van overbleef. Hij zette zijn pet weer op en trok de capuchon van de poncho eroverheen. 'Hoe gaat het?' zei hij tegen Trac.

Trac keek op. Hij begon over zijn voorhoofd te wrijven, duwde zijn vingers in kleine kringetjes boven zijn ogen in het rond.

Hooper ging tegenover hem zitten. 'We hebben niet zo heel veel tijd,' zei hij.

Trac knikte. Hij zette zijn helm op en keek Hooper aan.

'Goed, jongen,' zei Hooper. 'Nu moeten we een goed verhaal in elkaar steken.'

De rijke broer

Er waren twee broers, Pete en Donald.

Pete, de oudste broer, zat in onroerend goed. Hij en zijn vrouw hadden in Santa Cruz een makelaarskantoor van een grote franchiseorganisatie. Pete werkte hard en verdiende een hoop geld, maar niet meer dan hij dacht dat hem toekwam. Hij had twee dochters, een zeilboot, een huis vanwaar hij een smal reepje van de oceaan kon zien, en vrienden die in hun eigen leven succesvol genoeg waren om hem geen tegenslag toe te wensen. Donald, de jongste broer, was nog vrijgezel. Hij woonde alleen, schilderde huizen wanneer hij werk kon vinden en raakte verder bij Pete in de schulden wanneer dat niet lukte.

Niemand zou gedacht hebben dat ze broers waren. Waar Pete een forse, joviale vent was die de weg wist in de wereld, was Donald een magere, ernstige tobber die geobsedeerd werd door de toestand van zijn ziel. In de loop der jaren had Donald de portretten van twee verschillende Volmaakte Leermeesters om zijn nek gedragen. Uit devotie tot de tweede was hij toegetreden tot een ashram in Berkeley, waar hij bijna was overleden aan een niet-gediagnosticeerde hepatitis. Tegen de tijd dat Pete de laatste doktersrekeningen had betaald was Donald christen geworden. Hij doolde van de ene kerk naar de andere, sloot zich toen aan bij een pinkstergemeente die ergens in het Mission District van San Francisco bijeenkwam om in tongen te zingen en profetieën uit te wisselen.

Pete begreep er niets van. Hun ouders waren allebei dood, maar toen ze nog leefden hadden ze het geen van beiden nodig gevonden om te geloven dat goden en duivels er persoonlijk belang aan hechtten zich voor de rest van de eeuwigheid te verzekeren van hun gezelschap. Ze waren erin geslaagd fatsoenlijke mensen te zijn zonder zich belachelijk te maken, en Pete koesterde dezelfde ambitie. Hij dacht dat het hele gedoe voor Donald een excuus was om zichzelf serieus te nemen.

De moeilijkheid was dat Donald er niet genoeg aan had over zijn eigen ziel te tobben. Hij moest ook tobben over het zielenheil van alle anderen, vooral dat van Pete. Hij leverde zijn oordeel op manieren die hij subtiel achtte: met een veelbetekenend stilzwijgen, met toespelingen of blikken van milde wanhoop die zeiden: Broer, wat is er van jou geworden? Wat er van Pete was geworden, voor zover hij het kon uitmaken, was dat het hem goed ging. Dat was wat er werkelijk tussen hen speelde. Dat het Pete goed ging en Donald niet.

Op zijn veertigste ging Pete aan skydiving doen. Hij maakte zijn eerste sprong met twee vrienden die maar een paar maanden eerder waren begonnen en nu al stunts deden. Pete zou het woord 'mystiek' nooit gebruiken, maar zo had de ervaring voor hem aangevoeld. Later beging hij de fout het te beschrijven voor Donald, die bleef vragen hoeveel het kostte en vervolgens ontzet reageerde toen Pete het hem vertelde.

'Ik probeer tenminste nieuwe dingen,' zei Pete. 'Ik probeer tenminste het vaste patroon te doorbreken.'

Niet lang na dat gesprek had Donald ook gebroken met het vaste patroon door naar een boerderij buiten Paso Robles te verhuizen. De boerderij was eigendom van diverse leden van Donalds gemeente, die hem hadden gekocht met het idee er een geloofsfamilie te stichten. Zo legde Donald het uit in de eerste brief die hij stuurde. Iedere week hoorde Pete dat Donald er zo gelukkig was, zo helemaal 'in de Heer'. Hij vertelde Pete dat ze allemaal voor hem baden, hij en al zijn broeders en zusters op de boerderij.

Ik heb maar één broer, wilde Pete antwoorden, en dat is wel genoeg. Maar hij hield die gedachte voor zich.

In november stopten de brieven. Pete maakte zich aanvankelijk geen zorgen, maar toen hij op Thanksgiving belde was Donald somber. Hij probeerde opgewekt te klinken, maar deed niet genoeg zijn best om zijn broer te overtuigen. 'Hoor eens,' zei Pete, 'je hoeft daar niet te blijven als je dat niet wilt.'

'Ik red me wel,' antwoordde Donald.

'Daar gaat het niet om. Het gaat er niet om of je je wel redt. Als het je niet bevalt hoe het daar toegaat, stap er dan uit.'

'Het gaat wel goed,' zei Donald weer, krachtiger nu. 'Het gaat prima met me.'

Maar een week later belde hij Pete en zei dat hij de boerderij ging verlaten. Toen Pete hem vroeg waar hij naartoe dacht te gaan, bekende Donald dat hij geen plannen had. Zijn auto was net voor zijn vertrek uit de stad teruggevorderd, en hij had geen cent.

'Dan moet je maar bij ons komen logeren,' zei Pete.

Donald deed of hij zich hiertegen verzette. Toen gaf hij toe. 'Alleen maar tot ik weer vaste grond onder mijn voeten heb.'

'Precies,' zei Pete. 'Om je mogelijkheden te verkennen.' Hij zei tegen Donald dat hij hem geld zou sturen voor een buskaartje, maar net toen ze wilden ophangen bedacht Pete zich. Hij wist dat Donald zou proberen te gaan liften om het geld uit te sparen, en hij wilde niet dat hij daar moederziel alleen aan de weg zou staan, waar hij kon worden opgepikt door een of andere griezel, waar hem van alles kon overkomen. 'Ik weet nog iets beters,' zei hij, 'ik kom je wel halen.'

'Dat hoef je niet te doen. Dat verwachtte ik niet van je,' zei Donald. 'Het is een behoorlijk eind rijden.'

'Zeg maar gewoon hoe ik er moet komen.'

Maar Donald wilde hem geen aanwijzingen geven. Hij zei dat de boerderij te deprimerend was, dat Pete het er vreselijk zou vinden. Hij stond erop hem in plaats daarvan te treffen bij een servicestation dat Jonathans Automobilistisch Centrum heette.

'Dat meen je niet,' zei Pete.

'Het is vlak bij de snelweg,' vertelde Donald hem. 'Ik heb die naam niet verzonnen.'

'Dat is er een om te onthouden,' zei Pete.

De dag voor hij vertrok om Donald thuis te brengen, ontving Pete een brief van een man die zichzelf omschreef als 'hoofd van het huishouden' op de boerderij waar Donald had gewoond. Hij vertelde Pete dat Donald de boerderij niet had verlaten maar dat hem was verzocht te vertrekken. De brief was geschreven op de achterkant van een gestencild enquêteformulier waarin mensen werd gevraagd naar hun reacties op een of andere eredienst. De laatste vraag luidde:

Wat voelde je tijdens de liturgie?
a) Zijn
b) Worden
c) Zijn en Worden
d) Geen van bovenstaande
e) Elk van bovenstaande

Pete probeerde de brief te vergeten, maar kon het natuurlijk niet. Telkens als hij eraan dacht kreeg hij een benauwd gevoel, alsof hij geen adem kon halen, hetzelfde gevoel dat hem bekroop toen hij het servicestation binnenreed en zijn broer met zijn hoofd op zijn knieën tegen een muur zag zitten. Het was laat in de middag. Een papieren bekertje tuimelde langzaam voor zijn voeten langs, voortgestuwd door de vochtige wind.

Pete toeterde en Donald hief zijn hoofd op. Hij glimlachte naar Pete, stond toen op en rekte zich uit. Zijn armen waren

lang en dun en wit. Hij droeg een rode halsdoek om zijn voorhoofd en een T-shirt met een logo op de voorkant dat Pete niet
kon lezen omdat de letters andersom stonden.

'Word eens volwassen,' riep Pete. 'Koop een Mercedes.'

Donald kwam aan het raampje staan. Hij bukte zich en zei:
'Bedankt dat je bent gekomen. Je bent vast bekaf.'

'Ik haal het nog wel.' Pete wees naar het T-shirt. 'Wat moet
dat betekenen?'

Donald keek omlaag naar zijn T-shirt. 'PROBEER GOD EENS.
Ik heb het er achterstevoren op gezet, geloof ik. Pete, kan ik
een paar dollar van je lenen? Ik moet die lui nog betalen voor
koffie en een paar broodjes.'

Pete pakte vijf briefjes van twintig uit zijn portemonnee en
hield ze uit het raampje.

Donald stapte met gespeeld afgrijzen achteruit. 'Zoveel heb
ik niet nodig.'

'Al die dubbeltjes en kwartjes kan ik niet bijhouden,' zei
Pete. 'Betaal me maar terug als je schip met geld binnen is.' Hij
wapperde ongeduldig met de briefjes. 'Vooruit, pak aan.'

'Voor nu dan.' Donald pakte het geld en liep het servicestation in. Hij kwam terug met twee flesjes sinas, waarvan hij er
Pete een aanreikte terwijl hij instapte. 'Ik trakteer,' zei hij.

'Geen bagage?'

'Oei, goed dat je me eraan herinnert.' Donald balanceerde
zijn flesje op het dashboard, maar door het lichte deinen van
de auto toen hij uitstapte, gleed het op de stoel, waar de helft
van de inhoud eruit bruiste voor Pete het met een graai overeind kon zetten. Donald keek toe terwijl Pete het flesje uit het
raam hield en de limonade over zijn vingers stroomde.

'Afvegen!' zei Pete tegen hem. 'Vlug!'

'Waarmee?'

Pete keek hem strak aan. 'Met dat shirt. Gebruik je T-shirt
maar.'

Donald trok een lang gezicht maar deed wat hem gezegd werd, met kippenvel op zijn bleke bovenlijf van de wind.

'Geweldig, dat is echt geweldig,' zei Pete. 'We zijn het tank-station nog niet eens uit.'

Naderhand, op de snelweg, zei Donald: 'Dit is een nieuwe auto, hè?'

'Ja. Dit is een nieuwe auto.'

'Ben je daarom zo kwaad over die limonade over de stoel?'

'Laat maar, oké? Laat we het er maar niet meer over hebben.'

'Ik heb sorry gezegd.'

'Ik zou gewoon willen dat je wat voorzichtiger was,' zei Pete. 'Dit zijn leren stoelen. Die vlek gaat er niet meer uit, om over de lucht maar te zwijgen. Ik zie niet in waarom ik geen leren stoelen mag hebben die naar leer ruiken in plaats van naar li-monade.'

'Wat mankeerde er aan die andere auto?'

Pete keek even opzij en zag dat Donald de capuchon had op-gezet van het blauwe sweatshirt dat hij had aangetrokken. De puntige kap boven zijn benige, oplettende gezicht gaf hem het uiterlijk van een inquisiteur.

'Daar mankeerde niets aan,' zei Pete. 'Ik had deze gewoon liever.'

Donald knikte.

Het bleef lang stil tussen hen terwijl Pete doorreed en het donker werd. Aan weerskanten van de weg lagen stoppelvel-den. Langs de horizon glooiden lage heuvels, hier en daar met bomen erop die zwart afstaken tegen de avondhemel. In de rij tegemoetkomende auto's deed iemand zijn lichten aan. Pete deed hetzelfde.

'Nou, wat is er gebeurd?' vroeg hij. 'Beviel het boerenleven je niet?'

Het duurde even voor Donald antwoord gaf, en ten slotte zei hij alleen maar: 'Het was mijn schuld.'

'Wat was jouw schuld?'

'De hele toestand. Hou je maar niet van de domme, Pete. Ik weet dat ze je hebben geschreven.' Hij keek even naar Pete, staarde toen weer door de voorruit.

'Ik hou me niet van de domme.'

Donald haalde zijn schouders op.

'Het enige wat ik weet is dat ze je gevraagd hebben om te vertrekken,' vervolgde Pete. 'Verder weet ik er niets van.'

'Ik heb het verknald,' zei Donald. 'En de bloederige details wil je niet horen, neem dat maar van mij aan.'

'Jawel hoor,' zei Pete. Hij voegde eraan toe: 'Iedereen wil de bloederige details graag horen.'

'Je bedoelt dat iedereen graag wil horen hoe een ander op zijn bek is gegaan.'

'Precies,' zei Pete. 'Zo gaat het in het ruimteschip dat Aarde heet.'

Donald legde een dubbelgevouwen been op de stoel en leunde tegen de deur. Pete was zich bewust van zijn onderzoekende blik. Hij wachtte af. De schemer greep snel om zich heen en vulde de laagten in het land. Donalds smalle wangen en diepliggende ogen waren nu donkere schaduwen. Zijn voorhoofd was wit. 'Droom je wel eens over mij?' vroeg hij.

'Of ik wel eens over jou droom? Wat is dat nou voor een vraag? Natuurlijk droom ik niet over jou,' zei Pete, niet naar waarheid.

'Waar droom je dan over?'

'Over seks en geld. Vooral over geld. Een nachtmerrie is een droom waarin ik dat niet heb.'

'Dat verzin je maar,' zei Donald.

Pete glimlachte.

'Soms word ik 's nachts wakker,' vervolgde Donald, 'en dan weet ik dat jij over mij droomt.'

'We hadden het over die boerderij,' zei Pete. 'Laten we dat gesprek eerst afmaken, dan kunnen we het daarna hebben over onze diverse buitenlichamelijke ervaringen en de interessante dingen die we tijdens vorige incarnaties hebben gedaan.'

Even zag Donald eruit als een grijnzend doodshoofd, toen werd hij weer serieus. 'Er valt niet zoveel over te vertellen,' zei hij. 'Ik deed gewoon niks goed.'

'Dat is een beetje vaag,' zei Pete.

'Nou ja, de boodschappen, bijvoorbeeld. Als het mijn beurt was om de boodschappen te doen maakte ik er op de een of andere manier altijd weer een puinhoop van. Dan kwam ik thuis met de boodschappen en ontbrak de helft of had ik van alles het verkeerde gekocht, het verkeerde soort meel, de verkeerde soort chocola of wat ook. Eén keer had ik alles weggegeven. Het is niet grappig, Pete.'

Pete zei: 'Aan wie had je die boodschappen weggegeven?'

'Gewoon, aan mensen die ik op weg naar huis een lift had gegeven. Een stel landarbeiders. Ze hadden wel acht kinderen bij zich en spraken niet eens Engels, ze knikten alleen maar wat. Maar goed, ik had die boodschappen niet moeten weggeven. Niet alles, in ieder geval. Dat heb ik wel geleerd. Je moet praktisch zijn. Je moet fair zijn tegenover jezelf.' Donald boog zich naar voren en Pete voelde zijn geestdrift. 'Er is eigenlijk niks verkeerd aan zakendoen,' zei hij. 'Zolang je fair bent tegenover andere mensen kun je ook fair zijn tegenover jezelf. Ik denk erover in zaken te gaan, Pete.'

'Daar hebben we het nog wel over,' zei Pete. 'Nou, is dat het hele verhaal? Is dat alles?'

'Wat hebben ze je verteld?' vroeg Donald.

'Niets.'

'Ze moeten je toch iets verteld hebben.'

Pete schudde zijn hoofd.

'Hebben ze je niet verteld over die brand?' Toen Pete opnieuw zijn hoofd schudde, nam Donald hem een poosje aandachtig op, sloeg toen zijn armen over elkaar en zakte weer onderuit in zijn hoek. 'Iedereen moest om de beurt eten koken. Ik maakte meestal een tonijnschotel of spaghetti met knoflookbrood. Maar op een avond had ik iets anders bedacht, echt een heel interessant gerecht.' Hij keek Pete scherp aan. 'Jij vindt het allemaal om je rot te lachen, hè?'

'Sorry,' zei Pete.

'Jij weet niet van ophouden. Je blijft maar doorgaan.'

'Vertel me over die brand, Donald.'

Donald bleef hem nauwlettend opnemen. 'Je hebt een dwangmatige behoefte om mij belachelijk te maken.'

'Hou op, Donald. Maak er niet zo'n punt van.'

'Ik weet wel waarom je dat doet. Dat doe je omdat jij geen doel hebt in je leven. Je durft de confrontatie niet aan met mensen die dat wel hebben, daarom steek je de draak met ze.'

'De confrontatie,' zei Pete.

'Eigenlijk ben je heel bang,' zei Donald. 'Je voelt je heel erg bedreigd. Zo ben je altijd geweest. Weet je nog dat je me aldoor probeerde te vermoorden?'

'Ik heb helemaal geen dwangmatige behoefte om jou belachelijk te maken, Donald, dat doe je zelf. Nu ook weer.'

'Je kunt mij niet wijsmaken dat je dat niet meer weet,' zei Donald. 'Het was na mijn operatie. Dat weet je heus nog wel.'

'Zo'n beetje.' Pete haalde zijn schouders op. 'Niet echt.'

'O jawel,' zei Donald. 'Wil je het litteken zien?'

'Ik kan me nog wel herinneren dat je geopereerd bent. Ik kan me alleen de details niet meer herinneren, dat is alles. En ik kan me absoluut niet herinneren dat ik jou probeerde te vermoorden.'

'O jawel,' herhaalde Donald met gekmakende stelligheid. 'Zeker weten dat je dat probeerde. Iedere keer weer. Het punt was dat mij niks mocht overkomen waar ze me hadden dichtgenaaid want dan zouden mijn ingewanden weer openscheuren en me van binnenuit vergiftigen. Het was echt een groot probleem, Pete. Mam was altijd als de dood dat ik in bomen zou gaan klimmen en zo. En jij sloeg me altijd op die plek als je maar even de kans kreeg.'

'Mam was al als de dood als jij een boertje liet,' zei Pete. 'Ik weet het niet. Misschien ben ik een paar keer per ongeluk tegen je op gebotst. Ik heb het nooit met opzet gedaan.'

'Als je maar even de kans kreeg,' zei Donald. 'Bijvoorbeeld als ze 's avonds uitgingen en jou lieten oppassen. Dan hoorde ik ze welterusten zeggen, daarna hoorde ik de auto starten en als ze dan weg waren lag ik maar te luisteren. Na een poosje hoorde ik jou dan door de gang aankomen en deed ik mijn ogen dicht alsof ik sliep. Soms bleef je voor de deur staan, dan stond je daar alleen maar en ging je na een tijdje weer weg. Maar meestal deed je de deur open en dan hoorde ik je bij mij in de kamer, dan hoorde ik je ademen. Je kwam bij me op bed zitten – dat weet je nog wel, Pete, dat moet je nog weten – dan kwam je bij me op bed zitten en trok je de dekens van me af. Als ik op mijn buik lag draaide je me om. Dan schoof je mijn pyjamajasje omhoog en begon je me op mijn hechtingen te slaan. Zo hard als je kon, je ging maar door. Ik was bang dat je kwaad zou worden als je wist dat ik wakker was. Is dat niet bizar? Ik was bang dat je kwaad zou worden als je erachter kwam dat ik wist dat je me probeerde te vermoorden.' Donald lachte. 'Kom op, ga me nou niet vertellen dat je dat niet meer weet.'

'Dat is misschien één of twee keer gebeurd. Kinderen doen dat soort dingen. Ik kan me nu niet meer druk maken over iets wat ik vijfentwintig jaar geleden misschien gedaan heb.'

'Niks misschien. Je hebt het echt gedaan.'

Pete zei: 'Ik word doodmoe van jou. We hebben nog een lange rit voor de boeg, en als je hier niet snel mee ophoudt gaan we het niet halen. Jij niet, in ieder geval.'

Donald wendde zich af.

'Ik doe mijn best,' zei Pete. Door het zelfmedelijden in zijn stem klonk het als een leugen. Maar hij loog niet! Hij deed echt zijn best.

De auto kwam boven aan een helling. In de verte zag Pete een verzameling lichtjes die weer uitfloepten toen hij de heuvel begon af te dalen. Er was geen maan. De hemel hing laag en zwart boven het land.

'Nu ik eraan denk,' zei Pete, 'een paar dagen terug heb ik wel over je gedroomd. Alweer een tijdje geleden, trouwens. Heb je honger?'

'Wat voor een droom was het?'

'Het was heel vreemd. Jij zorgde voor mij. We waren maar met zijn tweeën. Ik weet niet waar alle anderen waren.'

Daar liet Pete het bij. Hij vertelde Donald niet dat hij in die droom blind was.

'Ik vraag me af of het die keer was toen ik wakker werd,' zei Donald. 'Hoor eens, het spijt me dat ik zo doorging over dat litteken. Ik probeer aldoor het te vergeten, maar dat zal wel nooit lukken, denk ik. Niet echt. Het was behoorlijk bizar om altijd iemand om me heen te hebben die me van me af wilde.'

'Kinderspel,' zei Pete. 'Voltooid verleden tijd.'

Ze aten in een wegrestaurant voorbij King City. Terwijl Pete stond af te rekenen hoorde hij een man achter hem zeggen: 'Neem me niet kwalijk, maar mag ik vragen welke kant u op gaat?'

Donald antwoordde: 'Santa Cruz.'

'Helemaal goed,' zei de man.

Pete kon hem zien in de bolle spiegel boven de kassa: rode blazer met een of ander wapen op de borstzak, zwart snorretje, glanzend zwart haar tot op zijn voorhoofd in de stijl van een Romeinse keizer. Een toupetje, dacht Pete. Dat is geheid een toupetje.

Hij kreeg zijn wisselgeld en draaide zich om. 'Waarom is dat helemaal goed?' vroeg hij.

De man keek Pete aan. Hij had een zacht rossig gezicht dat zijn best deed aangename verrassing uit te drukken, alsof deze nieuwe hobbel op zijn weg precies was wat hij zich had kunnen wensen, maar de ogen achter de pilotenbril vertoonden al tekenen van spijt. Zijn lippen waren vochtig en glansden. 'Ik neem aan dat u bij elkaar hoort?'

'Klopt,' zei Pete tegen hem.

'Des te beter,' vervolgde de man. 'Ik ben toevallig zelf ook op weg naar Santa Cruz. Maar een eindje terug kreeg ik problemen met de auto. De ouwe Caddy heeft me in de steek gelaten.'

'Wat voor problemen?' vroeg Pete.

'Met de motor,' zei de man. 'Ik zit eigenlijk een beetje in een noodsituatie. Mijn dochter is namelijk ziek. Ernstig ziek. Ik kreeg opeens dit telegram hier.' Hij klopte op de binnenzak van zijn blazer.

Voor Pete iets kon zeggen bemoeide Donald zich er weer mee. 'Geen probleem,' zei hij. 'We hebben massa's ruimte.'

'Zoveel ruimte hebben we niet,' zei Pete.

Donald knikte. 'Ik gooi mijn spullen wel in de kofferbak.'

'De kofferbak zit vol,' zei Pete tegen hem.

'Toevallig heb ik heel weinig bij me,' zei de man. 'Op dit stuk van de reis in ieder geval. In feite heb ik momenteel helemaal geen bagage.'

Pete zei: 'Alles in die ouwe Caddy laten liggen, hè?'

'Precies,' zei de man.

'Geen probleem,' herhaalde Donald. Hij liep naar buiten, en de man ging met hem mee. Pete volgde op een afstand. Toen ze bij Petes auto waren aangekomen hief Donald zijn gezicht op naar de hemel, en de man deed hetzelfde. Ze stonden omhoog te kijken. 'Donkere avond,' zei Donald.

'Donker als de Styx,' zei de man.

Pete was nog steeds van plan hem af te schudden, maar deed het niet. In plaats daarvan deed hij de portieren van het slot en hield het achterportier voor hem open. Hij wilde zien wat er ging gebeuren. Het was een avontuur, zij het geen gevaarlijk avontuur. De man zou misschien Petes asbakjes stelen maar hij zou hem niet vermoorden. Als iemand Pete onderweg ging vermoorden was het een spiritueel persoon in een sweatshirt, iemand met zijn blik op de verre horizon en een nat T-shirt met God erop in zijn weekendtas.

Zodra ze het parkeerterrein af reden stak de man een sigaar op. Hij blies een wolk rook over Petes schouder en zuchtte van genot.

'Maak dat ding uit,' zei Pete tegen hem.

'Natuurlijk,' zei de man. Pete keek in het spiegeltje en zag de man nog een lange haal nemen voor hij de sigaar uit het raampje gooide. 'Neem me niet kwalijk,' zei hij. 'Ik had het moeten vragen. De naam is Webster, trouwens.'

Donald draaide zich om en keek hem aan. 'Is dat uw voor- of achternaam?'

De man aarzelde. 'Mijn achternaam,' zei hij uiteindelijk.

'Ik ken ook iemand die Webster heet,' zei Donald. 'Mick Webster.'

'We zijn met velen,' zei Webster.

'Grote vent, houten been,' zei Pete.

Donald wierp Pete een blik toe.

Webster schudde zijn hoofd. 'Zegt me niets. Maar goed, ik zal niet ontkennen dat het familie zou kunnen zijn. Misschien een achterneef of zo.'

'Wat is er met uw dochter?' vroeg Pete.

'Dat is niet duidelijk,' antwoordde Webster. 'Naar het zich laat aanzien is het een of andere vrouwelijke kwaal. Maar het zou ook een tropische ziekte kunnen zijn.' Hij zweeg even en voegde eraan toe: 'Als het inderdaad een tropische ziekte is, ben ik daar zelf medeverantwoordelijk voor, denk ik. Het was mijn eigen grenzeloze ambitie die ons om te beginnen naar de tropen heeft gevoerd en ons daar al die jaren heeft vastgehouden, blootgesteld aan alle denkbare kwaden. Ik heb echt heel wat op mijn geweten. Ik heb mijn vrouw daar achtergelaten.'

'Bedoelt u dat ze daar is gestorven?' vroeg Donald.

'Ik heb haar met mijn eigen handen begraven. De aarde eist zijn tol, goud wordt met goud betaald.'

'Waar in de tropen?' vroeg Pete.

'In Peru.'

'Welk stuk van Peru is dat?'

'Het laagland,' zei Webster.

'Hoe is het daar? In dat laagland.'

'Een andere wereld,' zei Webster. Hij sprak met een begrafenisstem. 'Een wereld die je je beter kunt voorstellen dan beschrijven.'

'Te gek,' zei Pete.

De drie mannen reden een poosje in stilte verder. In tegengestelde richting kwam een rij vrachtwagens voorbij, opleggers met daverende motoren, opgetuigd met guirlandes van lichtjes.

'Ja,' zei Webster ten slotte, 'ik heb heel wat op mijn geweten.'

Pete keek glimlachend naar Donald, maar deze had zich weer in zijn stoel omgedraaid en zat Webster aan te gapen. 'Het spijt me van uw vrouw,' zei Donald.

'Waar is ze aan gestorven?' vroeg Pete.

'Een slopende ziekte,' zei Webster. 'De artsen hebben er geen naam voor, maar ik wel.' Hij boog zich naar voren en zei fel: 'Hebzucht. Niet haar hebzucht maar de mijne. Zij wilde er niets mee te maken hebben.'

Pete beet op zijn lip. Die Webster was een giller, en Pete wilde hem niet afschrikken door luid te lachen. Hij vroeg met een zachte, onnozele stem: 'Wat deed u daar?'

'Het is moeilijk voor me om erover te praten.'

'Probeer het,' zei Pete tegen hem.

'Met een sigaar zou het makkelijker gaan.'

Donald keerde zich naar Pete en zei: 'Ik vind het best.'

'Goed,' zei Pete. 'Doe maar. Hou alleen wel het raampje open.'

'Mijn dank is groot.' Een lucifer flitste op. Er klonken gretig zuigende geluiden.

'Vertel,' zei Pete.

'Ik ben van huis uit ingenieur,' begon Webster. 'Mijn werk heeft me blootgesteld aan alle continenten op één na, aan woestijnen, alpen en wouden, aan alle soorten terrein en alle seizoenen op deze aarde. Een aantal jaren geleden werd ik door de Peruviaanse regering ingehuurd om in de tropen naar wolfraam te zoeken. Mijn vrouw en dochter gingen met me mee. We waren de enige blanken in een straal van duizend kilometer en we hadden geen andere keus dan te leven zoals de indianen leefden, we deelden hun eten en drinken, zelfs hun cultuur.'

'Sprak u de taal ook?' zei Pete.

'We hadden wel wat woorden opgepikt.' De gloeiende punt van de sigaar danste op en neer. 'We waren gewend om te leren wat de omstandigheden van ons verlangden. Hoe het ook zij, na een paar jaar werd duidelijk dat er geen wolfraam te vinden was. Mijn vrouw was ziek geworden en smeekte me om met haar naar huis terug te gaan. Maar ik was doof voor haar smeekbeden, omdat ik inmiddels een ander metaal op het spoor was, een veel waardevoller metaal dan wolfraam.'

'Laat me eens raden,' zei Pete. 'Goud?'

Donald keek naar Pete, dan weer naar Webster.

'Goud,' zei Webster. 'Een goudader rijker dan de moederader zelf. Toen ik de eerste sporen ervan had gevonden, liet ik me door niets of niemand van mijn zoektocht afhouden, zelfs niet door de ziekte van mijn vrouw. Ik was vastbesloten de ader bloot te leggen en dat is me ook gelukt, maar niet voor ik mijn vrouw ten grave had gedragen. Zoals ik al zei, de aarde eist zijn tol.'

Webster zweeg. Toen zei hij: 'Maar het leven gaat door. In de jaren na het overlijden van mijn vrouw ben ik bezig geweest de nodige voorbereidingen te treffen om de mijn te openen. Ik had het natuurlijk meteen kunnen doen, en onmetelijk rijk kunnen worden, maar ik wist wat dat zou betekenen: de uitbuiting van onze geliefde indianen, de meedogenloze vernietiging van hun leefomgeving. Ik vond dat ik al genoeg had goed te maken.' Webster zweeg even, en toen hij weer sprak klonk zijn stem vlak en gehaast, alsof hij alle belangstelling voor zijn eigen woorden had opgebruikt. 'In plaats ervan heb ik een constructie bedacht waardoor het grootste deel van de rijkdommen naar de indianen zelf terugvloeit. Een soort trustfonds. De rente alleen al zal hen in staat stellen hun grondgebied en hun historische rechten voor eeuwig veilig te stellen. Tegelijkertijd zullen onze investeerders in duizendvoud beloond worden. In tweeduizendvoud. Alle mensen zullen er samen wel bij varen.'

'Dat is fantastisch,' zei Donald. 'Zo hoort het.'

Pete zei: 'Ik durf te wedden dat u nog wel een paar aandeeltjes overhebt. Heb ik gelijk?'

Webster gaf geen antwoord.

'Nou?' Pete wist dat Webster hem nu doorhad, maar het kon hem niet schelen. Het verhaal had hem verveeld. Hij had iets anders verwacht, iets origineels, en Webster had hem teleurgesteld. Hij had niet eens zijn best gedaan. Pete voelde zich chagrijnig en moe. Zijn ogen brandden van de sigarenrook en de felle lichten van de vrachtwagens die de hele weg voor zich opeisten. 'Maak die stinkstok uit,' zei hij tegen Webster. 'Ik had gezegd dat het raampje open moest blijven.'

'Het werd een beetje fris hier achterin.'

'Hé Pete,' zei Donald, 'een beetje vrolijker mag wel.'

'Maak dat ding uit!'

Webster slaakte een zucht en gooide de sigaar door het raampje naar buiten.

'Ik ben kapot,' zei Pete tegen Donald. 'Wil jij een tijdje rijden?'

'Wat goed, man! Dat wilde ik net aanbieden! Ik bedoel, de woorden lagen op het puntje van mijn tong.'

Pete stopte en ze wisselden van plaats.

Webster bleef rustig achterin zitten en hield zich afzijdig. Donald neuriede onder het rijden, tot Pete hem zei daarmee op te houden. Daarna was het stil in de auto.

Donald zat weer te neuriën toen Pete wakker werd. Hij keek nors naar de weg, naar de witte strepen die langs de auto gleden. Na een paar tellen draaide hij zich naar Donald en zei: 'Hoelang heb ik geslapen?'

Donald wierp een vlugge blik op hem. 'Twintig, misschien vijfentwintig minuten.'

Pete keek achter zich en zag dat Webster was verdwenen. 'Waar is onze vriend?'

'Je hebt het net gemist. Hij is in Soledad uitgestapt. Hij vroeg me je te bedanken en nog een goede reis te wensen.'

'In Soledad? En zijn zieke dochter dan? Hoe heeft hij dat uitgelegd?'

'Hij heeft daar een broer wonen. Hij gaat een auto van hem lenen en dan morgenochtend het laatste stuk rijden.'

'Dat geloof ik direct, dat hij daar een broer heeft zitten,' zei Pete. 'Met vijftig keer levenslang. Waarschijnlijk zit zijn hele familie daar in de bak.'

'Ik mocht hem wel,' zei Donald.

'O ja, vast,' zei Pete.

'Hij was interessant. Hij had veel van de wereld gezien.'

'Zijn sigaren, zal je bedoelen. Die kwamen wel uit het buiten-
land.'

'Kom nou, Pete.'

'Hoezo, kom nou? Wat een oplichter.'

'Dat weet je niet.'

'Natuurlijk wel.'

'Hoe dan? Hoe weet je dat dan?'

Pete rekte zich uit. 'Broer, er zijn dingen die je gewoon vanaf
je geboorte al weet. Hoe staat het met de benzine?'

'We hebben niet zoveel meer.'

'Waarom heb je dan niet bijgetankt?'

'Ik wou dat je niet zo tegen me snauwde,' zei Donald.

'Waarom gebruik je je hersens dan niet? Hoe moet dat als we
straks zonder komen te staan?'

'We halen het wel,' zei Donald. 'Ik weet bijna wel zeker dat we
genoeg hebben om het te halen. Je had niet zo onbeschoft tegen hem hoeven doen.'

'Ik heb geen zin om vanavond zonder benzine langs de weg te
staan, oké?'

Donald stopte bij het eerstvolgende benzinestation dat ze tegenkwamen en vulde de tank terwijl Pete naar de wc ging. Toen
Pete terugkwam, zat Donald op de passagiersstoel. Terwijl
Pete achter het stuur plaatsnam, kwam de pompbediende naar
zijn raampje, bukte zich en zei: 'Eenentwintig-vijfenvijftig.'

'Je hebt hem gehoord,' zei Pete tegen Donald.

Donald keek recht voor zich uit. Hij verroerde zich niet.

'Vooruit, dokken,' zei Pete. 'De reis is voor jouw rekening.'

'Ik kan het niet betalen.'

'Natuurlijk wel. Breek die honderd maar aan.'

'Toe, alsjeblieft, Pete,' zei hij. 'Die heb ik niet meer.'

Pete liet dit op zich inwerken. Hij knikte en betaalde de be-
diende.

Donald begon iets te zeggen toen ze wegreden maar Pete kapte hem af. Hij zei: 'Ik wil nu even niets van jou horen. Je houdt je mond of ik sta bij god niet voor mezelf in.'

Ze lieten de velden achter zich en reden een bos van hoge dennen in. De bomen bleven maar langsflitsen. 'Even voor alle duidelijkheid,' zei Pete ten slotte. 'Je hebt het geld niet meer dat ik je heb gegeven.'

'Je behandelde hem als een of ander lastig insect,' zei Donald.

'Je hebt dat geld niet meer,' zei Pete nogmaals.

Donald schudde zijn hoofd.

'Aangezien ik voor het eten heb betaald en we verder nergens zijn gestopt, neem ik aan dat je het geld aan Webster hebt gegeven. Is dat zo? Heb je dat gedaan?'

'Ja.'

Pete keek Donald aan. Zijn gezicht was donker onder de capuchon maar wist toch een gevoel van afstandelijkheid over te brengen, alsof het hem allemaal niet aanging.

'Waarom?' vroeg Pete. 'Waarom heb je het aan hem gegeven?' Toen Donald geen antwoord gaf, zei Pete: 'Honderd dollar, weg. Zomaar. Ik heb voor dat geld gewérkt, Donald.'

'Weet ik, weet ik,' zei Donald.

'Dat weet jij niet! Hoe zou jij dat kunnen weten? Jij komt aan je geld door je hand op te houden.'

'Ik werk ook,' zei Donald.

'Jij werkt ook? Maak jezelf niks wijs, broer.' Donald boog zich naar hem toe, op het punt iets te zeggen, maar Pete kapte hem weer af. 'Je bent niet de enige die bij mij op de loonlijst staat, Donald. Ik geloof niet dat je dat begrijpt. Ik heb een gezin.'

'Ik betaal het je terug, Pete.'

'Ja ja! Honderd dollar!' Pete sloeg met zijn handpalm op het stuur. 'Gewoon omdat jij vindt dat ik een of andere flapdrol gekwetst heb. Jezus, Donald.'

'Dat is niet de reden,' zei Donald. 'En ik heb hem het geld ook niet zomaar gegéven.'

'Hoe zou je het dan willen noemen? Hoe zou jij het dan noemen wat je gedaan hebt?'

'Ik heb het geïnvestéérd. Ik wilde een aandeel hebben, Pete.'

Toen Pete hem van opzij aankeek, knikte Donald en zei hij opnieuw: 'Ik wilde een aandeel hebben.'

Pete zei: 'Ik neem aan dat je het hebt over die goudmijn in Peru?'

'Ja,' zei Donald.

'Jij gelooft dat die goudmijn echt bestaat?'

Donald keek hem aan, en Pete zag dat het net tot hem begon door te dringen. 'Jij gelooft echt alles, hè?' zei Pete. 'Jij gelooft echt alles en iedereen.'

'Het spijt me,' zei Donald, en hij wendde zich af.

Pete reed verder tussen de bomen en overdacht hoe waar het was wat hij net had gezegd, dat Donald alles en iedereen zou geloven. En het kwam bij hem op dat het wel zou passen in deze onrechtvaardige wereld als Donald er uiteindelijk goed uit zou springen met zijn geloof in een of andere krankzinnige belofte die waarachtig bleek te zijn en die hij, Pete, onmiddellijk van de hand had gewezen omdat hij te zeer door de wol geverfd was om nog naar dat soort praatjes te luisteren, behalve voor de lol. Wat een grap. Wat een grap als er echt iets positiefs uit zou voortkomen, en dan niet voor degene die het verdiende, die al het werk had gedaan, maar voor de ander.

En alsof dit al was gebeurd voelde Pete een schaduw over zich kruipen die zijn gedachten verduisterde. Na een tijdje zei hij: 'Ik zie al waar dit naartoe gaat, Donald.'

'Ik betaal het je wel terug,' zei Donald.

'Welnee,' zei Pete. 'Je betaalt het me niet terug. Dat kun je niet. Je zou niet weten hoe. Het enige wat jij ooit gedaan hebt is nemen. Je hele leven.'

Donald schudde zijn hoofd.

'Ik zie al helemaal voor me waar dit naartoe gaat,' vervolgde Pete. 'Jij kunt niet werken, je kunt niet voor jezelf zorgen, je gelooft alles wat mensen je vertellen. En ik zit met jou opgescheept, ja toch?' Hij keek opzij naar Donald. 'Ik heb jou voorgoed op sleeptouw.'

Donald duwde zijn vingers tegen het dashboard alsof hij zich schrap wilde zetten. 'Ik stap wel uit,' zei hij.

Pete bleef doorrijden.

'Laat me uitstappen,' zei Donald. 'Ik meen het, Pete.'

'O ja?'

Donald aarzelde. 'Ja,' zei hij.

'Als je het maar zeker weet,' zei Pete tegen hem. 'Want nu is het afgelopen. Voorgoed.'

'Ik meen het.'

'Goed. Je hebt er zelf voor gekozen.' Pete remde scherp en stuurde de auto de berm in. Hij zette de motor af en stapte uit. De bomen die aan weerskanten van de weg oprezen blokkeerden de hemel. Er hing een kille, muffe lucht. Pete pakte Donalds weekendtas van de achterbank en zette hem achter de auto neer. Hij stond tegenover Donald in het rode schijnsel van de achterlichten. 'Het is beter zo,' zei hij.

Donald keek hem alleen maar aan.

'Voor jou,' zei Pete.

Donald had zijn armen om zichzelf heen geslagen. Hij rilde. 'Dat hoef je allemaal niet te zeggen,' zei hij tegen Pete. 'Ik neem het je niet kwalijk.'

'Je neemt het mij niet kwalijk? Waar heb je het godverdomme over? Wat neem je mij niet kwalijk?'

'Niets,' zei Donald.

'Ik wil weten wat je bedoelt, wat je mij niet kwalijk neemt.'

'Niets. Helemaal niets, Pete. Ga nou maar. God behoede je.'

'Nou, dat is het dan,' zei Pete en deed een stap in de richting van Donald.

Donald legde even een hand op Petes schouder. 'Ga nou maar,' zei hij.

Ergens boven in de bomen brak een tak af. Pete keek op en voelde dat hij zijn handen tot vuisten had gebald. Hij keerde Donald zijn rug toe, liep naar de auto en reed weg. Hij reed hard, diep over het stuur gebogen, zich bewust van zijn gebogen houding en gejaagde ademhaling, koppig weigerend in het spiegeltje boven zijn hoofd te kijken tot er achter hem niets anders was dan duisternis.

Toen zei hij: 'Honderd dollar', alsof er iemand was die hem kon horen.

De bomen maakten plaats voor velden. Pete reed verder langs gazen hekken vol weggewaaide stukken papier. Boven de sloten hingen mistbanken van fijne tule die over de weg uitwaaierden en een vervagend waas weefden rond de spookachtige halogeenlampen op de boerenerven die hij passeerde. De mist liet kraaltjes water achter die over zijn voorruit omhoogkropen.

Pete rommelde tussen zijn cassettes. Hij vond de Canon in D van Pachelbel en schoof hem in het cassettedeck. Toen de violen begonnen te spelen leunde hij achterover met een aandachtige uitdrukking op zijn gezicht, alsof hij er echt naar luisterde. Hij glimlachte in zichzelf als een man die het vrijstaat van muziek te genieten, als een man die zijn werk heeft gedaan en zijn schulden heeft afbetaald, die aan al zijn verplichtingen heeft voldaan.

En zo reed hij glimlachend, met de muziek meeknikkend, nog een paar kilometer door en deed alsof hij nog niet bezig was vaart te minderen, alsof hij niet zou omkeren en zo in zijn eentje zou kunnen doorrijden, en de juiste antwoorden klaar zou hebben als zijn vrouw straks voor hem in de deuropening van zijn huis stond en vroeg: Waar is hij? Waar is je broer?

Leviathan

Toen ze dertig werd organiseerde Ted een surpriseparty voor Helen. Een klein feestje – Mitch en Bliss waren de enige gasten. Ze hadden samen met Ted drie gram wit voor Helen gekocht, een voorraad waar ze de hele nacht, tot in de volgende ochtend, mee toe konden. Toen het licht genoeg werd namen ze met zijn allen een duik in het zwembad in de binnentuin. Daarna nam Ted Mitch mee naar de sauna op de vierde verdieping terwijl Helen en Bliss een gigantische omelet gingen maken.

'Nou, hoe voelt dat,' zei Bliss, 'dertig?' De as viel van haar sigaret in de eieren. Ze staarde er even naar, roerde het er toen doorheen. 'Mitch is vorige maand veertig geworden en toen totaal geflipt. Hij had zoveel Maalox genomen dat hij naar krijt begon te smaken. Ik dacht dat hij het zou gaan basen of zo.'

'Is Mitch véértig?' zei Helen.

Bliss keek haar even van opzij aan. 'Dat is strikt vertrouwelijk, oké?'

'Niet te geloven. Hij ziet eruit als vijfentwintig, of misschien zevenentwintig, op zijn hoogst.' Helen keek hoe Bliss stukjes bacon in de kom strooide. 'O god,' zei ze. 'Niet te geloven. Hij heeft een facelift laten doen.'

Bliss sloot haar ogen en leunde tegen het aanrecht. 'Ik had het je niet moeten vertellen. Zeg er alsjeblieft niets over,' mompelde ze hopeloos.

Toen Mitch en Ted terugkwamen van de sauna namen ze allemaal nog een snuif en gaf Ted de spiegel aan Helen om af te likken. Hij zei dat hij nog nooit drie gram zo snel had zien verdwijnen. Daarna serveerde Helen de omelet terwijl Ted iets op de tv probeerde te vinden. Hij bleef aan de knop draaien tot iedereen er gek van werd, op zoek naar tekenfilmpjes van Road Runner, toen gaf hij het op en schakelde naar het laatste gedeelte van een film over de Dodenmars van Bataan. Maar ze keken er niet erg lang naar, omdat Bliss begon te huilen en te hyperventileren. 'Kom op, allemaal,' zei Mitch. 'Love Circle.' Ted en Mitch liepen naar Bliss toe en sloegen hun armen om haar heen, terwijl Helen hen vanaf de bank gadesloeg en aan een espresso nipte uit een kopje zo blauw en precieus als het ei van een roodborstje – het laatste van een set die haar grootmoeder nog had meegebracht uit haar geboorteland. Helen had ook best een arm om haar heen willen slaan maar het had eigenlijk geen zin; Bliss haalde bijna altijd dit kunstje uit als ze haar neus had gepoederd, ze moesten haar gewoon laten betijen.

Toen Helen haar espresso op had verzamelde ze de borden en bracht ze naar de keuken. Ze strooide overgebleven stukjes toast in de binnentuin beneden en keek hoe de eekhoorns ze afvoerden terwijl ze de borden afwaste en luisterde naar wat er zich in het aangrenzende vertrek afspeelde. Ditmaal was het Ted die op Bliss inpraatte. 'Je bent geweldig,' zei hij aldoor tegen haar. Hetzelfde zei hij ook altijd tegen Helen als zij zich gedeprimeerd voelde, en ze begon zich nu ook prompt gedeprimeerd te voelen.

Ze had meer brandstof nodig, besloot ze. Ze glipte de slaapkamer in en nam een paar lijntjes van Teds persoonlijke voorraad, die ze had ontdekt terwijl ze in de kast naar lucifers zocht. Erna bekeek ze zichzelf in de spiegel. Haar ogen schitterden. Het leek wel of ze van binnenuit werden verlicht en zo voelde Helen zich ook, alsof er een bundel koel wit licht van haar hoofd naar haar voeten stroomde. Ze zette een zonnebril op zodat niemand het zou opmerken en ging terug naar de keuken.

Mitch stond bij het aanrecht een stick te draaien. 'Hoe gaat het met de jarige?' vroeg hij zonder op te kijken.

'Klaar voor de volgende,' zei Helen. 'En jij?'

'Ja hoor, laat maar komen,' antwoordde Mitch.

Op dat moment scheelde het niet veel of Helen had hem verteld dat ze het wist, maar ze hield zich in. Mitch was oké en Bliss ook. Helen wilde geen problemen tussen hen veroorzaken. Niettemin wist Helen dat ze het op een dag niet zou kunnen laten Mitch eens goed de waarheid te zeggen. Het moest er gewoon van komen. En Helen wist dat Bliss dat ook wist. Maar goed, vanochtend had ze het niet gedaan en daar was ze blij om.

Mitch hield de joint omhoog. 'Trek?'

Helen schudde haar hoofd. Ze keek even over haar schouder in de richting van de woonkamer. 'Wat is er met Bliss?' vroeg ze. 'Helemaal in de put over de Tweede Wereldoorlog? Ted had moeten weten dat ze zo op die film zou reageren.'

Mitch plukte een flintertje wiet van zijn onderlip. 'Haar ex dreigt terug te verhuizen naar Boston. Wat betekent dat ze haar kinderen niet meer te zien zal krijgen, behalve in de zomer, en dan alleen als wij de poen bij elkaar kunnen harken om ze heen en weer te laten vliegen. Dat is hard. Dat is echt heel hard.'

'Dat lijkt mij ook,' zei Helen. Ze droogde haar handen af en hing de handdoek over de deur van de koelkast. 'Maar ja, daar had Bliss aan moeten denken voor ze ze in de steek liet, ja toch?'

Mitch draaide zich om en liep de keuken uit.

'Sorry,' riep Helen hem achterna. 'Ik dacht er niet bij na.'

'Jawel,' zei Mitch en liet haar daar staan.

O, shit, dacht Helen. Ze besloot dat ze nog een lijntje moest hebben maar maakte geen aanstalten. Ze bleef daar staan en keek door het raam boven het aanrecht naar het zwembad. De Afghaanse windhond van de beheerder likte water uit het ondiepe gedeelte, met zijn poten schrap in de goot die om het bassin liep. De twee stewardessen van British Airways die een paar deuren verder woonden, koesterden hun witte lichamen in de ochtendzon, allebei gekleed in een blauw zwempak. Het roodharige meisje van boven dreef op een luchtbed in het zwembad. Helen zag de langwerpige schaduw over de bodem glijden als een schim die haar volgde.

Helen hoorde Ted zeggen: 'Jezus, Bliss, dat kan ik wel begrijpen. Iedereen heeft dat soort gevoelens. Die kun je niet altijd wegdrukken.' Bliss antwoordde hem met zo zachte stem dat Helen niet meer probeerde haar te verstaan; het was nauwelijks meer dan een zuchtje. Ze schonk zich een glas chablis in en voegde zich bij de anderen in de woonkamer. Ze zaten allemaal in kleermakerszit op de vloer. Helen ving Mitch' blik op en mimede het woord sorry. Hij keek haar strak aan, toen knikte hij.

'Ik heb wel ergere dingen gedaan,' zei Ted. 'Mitch ook wel, denk ik.'

'Veel ergere dingen,' zei Mitch.

'Erger dan wat?' vroeg Helen.

'Het is vreselijk.' Bliss tuurde op haar handen. 'Ik durf het je niet te vertellen.' Ze was nu helemaal uitgehuild, zag Helen. Haar ogen waren dik en keken sereen, haar wangen waren vlekkig rood en er speelde een klein glimlachje om haar gezwollen lippen.

'Zo erg kan het toch niet zijn,' zei Helen.

Ted boog zich naar voren. De badjas die hij na zijn sauna nog aanhad viel bijna tot zijn middel open, en Helen wist dat dit de bedoeling was. Zijn borst was hard en gespierd van het fitnessapparaat in de kelder, en diep gebronsd van hun reis naar Mazatlán. Helen moest het toegeven, hij zag er fantastisch uit. Ze begreep niet waarom hij het er zo dik bovenop moest leggen, maar hij bereikte ermee wat hij wilde: ze keek naar hem en Bliss ook.

'Het is echt niet zo erg, Bliss,' vervolgde Ted. 'Soms gaat het gewoon zo.' Hij wendde zich tot Helen. 'Bliss' dochtertje had vorige maand ontstoken amandelen en Bliss had het niet voor elkaar gekregen haar in het ziekenhuis op te zoeken.'

'Ik kan niet tegen ziekenhuizen,' zei Bliss. 'Zodra ik een voet over de drempel zet krijg ik knopen in mijn maag. Maar toch. Als ik eraan denk dat ze daar helemaal in haar eentje lag.'

Mitch nam Bliss' handen in de zijne en keek haar recht aan tot ze zijn blik vasthield. 'Het is voorbij,' zei hij. 'De operatie is achter de rug, Lisa is uit het ziekenhuis en het gaat goed met haar. Zeg het, Bliss. Het gaat goed met haar.'

'Het gaat goed met haar,' zei Bliss.

'Nog eens.'

'Het gaat goed met haar,' herhaalde Bliss.

'Oké. Nu moet je het ook geloven.' Mitch legde haar handen tegen elkaar en wreef ze zachtjes tussen zijn handpalmen. 'We hebben een enorme mythe opgebouwd dat kinderen hulpeloos en kwetsbaar zijn en zo, omdat wij ons dan belangrijk kunnen voelen. We denken dat wij een of andere cruciale rol spelen, enkel en alleen omdat we ouders zijn. We geven die kinderen helemaal geen krediet. Kinderen zijn taaie kleine rakkers. Kinderen zijn echte overlevers.'

Bliss glimlachte.

'Maar ik weet het ook niet,' zei Mitch. Hij liet Bliss' handen los en leunde achterover. 'Wat ik daarnet zei is waarschijnlijk allemaal gelul. Alles wat ik tegenwoordig zeg klinkt als gelul.'

'We hebben allemaal wel ergere dingen gedaan,' zei Ted tegen Bliss. Hij keek Helen van opzij aan. Toen Helen zag dat hij wachtte tot ze hem zou bijvallen, probeerde ze iets te bedenken wat ze kon zeggen. Ted bleef haar aankijken. 'Waarom heb je dat ding op?' vroeg hij.

'Het licht doet pijn aan mijn ogen.'

'Doe dan de gordijnen dicht.' Hij stak zijn hand naar Helen

uit en pakte de zonnebril van haar gezicht. 'Zo,' zei hij. Hij legde één hand om haar kin en veegde met de andere het haar van haar voorhoofd. 'Is het geen schoonheid?'

'Ze kan ermee door,' zei Mitch.

Ted streelde Helens wang met de rug van zijn hand. 'Ik zou een moord plegen voor dat gezicht.'

Bliss bekeek Helen aandachtig. 'Ze is zo mooi,' zei ze met een plechtige, weemoedige stem.

Helen lachte. Ze stond op en trok de gordijnen dicht. In de stof glinsterden kristallen van licht. Ze liep door het schemerige vertrek naar de eethoek en kwam terug met een kaars die daar op tafel stond. Ted stak de kaars aan en enkele ogenblikken keken ze zwijgend naar de vlam. Toen begon Mitch te spreken, op een bedachtzame toon die deel uit leek te maken van de stilte.

'Het is waar dat we allemaal dingen gedaan hebben waar we ons voor schamen. Ik wou alleen dat ik het vaker gedaan had. Serieus,' zei hij toen Ted lachte. 'Ik wou dat ik vaker tekeer was gegaan en meer fouten had gemaakt, echte fouten waarbij je echt iets verkeerd doet in plaats van dingen met je te laten gebeuren die je niet ziet zitten. Soms kijk ik om me heen en denk ik: Shit, hoe ben ik hierin terechtgekomen? Dat slaat niet op jou,' zei hij tegen Bliss.

Ze leek het niet goed te begrijpen.

'Laat maar,' zei Mitch tegen haar. 'Ik bedoel alleen maar dat je er geen moer mee opschiet om altijd maar voor anderen klaar te staan en aardig te zijn.'

'Maar je bent wel aardig,' zei Bliss.

Mitch knikte. 'Ik weet het,' zei hij bitter. 'Daar werk ik ook aan. Je bereikt er helemaal niets mee.'

'Zo is het,' zei Ted.

'Om eens wat te noemen,' vervolgde Mitch. 'Ik werkte vroeger op kantoor samen met een juridisch assistent die besloot dat hij niet zonder een of andere meid kon leven waar hij wat mee had. Hij vertelde het aan zijn vrouw en die gooide hem natuurlijk meteen het huis uit. Daarna veranderde die meid van gedachten. Ze vertelde hem niet eens waarom. We gingen altijd samen lunchen en dan kreeg ik de laatste aflevering van hem te horen en eerlijk waar, man, je ging er bijna van huilen. Hij wilde terug naar zijn gezin, maar zijn vrouw kon niet besluiten of ze dat goed zou vinden of niet. Het ene moment zei ze ja, even later was het weer nee. Intussen woonde hij in een krot ergens in Post Street. Het enige wat hij daar had was een stel tuinstoelen. Ik weet het niet, ik had gewoon met hem te doen. Dus zei ik tegen hem dat hij wel bij ons kon intrekken tot hij zijn leven weer op orde had.'

'Ik voel hem al aankomen,' zei Helen.

Mitch staarde naar de kaars. 'Hij heette Raphael. Naar de aartsengel. Hij was creatief en knap en had een fijne uitstraling. Ik wilde zijn vriend zijn, denk ik. Maar hij bleek echt een totale ramp te zijn. In de negen maanden dat hij bij ons inwoonde heeft hij geen glas afgewassen en geen asbak geleegd. Hij belde voor honderden dollars met onze telefoon en betaalde ons geen cent. Hij heeft mijn auto in de prak gereden. Hij heeft dingen van me gestolen. Hij probeerde het zelfs met mijn vrouw aan te leggen.'

'Klassiek,' zei Helen.

'En weet je wat ik eraan gedaan heb?' vroeg Mitch. 'Dat zal ik je vertellen. Niets. Ik heb nooit ergens iets over gezegd. Tegen de tijd dat hij wegging, kon mijn vrouw me niet meer zien. Het was het begin van het einde.'

'Wat een deprimerend verhaal,' zei Helen.

'Ik had hem moeten vermoorden,' zei Mitch. 'Daar had ik later misschien spijt van gekregen, maar dan had ik tenminste kunnen zeggen dat ik iets gedaan had.'

'Je bent te lief,' zei Bliss tegen hem.

'Weet ik,' zei Mitch. 'Maar ik wou toch dat ik het gedaan had. Soms is het beter om echt iets verschrikkelijks te doen dan het allemaal maar te laten gebeuren.'

Ted klapte in zijn handen. 'Bravo, bravo. Je bent op de goede weg, Mitch. Je hebt alleen nog wat tips nodig, en onze Ted hier is de aangewezen persoon om je die te geven. Want als het om verschrikkelijke dingen gaat ben ik de expert. Je zou kunnen zeggen dat ik Ivan de Verschrikkelijke ben.'

Helen hield haar lege glas omhoog. 'Wil er nog iemand wat?'

'Zet je helm maar vast op,' vervolgde Ted. 'Jullie gaan dadelijk mijn ultieme bekentenis horen. Het ergste verhaal dat je ooit hebt gehoord.'

'Nee, dank je,' zei Helen.

Hij keek haar met toegeknepen ogen aan. 'Wat bedoel je met dat "nee, dank je"? Heeft iemand jou om toestemming gevraagd?'

'Ik wil het wel horen,' zei Mitch.

'Nou, ik niet.' Helen stond op en keek op Ted neer. 'Het is mijn verjaardagsfeestje, weet je nog? Ik heb gewoon geen zin om jou te horen vertellen wat een zak je bent. Daar word je maar treurig van.'

'Zo is het,' zei Bliss. 'Helen is de jarige. Zij mag het zeggen. Nietwaar, Ted?'

'Ik weet wat,' zei Helen. 'Waarom vertel je ons niet over iets wat je goed hebt gedaan? Iets waar je echt trots op bent?'

Mitch barstte in lachen uit. Ted grijnsde en gaf hem een stomp tegen zijn arm.

'Ik meen het,' zei Helen.

'Helen heeft het voor het zeggen,' herhaalde Bliss. Ze klopte naast zich op de vloer, en Helen ging weer zitten. 'Goed,' zei Bliss. 'Vertel.'

Ted keek van Bliss naar Helen. 'Ik doe het als jij het ook doet,' zei hij. 'Maar jij moet eerst.'

'Dat is niet eerlijk,' zei Helen.

'Volgens mij is het wel eerlijk,' zei Mitch. 'Het was jouw idee.'

Bliss glimlachte tegen Helen. 'Dit is leuk.'

Voor Helen begon, stuurde ze Ted naar de keuken om meer wijn te halen. Mitch deed een paar sit-ups om zijn bloedsomloop weer op gang te krijgen. Bliss ging achter Helen zitten en maakte Helens haar los. 'Ik kan je wel laten zien wat helpt tegen dat droge haar,' zei ze. Ze kamde Helens haar met haar vingers, daarna begon ze het te borstelen, met een gonzend fluisterstemmetje de halen tellend tot Ted terugkwam met de fles.

Ze namen allemaal nog wat wijn.

'We wachten in spanning af,' zei Ted tegen Helen. Hij zakte onderuit op de bank en vouwde zijn handen achter zijn hoofd.

'Een van mijn moeders vriendinnen had een zoon met het syndroom van Down,' begon Helen. 'Wel drie of vier van haar vriendinnen hadden kinderen met dat soort problemen. Een van mijn tantes ook. Ze waren allemaal goed katholiek en stonden er geen moment bij stil of ze na hun veertigste nog wel kinderen moesten nemen. Het was nog voor het Tweede Vaticaans Concilie en de pil en zo, voor alles verwaterde.

Maar goed, Tom was eigenlijk geen jongen meer. Hij was een paar jaar ouder dan ik, en veel groter. Maar hij leek net een kleine jongen, hij was heel lief, heel zachtaardig, heel gelukkig.'

Bliss hield de borstel halverwege een haal stil en zei: 'Je gaat me weer aan het huilen maken.'

'Ik paste wel eens op Tom toen ik op de middelbare school zat. Ik deed toen serieus aan goede werken. Ik wilde een heilige zijn. Eerlijk waar. 's Avonds voor ik ging slapen hield ik mijn vingers onder mijn kin alsof ik bad, met zo'n heilige glimlach op mijn gezicht waar ik aldoor voor de spiegel op oefende. Als ze me dan 's morgens dood zouden vinden zouden ze denken dat ik recht naar de hemel was gegaan, dat ik glimlachte tegen de engelen die me kwamen halen. Op een gegeven moment dacht ik er zelfs over om non te worden.'

Bliss lachte. 'Ik zie jou al in een habijt – Zuster Morfine. Je zou het ongeveer twee uur hebben volgehouden.'

Helen draaide zich om en nam Bliss met een schattende blik op. 'Ik verwacht niet dat je het zult begrijpen,' zei ze, 'maar als ik het had gedaan was ik het gebleven. Voor mij is een gelofte een gelofte.' Ze wendde zich weer af. 'Zoals ik net zei, begon ik op Tom te passen als een soort oefening in heiligheid, maar na een tijdje begon ik ernaar uit te kijken. Tom was leuk gezelschap. En hij hield echt van me. Hij had zelfs een van zijn hamsters naar mij vernoemd. We waren allebei dol op dieren, dus we gingen meestal naar de dierentuin of ik nam hem mee naar een manege in Marin waar ze gratis rijles gaven aan bijzondere kinderen. Zo noemden ze die kinderen, in plaats van gehandicapt of achterlijk noemden ze het bijzondere kinderen.'

'Wat mooi,' zei Mitch.

'Verslik je niet in je tranen,' zei Helen tegen hem. 'Het verhaal is nog niet af.' Ze nam een slokje van haar wijn. 'Goed. Toen ik ging studeren kwam ik niet meer zo vaak thuis, maar als ik er was ging ik Tom altijd halen en dan gingen we ergens naartoe. Naar het Cliff House om naar de zeeleeuwen te kijken, bijvoorbeeld. Toen kreeg ik op een dag echt een ingeving. Ik dacht: *weet* je wat, waarom gaan we niet een keer mee walvissen kijken? Tom had zijn hele slaapkamer volhangen met posters van walvissen, maar hij had er nooit een in het echt gezien, en ik ook niet. Dus ik belde zo'n club in Half Moon Bay en ze zeiden dat het tegen het eind van het seizoen liep, maar nog wel het proberen waard was. Ze waren er tamelijk zeker van dat we wat te zien zouden krijgen.

Toms moeder was er niet zo voor. Ze bleef er maar over doorgaan dat hij niet kon zwemmen. Maar ik wist haar over te halen, en de volgende morgen reden Tom en ik erheen en gingen we aan boord. Het was helemaal niet zo'n grote boot. Hij was eigenlijk een stuk kleiner dan ik had gedacht, en dat maakte me in het begin een beetje zenuwachtig, maar toen we eenmaal onderweg waren dacht ik wat kan mij het ook schelen, ze weten vast wel wat ze doen. De boot deinde een beetje, maar niet gevaarlijk. Tom vond het prachtig.

We voeren de hele ochtend rond en zagen niets. Ze namen ons mee naar verschillende plaatsen en dan zetten ze de motor af en gingen we zitten wachten tot er een walvis aan zou komen. Het kon me allemaal niet meer schelen. Het was heerlijk op het water. We waren met een leuk stel mensen en een van hen had een soort vislijn voor Tom gemaakt die hij over de reling kon hangen terwijl we zaten te wachten. Ik ging lekker achterover liggen zonnen. Ik rook de heerlijke zeelucht, keek naar de meeuwen. Na een goed uur startten ze de motor weer en gingen we ergens anders heen om daar hetzelfde te doen. Dat ging zo een keer of drie, vier. Iedereen zat de gids te stangen, ze dreigden dat ze hem gingen kielhalen en zo. En toen kwam er, zomaar uit het niets, een walvis naast ons boven.

Zomaar ineens wás hij daar gewoon. Met al dat water dat van zijn rug liep. En die ongelofelijk ranzige lucht om hem heen. Hij zat helemaal onder de zeepokken en schelpen, en lange slierten zeewier die in het water achter hem aan sleepten. Hij was heel groot. Misschien nog eens half zo lang als de boot waar wij in zaten.' Helen schudde haar hoofd. 'Je kunt je gewoon niet voorstellen hoe groot hij was. Hij begon uitvallen te doen naar de boot, en telkens als hij dat deed schommelden we wild op en neer en kregen we zo'n duizend liter water binnen. We vielen allemaal over elkaar heen. In het begin zat iedereen te lachen en te joelen, maar na een tijdje begon het eng te worden.'

'Hij was waarschijnlijk met jullie aan het spelen,' zei Mitch.

'Dat zei die gids ook tegen ons, de eerste paar keer dat het gebeurde. Toen werd hij ook bang. Ik bedoel, hij werd zo wit als een doek. Je kon merken dat hij net zomin als wij wist wat er gaande was. Wij hebben dat idee dat walvissen beschaafder zouden zijn dan mensen, slimmer, vriendelijker, beter gecentreerd. Leuk zelfs. Maar dat was niet zo. Hij was agressief.'

'Waarschijnlijk had je een slechte getroffen,' zei Mitch. 'Zo te horen was hij uit zijn hum over het een of ander. Misschien hadden de Russen zijn maatje geharpoeneerd.'

'Het was een monster,' zei Helen. 'Dat meen ik. Hij was agressief en enorm groot en hij stonk. Hij was ook afzichtelijk lelijk. Hij zat zo onder de pokken en schelpen dat je zijn huid nauwelijks kon zien. Het leek wel of hij een harnas aanhad. Hij schuurde een paar keer langs de boot en het maakte echt een verschrikkelijk geluid, alsof er mensen onder water lagen te kreunen. Hij zwom steeds een eind vooruit en dan dook hij onder en dacht je: o god, laat hem alsjeblieft niet terugkomen, en dan begon het water langs de boot weer te kolken en was hij er weer. Het was gewoon doodeng. Ik ben van mijn leven nog nooit zo bang geweest. En toen had Tom het ineens ook niet meer.'

Bliss legde de borstel op de vloer. Helen voelde haar stille aandacht en kon haar horen ademen.

'Hij begon kleine geluidjes te maken,' zei Helen. 'Dat had ik hem nooit eerder horen doen. Van die kleine miauwende geluidjes. Het gekke was, tot dat moment had ik niet eens aan Tom gedacht. Ik was hem totaal vergeten. Dus ik schrok echt toen ik me realiseerde dat hij daar pal naast me zat en bijna stierf van angst. Eerst dacht ik: o nee, wat als hij dadelijk door het lint gaat! Hij was zoveel groter dan ik dat ik hem niet in bedwang had kunnen houden. En al die andere mensen ook niet. Hij was ongelooflijk sterk. Als iemand had geprobeerd hem vast te houden had hij hem van zich af gegooid zoals een hond het water uit zijn vacht schudt. En wat dan?

Maar waar ik me het meest zorgen over maakte was dat Tom zo in de war en in paniek zou raken dat hij overboord zou springen. In gedachten zag ik dat al glashelder voor me.'

'Ja,' zei Mitch. 'Ik zie het ook al voor me. Dat heeft hij ook gedaan, hè? Hij is overboord gesprongen en toen ben jij hem nagesprongen en heb je hem eruit gehaald.'

Bliss zei: 'Ssst. Alleen maar luisteren, oké?'

'Hij sprong niet overboord,' zei Helen. 'Hij ging ook niet door het lint. Nu komen we bij de clou van het verhaal – Helens Heldendaad. Waarom ben ik hier eigenlijk aan begonnen? Het is stuitend.'

De kaars siste en flakkerde. De vlam brandde in een plasje gesmolten was. Helen keek hoe hij nog twee keer opflakkerde, toen ging hij uit en werd de kamer grijs.

Bliss begon over Helens rug te wrijven. 'Ga door,' zei ze.

'Ik heb hem gewoon met praten gekalmeerd,' zei Helen. 'Je weet wel, mijn arm om zijn schouders geslagen en gezegd: "Hé, Tom, is hij niet geweldig! Kijk die grote oude walvis eens! Wauw! Daar komt hij weer aan, Tom, hou je vast!" En dan begon ik heel hard te lachen. Ik deed of ik geweldig zat te genieten, en Tom trapte erin. Hij werd helemaal rustig. Vrij gauw daarna was de walvis vertrokken en gingen we terug naar de kust. Ik weet niet waarom ik hierover ben begonnen. Het was alleen zo dat ik wel echt bang was, maar deed alsof ik het helemaal te gek vond. Dat is waar ik het meest trots op ben, denk ik.'

'Dank je, Helen,' zei Mitch. 'Dank je dat je dit met ons hebt willen delen. Ik weet dat het onecht klinkt, maar ik meen het.'

'Je praat niet genoeg over jezelf,' zei Bliss. Toen riep ze: 'Oké, Ted, nou jij.'

Ted reageerde niet.

Bliss riep hem nog eens.

'Ik denk dat hij slaapt,' zei Mitch. Hij schoof dichter naar de bank en keek naar Ted. Hij knikte. 'Helemaal uitgeteld.'

'Hij slaapt,' zei Helen. 'God.'

Bliss omhelsde Helen van achteren. 'Kom hier, Mitch,' zei ze. 'Love Circle.'

Helen dook weg. 'Nee,' zei ze.

'Waarom maken we hem niet wakker?' opperde Mitch.

'Vergeet het maar,' zei Helen tegen hem. 'Als Ted eenmaal onder zeil is blijft hij onder zeil. Dan is hij niet meer wakker te krijgen. Kijk maar.' Ze liep naar de bank, hief haar hand op en gaf Ted een klap in zijn gezicht.

Hij kreunde zachtjes en draaide zich om.

'Zie je wel?' zei Helen.

'Wat een varken,' zei Bliss.

'Waag het niet hem uit te schelden,' zei Helen tegen haar. 'Niet waar ik bij ben in elk geval. Ted is mijn man. Voor eeuwig en altijd. Ik deed het alleen maar om iets te bewijzen.'

Mitch zei: 'Helen, wil je erover praten?'

'Er is niets om over te praten,' antwoordde Helen. 'Ik heb het aan mezelf te danken.' Ze hield de fles wijn omhoog. 'Kan ik iemand bijschenken?'

Mitch en Bliss keken elkaar aan. 'Mijn energieniveau is niet meer zo hoog,' zei Bliss. Mitch knikte. 'Het mijne is ook behoorlijk gedaald.'

'Dan moeten we het een beetje opkrikken,' zei Helen. Ze verliet de kamer en kwam terug met een kaars en een spiegel. Ze wrong de kaars in de kandelaar en hield een lucifer bij de pit. Hij sputterde, vatte toen vlam. Helen voelde de hitte op haar wang. 'Zo,' zei ze, 'dat lijkt er meer op.' Mitch en Bliss schoven dichterbij terwijl Helen een glazen potje uit haar zak haalde en de inhoud op de spiegel uitstrooide. Ze keek naar hen op en grinnikte.

'Dit is niet te geloven,' zei Bliss. 'Waar heb je dat vandaan?'

Helen haalde haar schouders op.

'Dat is heel veel snuif,' zei Mitch.

'We zullen gewoon flink ons best moeten doen,' zei Helen. 'We hebben de hele dag de tijd.'

Bliss keek naar de spiegel. 'Ik moet eigenlijk naar mijn werk.'

'Ik ook,' zei Mitch.

Hij lachte, en Bliss lachte met hem mee. Ze keken over Helens schouders terwijl zij zich vooroverboog om de glinsterende kristallen te bewerken. Eerst hakte ze ze fijn met een scheermesje. Daarna begon ze het poeder uit te spreiden. Mitch en Bliss keken glimlachend naar haar omhoog vanuit de spiegel, en Helen glimlachte tussen hen in terug. Hun gezichten waren roze in het kaarslicht. Het waren de gezichten van drie mensen die met gelukwensen en een kerstliedje aanklopten, naar Helen keken door een venster vol sneeuw.

Pech in de woestijn, 1968

Krystal sliep toen ze de Colorado overstaken. Mark had beloofd te stoppen voor een paar foto's, maar toen het zover was wierp hij een zijdelingse blik op haar en reed door. Krystals gezicht was opgeblazen van de hitte die de auto binnenwoei. Haar voor de zomer kortgeknipte haar zat vochtig tegen haar voorhoofd geplakt. Maar een paar sprietjes werden opgetild door de wind. Ze had haar handen over haar buik gevouwen, waarmee ze er nog zwangerder uitzag dan ze was.

De banden zongen over de metalen roosters van de brug. De rivier strekte zich aan beide kanten uit, blauw als de lege hemel. Mark zag de schaduw van de brug op het water met de auto die tussen de spanten door reed, de glinstering van water onder de roosters. Toen werden de banden stil. Californië, dacht Mark, en een tijdje voelde hij zich bijna zo goed als hij verwacht had.

Dat was snel voorbij. Hij had zich niet aan zijn woord gehouden, en zou erover horen als Krystal wakker werd. Hij maakte bijna rechtsomkeert. Maar dan moest hij weer stoppen, en Hans op zijn schouders tillen, en kijken hoe Krystal die camera weer op hem richtte. Krystal had inmiddels honderden foto's van Mark en van Mark met Hans op zijn schouders, voor canyons, watervallen en monumentale bomen, voor de drie auto's die ze hadden bezeten sinds ze naar Amerika waren gekomen.

Mark was niet fotogeniek. Om de een of andere reden zag hij er altijd ontmoedigd uit. Maar die foto's wekten de verkeerde indruk. Een oude pelotonssergeant van Mark had een uitdrukking die hij graag gebruikte: 'vrij, blank en eenentwintig'. Nou, dat was Mark ten voeten uit. Hij had zijn hele leven nog voor zich. Het enige wat hij nodig had was een goede kans.

In de lucht cirkelden twee haviken, hun schaduwen immens op het bakkende zand. Een rondwervelende kolom stof schoof dwars over de weg en verdween achter een aanplakbord. Op het bord stond een foto van Eugene McCarthy. McCarthy's haren woeien om zijn hoofd. Hij grijnsde. De leus eronder luidde: EEN FRISSE WIND. Je kon zien dat je in Californië was, want in Arizona zou een aanplakbord met McCarthy erop ongeveer vijf minuten overeind blijven. In dit bord zaten wel een paar kogelgaten, maar in Arizona hadden ze het platgebrand of opgeblazen. Die lui daar waren zo ongelooflijk achterlijk.

De bergen in de verte waren kaal en blauw. Mark passeerde borden die de afslag aankondigden naar een plaatsje dat Blythe heette. Hij overwoog er te stoppen om te tanken, maar de tank was nog halfvol en hij wilde niet riskeren dat Krystal of Hans wakker zou worden. Hij reed verder de woestijn in.

Ze zouden tegen etenstijd in Los Angeles aankomen. Mark had daar een maat uit zijn diensttijd die had aangeboden hen in huis te nemen zolang ze wilden blijven. Er was ruimte zat, had zijn maat gezegd. Hij paste op het huis van zijn ouders terwijl die probeerden te besluiten of ze zouden gaan scheiden of niet.

Mark wist zeker dat hij in Los Angeles iets interessants zou vinden. Iets in de amusementsindustrie. Hij had op school altijd aan toneelstukken meegedaan en kon behoorlijk zingen. Maar hij was vooral goed in imiteren. Hij kon iedereen nadoen. In Duitsland had hij een zuiderling in zijn compagnie zo feilloos geïmiteerd dat de jongen na een paar weken overplaatsing naar een andere eenheid had aangevraagd. Mark wist dat hij te ver was gegaan. Hij hield ermee op en uiteindelijk trok de jongen zijn aanvraag voor overplaatsing weer in.

Degene die hij het beste kon imiteren was zijn vader, Dutch. Soms belde Mark, gewoon voor de lol, zijn moeder op en praatte hij tegen haar met Dutch' trage, zware stem, die alle woorden op rupsbanden liet voortrollen, als een tank. Ze trapte er altijd in. Mark ging ermee door tot het hem begon te vervelen en zei dan zoiets als: 'Nog wat, Dottie, we zijn failliet.' Dan had ze het door en moest ze lachen. In tegenstelling tot Dutch had ze gevoel voor humor.

Er schoot een vrachtwagen voorbij. Hans werd wakker van het motorgeraas, maar Mark reikte naar achteren en wreef met de satijnen zoom van het babydekentje over zijn wang. Hans stak zijn duim in zijn mond. Toen stak hij zijn achterste omhoog en ging weer slapen.

De weg trilde en leek boven de woestijn te zweven. Mark zong mee met de radio, die hij steeds harder had gezet naarmate het signaal zwakker werd. Plotseling begon hij te schetteren. Hij zette hem zachter, maar te laat. Hans werd weer wakker en begon te dreinen. Mark wreef over zijn wang met het dekentje. Hans duwde Marks arm weg en zei: 'Nee!' Het was het enige woord dat hij kende. Mark keek even over zijn schouder naar hem. Hans had liggen slapen op een speelgoedautootje waarvan de wielen vier rode deukjes in de zijkant van zijn gezicht hadden achtergelaten. Mark streelde zijn wang. 'Nog eventjes,' zei hij, 'nog eventjes, Hansje.' Het betekende niet echt iets maar hij wilde monter klinken.

Krystal was nu ook wakker. Enkele ogenblikken bewoog ze zich niet en bleef ze nog zwijgen. Toen schudde ze haar hoofd snel heen en weer. 'Wat is het heet,' zei ze. Ze hield het horloge aan een kettinkje om haar nek omhoog en keek naar Mark. Die hield zijn ogen op de weg. 'Terug van weggeweest,' zei hij. 'Tjonge, je was echt helemaal weg.'

'De foto's,' zei ze. 'De foto's, Mark.'

'Ik kon nergens stoppen,' zei hij.

'Maar je had het beloofd.'

Mark keek haar aan, daarna keek hij weer naar de weg. 'Sorry,' zei hij. 'Er komen nog wel meer rivieren.'

'Ik wilde een foto van die rivier,' zei Krystal en wendde zich af. Mark kon aan haar merken dat ze bijna in tranen was. Hij werd er moe van. 'Goed,' zei hij. 'Wil je dat ik terugga?' Hij minderde vaart om te bewijzen dat hij het meende. 'Je zegt het maar als je dat wilt.'

Ze schudde haar hoofd.

Mark gaf gas.

Hans begon tegen de rugleuning te schoppen. Mark zei niets. Zo had Hans in elk geval iets te doen en hield hij zich rustig. 'Hé, luister eens, jongens,' zei Mark. 'Wedden om tien briefjes dat we om zes uur bij Rick in het zwembad duiken?' Hans gaf een schop tegen de stoel die hij duidelijk tot in zijn ribben voelde. 'Tien briefjes van honderd,' zei hij. 'Wedden?' Hij keek opzij naar Krystal en zag dat haar lippen trilden. Hij klopte naast zich op de zitting. Ze aarzelde, schoof toen naar hem toe en leunde tegen hem aan, zoals hij had verwacht. Krystal was niet iemand die bleef mokken. Hij legde zijn arm om haar schouders.

'Wat een woestijn,' zei ze.

'Het is inderdaad niet niks.'

'Geen bomen,' zei ze. 'Thuis kon ik me dat nooit voorstellen.'

Hans hield op met schoppen. Toen pakte hij Marks oren beet. Krystal lachte en hees hem over de rugleuning op haar schoot. Hij zette meteen zijn rug hol en liet zich op de vloer glijden, waar hij aan de versnellingspook begon te rukken.

'We moeten even stoppen,' zei Krystal. Ze klopte op haar buik. 'Deze zit graag hier, boven op mijn blaas.'

Mark knikte. Krystal kende de Engelse termen voor wat Dottie altijd maar had aangeduid als haar waterhuishouding, en als ze zwanger was beschreef ze graag tot in de nodige details wat daarbinnen gaande was. Mark werd daar onpasselijk van.

'Zodra het kan,' zei hij. 'We hebben ook niet zoveel benzine meer.'

Mark nam een afrit bij een bord met een benzinepomp erop. Er stond geen plaatsnaam bij. De weg liep naar het noorden over een uitgebleekte, harde bodem vol grillige barsten. Hij voerde hen zo te zien naar een verre, eenzame berg die Mark deed denken aan een kolossaal zinkend schip. In de woestijn glinsterden denkbeeldige plassen. Er schoten konijnen dwars over de weg. Ten slotte kwamen ze bij het benzinestation, een gebouw van ongeverfde betonblokken waarvoor een paar pickuptrucks geparkeerd stonden.

Er zaten vier mannen op een bank in de schaduw van het gebouw. Ze sloegen de naderende auto gade.

'Cowboys,' zei Krystal. 'Kijk eens, Hans, cowboys!'

Hans ging op Krystals dijbenen staan en keek door het raam.

Krystal dacht nog steeds dat iedereen die een cowboyhoed ophad een cowboy was. Mark had geprobeerd uit te leggen dat het een bepaalde stijl was, maar ze wilde het maar niet snappen. Hij stopte bij een pomp en zette de motor af.

De mannen staarden hen aan, hun gezichten donker onder de brede rand van hun hoeden. Ze zagen eruit alsof ze daar altijd hadden gezeten. Een van hen kwam van de bank overeind en liep naar hen toe. Hij was lang en droeg een buik voor zich uit die niet bij zijn knokige lijf leek te horen. Hij boog zich voorover en keek in de auto. Hij had kleine zwarte oogjes zonder wenkbrauwen. Zijn gezicht was rood, alsof hij ergens kwaad om was.

'Normaal, alstublieft,' zei Mark. 'Zoveel als erin gaat.'

De man staarde openlijk naar Krystals buik. Hij richtte zich op en liep langs de mannen op de bank naar de open deur van het gebouw. Hij stak zijn hoofd naar binnen en riep wat. Daarna ging hij weer op de bank zitten. De man naast hem keek naar de grond en mompelde wat. De anderen lachten.

Uit het gebouw verscheen nog iemand met een cowboyhoed op die naar de achterkant van de auto liep.

'Mark,' zei Krystal.

'Ik weet het,' zei Mark. 'Het toilet.' Toen hij uitstapte werd hij overvallen door de hitte; hij voelde hem als regen over zich neerdalen.

De pompbediende zei: 'Moet je ook nog olie hebben of zo?' en op dat moment realiseerde Mark zich dat het een vrouw was. Ze keek omlaag naar het tankpistool, zodat hij haar gezicht niet kon zien, alleen de bovenkant van haar hoed. Haar handen waren zwart van de smeer. 'Mijn vrouw zou graag gebruikmaken van het toilet,' zei hij.

Ze knikte. Toen de tank vol was gaf ze een klap op het dak van de auto. 'Oké,' zei ze en liep terug naar het gebouw.

Krystal opende het portier en zwaaide haar benen naar buiten, daarop deinde ze naar voren en duwde ze zich omhoog, het zonlicht in. Ze bleef even met haar ogen staan knipperen. De vier mannen keken naar haar. Mark ook. Hij liet meewegen dat Krystal zwanger was, maar toch was ze te dik. Haar blote armen gloeiden van de warmte. Haar gezicht ook. Ze zag eruit als een van die pullen torsende serveersters in de Biergarten waar ze altijd gingen drinken. Hij zou willen dat die mannen hadden kunnen zien hoe ze eruit had gezien in die zwarte jurk, met dat lange haar, toen ze pas met elkaar gingen.

Krystal schermde met één hand haar ogen af. Met de andere trok ze haar blouse los waar hij aan haar huid plakte. 'Nog meer woestijn,' zei ze. Ze tilde Hans uit de auto en droeg hem naar het gebouw, maar hij wurmde zich trappelend los en holde naar de bank. Daar bleef hij voor de mannen staan, op zijn luier na spiernaakt.

'Kom hier,' zei Krystal. Toen hij niet gehoorzaamde kwam ze hem achterna, keek toen naar de mannen en bleef staan.

Mark liep ernaartoe. 'Kom mee, Hansje,' zei hij, hem optillend met een plotselinge tederheid die alweer verdween toen het jongetje tegen begon te stribbelen.

De vrouw liep met Krystal en Hans mee het gebouw in, kwam toen naar buiten en bleef bij de stapel sloophout naast de deur staan. 'Hans,' zei ze. 'Dat is een rare naam voor een jongetje.'

'Zo heette haar vader,' zei Mark, en dat was ook zo. De oorspronkelijke Hans was kort voor de geboorte van de baby gestorven. Anders had Mark er nooit mee ingestemd. Zelfs Duitsers noemden hun kinderen niet langer Hans.

Een van de mannen schoot een peuk weg in de richting van Marks auto. Hij kwam net voor de auto op de grond terecht en lag daar te smeulen. Mark vatte het op als een waardeoordeel over de auto. Het was een goede auto, een Bonneville 1958 die hij twee weken geleden had gekocht toen de Ford ineens rook begon uit te braken, maar een vorige eigenaar had er een hoop extra chroom aan gehangen, en nu stond hij daar aan alle kanten te glimmen. Hij zag er belachelijk uit naast die gedeukte pick-ups met hun geweerrekken en doffe, bladderende lak. Mark wou dat hij in Blythe had getankt.

Krystal kwam weer naar buiten, met Hans op haar arm. Ze had haar haar geborsteld en zag er beter uit.

Mark glimlachte tegen haar. 'Klaar?'

Ze knikte. 'Dank u,' zei ze tegen de vrouw.

Mark was ook graag even naar het toilet gegaan, maar hij wilde hier weg. Hij liep naar de auto, met Krystal achter zich aan. Ze lachte diep in haar keel. 'Dat had je moeten zien,' zei ze. 'Ze hebben een motor in hun slaapkamer staan.' Krystal dacht waarschijnlijk dat ze fluisterde, maar voor Mark klonk elk woord als een schreeuw. Hij zei niets. Hij verstelde het spiegeltje terwijl Krystal Hans op de achterbank installeerde.

'Wacht even,' zei ze tegen Mark en stapte weer uit. Ze had de camera in haar hand.

'Krystal,' zei Mark.

Ze richtte de camera op de vier mannen. Toen ze afdrukte schoten hun hoofden met een ruk omhoog. Krystal draaide de film door en richtte de camera weer op de mannen.

'Krystal, stap in!'

'Ja,' zei Krystal, maar ze hield het toestel nog steeds op de mannen gericht, daarbij op het open portier van de auto steunend, haar knieën licht gebogen. Ze nam nog een kiekje en schoof op de voorbank. 'Mooi,' zei ze. 'Cowboys voor Reiner.'

Reiner was Krystals broer. Hij had een keer honderd kilometer gereden om *Shane* te zien.

Mark durfde niet opzij te kijken naar de bank. Hij stak de sleutel in het contactslot en keek aan weerskanten de weg af. Hij draaide de sleutel om. Er gebeurde niets.

Mark wachtte even. Toen probeerde hij het nog eens. Nog steeds niets. De ontsteking deed tik tik tik, meer niet. Mark draaide de sleutel weer terug, en toen zaten ze daar met zijn drieën. Zelfs Hans was stil. Mark voelde de mannen naar hem kijken. Daarom legde hij zijn hoofd niet op het stuur. Hij keek recht voor zich uit, woedend om de tranen die in zijn ogen prikten en alles hulden in een floers, de lijn van de horizon, de omtrekken van het gebouw, de donkere silhouetten van de pick-uptrucks en de gestalte die over de witte aarde naar hen toe kwam.

Het was de vrouw. Ze bukte zich. 'Oké,' zei ze. 'Wat is het probleem?' Er stroomde een geur van whiskey de auto in.

De vrouw bleef bijna een halfuur aan de motor prutsen. Ze liet Mark de contactsleutel omdraaien terwijl zij toekeek, daarna nog een paar keer terwijl zij verschillende dingen deed onder de motorkap. Uiteindelijk concludeerde ze dat het probleem in de dynamo zat. Ze kon hem niet repareren en had geen onderdelen. Mark zou er een moeten gaan halen in Indio of Blythe, of misschien zelfs helemaal in Palm Springs. Het zou niet makkelijk zijn een dynamo te vinden voor een auto van tien jaar oud. Maar ze zei dat ze rond zou bellen.

Mark wachtte in de auto. Hij probeerde te doen alsof alles in orde was, maar toen Krystal hem aankeek maakte ze een meelevend geluidje en kneep in zijn arm. Hans lag op haar schoot te slapen. 'Het komt allemaal wel goed,' zei ze.

Mark knikte.

De vrouw kwam terug naar de auto, en Mark stapte uit om haar tegemoet te lopen.

'Heb jij even geluk,' zei ze, hem een papiertje overhandigend met een adres erop. 'In Indio was niks te vinden,' zei ze, 'maar deze vent in Blythe kan je eraan helpen. Ik moet twee dollar hebben voor de telefoontjes.'

Mark opende zijn portemonnee en gaf haar het geld. Hij had nog vijfenzestig dollar, meer was er niet over van zijn afzwaaipremie. 'Hoeveel gaat die dynamo kosten?' vroeg hij.

Ze sloot de motorkap van de auto. 'Zesenvijftig dollar was het, geloof ik.'

'Jezus,' zei Mark.

'Je boft dat ze er een hadden.'

'Ja, dat zal wel,' zei Mark. 'Het lijkt alleen zo'n hoop geld. Kunt u me helpen starten?'

'Als je startkabels hebt. De mijne heb ik uitgeleend.'

'Die heb ik niet,' zei Mark. Hij kneep zijn ogen samen tegen de zon. Hoewel hij niet direct naar de mannen op de bank had gekeken, wist hij dat ze hem hadden gadegeslagen en was hij er zeker van dat ze alles hadden gehoord. Hij wist ook zeker dat ze startkabels hadden. Mensen die in pick-uptrucks reden hadden dat soort spullen altijd bij zich. Maar als ze niet wilden helpen, ging hij het hun ook niet vragen.

'Ik kan denk ik wel naar de snelweg lopen en gaan liften,' zei Mark, luider dan hij van plan was.

'Dat zou je kunnen doen, ja,' zei de vrouw.

Mark keek om naar Krystal. 'Is het goed als mijn vrouw hier blijft?'

'Dat zal ze wel moeten, lijkt me,' zei de vrouw. Ze nam haar hoed af en veegde haar voorhoofd af met de bovenkant van haar mouw. Haar haar was hardgeel, bij elkaar getrokken in een losse knot die glansde in het licht. Haar ogen waren een eigenaardig lichte kleur blauw. Ze zette haar hoed weer op en wees Mark de weg naar de onderdelenwinkel. Ze liet hem de aanwijzingen herhalen. Daarna liep hij terug naar de auto.

Krystal keek recht voor zich uit en beet op haar lip terwijl Mark de situatie uiteenzette. 'Hier?' zei ze. 'Ga je ons hier achterlaten?'

Hans was weer wakker. Hij had de volumeknop van de radio getrokken en sloeg ermee op het dashboard.

'Het is maar voor een paar uurtjes,' zei Mark, hoewel hij wist dat het langer zou duren.

Krystal keek hem niet aan.

'We hebben geen keus,' zei hij.

De vrouw was naast Mark blijven staan. Ze schoof hem opzij en opende het portier. 'Kom maar met mij mee,' zei ze. 'Met de kleine.' Ze stak haar armen uit. Hans liep onmiddellijk naar haar toe en tuurde over haar schouder naar de mannen op de bank. Krystal aarzelde, stapte toen uit de auto en negeerde daarbij de helpende hand die Mark haar bood.

'Het duurt niet lang,' zei hij. Hij glimlachte tegen Hans. 'Ik ben zo terug, Hansje,' zei hij, en hij draaide zich om en begon naar de weg te lopen.

De vrouw ging met Hans naar binnen. Krystal stond naast de auto en zag Mark steeds verder weg lopen, tot de omtrekken van zijn lichaam begonnen te golven in de hitte en vervolgens helemaal in het niets oplosten. Het was of je iemand onder de oppervlakte van een meer zag verdwijnen.

De mannen keken naar Krystal terwijl ze naar het gebouw liep. Ze voelde zich zwaar, en vagelijk gegeneerd.

De vrouw had alle jaloezieën neergelaten. Binnen leek het wel avond, het was er donker, stil, koel. Krystal kon de vormen van voorwerpen onderscheiden, maar niet hun kleuren. Er waren twee kamers. In de ene stonden een bed en een motorfiets. In de andere, grotere kamer stonden aan de ene kant een bank en stoelen en aan de andere kant een koelkast, een fornuis en een tafel.

Krystal ging met Hans op haar schoot aan de tafel zitten terwijl de vrouw Pepsi uit een grote fles in drie tuimelglazen vol ijs schonk. Ze had haar hoed afgezet, en het zwakke schijnsel uit de open koelkast vormde een aureool rond haar gezicht en haar. Gewoonlijk vergeleek Krystal zichzelf met andere vrouwen, maar deze vrouw sloeg ze met een argeloze nieuwsgierigheid gade, als een dier bijna.

De vrouw pakte een kleinere fles van boven op de koelkast. Ze schudde hem bij de hals heen en weer. 'Hier zul je wel geen slokje van willen,' zei ze. Krystal schudde haar hoofd. De vrouw schonk een beetje van de sterkedrank in haar glas en schoof de andere twee glazen over de tafel. Hans nam een slok en begon het geluid van een motorboot na te doen.

'Die jongen,' zei de vrouw.

'Hij heet Hans.'

'Hij niet,' zei de vrouw. 'Die andere.'

'O, Mark,' zei Krystal. 'Mark is mijn man.'

De vrouw knikte en nam een slok. Ze leunde achterover op haar stoel. 'Waar gaan jullie naartoe?'

Krystal vertelde haar over Los Angeles, dat Mark daar wel werk zou vinden in de amusementssector. De vrouw glimlachte, en Krystal vroeg zich af of ze zich correct had uitgedrukt. Op school was ze goed geweest in Engels en de Amerikaanse jongens met wie ze wel eens praatte maakten haar altijd complimenten, maar tijdens die twee maanden bij Marks ouders in Phoenix was ze haar zelfvertrouwen kwijtgeraakt. Dutch en Dottie keken altijd verbijsterd wanneer ze iets zei, en zijzelf verstond vrijwel niets van wat er om haar heen gezegd werd, al deed ze alsof ze het wel begreep.

De vrouw bleef glimlachen, maar met een strak trekje om haar mond waardoor het een pijnlijk lachje werd. Ze nam nog een slok.

'Wat doet hij?' vroeg ze.

Krystal probeerde te bedenken hoe ze kon uitleggen wat Mark deed. De eerste keer dat ze hem had gezien was op een feestje, en toen zat hij op de vloer en moest iedereen om hem heen erg lachen. Ze had zelf ook gelachen, al wist ze niet waarom. Het was een gave van hem. Maar het was moeilijk onder woorden te brengen. 'Mark is zanger,' zei ze.

'Zanger,' zei de vrouw. Ze sloot haar ogen, leunde haar hoofd achterover en begon te zingen. Hans hield op met zijn gewiebel en keek naar haar.

Toen de vrouw uitgezongen was, zei Krystal: 'Mooi, mooi', en knikte, hoewel ze de tekst niet had kunnen volgen en een hekel had aan de stijl, die haar in de oren klonk als gejodel.

'Mijn man hoorde me altijd graag zingen,' zei de vrouw. 'Ik had denk ik wel zangeres kunnen worden als ik dat gewild had.' Ze dronk het laatste beetje op en keek naar het lege glas.

Van buiten hoorde Krystal de zachte, gestaag murmelende stemmen van de mannen op de bank. Een van hen lachte.

'Del Ray heeft bij ons op het schoolfeest gezongen,' zei de vrouw.

De deur sloeg dicht. De man die naar Krystals buik had gekeken kloste de keuken binnen en keek weer naar haar. Hij draaide zich om en begon flesjes Pepsi uit de koelkast te halen. 'Wat denk jij daarvan, Webb?' zei de vrouw. 'De man van die meid hier is zanger.' Ze stak een hand uit en wreef hem over zijn rug op en neer. 'We moeten nog wat voor het avondeten hebben,' zei ze, 'tenzij je weer konijn wilt.'

Hij schoof de deur van de koelkast met zijn voet dicht en ging met klinkende flessen op weg naar buiten. Hans liet zich op de vloer glijden en holde hem achterna.

'Hans,' zei Krystal.

De man bleef staan en keek op hem neer. 'Goed zo,' zei hij. 'Kom jij maar met mij mee.'

Het was de eerste keer dat Krystal hem had horen spreken. Zijn stem klonk icl en droog. Hij ging weer naar buiten met Hans achter zich aan.

De schoenen die Mark aanhad waren oud en slap, in de auto wel comfortabel, maar toen hij er een paar minuten op had gelopen begonnen zijn voeten te branden. Zijn ogen brandden ook, van het zweet en de felle zon die in zijn gezicht scheen.

Een tijdje zong hij liedjes, maar na een paar nummers werd zijn keel zo droog dat zijn stem begon te kraken en hield hij ermee op. Het voelde bovendien stom om hier in de woestijn over Camelot te zingen, hij voelde zich stom en werd ook een beetje bang omdat zijn stem zo kleintjes klonk. Hij liep door.

De weg plakte onder zijn voeten, en zijn schoenen maakten bij elke stap kleine zuigende geluidjes. Hij overwoog naast de weg te gaan lopen in plaats van erop maar was bang dat hij door een slang gebeten zou worden.

Hoewel hij opgewekt wilde blijven, bleef hij maar denken dat ze nu nooit op tijd voor het avondeten in Los Angeles zouden arriveren. Ze zouden weer eens laat komen aanzetten, er zouden weer aan alle kanten spullen uit de auto vallen en dan kon Mark de hele bende naar binnen sjouwen terwijl Krystal

er verdwaasd bij stond te kijken in het schijnsel van de koplampen, met Hans over haar schouder. Marks vriend zou in
zijn kamerjas verschijnen. Ze zouden proberen wat grappen te
maken, maar Mark zou te veel andere dingen aan zijn hoofd
hebben. Nadat ze een bed voor Krystal hadden opgemaakt en
het ledikantje voor Hans in elkaar hadden gezet, wat een eeuwigheid zou duren omdat de helft van de schroeven ontbrak,
zouden Mark en zijn vriend in de keuken een biertje gaan drinken en proberen wat te praten, maar elkaar uiteindelijk geeu-
wend aan zitten kijken. Daarna zouden ze gaan slapen.

Mark zag het allemaal al voor zich. Zo ging het altijd, wat ze
ook deden. Er lukte nooit iets.

Er passeerde een vrachtwagen in de verkeerde richting. De
twee mannen in de cabine droegen cowboyhoeden. Ze wierpen een blik op Mark, keken daarna weer recht voor zich uit.
Hij bleef staan en keek de vrachtwagen na tot hij was opgelost
in de hitte.

Hij draaide zich om en bleef doorlopen. Langs de rand van
de weg glinsterden glassplinters.

Als Mark hier woonde en toevallig over deze weg reed en dan
iemand helemaal in zijn eentje zag lopen, zou hij stoppen en
hem vragen of er iets aan de hand was. Hij vond dat je mensen
moest helpen.

Maar hij had niemand nodig. Hij redde zich wel, zoals hij het
zonder Dutch en Dottie ook wel zou redden. Hij kon het wel alleen, en op een dag zouden ze willen dat ze hem hadden geholpen. Dan zat hij ergens in een stad als Las Vegas en trad hij op
in een van de grote clubs. En als zijn contract afliep zou hij
Dutch en Dottie per vliegtuig laten overkomen voor zijn laatste grote show, de grande finale. Hij zou ze eersteklas laten
vliegen en een suite reserveren in het beste hotel, het Sands of
zoiets, en zorgen dat ze op de eerste rij zaten. En als de show
was afgelopen, als alle mensen uit hun dak gingen en begon-

nen te fluiten en stampvoeten en zo, zou hij Dutch en Dottie bij zich op het podium roepen. Hij zou tussen hen in gaan staan en hun handen vasthouden en dan, als het klappen en joelen was verstomd en alle mensen stil waren en glimlachend van hun tafeltjes naar hem opkeken, zou hij de handen van Dutch en Dottie boven zijn hoofd houden en zeggen: 'Mensen, ik wil jullie laten kennismaken met mijn ouders en vertellen wat zij voor mij gedaan hebben.' Daarna zou hij even wachten en een heel serieus gezicht zetten. 'Ik kan jullie onmogelijk vertellen wat zij voor mij gedaan hebben,' zou hij dan zeggen, gevolgd door een korte stilte voor het effect, 'want zij hebben helemaal níéts voor mij gedaan! Geen ene moer!' Daarna zou hij hun handen laten vallen en van het podium springen, en ze daar zo laten staan.

Mark liep sneller door, romp naar voren gebogen, ogen samengeknepen tegen het licht. Zijn handen schoten heen en weer.

Nee, dat zou hij niet doen. De mensen zouden het verkeerd kunnen opvatten. Zo'n stunt zou zijn carrière om zeep kunnen helpen. Hij zou nog iets veel beters doen. Hij zou daar gaan staan en de hele wereld vertellen dat hij zonder de aanmoedigingen en steun van hun tweeën, zonder hun liefde, hun geloof in hem, enzovoort, al lang geleden de handdoek in de ring zou hebben geworpen.

En het mooie daarvan zou zijn dat het niet waar was! Want Dutch en Dottie zouden niets voor hem doen, tenzij hij in Phoenix bleef wonen en een echt beroep koos, zoals huizen verkopen. Maar dat zou niemand weten behalve Dutch en Dottie. Ze zouden op het podium staan luisteren naar al die leugens, en hoe meer hij hen prees, des te meer ze zouden inzien wat voor ouders ze hadden kunnen zijn maar niet waren geweest, des te meer ze zich zouden schamen, en des te dankbaarder ze Mark zouden zijn dat hij hen niet te kijk had gezet.

Hij hoorde een vaag ruisend geluid in de hete lucht, een geluid als applaus. Hij liep nog sneller door. Hij voelde zijn brandende voeten nauwelijks. Het ruisende geluid werd luider, en Mark keek op. Voor hem uit, nog geen honderd meter van hem vandaan, zag hij de snelweg – niet de weg zelf, maar een lange colonne vrachtwagens die door de woestijn westwaarts zweefden door een blauw waas van uitlaatgassen.

De vrouw vertelde Krystal dat ze Hope heette.

'Hope,' zei Krystal, 'wat een mooie naam.'

Ze waren in de slaapkamer. Hope was aan de motorfiets bezig. Krystal lag met een paar kussens in haar rug op het bed en keek hoe Hopes lange vingers hier en daar over de motor gleden, dan weer terugkeerden naar het bedauwde glas naast haar. Hans was buiten bij de mannen.

Hope nam een slok. Ze schommelde de ijsblokjes in het rond en zei: 'Ik weet het niet, Krystal.'

Krystal voelde de baby binnen in haar bewegen. Ze vouwde haar handen over haar buik en wachtte op de volgende duw.

Alle lichten waren uit behalve een lamp op de vloer naast Hope. Overal om haar heen lagen motoronderdelen, en de hele kamer rook naar olie. Ze pakte een onderdeel op en bekeek het, begon het toen schoon te vegen met een lap. 'Ik vertelde je net dat we Del Ray op ons schoolfeest hadden,' zei ze. 'Ik weet niet of er iemand ooit van Del Ray gehoord heeft waar jij vandaan komt, maar alle meiden hier waren weg van hem. Ik had een hoofdkussen met Del Ray erop. Toen kwam hij bij ons optreden en bleek dat hij ongeveer zo groot was.' Hope hield haar hand een centimeter of tien boven de vloer. 'Ik persoonlijk,' zei ze, 'zie echt niks in een vent die niet voor me kan opkomen als het erop aankomt. Dat is niet kwaad bedoeld,' voegde ze eraan toe.

Krystal begreep niet wat Hope had gezegd, daarom glimlachte ze maar wat.

'Neem Webb,' zei Hope. 'Webb zou voor mij een moord plegen. Dat heeft hij één keer ook bijna gedaan. Zo erg had hij die vent in elkaar geslagen.'

Dat begreep Krystal wel. Ze wist ook zeker dat het waar was. Ze haalde haar tong langs haar droge lippen. 'Wie?' zei ze. 'Wie had hij in elkaar geslagen?'

Hope keek op van het onderdeel dat ze aan schoonmaken was. 'Mijn man.'

Krystal wachtte, niet zeker of ze dit goed had verstaan.

'Webb en ik waren helemaal losgeslagen,' zei Hope. 'Als we niet bij elkaar waren, wat meestal het geval was, hielden we elkaar constant in de gaten. Webb reed op alle uren van de dag langs mijn huis en volgde me overal. Soms reed hij achter me aan met zijn vrouw naast zich in de auto.' Ze lachte. 'Het was me een toestand.'

De baby duwde tegen Krystals ruggengraat. Ze ging iets verliggen.

Hope keek naar haar op. 'Het is een lang verhaal.'

'Vertel het maar.'

Hope kwam overeind en liep de kamer uit naar de keuken. Krystal hoorde een ijsbakje kraken. Het was aangenaam hier te liggen in deze donkere, koele kamer.

Hope kwam terug en installeerde zich op de vloer. 'Als ik eenmaal begin te vertellen,' zei ze. Ze nam een slok. 'Het gebeurde voor de bioscoop. We kwamen naar buiten en toen Webb zag dat mijn man een arm om me heen sloeg ging hij helemaal over de rooie. Daarna moesten we er rap vandoor, dat kan ik je wel vertellen. Mijn man had zes broers, en twee van hen zaten bij de politie. We maakten dat we wegkwamen, en dan bedoel ik ook echt wég. Met de kleren die we aanhadden en verder niks. We zijn er nooit meer terug geweest. En dat gaat ook nooit meer gebeuren.'

'Nooit meer,' zei Krystal. Ze vond het indrukwekkend klinken. Het was of Beethoven zijn vuist opstak naar de hemelen.

Hope pakte de poetslap weer op. Maar ze deed er niets mee. Ze leunde tegen de muur, buiten de kleine lichtkring van de lamp.

'Heb je kinderen?' vroeg Krystal.

Hope knikte. Ze hield twee vingers op.

'Dat moet zwaar geweest zijn, ze niet te zien.'

'Het gaat wel goed met ze,' zei Hope. 'Het zijn allebei jongens.' Ze liet haar vingers over de vloer glijden, vond het onderdeel dat ze had zitten poetsen en begon het zonder ernaar te kijken weer schoon te vegen.

'Ik zou Hans niet kunnen verlaten,' zei Krystal.

'O jawel hoor,' zei Hope. Ze zat er met haar handen in haar schoot. Ze was diep en langzaam gaan ademen en Krystal zag, door het schemerdonker turend, dat haar ogen gesloten waren. Ze sliep, of droomde alleen maar – misschien van die man daar ergens.

De airco hield plotseling op. Krystal lag in het donker en luisterde naar de geluiden die erdoor overstemd waren, het gegons van insecten, de zachte stemmen van de mannen. De baby was nu rustig. Krystal sloot haar ogen. Ze voelde zichzelf wegglijden en al wegglijdend dacht ze ineens weer aan Hans. Hans, dacht ze. Daarna viel ze in slaap.

Mark was ervan uitgegaan dat hij, eenmaal bij de snelweg, onmiddellijk een lift zou krijgen. Maar de ene na de andere auto reed hem voorbij, en de paar automobilisten die naar hem keken trokken een gezicht alsof ze kwaad op hem waren dat hij een lift nodig had en hen onder druk zette.

Marks gezicht brandde en zijn keel was zo droog dat slikken pijn deed. Twee keer moest hij de weg verlaten om even in de schaduw van een reclamebord te gaan staan. Meer dan een uur reden er auto's langs hem heen, auto's uit Wisconsin en Utah, uit Georgia en zowat alle andere staten. Mark had het gevoel dat de hele wereld hem de rug toegekeerd had. Het kwam bij hem op dat hij hier zou kunnen sterven.

Ten slotte stopte er een auto. Het was een lijkwagen. Mark aarzelde, rende er toen naartoe.

Er zaten drie mensen op de voorbank, één man tussen twee vrouwen. De ruimte achterin lag vol elektrische apparatuur. Mark duwde wat kabels aan de kant en ging met gekruiste benen op de vloer zitten. De wind van de airco stroomde als koud water over hem heen.

De bestuurder reed de weg weer op.

'Welkom in onze lijkenbak,' zei de man in het midden. Hij draaide zich om. Zijn hoofd was kaalgeschoren afgezien van een borstelige strook over het midden. Het was de eerste hanenkam die Mark ooit in het echt had gezien. De wenkbrauwen van de man hadden dezelfde peentjeskleur als zijn haar. Zijn hele gezicht en zelfs de kaalgeschoren delen van zijn schedel waren overdekt met sproeten.

'Lijkenbak, lijkenzak,' zei de vrouw achter het stuur. 'Spijkerpak.'

'Je dacht vast dat je met een dooie moest meerijden,' zei de man.

Mark haalde zijn schouders op. 'Een dooie of een rooie, daar word ik niet koud of warm van.'

De man lachte en sloeg op de leuning van de voorbank.

De vrouwen lachten ook. De vrouw die niet reed draaide zich om en glimlachte naar Mark. Ze had een rond, zacht gezicht, met volle lippen. Ze droeg een klein gouden ringetje door één neusvleugel. 'Hai,' zei ze.

'Zolang het bier maar koud is,' zei de man. 'Vlak achter je staan er een heleboel.'

Mark viste een blikje bier uit de koelbox en nam een lange

teug met zijn hoofd achterover, ogen gesloten. Toen hij zijn ogen weer opendeed zat de man naar hem te kijken. Ze stelden zich allemaal aan elkaar voor, behalve de vrouw die reed. Zij keek Mark niet één keer aan en zei niets, behalve in zichzelf. De man met de hanenkam heette Barney. Het meisje met het oorringetje in haar neus heette Nance. De grapjes vlogen over en weer, en Mark ontdekte dat Nance een fantastisch gevoel voor humor had. Ze reageerde gevat op ongeveer alles wat hij zei. Na een poosje stoorde het ringetje hem niet meer.

Toen Barney hoorde dat Mark in het leger had gezeten schudde hij zijn hoofd. 'Niks voor mij,' zei hij. 'Voor Barney geen bang-bang. Ik zou mijn eigen darmen niet kunnen aan-zien.'

'Darmen,' zei de vrouw achter het stuur. 'Armen, warmen, Carmen.'

'Rustig aan, jij,' zei Barney tegen haar. Hij draaide zich weer om naar Mark. 'Nou, hoe was het daar?'

Mark realiseerde zich dat Barney Vietnam bedoelde. Mark was niet naar Vietnam geweest. Hij zou erheen gaan, maar het bevel was net voor zijn vertrek ingetrokken en daarna nooit meer gekomen, waarom wist hij niet. Het was allemaal te inge-wikkeld om uit te leggen, daarom zei hij alleen maar 'Behoor-lijk erg', en liet het daarbij.

Het onderwerp Vietnam had het goede gevoel tussen hen verstoord. Ze dronken hun bier en keken naar de langsglijden-de woestijn. Toen verkreukelde Barney zijn blikje en gooide het uit het raam. Er woei een hete lucht in Marks gezicht. Hij herinnerde zich weer hoe het daarbuiten voelde en was blij dat hij hier zat.

'Ik lust er nog wel een,' zei Nance.

'Oké,' zei Barney. Hij draaide zich om en droeg Mark op er nog een paar uit het ijs te vissen. Terwijl Mark bezig was de blikjes uit de koelbox te pakken sloeg Barney hem gade, met zijn vingers de bovenkant van de rugleuning bespelend alsof het een toetsenbord was. 'Wat zoek je in Blythe?' zei hij.

'Smythe,' zei de vrouw achter het stuur. 'Smythe in Blythe.'

'Stil nou,' zei Nance tegen haar.

'Ik moet een onderdeel hebben,' zei Mark. Hij deelde de blikjes bier uit. 'Een dynamo. Mijn auto heeft er de brui aan gegeven.'

'Waar staat je auto?' zei Barney.

Mark stak zijn duim over zijn schouder naar achteren. 'Daar. Ik weet niet hoe het daar heet. Er is alleen een tankstation een eindje van de weg af.'

Nance zat hem aandachtig op te nemen. 'Hé,' zei ze. 'Als je eens nooit meer ophield met glimlachen. Als je eens bleef glimlachen en er nooit meer mee ophield?'

Barney keek naar haar, dan weer naar Mark. 'Voor mij zijn er plaatsen waar je heen gaat en plaatsen waar je niet heen gaat,' zei hij. 'Je gaat niet naar Rochester. Je gaat niet naar Blythe.'

'Je gaat zeker weten niet naar Blythe,' zei Nance.

'Zo is het,' zei Barney. Daarna somde hij wat plaatsen op waar je, naar zijn mening, wel heen ging. Zij gingen nu naar een van die plaatsen, naar San Lucas, in de bergen boven Santa Fe. Ze maakten deel uit van een filmploeg die daar een western aan het opnemen was. Een jaar geleden hadden ze op dezelfde locatie ook een film opgenomen, dit was de vervolgfilm. Barney was geluidsman. Nance deed de make-up. Ze zeiden niets over de vrouw achter het stuur.

'Het is niet te geloven daar,' zei Barney. Hij zweeg even en schudde zijn hoofd. Mark wachtte tot hij San Lucas ging beschrijven, maar hij schudde enkel opnieuw zijn hoofd en zei: 'Het is gewoon niet te geloven daar.'

'Echt,' zei Nance.

Het bleek dat Nita Damon de hoofdrol in de film had. Dat was echt toevallig, want Mark had Nita Damon zo'n zes maanden geleden nog gezien bij een show in Duitsland, zo'n optreden voor de troepen à la Bob Hope.

'Dat meen je niet,' zei Nance. Zij en Barney wisselden een blik.

'Sla dat Blythe toch over,' zei Barney.

Mark grijnsde.

Nance keek hem strak aan. 'Marco,' zei ze. 'Jij bent geen Mark, jij bent een Marco.'

'Je zou je bij ons moeten aansluiten,' zei Barney. 'Rij lekker mee in de Lijkenbak GT.'

'Ja,' zei Nance. 'San Lucas is echt niet te geloven.'

'Het is één groot feest daar,' zei Barney.

'Jezus,' zei Mark. 'Nee. Dat kan ik niet doen.'

'Natuurlijk wel,' zei Barney. 'Lincoln heeft de slaven toch bevrijd? Die auto kun je later wel ophalen.'

Mark zat te lachen. 'Kom nou,' zei hij. 'Wat zou ik daar moeten doen?'

Barney zei: 'Qua werk, bedoel je?'

Mark knikte.

'Dat is geen probleem,' zei Barney. Hij vertelde Mark dat er altijd wel wat te doen was. Er kwamen mensen niet opdagen, er gingen mensen weg of ze werden ziek – er was altijd behoefte aan vers bloed. En als je eenmaal een fijn plekje had gevonden, bleef je daar mooi zitten.

'Je bedoelt dat ik dan bij de film zou werken? Bij de crew?'

'Absoluto,' zei Barney. 'Gegarandeerd.'

'Jezus,' zei Mark. Hij keek Barney en Nance beurtelings aan. 'Ik weet het niet,' zei hij.

'Dat geeft niet,' zei Barney. 'Als ik het maar weet.'

'Barney weet het,' zei Nance.

'Wat heb je te verliezen?' zei Barney.

Mark zei niets.

Barney nam hem op. 'Die Marco,' zei hij. 'Heb ik het goed, je

hebt daar nog wat anders achtergelaten behalve die auto, hè?'
Toen Mark geen antwoord gaf, lachte hij. 'Dat was toen,' zei hij.
'Vroeger. Een gepasseerd station.'

'Ik moet erover nadenken,' zei Mark.

'Oké, denk erover na,' zei Barney. 'Je hebt tot Blythe de tijd.'
Hij draaide zich om. 'Stel me niet teleur.'

Nance keek hem lang en ernstig aan. Toen draaide zij zich
ook om. De bovenkant van haar hoofd was net zichtbaar boven
de hoge rugleuning.

De woestijn bleef aldoor eender langs het raam glijden. De
weg glansde donker als olie. Mark voelde zich gejaagd, een
beetje roekeloos.

Zijn eerste gedachte was te vragen hoe hij naar San Lucas
moest komen, om er dan met Krystal en Hans heen te rijden
als de auto was gerepareerd. Maar dan zou hij niet genoeg geld
overhebben voor de benzine, laat staan voor maaltijden en
motels, en onderdak als ze er eenmaal waren. Zo zou hij zijn
kans mislopen.

Want dat was het – een kans.

Het had geen zin zichzelf voor de gek te houden. Hij kon naar
Los Angeles gaan en daar nog maanden, misschien wel jaren,
de straten aflopen zonder ooit iets te bereiken. Hij kon de rest
van zijn leven dichte deuren tegenkomen en mensen die niks
voorstelden naar de mond praten en op plastic stoeltjes zitten
wachten zonder ooit zover te komen als hij nu al was, op weg
naar een gegarandeerde baan in een stad waar het leven één
groot feest was.

Los Angeles zou niets worden. Mark zag het al voor zich. Hij
zou geld lenen van zijn vriend en stad en land aflopen en niemand zou een minuut tijd voor hem vrijmaken, omdat hij iets
kwam vragen en niemand tijd had voor mensen die iets kwamen vragen. Mensen die vragen worden overgeslagen. Het
was zoals Dutch zei: Wie wat heeft, die krijgt wat.

Hij zou zich suf zoeken en zijn geld zou opraken, zoals het altijd ging met zijn geld. Krystal zou bezorgd en neerslachtig worden. Na een paar weken zouden Mark en zijn vriend elkaar niets meer te zeggen hebben en zou zijn vriend er genoeg van krijgen om samen te wonen met een vent die hij eigenlijk niet zo goed kende, plus een schreeuwend kind en een neerslachtige, zwangere echtgenote. Hij zou Mark iets voorliegen om van hen af te komen – zijn vriendin kwam bij hem wonen, zijn ouders hadden besloten om toch maar bij elkaar te blijven. Tegen die tijd was Mark weer blut. Krystal zou zich geen raad weten en waarschijnlijk voortijdig gaan bevallen.

En als dat gebeurde? Wat dan?

Mark wist het wel. Met hangende pootjes terug naar Dutch en Dottie.

Nee, hoor. Nee. De enige manier waarop hij terugging naar Phoenix was in een kist.

De vrouw achter het stuur begon in zichzelf te praten, en Barney sloeg haar met zijn knokkels op haar hoofd. 'Moet ik rijden?' zei hij. Het klonk als een dreigement. Ze werd stil. 'Oké,' zei hij. Zonder om te kijken zei hij: 'Nog acht kilometer naar Blythe.'

Mark keek uit het raam. Hij kon het niet van zich afzetten dat hij nu precies kreeg wat hij nodig had. Een kans om te laten zien wat hij waard was. Hij zou plezier maken, o ja, maar hij zou 's morgens ook op tijd op zijn werk zijn. Hij zou doen wat hem gezegd werd en het ook goed doen. Hij zou zijn mond dicht- en zijn ogen openhouden, en na een poosje zouden ze hem dan wel opmerken. Hij zou niet te hard aan de weg timmeren, maar misschien nu en dan wat zingen op een van die feesten, of een paar van de acteurs imiteren. Hij hoorde Nita Damon al lachen en zeggen: Hou op, Mark! Hou op!

Wat hij kon doen, dacht Mark, was Krystal bellen en afspreken dat hij haar over een paar maanden bij zijn vriend thuis zou treffen, als ze de film hadden opgenomen. Dan had Mark intussen wel iets gevonden. Iets waar hij mee verder kon. Maar dat zou ook niet lukken. Hij wist niet hoe hij haar kon bereiken. Ze had geen geld. Ze zou er niet mee akkoord gaan.

Mark ging zichzelf niet voor de gek houden. Als hij Krystal en Hans daar achterliet, zou ze het hem nooit vergeven. Als hij hen daar achterliet, was het voorgoed.

Dat kan ik niet doen, dacht hij. Maar hij wist dat dat niet waar was. Hij kon hen wel verlaten. Het gebeurde elke dag dat mensen elkaar verlieten, of werden verlaten. Het was vreselijk. Maar het gebeurde en de mensen overleefden het zoals ze nog wel ergere dingen overleefden. Krystal en Hans zouden het ook wel overleven. Als ze begreep wat er gebeurd was zou ze Dutch bellen, die natuurlijk tegen het plafond zou vliegen en ze uiteindelijk zou komen halen. Hij had geen keus. En over vier of vijf jaar zou hetgeen vandaag gebeurd was niet meer zijn dan een nare herinnering.

Krystal zou wel goed terechtkomen. Mannen vonden haar aardig. Zelfs Dutch mocht haar wel, al was hij mordicus tegen het huwelijk geweest. Het zou niet lang duren voor ze een goede man ontmoette die voor haar kon zorgen. Zij en Hans en de nieuwe baby zouden 's avonds kunnen gaan slapen zonder zich af te vragen wat hun 's ochtends te wachten stond. Ze hadden Mark niet nodig. Zonder hem zouden ze een beter leven hebben dan wanneer hij en Krystal bij elkaar waren gebleven.

Deze gedachte was nieuw voor Mark, en hij voelde zich een beetje gegriefd bij het besef hoe onbelangrijk hij eigenlijk was voor Krystal. Tot nu toe was hij er altijd van uitgegaan dat hun samenzijn voorbestemd was, dat hij door Krystal te trouwen had voorzien in een primaire levensbehoefte. Maar als ze zonder elkaar konden leven, was dat niet waar en ook nooit waar geweest.

Ze hadden elkaar niet nodig. Er was geen specifieke reden

waarom ze bij elkaar zouden blijven. Dus waar waren ze mee bezig? Als hij haar niet gelukkig kon maken, wat had het dan voor zin? Ze trokken elkaar naar beneden als twee mensen die niet kunnen zwemmen. Als ze geluk hadden, hielden ze het misschien lang genoeg vol om samen in hetzelfde huis oud te worden.

Dat was niet goed. Ze verdiende beter, en hij ook.

Mark had het gevoel dat hij was bedrogen. Niet door Krystal, dat zou zij nooit doen, maar door iedereen die ooit getrouwd was geweest en wist hoe het werkelijk toeging en nooit iets had laten merken. De werkelijkheid was dat je, als je ging trouwen, het ene na het andere moest opgeven. Het hield nooit op. Je moest je leven – dat speciale leven dat jij had zullen hebben – opgeven om voort te ploeteren over een weg die je geen van tweeën ooit gekozen of gewild had. En je wist nooit wat er eigenlijk gaande was. Je gaf je leven op en besefte het niet eens.

'Blythe,' zei Barney.

Mark keek naar het stadje, naar wat hij ervan kon zien vanaf de weg. Boven de daken trilden golfjes hitte.

'Blythe,' zei Barney nogmaals. 'Eenmaal, andermaal.'

Krystal werd wakker en schoot overeind. Ze knipperde met haar ogen in het donker. 'Hans,' fluisterde ze.

'Hij is buiten,' zei Hope. Ze stond boven de lamp en was bezig patronen in een jachtgeweer te schuiven. Haar schaduw zwaaide over de muur heen en weer. 'Ik ga voor het avondeten zorgen,' zei ze. 'Blijf jij hier maar uitrusten. Met dat jong gaat het wel goed.' Ze was klaar met laden en stopte nog wat patronen in de zakken van haar spijkerbroek.

Krystal lag op het bed, ze was rusteloos en had dorst maar voelde zich te zwaar om overeind te komen. De mannen hadden een radio aanstaan. Er klonk een jengelend lied, van het soort dat Hope in de keuken had gezongen. Krystal had nu al maanden geen goede muziek meer gehoord, eigenlijk niet meer sinds de dag dat ze van huis was vertrokken. Een warme dag vroeg in het voorjaar, zonlicht dat door de bomen langs de weg blikkerde. Bomen. Rivieren gezwollen van het smeltwater.

'O god,' zei Krystal.

Ze duwde zich overeind, lichtte de jaloezie op en keek naar de woestijn, de bergen. En daar liep Hope de woestijn in met haar jachtgeweer. Het licht was zachter dan tevoren, nog altijd wit maar niet meer zo scherp. De toppen van de bergen waren roze aangezet.

Krystal staarde door het raam naar buiten. Hoe kon iemand in zo'n omgeving leven? Er was niets, helemaal niets. Al die dagen in Phoenix had Krystal een grote leegte om zich heen gevoeld waarin zij niet meer was dan een steen of een stakig boompje, nu zat ze midden in die leegte. Ze bedacht dat ze zou kunnen gaan huilen, maar liet het idee varen. Het boeide haar niet.

Ze sloot haar ogen en legde haar voorhoofd tegen het glas.

Ik ga een gedicht opzeggen, dacht Krystal, en als ik klaar ben is hij hier. Aanvankelijk in stilte, omdat ze had geprobeerd alleen Engels te spreken, en daarna fluisterend, zei ze een gedicht op van Heine dat de nonnen haar al die jaren geleden op school hadden laten leren, het enige gedicht dat ze had onthouden. Ze zei het nog een keer op, daarna opende ze haar ogen. Mark was er niet. Alsof ze werkelijk had geloofd dat hij er zou zijn, gaf Krystal met haar blote voet een schop tegen de muur. De pijn maakte haar duidelijk wat ze tot dan toe niet had willen weten: dat hij er nooit echt was geweest en er ook nooit zou zijn op een manier die ertoe deed.

De ruit lag warm tegen Krystals voorhoofd. Ze zag Hope steeds verder weglopen, dan stilhouden en haar geweer opheffen. Een tel later hoorde Krystal de knal en voelde ze het glas tegen haar huid sidderen.

Het ging pijn doen zo met gekruiste benen op de kale vloerdelen te zitten. Mark strekte zijn benen en luisterde naar de vrouw die in zichzelf praatte, zich inspannend om te begrijpen wat ze zei. Haar woorden rijmden soms maar bleven verstoken van logica. Elke schijn van een betekenis verbrokkelde tot onzin.

De lijkwagen schoot snel, echt met een razende vaart over de weg. De vrouw haalde alle auto's in die ze tegenkwamen. Ze wisselde doelloos van rijstrook. Mark probeerde een hiaat in haar woordenstroom te vinden om ertussen te komen, een waarschuwend geluid te laten horen, te zeggen hoe hard de politie hier optrad. De auto ging steeds sneller. Hij hoopte dat Barney haar zou bevelen haar mond te houden en langzamer te rijden, dat hij misschien zelfs een poosje het stuur zou overnemen, maar hij zei niets en Nance ook niet. Ze was volledig verdwenen, en het enige wat Mark van Barney kon zien waren zijn stekelige haren.

'Hé,' zei Mark. 'Waarom die haast?'

De vrouw achter het stuur scheen hem niet te horen. Ze haalde nog een auto in en bleef voor zich heen bazelen. Ze had het stuurwiel zo stevig vast dat haar knokkels wit waren geworden.

'Rij maar wat langzamer,' zei Mark.

'Zei maar dat raadzamer,' zei ze.

Mark boog zich over de rugleuning naar voren om op de snelheidsmeter te kijken, en Nance keek op van wat ze daar beneden met Barney aan het doen was. Haar ogen ontmoetten die van Mark en hielden zijn blik vast terwijl ze loom, wellustig genietend doorging. Mark kantelde achterover op zijn hielen alsof hij een klap had gekregen. 'Stop,' zei hij.

'Pop,' zei de vrouw achter het stuur. 'Hop erop.'

'Stop,' zei Mark weer.

'Hé,' zei Barney. 'Wat is het probleem?' Zijn stem klonk slaperig, ver weg.

'Ik wil uitstappen,' zei Mark.

'Nee, dat wil je niet,' zei Barney. 'Je hebt het al besloten, weet je nog wel? Wees maar gewoon Marco.' Mark hoorde Nance fluisteren. Toen zei Barney: 'Hé, Marco. Kom erbij. Je hoort nu bij ons.'

'Stop,' zei Mark. Hij reikte over de rugleuning naar voren en begon de vrouw achter het stuur op haar hoofd te tikken, eerst zachtjes, toen hard. Hij hoorde zijn knokkels op haar schedel bonken. De wagen kwam krijsend midden op de weg tot stilstand. Mark keek achterom. Er reed een auto op hen af. Hij week uit naar de andere rijstrook en passeerde hen met loeiende claxon.

'Oké, Márk,' zei Barney. 'Ciao. Je hebt het verknald.'

Mark klauterde over apparatuur en kabels naar achteren en stapte uit. Toen hij de achterklep dichtdeed reed de vrouw weg, met veel gas. Mark stak de weg over en keek de lijkwagen na tot hij was verdwenen. De weg was leeg. Hij draaide zich om en liep terug in de richting van Blythe.

Een paar minuten later stopte er een oude man voor hem. Hij mocht Mark wel en bracht hem rechtstreeks naar de onderdelenwinkel. Ze gingen net dicht, maar nadat Mark de situatie had uitgelegd, liet de baas hem binnen en ging hij de dynamo voor hem pakken. Met de belasting erbij kwam de prijs op eenenzeventig dollar.

'Ik dacht dat het zesenvijftig dollar was,' zei Mark.

'Eenenzeventig,' zei de man.

Mark staarde naar de dynamo. 'Ik heb maar vijfenzestig.'

'Het spijt me,' zei de man. Hij legde zijn handen op de toonbank en wachtte.

'Moet u luisteren,' zei Mark. 'Ik ben net terug uit Vietnam. Mijn vrouw en ik zijn op weg naar Los Angeles. Als we daar zijn kan ik u de rest sturen. Ik stuur het morgenochtend op, eerlijk waar.'

De man keek hem aan.

Mark zag dat hij aarzelde. 'Ik heb daar al werk.'

'Wat voor werk?'

'Ik ben geluidsman,' zei Mark.

'Geluidsman. Het spijt me,' zei hij. 'Ik weet wel dat u denkt dat u me het geld gaat sturen.'

Mark bleef nog even soebatten, maar zonder veel vuur, omdat hij wist dat de man gelijk had; hij zou hem het geld niet sturen. Hij gaf het op en liep weer naar buiten. De onderdelenwinkel stond naast een sloperij vol verkreukelde auto's. Verderop zag hij een benzinestation en een autoverhuurbedrijf. Terwijl Mark naar het benzinestation liep verscheen er aan de andere kant van het hek rond de sloperij een zwarte hond die gelijke tred met hem hield, en telkens als Mark even zijn kant opkeek stil zijn tanden ontblootte.

Hij had het warm en hij was moe. Hij kon zichzelf ruiken. Hij herinnerde zich hoe koel het was in de lijkwagen en dacht: ik heb het verknald.

Bij het benzinestation was een telefooncel. Mark haalde een handvol kleingeld en sloot zich erin op. Hij wilde zijn vriend in Los Angeles bellen om iets te regelen, maar hij had het adresboekje in de auto laten liggen en het nummer bleek niet in het telefoonboek te staan. Hij probeerde een en ander aan de telefoniste uit te leggen, maar ze weigerde naar hem te luisteren. Ten slotte hing ze op.

Hij keek over het trillende asfalt naar de sloperij. De hond stond nog aan het hek en hield hem in de gaten. Het enige wat hij kon doen, besloot Mark, was de inlichtingen van Los Angeles blijven bellen tot hij een echt mens aan de lijn kreeg. Er moest daar toch iemand zijn die een beetje met hem zou meevoelen.

Maar eerst ging hij naar Phoenix bellen om Dutch en Dottie een fijne avond te bezorgen. Hij zou zijn ambtelijke stem opzetten en zeggen dat hij agent Smith, of nee, Smythe, agent Smythe was van de verkeerspolitie, dat hij belde om een ongeval te melden. Een frontale botsing even buiten Palm Springs. Het was zijn taak, hij moest tot zijn spijt zeggen – en hier zou zijn stem breken – dat er geen overlevenden waren. Nee, mevrouw, niemand. Ja, mevrouw, hij wist het zeker. Hij was ter plaatse geweest. Het enige goede nieuws dat hij haar kon vertellen was dat niemand had geleden. Het was hup, zomaar ineens afgelopen, en hier zou Mark voor de hoorn met zijn vingers knippen.

Hij sloot zijn ogen en hoorde de telefoon rinkelen in het koele, stille huis. Hij zag Dottie in haar avocadogroene keuken zitten met een kop koffie, bezig een lijstje te maken; hij zag haar opstaan en haar sigaretten, aansteker en een asbak bij elkaar pakken. Hij hoorde haar schoenen over de tegelvloer tikken terwijl ze naar de telefoon liep.

Maar het was Dutch die opnam. 'Met Strick,' zei hij.

Mark haalde diep adem.

'Hallo,' zei Dutch.

'Ik ben het,' zei Mark. 'Ik ben het, pap, Mark.'

Krystal stond haar gezicht te wassen toen ze het geweer opnieuw hoorde afgaan. Ze wachtte even terwijl het water door haar vingers bleef stromen, maakte vervolgens af waar ze mee bezig was en verliet de slaapkamer. Ze wilde weten waar Hans was. Hij had allang verschoond moeten worden en voor hem was het ook bijna etenstijd. Ze miste hem.

Voorzichtig tussen de onderdelen op de vloer door stappend, liep ze de grotere kamer in. Het was er bijna volledig donker. Krystal knipte het plafondlicht aan en bleef daar staan met haar hand tegen de muur.

Alles was rood. Het vloerkleed was rood. De stoelen en de bank waren rood. De lampenkappen waren rood en er hingen kleine rode kwastjes aan. De kussens op de bank waren hartvormig en overtrokken met een satijnachtige stof die vochtig leek in het licht, zodat ze er heel even uitzagen als echte organen.

Krystal staarde naar de kamer. In een roman was ze ooit gestuit op het woord 'liefdesnest' en had ze gedacht aan licht gesausde muren en hoge dennen die tot het balkon reikten. Maar dit, dacht ze naar de kamer kijkend, dit was een echt liefdesnest. Wat afschuwelijk, afschuwelijk.

Krystal liep naar de voordeur en opende hem op een kier. Er lag iemand op de voorbank van de auto met zijn blote voeten door het zijraam, eronder zijn schoenen, met gele sokken er overheen. Ze kon de mannen op de bank niet zien, maar een van hen zei iets, het was steeds hetzelfde woord. Krystal kon het niet verstaan. Toen hoorde ze Hans het woord nazeggen en lachten de mannen.

Ze deed de deur verder open. Terwijl ze nog binnen bleef staan, zei ze: 'Hans, kom hier.' Ze wachtte. Ze hoorde iemand fluisteren. 'Hans,' zei ze.

Hij kwam naar de deur. Zijn gezicht zat onder het vuil, maar hij keek blij.

'Kom binnen,' zei ze.

Hans keek over zijn schouder, dan weer naar Krystal.

'Kom binnen, Hans,' zei ze.

Hij bleef daar staan. 'Slet,' zei hij.

Krystal deed een stap achteruit. 'Nee,' zei ze. 'Nee, nee, nee. Dat moet je niet zeggen. Kom, lieverd.' Ze stak haar armen uit.

'Slet,' zei hij weer.

'O!' zei Krystal. Ze duwde de deur open, liep op Hans toe en gaf hem een draai om zijn oren. Het was een harde klap. Hij ging zitten en keek naar haar op. Dat had ze nooit eerder gedaan. Krystal pakte een plank van de stapel sloophout bij de deur. De drie mannen op de bank sloegen haar gade van onder hun hoeden. 'Wie heeft dat gedaan?' zei ze. 'Wie heeft hem dat woord geleerd?' Toen ze geen antwoord gaven, liep ze naar de bank en begon ze hen in het Duits uit te foeteren. Ze kwamen overeind en weken voor haar achteruit. Hans begon te huilen. Krystal draaide zich naar hem toe. 'Stil jij!' zei ze. Hij drensde nog even na en was toen stil.

Krystal wendde zich weer tot de mannen. 'Wie heeft hem dat woord geleerd?'

'Ik niet,' zei Webb.

De andere mannen stonden er maar wat.

'Schande,' zei Krystal. Ze keek hen aan, liep toen naar de auto. Ze schopte de schoenen aan de kant. De plank met beide handen vasthoudend zwaaide ze hem zo hard ze kon tegen de blote voeten die uit het raam staken. De man in de auto schreeuwde het uit.

'Eruit,' zei Krystal. 'Eruit, eruit!'

Hij krabbelde door het andere portier naar buiten en keek haar met toegeknepen ogen aan over het dak van de auto. Zonder zijn grote hoed, met dat rode, opgeblazen gezicht, zag hij eruit als een knorrige baby. Ze hief de plank op en hij begon over het hete zand naar het gebouw te huppen, waarbij zijn haar op en neer wapperde als een vleugel. In de schaduw van het gebouw bleef hij staan en keek om, nog altijd van de ene voet op de andere huppend. Hij hield zijn ogen op Krystal gericht. Net als Hans, die bij de deur zat. En de mannen bij de bank. Ze keken allemaal wat ze nu zou gaan doen.

Zo, dacht Krystal. Ze smeet de plank weg, en een van de mannen kromp ineen. Krystal moest bijna lachen. Wat zal ik er kwaad uitzien, dacht ze, wat ben ik kwaad, en daarna vloeide de kwaadheid uit haar weg. Ze probeerde het nog vast te houden, maar het gevoel was verdwenen zodra ze besefte dat het er was.

Ze schermde haar ogen af en keek om zich heen. De bergen in de verte wierpen lange schaduwen de woestijn in. De woestijn was leeg en stil. Er bewoog niets, behalve Hope die naar hen toe liep met het geweer op haar rug, de loop boven haar schouder uit. Toen ze dichterbij kwam, zwaaide Krystal en hief Hope haar armen op. Aan elke hand bungelde een konijn, aan zijn oren.

Zegja

Ze waren de vaat aan het doen, zijn vrouw waste af, hij droogde. Hij had de avond ervoor afgewassen. Anders dan de meeste mannen die hij kende, hielp hij echt mee in het huishouden. Een paar maanden eerder had hij toevallig gehoord hoe een vriendin zijn vrouw feliciteerde met haar zorgzame echtgenoot, en had hij gedacht: ik doe mijn best. Meehelpen met de afwas was ook een manier om te laten zien hoe attent hij was.

Ze praatten over verschillende dingen en kwamen op de een of andere manier op het onderwerp of blanke mensen met zwarte mensen zouden moeten trouwen. Hij zei dat hij het, alles in aanmerking genomen, een slecht idee vond.

'Waarom?' vroeg ze.

Soms zette zijn vrouw een gezicht waarbij ze haar wenkbrauwen samentrok en op haar onderlip bijtend naar iets omlaag tuurde. Als hij haar zo zag kijken wist hij dat hij zijn mond moest houden, maar dat deed hij nooit. Hij ging van de weeromstuit zelfs meer praten. Ze keek nu ook zo.

'Waarom?' vroeg ze weer, en stond er met haar hand in een kom zonder hem af te wassen, hem alleen boven het water houdend.

'Hoor eens,' zei hij, 'ik heb met zwarten op school gezeten, ik heb met zwarten gewerkt, ik heb met zwarten in dezelfde straat gewoond en we konden altijd prima met elkaar overweg. Jij hoeft nu niet te gaan insinueren dat ik een racist ben.'

'Ik insinueerde helemaal niets,' zei ze en begon de kom weer af te wassen, hem in haar handen ronddraaiend alsof ze hem nog vorm moest geven. 'Ik zie alleen niet wat er verkeerd aan is dat een blanke met een zwarte trouwt, dat is alles.'

'Ze komen niet uit dezelfde cultuur als wij. Luister maar eens naar ze, ze hebben zelfs hun eigen taal. Dat is mij best, ik hoor ze graag praten...' Dat was waar, om de een of andere reden werd hij er altijd opgewekt van. 'Maar ze zijn anders. Iemand van hun cultuur en iemand van onze cultuur kunnen elkaar nooit echt kennen.'

'Zoals jij mij kent?' vroeg zijn vrouw.

'Ja. Zoals ik jou ken.'

'Maar als ze van elkaar houden,' zei ze. Ze waste nu sneller af, zonder hem aan te kijken.

O jee, dacht hij. Hij zei: 'Je hoeft mij niet te geloven. Kijk de statistieken er maar op na. De meeste van die huwelijken lopen stuk.'

'De statistieken.' Ze stapelde in een verschrikkelijk tempo borden op het aanrecht, haalde de vaatdoek er alleen maar even langs. Veel borden waren nog vettig, en hij zag brokjes eten tussen de tanden van de vorken. 'Goed,' zei ze, 'hoe zit het met buitenlanders? Ik neem aan dat je dezelfde mening hebt over buitenlanders die met elkaar trouwen.'

'Ja,' zei hij, 'dat is inderdaad zo. Hoe kun je iemand begrijpen die een volkomen andere achtergrond heeft?'

'Een andere achtergrond,' zei zijn vrouw. 'Niet dezelfde, zoals wij.'

'Ja, een andere,' snauwde hij, kwaad dat ze haar toevlucht nam tot de truc zijn woorden te herhalen, zodat ze cru of hypocriet klonken. 'Die zijn nog vies,' zei hij en gooide al het bestek weer in de gootsteen.

Het sop was krachteloos en grauw geworden. Ze tuurde erin met stijf op elkaar geklemde lippen, plonsde toen haar handen erin. 'O!' riep ze en sprong achteruit. Ze pakte haar rechterhand bij de pols vast en hield hem omhoog. Haar duim bloedde.

'Niets doen, Ann,' zei hij. 'Blijf daar staan.' Hij rende de trap op naar de badkamer en zocht in het medicijnkastje rommelend naar alcohol, watten en een pleister. Toen hij weer beneden kwam leunde ze met gesloten ogen tegen de koelkast, haar hand nog bij de pols vasthoudend. Hij pakte de hand en bette haar duim met de watten. Het bloeden was opgehouden. Hij kneep erin om te zien hoe diep de wond was en er welde één heldere druppel bloed op, die even trilde en toen op de grond viel. Ze keek hem over de duim aan met een beschuldigende blik. 'Een ondiep sneetje,' zei hij. 'Morgen weet je niet eens meer dat het er is.' Hij hoopte dat ze zich ervan bewust was hoe vlug hij haar te hulp was gesneld. Hij had gehandeld uit bezorgdheid om haar, zonder de gedachte er iets voor terug te krijgen, maar nu bedacht hij dat het een aardige geste van haar kant zou zijn dat gesprek niet te hervatten, want hij had er genoeg van. 'Ik maak dit wel af,' zei hij. 'Ga jij maar even rustig zitten.'

'Dat hoeft niet,' zei ze. 'Ik droog wel af.'

Hij begon het bestek opnieuw af te wassen, met veel aandacht voor de vorken.

'Dus,' zei ze, 'jij zou niet met mij getrouwd zijn als ik zwart was geweest.'

'Godallemachtig, Ann!'

'Nou, dat zei je toch, of niet?'

'Nee, dat heb ik niet gezegd. De hele vraag is belachelijk. Als jij zwart was geweest hadden we elkaar waarschijnlijk niet eens ontmoet. Dan had jij jouw vrienden gehad en ik de mijne. Het enige zwarte meisje dat ik ooit echt heb gekend was mijn partner op de debatingclub, en toen ging ik al met jou.'

'Maar als we elkaar wel hadden ontmoet, en ik zwart was geweest?'

'Dan ging je waarschijnlijk al met een zwarte jongen.' Hij pakte de spoeldouche en besproeide het bestek. Het water was zo heet dat het metaal verkleurde tot lichtblauw, daarna herkreeg het zijn zilveren glans.

'Laten we zeggen dat het niet zo was,' zei ze. 'Laten we zeggen dat ik zwart ben en ongebonden en dat we elkaar ontmoeten en verliefd worden.'

Hij wierp haar een zijdelingse blik toe. Ze stond hem aandachtig op te nemen en haar ogen schitterden. 'Luister,' zei hij, nu op een redelijke toon, 'dit slaat nergens op. Als jij zwart was zou je niet zijn wie je bent.' Terwijl hij het zei realiseerde hij zich dat dit absoluut waar was. Er was niets in te brengen tegen het feit dat zij niet zou zijn wie ze was als ze zwart was. Daarom zei hij het nog eens: 'Als jij zwart was zou je niet zijn wie je bent.'

'Dat weet ik,' zei ze, 'maar laten we zeggen dat het wel zo is.'

Hij haalde diep adem. Hij had het pleit gewonnen maar voelde zich nog steeds in het nauw gedreven. 'Dat wat wel zo is?' vroeg hij.

'Dat ik zwart ben, maar dat ik nog steeds ben wie ik ben, en dat wij verliefd op elkaar worden. Ga je dan met me trouwen?'

Hij dacht erover na.

'Nou?' zei ze en kwam vlak naast hem staan. Haar ogen schitterden nog feller. 'Ga je dan met me trouwen?'

'Ik sta erover na te denken,' zei hij.

'Je doet het niet, dat zie ik aan je. Je gaat nee zeggen.'

'Niet zo snel,' zei hij. 'Er zijn een heleboel dingen die je daarbij in overweging moet nemen. We moeten geen dingen doen waar we misschien de rest van ons leven spijt van zullen hebben.'

'Niet meer nadenken. Ja of nee?'

'Als je het zo stelt —'

'Ja of nee.'

'Jezus, Ann. Oké. Nee.'

'Dank je,' zei ze en liep van de keuken de woonkamer in.

Even later hoorde hij haar de pagina's van een tijdschrift omslaan. Hij wist dat ze te kwaad was om echt iets te lezen, maar ze werkte zich niet wild rukkend door de pagina's, zoals hij gedaan zou hebben, ze sloeg ze langzaam om, alsof ze ieder woord aandachtig in zich opnam. Daarmee demonstreerde ze haar onverschilligheid voor hem, en dit had het effect waar zij natuurlijk op uit was. Het deed hem pijn.

Hij had geen andere keus dan haar zijn onverschilligheid te demonstreren. Kalm en grondig deed hij de rest van de afwas. Daarna droogde hij alles af en ruimde op. Hij nam het aanrecht en het fornuis af en boende het zeil waar de druppel bloed was neergekomen. Nu hij toch bezig was, besloot hij, kon hij net zo goed de hele vloer even dweilen. Toen hij klaar was zag de keuken er als nieuw uit, zoals toen ze het huis voor het eerst kwamen bezichtigen, voor ze er ooit hadden gewoond.

Hij pakte de afvalemmer en liep ermee naar buiten. Het was een heldere avond en in het westen, waar ze niet werden uitgevaagd door de lichten van de stad, zag hij een paar sterren. Het verkeer op El Camino was rustig en stroomde gestadig, stil als een rivier. Hij schaamde zich dat hij zich door zijn vrouw tot een ruzie had laten verleiden. Over een jaar of dertig waren ze allebei dood. Wat deed al die onzin er dan nog toe? Hij dacht aan de jaren die ze samen hadden doorgebracht, en bij het besef hoe hecht hun band was, hoe goed ze elkaar kenden, trok zijn keel dicht, zodat hij nauwelijks nog kon ademen. Zijn gezicht en hals begonnen te tintelen. Er welde een diepe warmte op in zijn borst. Hij stond een poosje te genieten van die lichamelijke sensaties, pakte toen de afvalemmer op en stapte door het hek aan de achterkant.

De twee mormels van verderop hadden de vuilniscontainer weer omvergetrokken. Een van de twee honden lag op zijn rug te rollen en de andere had iets in zijn bek. Toen ze hem zagen aankomen draafden ze weg met korte trippelpasjes. Normaal had hij ze een paar stenen achterna gegooid, maar ditmaal liet hij ze maar gaan.

Het was donker in huis toen hij weer binnenkwam. Ze was in de badkamer. Hij bleef voor de deur staan en riep haar naam. Hij hoorde flesjes tinkelen, maar ze gaf geen antwoord. 'Ann, het spijt me echt,' zei hij. 'Ik zal het goedmaken, dat beloof ik je.'

'Hoe dan?' vroeg ze.

Dat had hij niet verwacht. Maar iets in haar stem, een vlakke, besliste toon die hij niet kende, vertelde hem dat hij met het goede antwoord moest komen. Hij leunde tegen de deur. 'Ik zal met je trouwen,' fluisterde hij.

'Dat zien we nog wel,' zei ze. 'Ga maar vast naar bed. Ik kom zo.'

Hij kleedde zich uit en schoof onder de dekens. Na een tijdje hoorde hij de badkamerdeur open- en dichtgaan.

'Doe het licht uit,' zei ze vanuit de gang.

'Wat?'

'Doe het licht uit.'

Hij reikte opzij en trok aan het kettinkje van de lamp op het nachtkastje. De kamer werd donker. 'Goed,' zei hij. Hij lag te wachten, maar er gebeurde niets. 'Goed,' zei hij weer. Toen hoorde hij iets bewegen. Hij ging rechtop zitten maar kon niets zien. Het was stil in de kamer. Zijn hart bonsde zoals bij hun eerste nacht samen, zoals het nog altijd ging bonzen wanneer hij wakker werd van een geluid in het donker en wachtte tot hij het weer hoorde — het geluid van iemand die door het huis liep, een vreemde.

Stervelingen

De stadsredacteur riep mijn naam door de redactiezaal en wenkte me. Toen ik zijn kantoor binnenstapte zat hij achter zijn bureau. Hij had bezoek van een man en een vrouw. De man was nerveus blijven staan, de vrouw zat op een stoel met een waakzame uitdrukking op haar benige gezicht en hield de lussen van haar handtas met beide handen vast. Haar mantel-pakje was van dezelfde blauwgrijze tint als haar kapsel. Ze had iets soldatesks. De man was klein van stuk, pafferig, rond. De gesprongen adertjes in zijn wangen gaven hem een vrolijk ui-terlijk, tot hij glimlachte.

'Ik ben hier niet om een scène te maken,' zei hij. 'We vonden alleen dat u het moest weten.' Hij keek naar zijn vrouw.

'En of ik dat moet weten,' zei de stadsredacteur. 'Dit is de heer Givens,' zei hij tegen mij. 'Ronald Givens. Komt die naam je bekend voor?'

'Vagelijk.'

'Ik zal je een hint geven. Hij is niet dood.'

'Oké,' zei ik. 'Ik snap het.'

'Nog een hint,' zei de stadsredacteur. Daarna las hij, uit de krant van die ochtend, de necrologie voor die ik had geschre-ven naar aanleiding van het overlijden van de heer Givens. Ik had de dag ervoor een hele rits necrologieën gedaan, meer dan twintig waren het er, en van deze herinnerde ik me niet veel, behalve dat hij dertig jaar bij de belastingdienst had gewerkt. Ik had onlangs problemen gehad met de belasting, daarom was dat blijven hangen.

Naar zijn necrologie luisterend keek Givens ons beurtelings aan. Hij was niet zo klein van stuk als ik aanvankelijk dacht. Het was een indruk die hij wekte door zijn schouders op te trekken en zijn nek naar voren te steken als een schildpad. Hij had zachte, rusteloze ogen die hij gebruikte als een boer, met vlugge, taxerende blikken vanuit een afgewend gelaat.

Hij lachte toen de stadsredacteur klaar was. 'Nou, het klopt wel precies,' zei hij. 'Dat moet ik u nageven.'

'Op één ding na.' De vrouw keek me strak aan.

'Ik moet u mijn verontschuldigingen aanbieden,' zei ik tegen Givens. 'Het lijkt erop dat iemand me een streek heeft geleverd.'

'Verontschuldigingen aanvaard!' zei Givens. Hij wreef in zijn handen alsof we net allemaal iets hadden ondertekend. 'Je moet er de humor van inzien, Dolly. Wat zei Mark Twain ook alweer? "De berichten van mijn overlijden zijn sterk overdreven."'

'Goed, wat is er gebeurd?' zei de stadsredacteur tegen mij.

'Ik wou dat ik het wist.'

'Dat is niet goed genoeg,' zei de vrouw.

'Dolly is er behoorlijk ondersteboven van,' zei Givens.

'Daar heeft ze ook alle reden toe,' zei de stadsredacteur. 'Wie heeft het bericht van overlijden doorgebeld?' vroeg hij mij.

'Om u de waarheid te zeggen, kan ik me dat niet meer herinneren. Ik neem aan iemand van de begrafenisonderneming.'

'Heb je ze teruggebeld?'

'Ik geloof het niet, nee.'

'Heb je het nagetrokken bij de familie?'

'Dat heeft hij zeer zeker niet gedaan,' zei mevrouw Givens.

'Nee,' zei ik.

De stadsredacteur zei: 'Wat doen wij voor we een necrologie plaatsen?'

'Het bericht natrekken bij de begrafenisonderneming en de familie.'

'Maar dat heb je niet gedaan?'

'Nee, meneer. Ik denk het niet.'

'Waarom niet?'

Ik maakte een hulpeloos gebaar met mijn handen en probeerde gepaste ontzetting te tonen, maar ik moest het antwoord schuldig blijven. De waarheid was dat ik me nooit aan die procedures hield. Er gingen voortdurend mensen dood. Ik zag er het nut niet van in bij hun familie na te vragen of ze echt dood waren, of begrafenisondernemers terug te bellen om te controleren of die begrafenisondernemers echt hadden gebeld. Al dat gedoe met die procedures was tijdverspilling, had ik besloten; het leek niet mogelijk dat iemand er plezier aan kon beleven valse overlijdensberichten te verzinnen en zich voor begrafenisondernemer uit te geven. Nu zag ik dat dit dom van me was en getuigde van een fundamenteel gebrek aan inzicht in de diversiteit van het menselijk vermaak.

Dat was niet het enige. Aangezien ik bij de stadsredactie nog op de onderste trede stond, schreef ik heel veel necrologieën. Soms had ik de keuze tussen necrologieën en huwelijksaankondigingen, maar meestal deed ik uitsluitend necrologieën, de ene na de andere, van negen tot vijf. Na vier maanden van dit werk was mijn bewustzijn doortrokken van de dood. Ik was erdoor vergiftigd. Ik zwol van morbide snobisme, het gevoel dat ik een geheim kende waarvan verder niemand ook maar het bestaan vermoedde. Het gaf me een vermoeide filosofische kijk op de waarde van geloof, passie en hard werken, in een tijd waarin mijn leven al die zaken hard nodig had. Ik werd er depressief van.

Ik had ontslag moeten nemen, maar ik wilde niet terug naar het soort baantjes dat ik had gehad voor de vader van een vriend me aan dit werk had geholpen — baantjes als ober meestal, of als nachtwaker in appartementencomplexen, zolang ik overdag maar tijd had om te schrijven. Drie jaar had ik zo geleefd, en wat had het me opgeleverd? Een paar verhalen in literaire tijdschriften die niemand las, ikzelf ook niet. Ik begon mijn zelfvertrouwen te verliezen. Ik had een hoop opgegeven om te kunnen schrijven, en ik kreeg er niets voor terug, geen aanzien, geen geld, geen liefde. Dus toen ik deze baan kon krijgen nam ik hem. Ik haatte mijn werk en deed het slecht, maar ik wilde die baan wel houden. Op een dag zou ik doorschuiven naar politie en misdaad. Het zou allemaal wel beter worden.

Ik hoopte dat de stadsredacteur nu zijn gram gehaald had en me zou laten gaan, maar hij bleef me in het nauw drijven met vragen, waarschijnlijk om indruk te maken op Givens en zijn vrouw, om ze te laten zien hoe een echte nieuwsjager te werk gaat. Uiteindelijk was ik gedwongen om toe te geven dat ik die dag ook geen andere begrafenisondernemers of families had gebeld, dat ik dit in feite al geruime tijd niet meer had gedaan.

Nu hij zijn antwoord had, leek de stadsredacteur niet te weten wat hij ermee aan moest. Op zo'n resultaat had hij kennelijk niet gerekend. Aanvankelijk zat hij er maar wat. Toen zei hij: 'Even voor alle duidelijkheid: Hoelang worden er in deze krant al necrologieën geplaatst naar aanleiding van onbevestigde berichten?'

'Zo'n drie maanden,' zei ik. En terwijl ik dit toegaf, voelde ik een glimlach om mijn lippen die er al was voor ik hem kon verbijten of verbergen. Het was een grimas van paniek, de glimlach waarmee ik mijn moeder had aangekeken toen ze me vertelde dat mijn vader was overleden. Dat wist de stadsredacteur natuurlijk niet.

Hij boog zich naar voren in zijn stoel en schudde even zijn hoofd, zoals een paard dat doet. Toen zei hij: 'Ga je bureau leegruimen.' Ik denk dat hij niet van plan was geweest me te ontslaan; hij leek verrast door zijn eigen woorden. Maar hij nam ze niet terug.

Givens keek ons om beurten aan. 'Ho eens even,' zei hij. 'Laten we het nou niet te hoog opblazen. Dit is een leermoment. Niet iets wat iemand zijn baan moet kosten.'

'Dat was ook niet gebeurd,' zei mevrouw Givens, 'als hij zijn werk goed gedaan had.'

Daar viel niets tegen in te brengen.

Ik ruimde mijn bureau leeg. Toen ik het gebouw verliet zag ik Givens bij de kiosk, met zijn ogen op de deur gericht. Zijn vrouw zag ik niet. Hij liep naar me toe, hief zijn handen op en zei: 'Wat kan ik zeggen? Ik heb er geen woorden voor.'

'Zit er maar niet over in,' zei ik tegen hem.

'Het was echt niet mijn bedoeling u te laten ontslaan. Het was niet eens mijn idee hiernaartoe te komen, als u het weten wilt.'

'Laat maar. Het was mijn eigen schuld.' Ik had een doos vol blocnotes, mappen en boeken bij me. Hij was zwaar. Ik schoof hem onder mijn andere arm.

'Luister,' zei Givens, 'kan ik u op een lunch trakteren? Wat zegt u daarvan? Dat is wel het minste wat ik kan doen.'

Ik keek naar weerskanten de straat af.

'Dolly is al naar huis,' zei hij. 'Lijkt het u wat?'

Ik wilde niet direct met Givens gaan lunchen, maar voor hem leek het erg belangrijk te zijn, en ik was er nog niet klaar voor om naar huis te gaan. Wat moest ik daar? Ja hoor, zei ik, dat leek me prima. Givens vroeg me of ik ergens in de buurt een redelijke tent wist. Er was een chinees een paar huizen verderop, maar daar zat het altijd vol journalisten. Ik wilde niet zien hoe ze zouden proberen sympathie te tonen voor mijn situatie, terwijl ze erom zouden lachen zodra ik weg was, al nam ik ze dat niet kwalijk. Ik stelde voor naar Tad's Steakhouse bij het eindpunt van de tram te gaan. Daar kon je een steak van tweehonderd gram met salade en een aardappel uit de oven krijgen voor $1,29. Dat was in 1974.

'Zo arm ben ik ook weer niet,' zei Givens. Maar hij protesteerde niet, dus gingen we daarnaartoe.

Givens prikte wat in zijn eten, schoof toen het bord van zich af. Toen ik vroeg of zijn steak wel in orde was, zei hij dat hij niet veel trek had.

'Nou,' zei ik, 'wie heeft dat bericht doorgebeld, denkt u?'

Hij zat er met gebogen hoofd. Hij keek naar me op van onder zijn wenkbrauwen. 'Tja, daar vraagt u me wat. Het is een mysterie.'

'U zult toch wel enig idee hebben.'

'Nee. Helemaal niet.'

'Denkt u dat het iemand kan zijn met wie u hebt gewerkt?'

'Neu.' Hij schudde een tandenstoker uit het bakje. Zijn handen waren bleek en pezig.

'Het moet iemand geweest zijn die u kent. U hebt toch wel vrienden?'

'Ja.'

'Misschien hebt u ruzie gehad, zoiets. Misschien is er iemand kwaad op u.'

Hij schermde met één hand zijn mond af terwijl hij met de andere de tandenstoker hanteerde. 'Denkt u? Het leek mij eerder een grap.'

'Nou, het is wel een behoorlijk serieuze grap, doorbellen dat iemand is overleden. Dat is behoorlijk bedreigend. Ik zou me wel bedreigd voelen, als het mij was overkomen.'

Givens bekeek de tandenstoker, liet hem toen in de asbak vallen. 'Zo had ik het nog niet bekeken,' zei hij. 'Misschien hebt u wel gelijk.'

Ik zag dat hij hier niets van geloofde, dat hij geen idee had wat er gebeurd was. Er was een doodvonnis over hem uitgesproken, en nu zou zijn leven zich afspelen in relatie tot dat bericht, in een falend verzet ertegen, tot hij zich gewonnen moest geven en het bericht werkelijkheid werd. Zo zag ik het in elk geval.

'U weet zeker dat het niet een van uw vrienden is,' zei ik. 'Het zou om een kleinigheid kunnen gaan. U hebt met kaarten een paar flinke slagen binnengehaald en bent toen vroeg opgehouden, voor hij de kans had het terug te winnen.'

'Ik speel geen kaart,' zei Givens.

'En met uw vrouw? Zijn er op dat terrein problemen?'

'Nee.'

'Alles rozengeur en maneschijn, hm?'

Hij haalde zijn schouders op. 'Hetzelfde als altijd.'

'Waarom noemt u haar Dolly? Die naam stond niet in de necrologie.'

'Daar heb ik geen speciale reden voor. Ik noem haar altijd al zo. Iedereen noemt haar zo.'

'Ik vind haar niet het type dat je Dolly zou noemen,' zei ik.

Hij gaf geen antwoord. Hij zat me onderzoekend op te nemen.

'Stel dat Dolly kwaad op u is, echt kwaad... Ze wil u een signaal geven – buiten de gebruikelijke kanalen om.'

'Uitgesloten.' Givens zei het zonder zijn stekels op te zetten. Hij probeerde me niet te overtuigen, daarom ging ik ervan uit dat hij gelijk had.

'U laat een dochter achter, ja toch? Hoe heet ze ook alweer?'

'Tina,' zei hij met enige tederheid.

'O ja, Tina. Hoe gaat het tussen u en Tina?'

'We hebben wel problemen gehad. Maar ik kan u verzekeren dat zij het niet is geweest.'

'Nou, god zal me liefhebben,' zei ik. 'Iemand moet het toch gedaan hebben.'

Ik at mijn steak op en keek naar het schouwspel buiten: dronkaards, evangelisten, polipatiënten, hoeren, nephippies die oregano verkochten aan toeristen met witte schoenen aan. Puur theater, tot en met de lucht van popcorn die uit Woolworth naar buiten walmde. Richard Brautigan kwam hier vaak.

Als een rijzige uil boog hij zich over zijn bord en at langzaam, elke hap peinzend herkauwend, zijn ogen op de straat gericht. Er gebeurden hier rare dingen, en ook vreselijke dingen. Brautigan registreerde het allemaal en hield geen moment op met eten.

Ik vertelde Givens dat we aan het tafeltje zaten waar Richard Brautigan ook wel eens zat.

'Pardon?'

'Richard Brautigan, de schrijver.'

Givens schudde zijn hoofd.

Ik was klaar om naar huis te gaan. 'Oké,' zei ik, 'vertel eens. Wie wil u dood hebben?'

'Niemand wil mij dood hebben.'

'Iemand stelt zich voor dat u dood bent. Speelt met de gedachte. De wens is de vader van de daad.'

'Niemand wil mij dood hebben. Uw probleem is dat u denkt dat alles een betekenis moet hebben.'

Dat was een van mijn problemen, dat kon ik niet ontkennen.

'Het is maar nieuwsgierigheid,' zei hij, 'maar wat vond u ervan?'

'Waarvan?'

'Mijn necrologie.' Hij boog zich naar voren en begon met de peper- en zoutvaatjes te spelen, tikte ze tegen elkaar en schoof ze om elkaar heen als danspartners bij een quadrille. 'Ik bedoel, gaf het u enig gevoel wie ik was? Wat voor iemand ik ben?'

Ik schudde mijn hoofd.

'Was er niets wat u opviel?'

Ik zei van niet.

'Aha. Misschien zou u me dan eens willen vertellen wat het precies is dat maakt dat u zich iemand herinnert.'

'Luister eens,' zei ik, 'als je de hele dag necrologieën schrijft, gaan ze zo'n beetje door elkaar heen lopen.'

'Ja, maar sommige moet u zich toch herinneren.'

'Sommige wel, ja. Zeker.'

'Welke?'

'Schrijvers die ik goed vind. Grote honkballers. Filmsterren waar ik verliefd op was.'

'Met andere woorden, beroemdheden.'

'Soms, ja. Niet altijd.'

'Je kunt ook een goed leven leiden zonder beroemd te zijn,' zei hij. 'Mensen met grote namen zijn niet altijd grote persoonlijkheden.'

'Dat is waar,' zei ik, 'maar dat is een beetje de waarheid van de kleine man.'

'Is dat zo? En wat bent u dan?'

Ik gaf geen antwoord.

'Als een grote naam het enige is wat indruk op u maakt, bent u echt een dwerg. Zo zie ik het tenminste.' Hij keek me strak aan en omklemde de peper- en zoutvaatjes als een mitrailleurschutter die op het punt staat erop los te knallen.

'Dat is niet het enige wat indruk op mij maakt.'

'O nee? Wat dan nog meer?'

Ik liet de vraag even op me inwerken. 'Morele distinctie,' zei ik. Hij herhaalde de woorden. Ze klonken hoogdravend.

'U weet wel wat ik bedoel,' zei ik.

'U moet me maar corrigeren als ik ernaast zit,' zei hij, 'maar ik heb het gevoel dat het niet echt uw terrein is, die morele distinctie.'

Ik ging hier niet tegenin.

'En u bent duidelijk geen beroemdheid.'

'Nee, duidelijk niet.'

'Wat bent u dan wel?' Toen ik geen antwoord gaf, zei hij: 'Denkt u dat u zich uw eigen necrologie wel zou herinneren?'

'Waarschijnlijk niet, nee.'

'Laat dat waarschijnlijk maar weg. U zou er nooit meer een seconde aan denken.'

'Oké, absoluut niet.'

'U zou er nooit meer een seconde aan denken. En daar zou u verkeerd aan doen. Want waarschijnlijk hebt u andere eigenschappen die u zouden opvallen als u aandachtig zou kijken. Goede eigenschappen. Iedereen heeft wel iets. Wat vindt u goed aan uzelf?'

'Ik ben een overlever,' zei ik. Maar ik dacht niet dat die bewering veel gewicht in de schaal zou leggen in een necrologie.

Givens zei: 'Bij mij is het loyaliteit. Loyaliteit is een heel duidelijke lijn in mijn leven. U zou dat hebben opgemerkt als u goed had opgelet. Als u leest dat iemand zijn land heeft gediend in tijd van oorlog, dat hij tweeënveertig jaar met dezelfde vrouw getrouwd is gebleven, altijd in dezelfde betrekking heeft gewerkt, mijn god, dat zou u toch iets moeten zeggen. Dat zou u toch een bepaald beeld moeten geven.'

Hij zweeg even om zijn eigen woorden knikkend te bevestigen. 'En het is niet altijd even makkelijk geweest,' zei hij.

Ik moest lachen, vooral om mezelf, dat ik zo had zitten suffen. 'U was het,' zei ik. 'U hebt het gedaan.'

'Wat heb ik gedaan?'

'U hebt dat bericht van overlijden doorgebeld.'

'Waarom zou ik dat doen?'

'Vertelt u dat maar aan mij.'

'Daarmee zou ik zeggen dat ik het gedaan heb.' Givens kon een glimlach niet onderdrukken, zo trots was hij op zijn eigen sluwheid.

Ik zei: 'U bent volkomen getikt', maar ik meende het niet echt. Er was niets aan Givens handelwijze wat ik niet kon begrijpen, ik kon er schoorvoetend zelfs bewondering voor opbrengen. Hij had een manier bedacht om naar zijn eigen begrafenis te gaan. Hij had zijn laatste kostuum aangepast, zogezegd, hij had zichzelf met rouge op zijn wangen in zijn kist zien liggen en naar zijn eigen lofzang geluisterd. En het mooiste was dat hij erna was herrezen. Daar ging het eigenlijk om, al dacht hij dat hij het gedaan had om Dolly aan het schrikken te maken of zijn deugden te etaleren. Wederopstanding, daar was het om te doen, en die belastinginspecteur had eens gekeken hoe dat voelde. Het was bijbels.

'U bent een raar heerschap, meneer Givens. U bent echt een raar heerschap.'

'Ik ben hier niet gekomen om me te laten beledigen.'

'Rustig maar,' zei ik tegen hem. 'Ik ben niet kwaad.'

Hij schraapte zijn stoel achteruit en stond op. 'Ik heb wel wat beters te doen dan hier naar beschuldigingen te zitten luisteren.'

Ik liep achter hem aan naar buiten. Ik was nog niet bereid hem te laten gaan. Hij was me nog iets verschuldigd. 'Geef toe dat u het gedaan hebt,' zei ik.

Hij wendde zich af en begon weg te lopen door Powell Street.

'Geef het nou gewoon toe,' zei ik. 'Ik zal het u niet kwalijk nemen.'

Hij bleef doorlopen, met zijn hoofd weer als een schildpad naar voren gestoken laveerde hij door de menigte. Hij was aalglad en snel. Uiteindelijk pakte ik hem bij zijn arm en trok hem een portiek in. Zijn spieren zwollen op onder mijn vingers. Hij rukte zich bijna los, maar ik verstevigde mijn greep en zo stonden we daar in een verstarde worsteling.

'Geef het toe.'

Hij schudde zijn hoofd.

'Ik breek uw nek als het moet,' zei ik tegen hem.

'Laat me los,' zei hij.

'Als u nu iets overkwam, zou het bericht van uw overlijden goed nieuws zijn. Dan zou ik mijn baan terug kunnen krijgen.'

Hij probeerde zich weer los te rukken, maar ik hield hem stevig vast.

'Het zou een prachtig verhaal opleveren,' zei ik.

Zijn arm verslapte. Toen zei hij, bijna onhoorbaar: 'Ja.' Alleen dat ene woord.

Meer ging ik niet uit hem krijgen. Het moest maar genoeg zijn. Toen ik zijn arm losliet draaide hij zich om, trok zijn hoofd tussen zijn schouders en voegde zich in de stroom voorbijgangers. Ik liep terug naar Tad's om mijn doos op te halen. Vlak voor me werd een jonge patser in een driedelig kostuum gevolgd door een mimespeler die het zelfverzekerde air van zijn voorganger, die verwaand geheven kin, feilloos wist te imiteren. Een meisje lachte schor. De patser keek om en de mimespeler verstijfde. Hij stond nog in die pose toen ik hem passeerde. Ik stopte hem een kwartje toe, in de hoop dat hij me zou laten lopen.

Vliegeniers

Mijn vriend Clark en ik besloten een straaljager te bouwen. We waren weken aan de tekentafel in zijn slaapkamer bezig het ontwerp te vervolmaken. Soms liet Clark mij de groene klep opzetten en de krompasser en liniaal hanteren, maar nooit lang. Ik tekende zoals een liplezer leest; het was een marteling voor hem mij bezig te zien. Wanneer hij het niet meer uithield, duwde hij me aan de kant en stond het me vrij wat met zijn spullen – het samoeraizwaard, het Webleypistool met de dichtgestopte loop – te klooien en door het huis te dwalen.

Clarks moeder was meestal de deur uit. Ik maakte er een gewoonte van een boterham voor mezelf klaar te maken en me dan te nestelen in de leren fauteuil in de studeerkamer, waar ik naar oude platen luisterde en de albums met familiefoto's doorkeek. Ze hadden geboft, die ouders van Clark, ze hadden geboft en verbaasden zich er niet over. Je kon op de foto's zien dat ze het allemaal heel normaal vonden, de volle gedekte tafels achter hen, de boten en de auto's, hun ontspannen, knappe familieleden die duidelijk niet werden getroffen door afvloeiingsregelingen of aanvallen van migraine en elkaar ook niet per ongeluk buitensloten. Ik bestudeerde elke foto alsof het een deur was die ik zou kunnen binnengaan, tot er iets in mij omsloeg en ik geïrriteerd raakte. Dan zette ik de albums weg en liep ik terug naar Clarks kamer om zijn werk te inspecteren en herzieningen te eisen.

Clark, de anders zo zelfverzekerde leider, nam de meeste van mijn ideeën ter harte, wat mij tot een tiran maakte. Hoe

aandachtiger hij luisterde, des te meer ik hem ging koeioneren. Zijn eigen voorstellen lachte ik weg als domme flauwekul.
Clark gaf meer om de perfectie van zijn vliegtuig dan om zijn
eigen ijdelheid; hij had er geen moeite mee een vel papier
waar hij uren aan gewerkt had te verkreukelen en weer opnieuw te beginnen vanwege een goede inval van mij. Dit was
geen nederigheid, eerder een zelfverzekerdheid die tot onverstoorbare diepten ging en hem doof maakte voor smeekbeden
wanneer hij een van mijn ingevingen wel verwierp. Er waren
momenten – vele momenten – waarop ik dat vierkante hoofd
van hem voor ogen had als ik het samoeraizwaard ophief en me
de houw voorstelde waardoor het als een rijpe meloen op de
grond zou vallen.

Clark was koppig maar er stak niets gemeens in hem. Hij zou
zich nooit tegen je keren; hij bleef van dag tot dag hetzelfde,
ernstig en praktisch. Hoewel zijn ouders geld hadden en het
vrijelijk spendeerden, was hij niet verwend of geïnteresseerd
in bezittingen, behalve als instrumenten voor zijn projecten.
In de acht of negen maanden dat we met elkaar bevriend waren, hadden we twee horrorfilms gemaakt met de super-8-ca-
mera van zijn vader, een katapult gebouwd die zo goed werkte
dat we hem van zijn ouders weer uit elkaar moesten halen, en
een monsterachtige, onbestuurbare slee gefabriceerd van een
ledikant en vijf houten ski's die we tussen het afval van hun buren hadden gevonden. We hadden ook een detectivehoorspel
geschreven voor een prijsvraag die een van de plaatselijke ra-
diostations jaarlijks uitschreef, waarbij Clark geduldig het
script opnieuw uittikte terwijl ik nog ingewikkelder plotwen-
dingen en bombastische dialogen verzon: 'Mijn waarde Car-
stairs, het was werkelijk uiterst scherpzinnig van u de modder
op mijn smokingjasje op te merken. Wat jammer echter dat u
de derringer in mijn zak niet wist te determineren!' We waren
verbijsterd dat we niet hadden gewonnen.

Ik leverde de geniale invallen, dat dacht ik tenminste. Maar ik begreep zelfs toen al dat Clark ze vormgaf en al het werk deed. Zijn tekeningen van ons vliegtuig waren helder en uitgewerkt tot in de kleinste details, als echte blauwdrukken waarvoor een spion iemand de keel zou afsnijden. Als ik ze aan het eind van de dag bekeek (voor- en zijaanzicht, aanzichten van boven, achter en onder) pasten de afzonderlijke ontwerpen in elkaar als een puzzel en kwamen ze los van het vlakke papier. Ze werden een vliegtuig, een straaljager, mijn straaljager. En het hele lange eind naar huis zat ik in de cockpit en scheerde over scherpe bergkammen, zigzagde door diepe ravijnen, gierde rakelings over vissers in de baai en raasde met zo'n vlammend en donderend geweld over de stad dat footballwedstrijden midden in het spel werden gestaakt en de cheerleaders met open mond naar me opkeken, hun benen nog opgeheven onder hun geruite rokjes. Even een kurkentrekker, even schudden met de vleugeltips en weg was ik, dwars door het wolkendek naar boven. Ik voelde de g-krachten in mijn armen, mijn borst, mijn gezicht. Het vel werd van mijn wangen naar achteren getrokken. De tranen stroomden uit mijn ogen. De kist schudde als een gek. Toen ik niet hoger kon, klom ik nog hoger. Jezus, was ik even aan het vliegen!

Clark en ik hadden niet veel gepraat over de daadwerkelijke bouw van de straaljager. We schoven die kwestie voor ons uit terwijl we aan het ontwerp bleven schaven. Maar we konden niet eeuwig aan het ontwerp blijven werken; het begon ons te vervelen, de fut ging eruit. Toen kwam Clark op een dag in de pauze naar me toe en zei dat hij wist waar we aan een cockpitkap konden komen. Toen ik hem vroeg waar dan, keek hij even opzij naar de jongen met wie ik op de basket had staan schieten en tuitte zijn lippen. Clark had al lang geleden besloten dat ik een veiligheidsrisico was. 'Dat zul je wel zien,' zei hij en liep weg.

De hele middag bleef ik aan zijn kop zeuren om erachter te komen waar we die kap vandaan gingen halen, wie er een had. Hij wilde niets zeggen. Ik kon hem wel vermoorden.

In plaats van naar zijn huis leidde Clark me na school over de avenue, langs het postkantoor en de supermarkt en de rij drive-inrestaurants en speelhallen waar de jongens van de middelbare school rondhingen. Clark had lange benen en keek niet op of om, hij beende op volle snelheid rechtdoor zodat ik moest hollen om hem bij te houden. Ik vond het vervelend om bezweet en buiten adem, onwetend van onze bestemming, achter hem aan te hobbelen, en het allervervelendst vond ik het dat hij wel wist dat ik hem hoe dan ook zou volgen.

We sloegen de steeg naast de Odd Fellows in en liepen om een groot terrein vol oude schoolbussen heen, daarna staken we een bouwterrein over dat uitkwam op een park waar ik ooit achterna was gezeten door een stel oudere jongens. Aan de andere kant van het park namen we de brug over de beek, die was gezwollen na een week van zware regen. Voorbij de brug werd de straat een aaneenschakeling van modderpoelen omzoomd door kleine, vochtig uitziende huisjes onder druipende bomen. Inmiddels vroeg ik hem niet meer waar we heen gingen, omdat ik het wist. Ik was hier eerder geweest, heel vaak zelfs.

'Ik kan me niet herinneren dat Freddy ergens cockpitkappen had liggen,' zei ik.

'Ze hebben een hele schuur vol spullen.'

'Weet ik, die heb ik wel gezien, maar zo'n kap niet.'

'Misschien heeft hij hem nog maar net.'

'Dat lijkt me heel onwaarschijnlijk.'

Clark versnelde zijn pas.

Ik zei: 'En, meneer Topgeheim, hoezo heb jij Freddy over ons vliegtuig verteld?'

'Ik heb hem niets verteld. Hij weet het van Sandra.'

Ik liet het passeren, aangezien ik het aan Sandra had verteld.

Freddy woonde aan het eind van de doodlopende straat. Toen Clark en ik dichterbij kwamen hoorde ik een kettingzaag grauwen in het bos achter het huis. Freddy en ik zwierven daar vroeger de hele dag rond. Ik bleef wat achter terwijl Clark naar het huis liep en aanklopte. Freddy's moeder deed open. Ze liet Clark binnen en wachtte tot ik door de tuin dichterbij was gekomen en de treden op liep. 'Zo, kijk eens wie we daar hebben,' zei ze, zonder verwijt, al klonk het wel zo. Ze woelde door mijn haar toen ik langs haar liep. 'Je bent wel tien centimeter gegroeid.'

'Ja, mevrouw.'

'Freddy is in de keuken.'

Freddy deed zijn boek dicht en kwam van de tafel overeind. Hij glimlachte verlegen. 'Hallo,' zei hij, en ik zei ook hallo. Het kostte moeite. We hadden elkaar niet meer gesproken sinds hij het ziekenhuis in was gegaan, nu bijna een jaar geleden. Freddy's moeder kwam achter ons binnen en zei: 'Ga zitten, jongens. Trek je jas uit. Freddy, doe wat van die koekjes op een bord.'

'Ik kan niet lang blijven,' zei Clark, maar niemand gaf hem antwoord en uiteindelijk hing hij zijn jack over een stoel en schoof aan tafel. Het was een ronde tafel die bijna de hele keuken in beslag nam. Freddy's broer, Tanker, had het hele tafelblad volgekerfd met afbeeldingen, van die typische voorstellingen uit jachttijdschriften van nobele edelherten en opspringende vissen, arenden met konijnen in hun klauwen, poema's die ineengedoken op berggeiten loeren. Hij was altijd druk met zijn zakmes aan het werk terwijl hij bier dronk en zijn verhalen vertelde. Net als die verhalen liepen de beelden in elkaar over. De hele tafel zou er onderhand mee overdekt zijn geweest als Tanker niet was verongelukt.

Het rook er naar wasgoed en de ramen waren beslagen. Freddy schudde wat Oreo's op een bord en overhandigde het aan mij. Ik gaf het door aan Clark zonder er een te pakken. Het bord was smoezelig. Geen aangekoekte restjes, geen zichtbare voedselafzettingen, het was alleen maar smoezelig. Zoals gebruikelijk. Bij Freddy thuis at ik nooit iets, tenzij ik stierf van de honger. Clark scheen het niet op te merken. Hij pakte een handvol koekjes en na enig vertoon van aarzeling nam Freddy's moeder er ook eentje. Ze was een magere vrouw met schouderbladen die uitstaken als vleugels wanneer ze voorovergebogen zat, zoals nu, aan haar Oreootje knabbelend. Ze wendde zich tot mij, met ogen zo treurig dat ik mezelf moest dwingen niet weg te kijken. 'Ik kan er niet over uit zoals jij gegroeid bent,' zei ze. 'Is hij niet gegroeid, Freddy?'

'Als kool,' zei Freddy.

'Tegen de verdrukking in,' zei ik, ongewild ons oude spelletje weer opnemend.

Clark keek ons om beurten aan.

Freddy's moeder zei: 'Ik heb begrepen dat jullie een vliegtuig aan het bouwen zijn.'

'We zijn nog maar net begonnen,' zei Clark.

'Nou, dat is fantastisch,' zei Freddy's moeder. 'Een vliegtuig. Stel je voor.'

'Op het ogenblik zijn we op zoek naar een cockpitkap,' zei Clark.

Een tijdje zei niemand iets. Freddy's moeder sloeg haar armen voor haar borst over elkaar en boog zich nog verder voorover. Toen zei ze: 'Freddy, je zou je vrienden moeten vertellen wat je mij aan het vertellen was over die man in je boek.'

'Laat maar,' zei Freddy. 'Misschien straks.'

'Over die berg schedels.'

'Menselijke schedels?' zei ik.

'Hele bergen,' zei Freddy's moeder.

'Tamerlane,' zei Freddy. En zonder verder uitstel begon hij te vertellen over Tamerlanes wraak op de Perzische steden die zich tegen zijn opmars hadden verzet. Het was een gruwelijk verhaal en hij was niet zuinig met de details en probeerde evenmin te verbergen hoezeer hij ervan genoot, en van de stijve zinnen die hij had opgepikt uit het boek dat hij op dat moment aan het lezen was. Dat was typisch Freddy. Zacht als een lammetje, maar dol op de Vikingen en Azteken, Dzjengis Khan en de kruisvaarders, al die oude krijgslieden die mensen hun darmen uitrukten en de ogen uitstaken. Ik was er ook dol op. Het was een interesse die we deelden. Clark hoorde het aan en keek een beetje beduusd.

Ik ben er nooit precies achter gekomen hoe Tanker was verongelukt; het was een motorongeluk vlak bij Spokane, dat was het enige wat Freddy me had verteld. Je moest Tanker kennen om te weten wat dat betekende. Dit gezin werd geteisterd door tegenspoed. Hun zolder was geheel overgenomen door vleermuizen. Hun auto's zakten één voor één door hun assen. Ze werden gesnapt bij het verwisselen van nummerplaten en het illegaal storten van afval en moesten altijd achterstallige belasting betalen, Ivan in elk geval. Ivan was Freddy's stiefvader en in zijn eentje al een catastrofe. Hij was niet slecht of kwaadaardig, hij zat gewoon vol slimme ideeën waardoor hij in de problemen kwam en alles nog erger werd dan het al was, zoals geen onroerendgoedbelasting betalen op grond van een uitzonderingsregeling voor veteranen waarover hij had gehoord maar uit laksheid verder niets had gelezen en waarvoor hij uiteindelijk toch niet in aanmerking bleek te komen. Die briljante zet kostte hun bijna het huis, dat Freddy's vader vrij van lasten had nagelaten toen hij stierf. Tanker was de enige in het gezin die tegen Ivan op kon, en niet alleen omdat hij groter was en meer in zijn mars had. Ivan had een zwak voor hem. Na het ongeluk bleef hij bijna een week in bed liggen, daarna verdween hij.

Als Tanker thuis was zat iedereen in de keuken om de tafel en bescheurden ze zich om zijn verhalen. Hij vertelde verhalen over zichzelf die ik voorgoed zou hebben weggestopt, zoals de keer dat zijn motor er midden in de rimboe mee ophield en er een auto stopte, maar in plaats van hem een lift te geven sloegen de gasten van die auto hem op zijn hoofd met een lunchzak vol verse stront. Daarna werd hij door de politie gearresteerd en moest hij in de kofferbak meerijden naar het bureau – en dat allemaal midden in een sneeuwstorm. Tanker vertelde het verhaal alsof dit zijn dierbaarste belevenis was, met ogen die glinsterden van de tranen. Hij had massa's vrienden, stoere binken in krakende leren jacks, en hij haalde ze allemaal in huis. Hij kon alles repareren – de afvoer, de auto, een lekkend dak, noem maar op. Hij nam Freddy en mij mee vissen in zijn afgetrapte pick-up en gaf ons indiaanse namen. Ik was Lastig-in-de-tent, omdat ik mopperde en snurkte. Freddy was Goedkoop-aan-tafel.

Nadat Tanker was verongelukt veranderde alles bij Freddy thuis. In het huis hing die bevroren, echoënde stilte van verlatenheid. Ivan was ten slotte weer terug van weggeweest, al was hij het grootste deel van zijn tijd elders bezig met een of ander nieuw project. Als Freddy en ik na school bij hem thuis kwamen was het binnen altijd donker en stil. Zijn moeder had zich meestal teruggetrokken in de slaapkamer aan de achterkant. Soms kwam ze tevoorschijn om ons een boterham te geven en te vragen hoe onze dag was geweest, maar ik had liever dat ze dat niet deed. Ik had nog nooit zo'n verdriet gezien; het vervulde me met afgrijzen. En dat afgrijzen werd nog vergroot door haar pogingen eroverheen te komen, omdat die zo zichtbaar, zo deerniswekkend faalden, en in hun falen uitzicht boden op een wereld waarvan ik pas iets begon te vermoeden, een wereld waarin wonden niet heelden, en dingen niet meer goed kwamen.

Op een dag waren Freddy en ik op de oprit op de basket aan

het schieten toen zijn moeder hem binnenriep. We waren bezig met een potje *horse*, en ik maakte van zijn afwezigheid gebruik om mijn haakschot te oefenen. De haak was mijn geheime wapen tegen Freddy: hij kon het bord er niet eens mee raken. Ik dribbelde en schoot, dribbelde en schoot, tien, twintig, vijftig keer. Freddy kwam nog steeds niet terug. Het was heel stil. Het enige geluid kwam van de bal die het bord, de ring, het asfalt raakte. Na een poosje hield ik op met schieten en stond ik met de bal stuitend te wachten. De bal was te hard opgepompt en kwam snel omhoog, met een holle bons gevolgd door een hoge zingende toon die in de stilte bleef nazoemen. Het begon op mijn zenuwen te werken. Maar ik bleef met de bal stuiten, op de een of andere manier niet in staat het ritme te doorbreken waarin ik terecht was gekomen. Mijn hand bewoog uit zichzelf, aaide lichtjes over de bobbelige huid van de bal en duwde hem net hard genoeg omlaag om hem te laten terugkomen. Het geluid werd harder, groter en leger, het werd het geluid van de leegheid, een leegheid die bonkte als hoofdpijn. Ineens bang geworden pakte ik de bal en hield hem vast. Ik keek naar het huis. Ik dacht aan de vrouw die erin zat opgesloten, en aan Freddy, samen met haar opgesloten, ondergedompeld in hun ellende. Het huis leek zich bewust van zijn stilte, het leek iets af te wachten. Ik legde de bal neer en liep naar het eind van de oprit, en daar begon ik te rennen. Ik was nog aan het rennen toen ik bij het park aankwam. Het was de dag waarop die oudere jongens me achterna kwamen, opgehitst door de aanblik die ik bood in mijn angstige vlucht. Ze bleven me zo'n honderd meter achtervolgen en vielen toen terug, hoewel ze me hadden kunnen pakken als ze het echt hadden gewild. Maar zij renden alleen maar voor de lol; door de ernst van mijn paniek werden ze in verwarring gebracht, op het verkeerde been gezet.

Wat een paniek... waar kwam die vandaan? Het kon niet al-

leen de situatie bij Freddy thuis zijn geweest. De wankele ver-
houdingen binnen mijn eigen familie begonnen ook steeds
duidelijker te worden. Destijds gaf ik niet toe dat ik het wist,
geen moment, maar het bleef in je maag zeuren: dat zure gevoel van naderend onheil, met alarmerende krampen bij elk
teken van tegenspoed of zwakheid bij anderen, alsof zulke dingen besmettelijk waren.

Freddy had astma. Niet lang nadat ik van zijn huis was wegge-
rend, kreeg hij een zware aanval en moest hij naar het ziekenhuis. Onze onderwijzeres vertelde het in de klas. Ze liet iedereen een kaartje met beterschap schrijven en deelde stencils
uit met het adres van het ziekenhuis en de bezoekuren. Het
was op loopafstand. Ik wist dat ik moest gaan en dacht er zoveel
over na dat ik die week eigenlijk niets anders leek te doen dan
niét gaan, maar ik kon me er niet toe zetten. Toen Freddy weer
op school kwam, was ik niet in staat iets tegen hem te zeggen of
hem ook maar aan te kijken. Ik ging na de bel meteen naar
huis, door de hoofdingang in plaats van de zijdeur waar we elkaar altijd ontmoetten. En toen zag ik dat hij mij ook ontweek.
Hij at aan het andere eind van de kantine; als we elkaar in de
gang tegenkwamen bloosde hij en keek naar de grond. Hij gedroeg zich bijna alsof hij me iets had misdaan, en door de
schaamte die ik hierover voelde werd ik nog schichtiger. Ik
was een tijdlang erg eenzaam, toen werden Clark en ik vrienden. Dit was mijn eerste bezoek aan Freddy sinds de dag dat ik
op de vlucht was gegaan.

Clark peuzelde alle Oreo's op terwijl Freddy zijn gruwelijke
verhaal vertelde, en toen hij het af had begon ik aan een van
mijn eigen verhalen uit een boek dat mijn broer me had gegeven over Quantrill's Raiders in de Burgeroorlog. Het was echt
een verschrikkelijk verhaal, een wreed, ijzingwekkend verhaal – de hoofdfiguur was een psychopaat die Bloody Bill heette. Ik was me ervan bewust dat Freddy mij met iets van vervoe-

ring gadesloeg. Freddy's moeder schudde haar hoofd toen het echt erg werd en slaakte uitroepen van afschuw en ontzetting – "Nee! Het is niet waar!" – net als vroeger toen we elke middag met ons drieën naar *Queen for a Day* keken en schaamteloos zaten te kwijlen bij de bizarre, smartelijke jammerverhalen van de rivaliserende stakkers. Clark volgde het verhaal zonder vreugde. Hij wachtte met ongeduld tot we ter zake konden komen en was te nuchter voor al die bloedige gruwelen. Ik wist dat hij nu een andere kant van me zag, een kant die hem waarschijnlijk niet beviel, maar ik bleef maar doorgaan. Ik kon het niet loslaten, dat oude, bijna vergeten plezier als ik Freddy aan mijn haak had en zijn eigen plezier door de lijn voelde gonzen.

Ineens zwaaide de achterdeur open en stak Ivan zijn hoofd de keuken in. Zijn gezicht was nog groter en witter dan in mijn herinnering, en alsof hij het beeld in mijn geheugen wilde bevestigen droeg hij een rode pet die hem te klein was en als een feestmuts boven op zijn hoofd prijkte. Zijn benen zaten bijna tot zijn knieën onder de zwarte modder. Hij keek me aan en zei: 'Asjemenou toch! Lang niet gezien!' Midden op een van zijn brillenglazen zat een spat modder, als een oogbol op een fopbril. Hij keek naar Clark, dan naar Freddy's moeder. 'Je zult het niet geloven, schat, maar dic ouwe bak zit weer vast.'

Er woei een vochtige wind. Freddy, Clark en ik stonden met opgetrokken schouders, handen in de zakken, toe te kijken terwijl Ivan om Tankers oude pick-uptruck heen liep en uitlegde waarom hij er niets aan kon doen dat de wielen bijna tot hun assen in de modder waren gezakt. 'Het ouwe beest kan zijn eigen gewicht niet meer torsen, dat is het hem.' Hij wreef over een spatbord. 'Hij heeft zijn beste tijd gehad, al jaren.'

'Ja,' zei Freddy. 'Hij wordt er beslist niet jonger op.'

'Zo is dat,' zei Ivan.

'Hij is aan het aftakelen,' zei ik.

'Hij is aan zijn pensioen toe,' zei Freddy.

'Zo is het precies,' zei Ivan. 'Ik kan het alleen niet over mijn hart verkrijgen hem te verkopen.' Zijn kaak begon te trillen en ik dacht vol afschuw dat hij dadelijk nog ging huilen. Maar dat gebeurde niet. Hij klemde zijn onderlip tussen zijn tanden, zoog er peinzend op en duwde hem weer naar buiten. Hij had volle, expressieve lippen. Ik lette meer op die lippen om zijn stemming te peilen dan op zijn ogen, die hij verborgen hield achter sluw toegeknepen oogleden.

'Nou,' zei hij. 'Dat hout moet afgeladen worden. Zijn jullie klaar om die spierballen eens te gebruiken, jongens?'

Freddy en ik keken elkaar aan.

Clark stond naar de pick-up te kijken. 'Moeten we dat allemaal gaan afladen?'

'Dat duurt geen uren, met een paar potige knapen als jullie,' zei Ivan. 'Misschien net een uurtje, met het opladen erbij,' voegde hij eraan toe.

De laadbak lag tot boven aan de zijpanelen vol houtblokken, met een kop erop in het midden. Ivan was bezig het bos achter het huis te rooien. De meeste bomen waren inmiddels verdwenen, bijna een hectare bos was veranderd in een moeras van stronken waar bandensporen vol donker water kriskras doorheen liepen. Achter dat moeras stond het huis van een gezin met een paar bleke slierten van dochters die onophoudelijk ruzie hadden met hun moeder en dan gillend de deur uit renden en gillend in de opgevoerde auto's van hun vriendjes sprongen. De vader en de zoon reden ook in van die opgefokte sleeën, die ze in leven hielden met onderdelen van de verzameling wrakken in hun achtertuin. Ze kwamen 's middags en in het weekend tevoorschijn om onder hun auto's te kruipen en elkaar te beschreeuwen boven het gekletter van hun steeksleutels. Freddy en ik bespiedden het gezin altijd vanachter de bomen, met zwartgemaakte gezichten en takjes in ons haar.

Nu hoefde hij ze niet meer te besluipen; ze waren nu aldoor volledig in beeld.

Ivan had hard gewerkt om de bomen tot brandhout te verwerken. Maar brandhout was goedkoop en wat hij er ook aan zou verdienen, het was het niet waard, het was zonde van al dat groen vol vogels en kwetterende eekhoorns, de koelte in de zomer, de lange bundels namiddaglicht. Voor mij was dit een indianenbos geweest, een Engels woud en een Afrikaanse jungle. Het was Mars. En nu was er niets meer van over. Ik was een jongen die niet wist dat hij nooit een straaljager zou bouwen, maar ik wist wel dat deze modderzee het werk was van een idioot.

'Ik weet zeker dat je hem er wel uit kan krijgen zonder alles af te laden,' zei Clark.

'Heb ik al geprobeerd.' Ivan liet zich op een stronk zakken en keek met een voldane blik in het rond. 'Hoe eerder jullie beginnen, hoe eerder jullie klaar zijn, jongens.'

'Alle begin is moeilijk,' zei ik.

'Het is nu of nooit,' zei Freddy.

'Zo is dat,' zei Ivan.

Clark had al die tijd op een netwerk van boomwortels gestaan. Nu stapte hij eraf en liep naar de truck. Toen hij dichterbij kwam werd de grond drassig en ging hij op zijn tenen verder, daarna begon hij van de ene voet op de andere te springen, maar er was nergens een stevig plekje om zijn voet neer te zetten en bij elke sprong zakte hij er dieper in. Toen hij er tot over zijn enkels in zakte, gaf hij het op en baggerde verder op smakkende gymschoenen waar bij elke stap meer kledder aan bleef hangen. Tegen de tijd dat hij de truck had bereikt, zagen ze eruit als medicinballen. Hij bukte eerst bij het ene achterwiel, dan bij het andere.

'We kunnen een knuppeldam maken' zei hij.

Ivan knipoogde naar ons. 'Een knuppeldam, zei je!'

'Dat deden ze vroeger als de huifkarren vast kwamen te zitten,' zei Clark. 'Dan maakten ze een pad van stammetjes.'

'Ziet dat ding eruit als een huifkar, jongen?'

'Met stukken geschut deden ze het ook. In de Burgeroorlog.'

'Misschien moeten we hem maar gewoon afladen,' zei ik.

'Wacht nou even.' Ivan zette zijn handen op zijn knieën en nam Clark aandachtig op. 'Ik hou wel van jongens met ideeën,' zei hij. 'Vooruit, probeer het maar.'

'Baat het niet dan schaadt het niet,' zei Freddy.

'Zo is het maar net,' zei Ivan.

Freddy en ik liepen naar de schuur om een paar spaden te halen. We liepen om de karrensporen en plassen heen maar nog zoog de modder aan onze schoenen. Eenmaal met ons tweeën, bleef ik maar denken hoe mager hij was geworden. Ik wist niets te zeggen. Hij zei ook niets.

Ik wachtte terwijl Freddy de schuur binnenging en toen hij weer buiten kwam, zei ik: 'We gaan verhuizen.' Hoewel niemand mij iets dergelijks had verteld, kwam die mededeling bij me op en vond ik dat ik het wel kon zeggen.

Freddy gaf me een spade. 'Waarnaartoe?'

'Weet ik niet.'

'Wanneer?'

'Weet ik ook nog niet.'

We begonnen terug te lopen.

'Ik hoop dat je niet gaat verhuizen,' zei Freddy.

'Misschien gebeurt het ook wel niet,' zei ik. 'Misschien blijven we uiteindelijk wel hier.'

'Dat zou geweldig zijn, als je hier bleef wonen.'

'Oost west thuis best.'

'Zoals het klokje thuis tikt, tikt het nergens,' zei Freddy, maar hij keek vlak voor zich naar de grond en glimlachte niet terug.

We wisselden elkaar af bij het uitgraven van de wielen, waarbij er steeds een uitrustte terwijl de andere twee werkten. Ivan lachte telkens wanneer we uitgleden in de modder, maar keek verder zwijgend toe. Het was onmogelijk al gravend overeind te blijven, vooral toen we dieper kwamen. Ten slotte gaf ik het op en werkte knielend verder – op die manier kon ik meer kracht zetten – en Clark en Freddy volgden mijn voorbeeld. Ik was tot aan mijn middel en ellebogen overdekt met modder. Mijn toestand was hopeloos, daarom probeerde ik niet langer mezelf schoon te houden en liet ik het maar gebeuren. Ik gaf me volledig over aan de modder. Je kunt gerust zeggen dat ik me erin wentelde.

Wat we, onder leiding van Clark, deden was vanaf de onderkant van elk wiel een brede geul uitgraven die zo'n anderhalve meter schuin omhoogliep, als een oprijplaat. We duwden stammetjes onder de banden en belegden de geulen al gravend met nog meer stammetjes. We waren zowat klaar toen de wanden begonnen in te storten. Clark nam het persoonlijk op. 'Hè bah!' zei hij aldoor, en Ivan zat te lachen en zwaaide op zijn stronk heen en weer. 'Graven! Graven! Graven!' schreeuwde Clark tegen Freddy en mij en hij ging plat op zijn buik liggen om de wegschuivende modder met zijn handen uit de geulen te scheppen. Ik hoorde Freddy zwaar hijgen, maar hij hield er niet mee op en ik ook niet. We groeven als mollen en toen kwam het moment dat de geulen vrij waren en de wanden overeind bleven en Clark Ivan opdracht gaf de truck eruit te rijden. Clark was opgewonden en blafte net zo hard tegen hem als tegen ons. Ivan zat met zijn ogen te knipperen. Clark gooide een paar overgebleven stammetjes terug in de laadbak. 'Vooruit jongens,' zei hij. 'Wij gaan duwen.'

Ivan stond op, veegde zijn handen af en liep naar de truck, Clark nog altijd aandachtig opnemend. Voor hij in de cabine klom, zei hij: 'Jongeman, als je ooit om werk verlegen zit, bel je mij maar.'

Clark, Freddy en ik zetten ons schrap tegen de achterklep terwijl Ivan de motor startte en schakelde. De achterwielen begonnen rond te draaien en wierpen fonteinen van modder naar achteren. Ik stond in het midden, dus het meeste ging langs me heen, maar Freddy en Clark kregen de volle laag. Freddy wendde zich even af, boog zich toen weer voorover en begon samen met Clark en mij te duwen. Ivan liet de truck heen en weer deinen om hem op de stammetjes te krijgen. Hij kwam een eindje omhoog, aarzelde, gleed toen terug en spoot nog een lading modder naar achteren. Clark en Freddy zagen eruit of ze waren bepleisterd. Ze schoven dichter naar mij toe terwijl Ivan de truck weer liet deinen. Ik hield mijn adem in tegen de dikke zwarte rook van de uitlaat. Mijn ogen brandden. De truck deinde heen en weer en kroop weer omhoog, tot net op het randje. Clark gromde, en nog eens en nog eens. Ik nam zijn ritme over en duwde uit alle macht, en toen gleden mijn voeten weg en viel ik languit voorover toen de truck ineens naar voren schoot. De banden piepten over het hout. Een van de stammetjes schoot weg en wiekte langs Clarks hoofd. Hij scheen het niet te merken. Hij keek naar de truck. Hij kreeg meer vaart op de stroken die we hadden gemaakt, kwam weer in de modder terecht en slierde op de een of andere manier traag, luid razend verder, met zwaaiende achtersteven en twee grote modderstralen die in een boog van de achterwielen oprezen. De wielen tolden wild in het rond, de motor brulde, er vielen blokken hout van de zijkanten. De truck zwalkte en slibberde door het moeras en kwam abrupt, hele gordijnen modder afschuddend, omhoog toen hij het kapotte asfalt voor de schuur bereikte. Ivan schakelde, toeterde vrolijk en reed weg.

'Gaat het?' zei Clark.

Freddy stond dubbelgevouwen, bijna met zijn hoofd tussen zijn knieën. Hij hief een hand op maar bleef hijgen. De truck had een overdreven stilte achtergelaten waarin ik het gieren en raspen van elke ademhaling kon horen. Het klonk als zwaar werk, zwaar en eenzaam. Toen ik naar hem toe liep wuifde hij me weg. Clark pakte een stokje en begon zijn gymschoenen af te schrapen. Het leek een optimistisch project voor iemand die tot zijn oogbollen onder zat, en hij ging ernstig en methodisch te werk. Freddy richtte zich op. Zijn gezicht was bleek, zijn borst ging op en neer als die van een vogeltje. Hij stond een poosje te kijken hoe Clark met zijn stokje in de weer was. 'We kunnen ons in huis wel wassen,' zei hij.

'Als je het goedvindt,' zei Clark, 'zou ik die cockpitkap graag even bekijken.'

Ik had de hele middag gehoopt dat Clark niet meer over die cockpitkap zou beginnen, omdat ik absoluut zeker wist dat Freddy er geen had. Maar hij had er wel een. Hij lag op de zolder van de schuur, waar zijn vader speciale dingen had opgeslagen van de sloperij die hij vroeger had gehad. Al die regenachtige middagen waarop we daarboven rondscharrelden moet ik hem wel honderd keer hebben gezien, maar omdat ik er niets aan had, niet eens zag wat het was, had ik er nooit acht op geslagen. De kap was kleiner dan ons ontwerp voorschreef, maar het ontwerp kon worden gewijzigd: dit was het echte werk. Freddy liet het licht van de zaklantaarn traag over de kap heen en weer glijden. Hij moest zich hebben voorbereid op dit ogenblik, want in tegenstelling tot al het andere daarboven was de kap vrij van stof, zo te zien zelfs gepoetst. Het licht accentueerde een paar krassen. Verder was hij gaaf: helder, intact, compleet met afsluitrand. Eenvoudig, en toch vol techniek. Echt.

De twijfels die ik eventueel nog had verlieten me nu. Het was duidelijk dat onze straaljager niet alleen mogelijk, maar ook al zo goed als gebouwd was. Het enige wat we nodig hadden was nog een paar van dit soort dagen, dan hadden we die kist zo in elkaar en konden we de lucht in.

Clark vroeg Freddy wat hij ervoor wilde hebben.

'Niets. Hij ligt daar maar.'

We rommelden nog wat rond en liepen terug naar het huis, waar Freddy's moeder zich geschokt verklaarde over onze toestand en erop stond dat we ons gingen uitkleden en afspoelen. Clark weigerde, hij waste alleen zijn gezicht en handen, maar ik nam een lange douche en daarna gaf Freddy's moeder me een paar van Tankers kleren om naar huis aan te trekken en pakte ze mijn eigen vreselijke todden in een stuk vetvrij papier van de slager met een touwtje erom en een lus als handvat, als een kledderige hoop ingewanden. Freddy liep met ons mee naar het begin van de straat. Het licht was al aan het vervagen. Ik keek om en zag hem daar staan. Toen ik weer keek was hij verdwenen.

We bleven staan op de brug over de beek en gooiden stenen naar een fles die in een pluk wier was blijven steken. Ik zat nog op een wolk omdat we die truck eruit hadden gekregen en de cockpitkap hadden gezien, plus dat Freddy's moeder me Tankers motorjack had geleend dat me, zelfs met die mouwen tot over mijn vingertoppen, vervulde van een aan waanzin grenzend vertrouwen in mijn eigen kracht. Ik hoopte half dat we die oudere jongens in het park zouden tegenkomen, zodat ik ze een pak op hun donder kon geven.

Ik leunde over de reling en spuugde in het water.

'Freddy wil meedoen,' zei Clark.

'Zei hij dat? Dat heeft hij tegen mij niet gezegd.'

'Jij stond onder de douche.'

'Wat zei hij dan?'

'Alleen dat hij wou dat hij kon meedoen met dat vliegtuig.'

'Wat, wil hij anders die kap terug?'

'Nee. Hij vroeg het alleen maar.'

'We zouden de hele cockpit opnieuw moeten ontwerpen. Alles zou moeten veranderen.'

Clark had een steen in zijn hand. Hij keek er met enige belangstelling naar, gooide hem toen in de beek.

'Wat heb je tegen hem gezegd?'

'Ik zei dat we het hem wel zouden laten weten.'

'Wat vind jij?'

'Hij lijkt me wel oké. Jij kent hem beter dan ik.'

'Freddy is geweldig, het is alleen...'

Clark wachtte tot ik mijn zin afmaakte. Toen duidelijk werd dat ik dat niet ging doen, zei hij: 'Wat je maar wil.'

Ik vertelde hem dat ik het, alles goed en wel beschouwd, liever bij ons tweeën wilde houden.

Terwijl we door het park liepen, vroeg hij me bij hem te komen eten, zodat hij niet levend gevild zou worden over zijn kleren. Zijn vader zat nog in Portland, zei hij, alsof dat iets verklaarde. Clark nam de tijd voor de wandeling naar huis, keek in etalages en monsterde auto's op de parkeerterreinen die we passeerden. Toen we ten slotte bij het huis aankwamen was het helemaal verlicht en klonk er muziek. Zelfs met de ramen dicht konden we beneden op het trottoir een paar flarden horen.

Clark bleef staan en luisterde. 'South Pacific,' zei hij. 'Goed zo. Ze heeft het naar haar zin.'

Geestelijke gezondheid

Het is niet makkelijk van La Jolla naar het ziekenhuis in Alta Vista te komen, tenzij je een auto of een acute zenuwinstorting hebt. Aprils vader was ingestort en ze hadden hem in een mum van tijd in de kliniek. April en haar stiefmoeder deden er langer over; ze moesten twee verschillende bussen nemen, een hete, slingerende weg door de velden rond het ziekenhuis af lopen en dan na het bezoek weer helemaal terugwandelen naar de bushalte. Er reden weinig auto's en niemand stopte om hun een lift aan te bieden. April nam het hun niet kwalijk. Ze zagen haar en Claire waarschijnlijk aan voor patiënten die een wandelingetje maakten. Dat zou zij hebben gedacht als ze hen tweeën hier was tegengekomen. En dan was ze na één blik doorgereden.

Claire had een lang, recht postuur. Ze droeg een smaakvol grijs mantelpak, hoge hakken en een breedgerande zwarte hoed. Ze bewoog zich wat stijfjes vanwege de hakken maar schreed voort met een resolute, statige tred. 'Het schip van staat' noemde Aprils vader Claire als ze zich geroepen voelde haar onverstoorbare vastberadenheid te demonstreren. April volgde in een onregelmatig tempo. Ze bleef nu en dan staan om op adem te komen en wat afstand tussen hen te scheppen, haastte zich dan weer om het gat te dichten. April was kort van stuk en gespierd en liep met mannelijke passen. Ze keek fronsend voor zich uit in het heiige zomerlicht. Haar handen waren rood. Ze had een mouwloze jurk aan, een gele met zwarte bloemen die ze zelf ook lelijk vond maar toch droeg omdat ze wist dat ze daarin werd opgemerkt.

Er passeerden twee auto's en de banden rolden over het kleverige asfalt met het geluid van loskomend plakband. Een paar dagen voor hij het ziekenhuis in ging had Aprils vader de Volkswagen voor bijna niets verkocht, en Claire wilde niet eens naar een andere kíjken. Ze had wat geld op de bank, maar bewaarde dat voor een reis naar Italië met haar zus als Aprils vader weer thuis was.

Claire was voor het grootste deel van het bezoek stil geweest, stil en gespannen, en nu het achter de rug was deed ze geen moeite haar opluchting te verbergen. Ze wilde praten. Ze zei dat de arts die ze hadden gesproken haar deed denken aan Walt Darsh, haar echtgenoot in de laatste ijstijd. Daarin plaatste ze alles wat haar in het verleden was overkomen – 'in de laatste ijstijd'. April wist dat ze wilde horen dat ze er nog altijd goed uitzag, en het zou ook geen leugen zijn dat te zeggen, maar ditmaal zei April niets.

Ze had wel eerder dingen gehoord over Walt Darsh, over zijn ontrouw en wreedheid. De verhalen die Claire vertelde waren wel interessant, maar April raakte erdoor in verwarring, tot ze zichzelf niet meer kende. Zodra Claire op dreef kwam, zei April: 'Als hij zo erg was, waarom ben je dan met hem getrouwd?'

Claire gaf niet onmiddellijk antwoord. Ze liep langzamer door en boog haar lange hals bedachtzaam naar voren, liet in alles blijken dat ze zich bezighield met een nieuwe, veeleisende kwestie. Ze keek April aan en wendde toen haar ogen af. 'Om de seks,' zei ze.

April zag de glinstering van autoruiten in de verte. Bij de bushalte stond een bank; als ze er waren, zou ze erop gaan liggen, haar ogen sluiten en doen of ze sliep.

'Het is moeilijk uit te leggen,' zei Claire voorzichtig, alsof April had aangedrongen op een verklaring. 'Het ging niet om zijn uiterlijk. Darsh is niet echt wat je noemt knap. Hij heeft een sluw, een beetje spits gezicht... als een vos. Weet je wat ik bedoel? Het is niet alleen de vorm, het is de manier waarop hij naar je kijkt, altijd een beetje grijnzend, alsof hij iets over je weet.' Claire bleef in de schaduw van een boom even staan. Ze nam haar hoed af, streek haar haar naar achteren, krulde een paar losse slierten om haar oren, zette vervolgens haar hoed weer op en trok de rand precies goed over haar voorhoofd. Ze haalde een papieren zakdoekje uit haar handtas en bette één ooghoek, waar een dun lijntje mascara was uitgelopen. Claire had de voor April mysterieuze gave om zelfs zonder spiegel te weten hoe ze eruitzag. Aprils gezicht was altijd een verrassing voor haar, op de een of andere manier altijd anders dan ze het zich had voorgesteld.

'Het kan natuurlijk ook aantrekkelijk zijn,' zei Claire, 'als er zo naar je gekeken wordt. Bij de meeste mannen is het vervelend, maar niet altijd. Bij Darsh was het aantrekkelijk. Dus je zou kunnen zeggen dat het toch om zijn uiterlijk ging, niet hoe hij eruitzag, maar hoe hij keek, als je begrijpt wat ik bedoel.'

April zag het onderscheid, en ook hoeveel plezier het Claire deed dat onderscheid te maken. Ze was niet gelukkig met het verloop van het gesprek maar kon er niets tegen doen, omdat het haar eigen schuld was dat Claire haar rijp achtte voor een vrijmoedig gesprek over dit soort zaken. Gedurende de laatste maanden was Claire tot de conclusie gekomen dat April naar bed ging met Stuart, de jongen met wie ze ging. Dat was niet het geval. Stuart maakte nu en dan toespelingen op zijn beleefde, geestige, hopeloze manier, maar hij meende het niet echt serieus en April ook niet. Ze had Claire niet verteld hoe het echt zat omdat het haar aanvankelijk voldoening schonk om gezien te worden als een vrouw met ervaring. Claire was een snob met haar wereldwijsheid; het deed April goed een beetje aan haar troon te schudden. Claire vroeg nooit iets, ze veronderstelde gewoon dingen en wanneer zo'n veronderstelling eenmaal had postgevat was ze er niet meer van af te brengen.

De rand van Claires hoed deinde op en neer. Er scheen haar iets in te vallen waar ze het wel mee eens was. 'Uiterlijk heeft er wel mee te maken,' zei ze. 'Absoluut. Maar het is niet het hele verhaal. Met seks is het nooit één ding, toch? Zoals de techniek, bijvoorbeeld.' Ze draaide zich om en liep weer door, haar hoofd nog altijd nadenkend gebogen. April voelde dat er een college aan zat te komen. Claire gaf sociologie aan dezelfde universiteit waar Aprils vader vroeger psychologie had gedoceerd, en net als hij beklom ze maar al te graag het spreekgestoelte.

'Ze schrijven over technieken,' zei ze, 'alsof het daarmee begint en eindigt, en dat slaat nergens op. Weet je wie er echt opgewonden raken van die technieken? Uitgevers. Omdat zij er een product van kunnen maken. Ze kunnen het in de markt zetten als een boek vol handige tips, zoals een reisgids voor Mexico of een handleiding bij het bouwen van een hardhouten terras. Het probleem is alleen dat het niet werkt. Weet je waarom niet? Omdat het seks maakt tot een literaire ervaring.'

April kon een gegiechel niet onderdrukken. Daarmee klonk ze als een dom wicht, en dat besefte ze ook.

'Ik meen het,' zei Claire. 'Je merkt meteen dat het uit een of ander boek komt. En dan zie je jezelf al op zo'n priegelig tekeningetje, met al je zones duidelijk aangegeven en een ernstig cartoonmannetje dat ze heel attent één voor één afwerkt.'

Claire bleef weer staan en staarde over de velden die de weg omzoomden, met één hand op een paal van het hek. Vroeger, had Aprils vader gezegd, hadden de patiënten hier tuintjes. Nu waren ze overgroeid door hoog geel gras en schrale boompjes. Er klonk een luid getsjirp van insecten.

'Dat is ook een reden waarom je niets aan die boeken hebt,' zei Claire. 'Ze gaan over samen delen, tederheid, openstaan voor de behoeften van je partner, enzovoorts enzovoorts. Het is net een catechismus voor in bed. Ik maak geen gekheid, April. Daar gaat het over, dat gedoe met die technieken. Over joods-christelijke plichtsbetrachting. De Gulden Regel. Weet je wat ik bedoel?'

'Ik geloof het wel,' zei April.

'We hebben het over een heel basale overeenkomst,' zei Claire. 'Heel wat basaler dan geld lenen aan een vriend. Denk er maar eens over na. Lenen is een hoog ontwikkelde activiteit. Andere soorten doen het niet, alleen wij. Kijk maar eens wat er allemaal bij komt kijken, bij dat geld lenen. Maatschappelijke stabiliteit, vertrouwen, ruimhartigheid. Het vermogen jezelf in de plaats van de ander voor te stellen. Het is ongelofelijk geavanceerd, ongelooflijk geciviliseerd. Ik ben er helemaal voor. Mijn punt is dat seks ergens anders vandaan komt. Seks is niet geciviliseerd. Seks gaat niet over onbaatzuchtigheid.'

Er reed langzaam een ambulance voorbij. April keek hem na, daarna keek ze weer naar Claire, die nog steeds over de velden uit staarde. April zag de lijn van haar profiel in de schaduw van de hoed, die droge, koele huid, de beheerste kalmte in haar glimlach. April zag die dingen en was zich bewust van haar eigen plakkerige vel, haar zorgelijke onvolmaaktheid. 'We kunnen beter doorlopen,' zei ze.

'Om je de waarheid te zeggen,' zei Claire, 'was dat een van de dingen die ik aantrekkelijk vond aan Darsh. Hij was volkomen egoïstisch, volkomen gericht op zijn eigen genoegens. Dat gaf hem een zeker vuur. Een zekere macht. De feministen zouden me om zo'n uitspraak vermoorden, maar het was zo. Heb ik je ooit verteld over onze huwelijksreis?'

'Nee.' April zorgde dat haar stem vlak en terughoudend klonk, ook al was ze nieuwsgierig.

'Of dat kamermeisje? Heb ik je ooit verteld over Darsh en zijn kamermeisje?'

'Nee,' zei April weer. 'Wat was er met die huwelijksreis?'

Claire zei: 'Dat is een lang verhaal. Laat me je over het kamermeisje vertellen.'

'Je hoeft me helemaal niets te vertellen,' zei April.

In zichzelf glimlachend vervolgde Claire haar verhaal: 'Toen Darsh nog een jongen was, nam zijn moeder hem mee naar Europa. Voor de grote rondreis. Hij was er te jong voor, dertien, veertien, die leeftijd. Tegen de tijd dat ze in Amsterdam aankwamen had hij schoon genoeg van al die musea en wilde hij van zijn leven geen schilderij meer zien. Dat is de moeilijkheid als je kinderen cultuur gaat opdringen, dan krijgen ze er uiteindelijk een hekel aan. Het is beter om het ze zelf te laten ontdekken, denk je ook niet?'

April haalde haar schouders op.

'Neem Jane Austen, bijvoorbeeld. Ik kreeg Jane Austen door mijn strot geduwd toen ik in de tweede klas zat. *Pride and Prejudice*. Ik vond er natuurlijk geen bal aan, omdat ik niet kon zien wat er werkelijk gaande was, het seksuele spel achter die fijne manieren, de maatschappijkritiek, de economische belangen. Ik kwam net kijken. Je moet een beetje geleefd hebben voor je iets van zo'n boek kunt begrijpen.

Hoe dan ook, Darsh zette zijn hakken in het zand toen ze in Amsterdam waren. Hij ging nergens meer heen. Hij bleef de hele dag op de hotelkamer, las detectives en bestelde dingen bij de roomservice terwijl zijn moeder schilderijen ging bekijken. Op een middag kwam een kamermeisje de kroonluchter poetsen. Ze had een trap bij zich en vanwaar Darsh zat moest hij wel onder haar rok kijken. Tot boven aan toe, ja? En ze wist het. Hij wist dat zij het wist, want na een poosje probeerde hij het niet eens meer te verbergen en keek hij gewoon. Ze zei geen woord. Niets. Ze nam er rustig de tijd voor, bleef doodgemoedereerd al die pegeltjes staan poetsen. Darsh zei dat het wel een paar uur duurde, wat betekent dat het waarschijnlijk een halfuur was – en dat is behoorlijk lang, als je er even over nadenkt.'

'En wat gebeurde er toen?'

'Niets. Er gebeurde niets. Dat is het hele punt, April. Als er toen iets was gebeurd was de betovering verbroken. Dan was al die ongelooflijke energie vrijgekomen. Maar die bleef nu opgesloten. Hij is er altijd, hij blijft maar koken met die waanzinnige intensiteit van een veertienjarige, klaar om te exploderen. Het kamermeisje is een van Darsh' echte favorieten. Hij had vroeger het hele kostuum, waarschijnlijk heeft hij het nu nog — je weet wel, een witte blouse met ruches, zwarte rok, zwarte nylons met al die jarretelles. Het is een cliché, natuurlijk. Pornografen gebruiken het al honderd jaar. Maar wat zou dat? Het werkt nog steeds. De meeste van onze verlangens zijn clichés, toch? Pasklaar, voor elk wat wils. Ik betwijfel of het zelfs nog mogelijk is een origineel verlangen te hebben.'

'Liet hij je die spullen echt aantrekken?'

April zag Claire verstijven bij die woorden, alsof ze een kwetsende, gemene opmerking had gemaakt. Claire rechtte haar rug en begon langzaam door te lopen. April bleef nog achter, volgde toen op een paar passen afstand, tot Claire even op haar wachtte. Na een poosje zei Claire: 'Nee, lieverd. Hij dwong me nooit iets te doen. Het is spannend wanneer iemand zo graag iets wil. Ik vond het heerlijk zoals hij naar me keek. Alsof hij me levend wilde verslinden, maar ook onschuldig.

Misschien klinkt het goedkoop. Het is moeilijk te beschrijven.'

Daarop zweeg Claire, en April ook. Ze had geen behoefte aan een beschrijving. Ze dacht dat ze zich wel kon voorstellen hoe Darsh naar Claire had gekeken; ze zag het zelfs helemaal voor zich, hoewel niemand ooit zo naar haar had gekeken. Stuart zeker niet. Bij hem voelde ze zich veilig, veilig en slaperig. Bij iemand als Stuart zou ze nooit zo roekeloos en willig worden als Claire bij Darsh was geweest in de verhalen die ze over hem vertelde. April had het idee dat ze Darsh al kende, en dat hij haar ook kende, alsof hij had aangevoeld dat ze naar die verhalen luisterde en zich bewust was van haar interesse.

Ze waren bijna bij de grote weg. April bleef staan en keek achterom naar de ziekenhuisgebouwen, maar die waren nu uit het zicht verdwenen achter de top van de heuvel. Ze draaide zich om en liep door. Ze had nog één zo'n tocht voor de boeg. De week daarna zou haar vader weer thuiskomen. Hij had tijdens het hele bezoek een theatrale kalmte uitgestraald zoals hij daar in een gemakkelijke stoel aan het raam zat, met zijn voeten op het bankje, een krant op schoot. Hij had pantoffels aan en een wollen vest. Het enige wat er nog aan ontbrak was een pijp. Hij leek prima in orde, een toonbeeld van gezondheid, maar het was schone schijn. Thuis las hij nooit een krant. Hij zat ook niet vaak in een stoel. De laatste keer dat April hem buiten het ziekenhuis had gezien, nu een maand geleden, werd hij in bedwang gehouden in het appartement van hun huisbaas, waar hij naartoe gegaan was om te klagen over de douche. Hij lag te schoppen en te schreeuwen. Zijn bril bengelde aan één oor. Hij schreeuwde tegen haar dat ze de politie moest bellen, en een van de agenten die hem tegen de grond hield stikte van het lachen.

Hij was nog niet neergestort. Hij vloog nog. April had het in zijn ogen gezien achter de lithium of wat ze hem ook gaven, en ze wist zeker dat Claire het ook had gezien. Claire had niets gezegd, maar April had het eerder meegemaakt met Ellen, haar eerste stiefmoeder, en daardoor een instinct ontwikkeld. Ze was bang dat Claire er al genoeg van had, dat ze niet terug zou komen uit Italië. Niet bij hen, in elk geval. Er zou geen plan achter zitten, het zou gewoon zo gaan. April wilde niet dat ze wegging, niet nu. Ze had nog een jaar nodig. Niet eens een jaar —tien maanden, tot ze haar school had afgemaakt en ergens op een universiteit zat. Als ze die horde had genomen wist ze zeker dat ze alles aan zou kunnen wat er daarna nog zou gebeuren.

Ze wilde niet dat Claire wegging. Claire had haar hebbelijkheden, maar ze was altijd aardig voor haar geweest, vooral in het begin, toen April overal kritiek op had. Ze had het verdragen. Ze was geduldig geweest en had het aan April overgelaten wanneer ze toenadering zou zoeken. Toen April op een avond tegen haar aanleunde terwijl ze op de bank zaten te lezen, leunde Claire ook tegen haar aan en schoven ze geen van beiden weg. Het werd hun gewoonte zo tegen elkaar aan te zitten lezen. Claire dacht over dingen na. Ze had altijd eerlijk met April gepraat, zij het met een zeker decorum. Nu was het decorum verdwenen. Sinds ze het idee had gekregen dat April 'intiem' met Stuart omging, had Claire die bescherming van vormelijkheid en tact opgeheven, zoals ze binnenkort ook de bescherming van haar inkomen, zorg en aanwezigheid zou opheffen.

Het was uitgesloten dat ze de situatie zou kunnen terugdraaien. En ook al kon ze dat wel, al kon ze Claire in een soort volmaakte moeder veranderen door te zeggen dat ze nog maagd was, dan nog zou April het niet doen. Het zou belachelijk en onwaarachtig klinken. Het was ook niet echt waar, behalve als lichamelijk gegeven, en April zag maagdelijkheid niet als iets lichamelijks. Voor haar was het een spirituele hoedanigheid, iets wat je ook alleen in spirituele zin kon prijsgeven. En dat had ze gedaan; ze wist niet precies wanneer of hoe, maar ze wist dat ze het gedaan had en ze had er geen spijt van. Ze wilde geen maagd zijn en zou ook niet doen alsof ze het was, voor geen prijs. Wanneer ze aan een maagd dacht zag ze een halfnaakte vrouw met domme, trouwhartige ogen en bloemen in haar haar, de handen geboeid. Ze zag een open plek in het oerwoud, en op die open plek een altaar.

Hun bus was al langsgekomen en ze moesten lang op de volgende wachten. Claire installeerde zich op de bank en begon een boek te lezen. April had het hare vergeten. Ze zat een poosje naast Claire, maar stond op en liep de boulevard af toen Claires serene kalmte ondraaglijk werd. Ze liep met haar armen over elkaar, hoofd naar voren, wenkbrauwen gefronst, en liet haar schoenen over de grond slepen. Er schoten auto's vol blèrende muziek voorbij; een grote zeilboot op een aanhanger; een konvooi militaire vrachtwagens met de lichten aan, de laadbak vol deinende soldaten. Het zag blauw van de uitlaatgassen. April keek in de etalage van een bandenbedrijf en zag zichzelf. Ze rechtte haar schouders, liet haar armen langs haar lichaam vallen en dwong zichzelf om ze daar te laten hangen terwijl ze verder de boulevard af liep naar een rij wapperende plastic vaantjes boven het parkeerterrein van een Toyota-dealer. Een man in een crèmekleurig pak stond in de showroom naar het verkeer te kijken. Zelfs vanwaar zij stond zag April de chique snit van zijn pak. Hij had hoge jukbeenderen, zwart, recht achterovergekamd haar en een neus als een grote rechte wig. Hij zag er volkomen zelfbewust en mogelijk zelfs gevaarlijk uit, en April begreep dat hij er enige moeite voor deed die indruk te wekken. Ze wist dat hij haar had opgemerkt, maar hij vond het niet nodig zich naar haar toe te keren. Ze drentelde tussen de auto's door, liep toen terug naar de bushalte en zakte onderuit op de bank.

'Ik verveel me,' zei ze.

Claire gaf geen antwoord.

'Verveel jij je niet?'

'Niet echt,' zei Claire. 'De bus komt er zo aan.'

'Ja, over twee weken.' April stak haar benen naar voren en sloeg de zijkanten van haar schoenen tegen elkaar. 'Laten we een eindje gaan lopen,' zei ze.

'Ik ben helemaal klaar met lopen. Maar ga jij maar. Ga alleen niet te ver weg.'

'Niet in mijn eentje, Claire. Dat bedoelde ik niet. Kom op, dit is zo saai.' April haatte het geluid van haar stem en voelde dat Claire er ook moeite mee had. Claire deed haar boek dicht. Ze zat er nog zonder zich te verroeren, toen zei ze: 'Ik heb geen keus, geloof ik.'

April liet zich naar voren deinen tot ze overeind stond. Ze deed een paar passen en wachtte terwijl Claire het boek in haar handtas stopte, opstond, met haar handen over de voorkant van haar rok streek en langzaam naar haar toe liep.

'Gewoon even de benen strekken,' zei April. Ze leidde Claire over de boulevard naar de autodealer, waar ze van het trottoir stapte en om een rode Celica cabrio begon te draaien.

'Ik dacht dat je een eindje wilde lopen,' zei Claire.

'Ja, maar wacht even,' zei April. Toen zwaaide de zijdeur van de showroom open en kwam de man in het pak naar buiten. Hij knielde naast een sedan en schreef iets op een klembord. Hij kwam overeind, tuurde naar de sticker op de voorruit en schreef nog iets op. Toen pas stond hij zichzelf toe hen op te merken. Nadat hij Claire lang en indringend had aangekeken, zei hij dat ze het maar moest zeggen als hij iets voor haar kon doen. De neutrale toon waarop hij het zei was weloverwogen, bijna brutaal.

'We wachten alleen maar op onze bus,' zei Claire.

'Hoe presteert deze wagen vergeleken met de RX-7?' vroeg April.

'Dat is zeker een grapje.' Hij kwam tussen de wagens door naar hen toe. 'Ik zou alle dagen van de week meer auto's kunnen verkopen dan Mazda, als ik auto's verkocht.'

April zei: 'Bent u dan geen verkoper?'

Hij bleef voor de Celica staan. 'We hebben hier geen verkopers. We pakken alleen geld aan en proberen de mensen te vriend te houden.'

'De helft van de mensen hier eet al uit uw hand,' zei Claire.

'Deze is een jaar oud,' zei hij. 'Alles erop en eraan. Gistermiddag binnengekomen, teruggevorderd. Morgen om deze tijd is hij weg. Kijk eens op de kilometerteller, schat. Wat staat er op de teller?'

April opende het portier en leunde naar binnen. 'Vierduizendtwee,' zei ze. Ze ging achter het stuur zitten en probeerde de versnellingspook.

'Precies. Vierduizend. Hij is nog aan zijn eerste tank bezig.'

'De eigenaar was zeker een oud dametje, hè?'

Hij keek haar nog eens lang aan voor hij antwoord gaf. 'Een mariniertje. Ging naar het land van de grote zandduinen en bleef achter met de betalingen. Ik heb de sleuteltjes hier in mijn zak.'

'Dat zal niet gaan. Een andere keer misschien, sorry.'

'Ik weet het, u wacht op een bus. Doe het om de tijd door te komen.'

April stapte uit maar liet het portier open. 'Je moet eens proberen hoe dat zit, Claire,' zei ze.

'We moeten gaan,' zei Claire.

'Je moet het echt even proberen, Claire,' zei April. 'Kom op.'

De man liep naar het open portier en stak zijn hand uit. 'Madame,' zei hij. Toen Claire bleef staan, maakte hij een zwierige buiging en zei: 'Madame! Entrez!'

Claire liep naar de auto. 'We moeten echt gaan,' zei ze. Ze ging zijwaarts op de stoel zitten en zwaaide haar benen naar binnen, allemaal in één beweging. Ze knikte tegen de man, en hij deed het portier dicht. 'Ja,' zei hij, 'net wat ik dacht. De ontwerper was een vriend van u, een heel bijzondere vriend. Deze auto is duidelijk gebouwd met u in gedachten.'

'Je ziet er geweldig uit,' zei April. Het was waar, en ze kon zien dat Claire volledig doordrongen was van die waarheid. Het besef school in de stand van haar mond, het gemak waarmee haar handen op het stuurwiel rustten.

'Er ontbreekt iets,' zei de man. Hij nam haar aandachtig op. 'Een zonnebril,' zei hij. 'Een mooie vrouw in een cabrio moet een zonnebril ophebben.'

'Zet je zonnebril op,' zei April.

'Alstublieft,' zei de man vriendelijk. Hij leunde tegen de auto en boog zich over Claire heen, met zijn rug naar April, en April begreep dat ze niets meer moest zeggen. Haar rol was uitgespeeld; hij zou de transactie verder afronden. Hij zei iets met zachte stem, en Claire pakte haar zonnebril uit haar handtas en zette hem op. Daarna gaf ze hem haar hoed. Er trok een hete windvlaag over het parkeerterrein waar de vaantjes van ratelden terwijl April naar de showroom liep. Het zag er koel uit daarbinnen, achter het getinte glas. Stil. Ze zouden koffie hebben in de wachtruimte, en oude boulevardbladen. Ze kon haar voeten even wat rust gunnen en kijken hoe het met de sterren ging.

De andere Miller

Twee dagen staat Miller nu al met de rest van de Bravo Compagnie in de regen te wachten tot een stel mannen van een andere compagnie komt aanhobbelen over de houthakkersweg waar de Bravo in hinderlaag ligt. Wanneer dit gebeurt, als dit gebeurt, zal Miller zijn hoofd uit het gat steken waarin hij zich schuilhoudt en al zijn losse flodders in de richting van de weg afschieten. Net als alle anderen van de Bravo Compagnie. Daarna zullen ze uit hun gaten kruipen, in een paar vrachtwagens klimmen en naar huis gaan, terug naar de basis.

Dat is het plan.

Miller heeft er geen fiducie in. Hij heeft nog nooit een plan gezien dat werkte, en nu zal het niet anders zijn. Er staat zo'n dertig centimeter water in zijn schuttersput. Hij moet op smalle richels staan die hij in de wanden heeft uitgegraven, maar de bodem is zanderig en de richels verzakken steeds. Dat betekent dat zijn laarzen nat zijn. Zijn sigaretten zijn ook nat. En de eerste avond is er ook nog een brug tussen twee van zijn kiezen gebroken toen hij op een van de lolly's kauwde die hij had meegenomen voor wat extra energie. Hij wordt er gek van, zoals de brug steeds omhoogkomt en knerpt als hij er met zijn tong tegen duwt, maar gisteravond heeft zijn wilskracht het begeven en sindsdien kan hij zijn tong er niet meer vandaan houden.

Wanneer hij aan de andere compagnie denkt, de compagnie die zij moeten overvallen, ziet Miller een colonne droge, welgevoede mannen steeds verder weg marcheren van het gat waarin hij hen staat op te wachten. Hij ziet ze makkelijk lopen met hun lichte bepakking. Hij ziet ze halt houden voor een si-garetje en languit onder de bomen gaan liggen op een geurig bed van dennennaalden, waarna het gemurmel van hun stem-men wegebt als ze één voor één in slaap soezen.

Bij God, als het niet waar is. Miller weet het zeker, zoals hij ook zeker weet dat hij verkouden gaat worden, want hij is altijd de klos. Als hij lid was van de andere compagnie, stond die nu in de schuttersputjes.

Millers tong doet iets met de brug en er vlamt een pijnscheut door hem heen. Hij schiet overeind met brandende ogen, zijn tanden opeengeklemd tegen de schreeuw in zijn keel. Hij weet hem te verbijten en kijkt kwaad om zich heen naar de andere mannen. De paar mannen die hij kan zien staren verdoofd en grauw voor zich uit. Van de anderen kan hij alleen de capu-chons van hun poncho's onderscheiden, die uit de grond om-hoogsteken als granaatvormige stenen.

Op dat moment kan Miller, helemaal leeg in zijn hoofd van de pijn, het getik van de regendruppels op zijn eigen poncho horen. Daarna hoort hij het gierend gejank van een automotor. Een jeep komt spattend, heen en weer schuivend over de weg aanrijden, met fonteinen van dikke modderflatsen erachter-aan. De jeep zit zelf ook onder de modder. Hij komt slippend tot stilstand voor de stellingen van de Bravo Compagnie en toe-tert twee keer.

Miller kijkt om zich heen om te zien wat de anderen doen. Niemand heeft zich bewogen. Ze staan allemaal nog even wer-keloos in hun schuttersputten.

De jeep toetert weer.

Verderop aan de weg duikt een korte gestalte in een poncho op uit een groepje bomen. Miller herkent de compagnies-ser-geant-majoor aan zijn kleine postuur, zo klein dat de poncho bijna tot op zijn enkels hangt. De csm loopt langzaam naar de jeep, met grote klonten modder aan zijn laarzen. Als hij bij de jeep aankomt steekt hij zijn hoofd naar binnen; even later trekt hij het weer naar buiten. Hij kijkt omlaag naar de weg. Hij schopt nadenkend tegen een van de banden, kijkt dan op en roept Millers naam.

Miller blijft hem gadeslaan. Pas wanneer de CSM nog eens zijn naam brult, begint Miller aan het zware karwei zichzelf uit de schuttersput te hijsen. De andere mannen heffen hun vaal geworden, vermoeide gezichten naar hem op als hij langs hun putjes sjokt.

'Kom even mee, jongen,' zegt de CSM. Hij loopt een eindje bij de jeep vandaan en wenkt Miller.

Miller loopt achter hem aan. Er is iets mis. Dat weet Miller omdat de CSM jongen tegen hem zei in plaats van oliebol. Hij voelt al een brandende pijn in zijn linkerzij, waar zijn maagzweer zit.

De CSM tuurt de weg af. 'Het gaat om het volgende,' begint hij. Hij stopt en keert zich naar Miller. 'Goddomme, man. Wist je dat je moeder ziek was?'

Miller zegt niets, klemt alleen zijn lippen stijf op elkaar.

'Ze moet al ziek zijn geweest, ja?' Als Miller blijft zwijgen, zegt de CSM: 'Ze is gisteravond overleden. Het spijt me heel erg.' Hij slaat treurig zijn ogen op naar Miller, en Miller ziet zijn rechterarm omhoogkomen onder de poncho; dan valt hij weer langs zijn lichaam. Miller ziet dat de CSM hem even kameraadschappelijk in zijn schouder wil knijpen, maar het gaat gewoon niet. Dat kan alleen als je langer, of in elk geval niet kleiner bent dan de ander.

'Deze jongens hier rijden je wel terug naar de basis,' zegt de CSM met een hoofdknik naar de jeep. 'Bel het Rode Kruis maar dan regelen zij het verder wel. En neem wat rust,' voegt hij eraan toe en loopt dan weg in de richting van de bomen.

Miller gaat zijn spullen halen. Een van de mannen die hij op weg naar de jeep passeert zegt: 'Hé Miller, wat is dat nou?'

Miller geeft geen antwoord. Hij is bang dat hij zal gaan lachen en alles zal verpesten als hij zijn mond opendoet. Hij houdt zijn hoofd omlaag en zijn lippen stijf op elkaar terwijl hij achter in de jeep gaat zitten en hij kijkt niet op voor ze de compagnie een goeie kilometer achter zich hebben gelaten. De dikke soldaat 1 naast de chauffeur zit naar hem te kijken. Hij zegt: 'Het spijt me van je moeder. Dat is zwaar klote.'

'Ja,' zegt de chauffeur, ook een soldaat 1. Hij werpt een blik over zijn schouder.

Miller ziet zijn eigen gezicht even weerspiegeld in de zonnebril van de chauffeur. 'Het moest er een keer van komen,' mompelt hij, en kijkt weer omlaag.

Millers handen beven. Hij stopt ze tussen zijn knieën en staart door het flapperende plastic raampje naar de bomen. Er roffelen regendruppels op het canvas boven zijn hoofd. Hij zit binnen, en alle anderen staan nog buiten. Miller moet onophoudelijk denken aan de anderen die daar nat staan te worden, en bij de gedachte krijgt hij zin om te lachen en op zijn dij te kletsen. Zo'n mazzel heeft hij nog nooit gehad.

'Mijn grootmoeder is vorig jaar overleden,' zegt de chauffeur. 'Maar dat is niet hetzelfde als je moeder verliezen. Ik heb met je te doen, Miller.'

'Maak je over mij geen zorgen,' zegt Miller tegen hem. 'Ik red me wel.'

De dikke soldaat 1 naast de chauffeur zegt: 'Hoor eens, heb maar niet het gevoel dat je je moet inhouden omdat wij erbij zijn. Als je wilt huilen of zo, nou, ga je gang. Ja toch, Leb?'

De chauffeur knikt. 'Gooi het er maar uit.'

'Geen probleem,' zegt Miller. Hij zou die jongens wel willen vertellen hoe het zit, zodat ze niet het gevoel hebben dat ze helemaal tot Ford Ord in de rouw moeten blijven. Maar als hij hun vertelt wat er gebeurd is, zullen ze meteen omdraaien en hem terugbrengen naar zijn schuttersput.

Miller weet wat er gebeurd is. Er is nog een Miller in het bataljon met dezelfde voorletters als hij, W.P., en die Miller is degene wiens moeder is overleden. Het leger haalt hen altijd door elkaar met de post, en nu hebben ze weer misgekleund. Zodra de CSM vragen over zijn moeder begon te stellen, wist Miller helemaal hoe het zat.

Voor deze ene keer staan alle anderen buiten en zit Miller lekker binnen. Hij zit binnen en is regelrecht op weg naar een hete douche, droge kleren, een pizza en een warm bedje. Hij hoefde niet eens iets verkeerd te doen om dit te bereiken; hij heeft alleen maar gedaan wat hem gezegd werd. Het was hun eigen fout. Morgen zal hij rust nemen zoals de CSM hem heeft opgedragen, op ziekenrapport gaan voor die brug, en dan misschien nog een film pakken in de stad. Daarna gaat hij het Rode Kruis wel bellen. Tegen de tijd dat ze alles hebben uitgezocht, zal het te laat zijn om hem het veld weer in te sturen. En het mooiste is dat die andere Miller er geen weet van zal hebben. Die andere Miller zal nog een hele dag denken dat zijn moeder nog leeft. Je zou zelfs kunnen zeggen dat Miller haar voor hem in leven houdt.

De man naast de chauffeur draait zich weer om en neemt Miller onderzoekend op. Hij heeft kleine donkere oogjes in een groot wit gezicht vol zweetdruppeltjes. Op zijn naamplaatje staat KAISER. Zijn kleine vierkante babytandjes ontblotend zegt hij: 'Je houdt je echt heel goed, Miller. De meeste jongens zouden behoorlijk in elkaar klappen als ze zoiets te horen krijgen.'

'Ik ook,' zegt de chauffeur. 'Iedereen. Dat is *menselijk*, Kaiser.'

'Tuurlijk,' zegt Kaiser. 'Ik zeg ook niet dat ik anders ben. Dat wordt de ergste dag van mijn leven, de dag waarop mijn moeder doodgaat.' Hij knippert vlug met zijn kleine oogjes, maar niet voor Miller ze wazig ziet worden.

'Iedereen is vroeg of laat aan de beurt,' zegt Miller. 'Dat is mijn filosofie.'

'Heftig,' zegt de chauffeur. 'Heel diepzinnig.'

Kaiser werpt hem een scherpe blik toe. 'Rustig aan, Lebowitz.'

Miller buigt zich naar voren. Lebowitz is een joodse naam. Miller wil hem vragen waarom hij in het leger zit, maar hij is bang dat Lebowitz het misschien verkeerd zal opvatten. In plaats ervan zegt hij, om maar een gesprek gaande te houden: 'Je ziet tegenwoordig niet meer zoveel joodse mensen in het leger.'

Lebowitz kijkt in het spiegeltje, zijn dikke wenkbrauwen in boogjes opgetrokken boven zijn zonnebril. Dan schudt hij zijn hoofd en zegt iets dat Miller niet kan verstaan.

'Rustig aan, Leb,' zegt Kaiser weer. Hij draait zich naar Miller en vraagt hem waar de begrafenis is.

'Welke begrafenis?' zegt Miller.

Lebowitz lacht.

'Eikel,' zegt Kaiser tegen hem. 'Nooit van shock gehoord?'

Lebowitz is even stil, dan kijkt hij weer in het spiegeltje en zegt: 'Sorry, Miller. Ik ging in de fout.'

Miller haalt zijn schouders op. Zijn tastende tong duwt te hard tegen de brug en hij verstijft plotseling.

'Waar woonde je moeder?' vraagt Kaiser.

'In Redding,' zegt Miller.

Kaiser knikt. 'In Redding,' herhaalt hij. Hij blijft Miller observeren. Lebowitz ook, zijn ogen schieten heen en weer tussen het spiegeltje en de weg. Miller begrijpt dat ze een ander soort gedrag hadden verwacht dan hij vertoont, emotioneler en zo. Ze hebben wel andere militairen gezien wier moeders waren overleden en daardoor hebben ze bepaalde normen waaraan hij niet heeft kunnen voldoen. Hij kijkt uit het raampje. Ze rijden langs een bergkam. Er flitsen stukjes blauw door de bomen links van de weg; dan komen ze in open terrein en ziet Miller beneden hen de oceaan helemaal tot aan de horizon, onder een heldere, wolkenloze hemel. Afgezien van wat vage slierten in de boomtoppen hebben ze de wolken achter zich gelaten, in de bergen, boven de soldaten daar.

'Begrijp me niet verkeerd,' zegt Miller. 'Ik vind het erg dat ze dood is.'

Kaiser zegt: 'Dat is de manier. Erover praten.'

'Ik heb haar alleen niet zo goed gekend,' zegt Miller, en na die monsterlijke leugen komt er een gevoel van gewichtloosheid over hem. Aanvankelijk voelt het ongemakkelijk, maar vrijwel meteen begint hij ervan te genieten. Van nu af aan kan hij zeggen wat hij wil.

Hij zet een treurig gezicht. 'Ik denk dat ik er meer kapot van zou zijn als ze ons niet zo in de steek had gelaten. Midden in de oogsttijd. Ze heeft ons gewoon laten zitten.'

'Ik hoor een heleboel woede,' zegt Kaiser tegen hem. 'Ga die confrontatie met jezelf aan. Loop er niet voor weg.'

Miller heeft zijn verhaal uit een liedje, maar meer kan hij zich er niet van herinneren. Hij buigt zijn hoofd en kijkt naar zijn laarzen. 'Mijn vader is eraan onderdoor gegaan,' zegt hij na een poos. 'Gestorven aan een gebroken hart. Ik bleef achter met vijf kinderen om voor te zorgen, om over de boerderij maar niet te spreken.' Miller sluit zijn ogen. Hij ziet een omgeploegd stuk land met daarachter de ondergaande zon, een stel kinderen die van het land komen met harken en schoffels over hun schouders. Terwijl de jeep door de haarspeldbochten naar beneden meandert, beschrijft hij zijn zware leven als het oudste kind van dit gezin. Hij is bij het eind van zijn verhaal aangekomen als ze de kustweg bereiken en naar het noorden afbuigen. Onmiddellijk houdt de jeep op met rammelen en deinen. Ze krijgen meer vaart. De banden zoemen over de gladde weg, de langszoevende lucht fluit op één toonhoogte rond de antenne. 'Hoe dan ook,' zegt Miller, 'het is twee jaar geleden sinds ik ook maar een brief van haar heb gehad.'

'Je zou er een film over moeten maken,' zegt Lebowitz.

Miller weet niet goed hoe hij dit moet opvatten. Hij wacht af wat Lebowitz nog meer te zeggen heeft, maar hij zwijgt. Net als Kaiser, die Miller nu al minuten de rug toekeert. Beide mannen staren naar de weg voor hen uit. Miller ziet dat hun belangstelling is verdwenen. Hij voelt zich teleurgesteld, omdat hij er echt schik in had hen voor de gek te houden.

Eén ding dat Miller hun vertelde is waar: hij heeft twee jaar geen brief van zijn moeder gekregen. Ze schreef hem dikwijls toen hij pas in het leger zat, minstens één keer per week, soms twee keer, maar Miller stuurde al haar brieven ongeopend terug en na een jaar gaf ze het eindelijk op. Ze probeerde een paar keer te bellen maar hij kwam niet aan de telefoon, dus gaf ze dat ook op. Miller wil haar duidelijk maken dat haar zoon niet iemand is die een tegenstander de andere wang zal toekeren. Hij is een serieus iemand. Als je tegen hem in gaat, ben je hem kwijt.

Millers moeder was tegen hem in gegaan door een man te trouwen die ze niet had moeten trouwen. Phil Dove. Dove was biologieleraar aan de middelbare school. Miller had moeite met zijn lessen, dus was zijn moeder naar Dove gestapt om erover te praten en uiteindelijk had ze zich met hem verloofd. Toen Miller haar op andere gedachten probeerde te brengen, wilde ze er geen woord over horen. Ze gedroeg zich alsof ze een echte prins aan de haak had geslagen in plaats van iemand die stotterde en zijn hele leven bezig was zoetwaterkreeftjes uit elkaar te peuteren.

Miller deed wat hij kon om het huwelijk tegen te houden, maar zijn moeder was verblind. Ze kon niet zien wat ze al had, hoe goed ze het met hun tweetjes hadden. Hij was er altijd als ze thuiskwam van haar werk, met een vers gezette pot koffie. Ze dronken samen koffie en praatten over allerlei dingen, of soms praatten ze helemaal niet – dan zaten ze maar wat in de keuken terwijl het vertrek om hen heen donkerder werd, tot de telefoon ging of de hond begon te janken dat hij naar buiten wilde. Dan lieten ze de hond uit rond het stuwmeer. Als ze terugkwamen, aten ze waar ze zin in hadden, soms helemaal niets, soms drie, vier avonden achter elkaar hetzelfde terwijl ze naar de programma's keken die ze wilden zien, en daarna gingen ze naar bed wanneer ze daar zin in hadden en niet omdat iemand anders dat van hen verlangde. Ze zaten gewoon lekker samen in hun eigen huis.

Phil Dove had Millers moeder zo het hoofd op hol gebracht dat ze vergat wat een goed leven ze samen hadden. Ze weigerde te zien wat ze kapot zou maken. 'Jij gaat straks toch weg,' zei ze tegen hem. 'Jij gaat straks de deur uit, volgend jaar of het jaar daarop,' wat aantoonde hoezeer ze zich in Miller vergiste, want hij zou haar nooit verlaten, nooit, wat er ook zou gebeuren. Maar toen hij dat zei, lachte ze alsof ze wel beter wist, alsof hij het niet serieus meende. Maar hij meende het wel serieus. Hij meende het toen hij beloofde dat hij zou blijven, en hij meende het ook toen hij beloofde dat hij nooit meer met haar zou praten als ze met Phil Dove ging trouwen.

Ze trouwde met hem. Miller sliep die nacht in een motel en daarna nog twee nachten, tot hij door zijn geld heen was. Toen nam hij dienst in het leger. Hij wist dat dit hard bij haar zou aankomen, omdat hij over een maand eindexamen had moeten doen, en omdat zijn vader tijdens zijn dienst in het leger was omgekomen. Niet in Vietnam maar in Georgia, door een ongeluk. Hij was met een andere man bezig etensblikken in een vuilnisvat vol kokend water om te spoelen en op de een of andere manier was het vat over hem heen gevallen. Miller was toen zes. Sindsdien haatte Millers moeder het leger, niet omdat haar echtgenoot was gestorven – ze wist van de oorlog waarin hij zou gaan vechten, ze wist van hinderlagen en mijnen – maar vanwege de manier waarop het gebeurd was. Ze zei dat het leger iemand niet eens op een fatsoenlijke manier kon laten doodgaan.

Ze had ook gelijk. Het leger was zo erg als zij dacht, nog erger. Je deed er niks als rondhangen. Je leidde een volkomen stupide bestaan. Miller haatte het intens, maar er school ook plezier in zijn haat omdat hij dacht dat zijn moeder moest beseffen hoe ongelukkig hij was. Dat besef zou haar pijn doen. Het zou niet zo erg zijn als de pijn die zij hem had aangedaan, die zich van zijn hart naar zijn maag en zijn gebit en alle andere delen van zijn lichaam verspreidde, maar het was de ergste pijn die hij kon veroorzaken, erg genoeg om te zorgen dat ze aan hem bleef denken.

Kaiser en Lebowitz zijn hamburgers aan het beschrijven. Wat naar hun idee de volmaakte hamburger is. Miller probeert niet te luisteren maar hun stemmen dreunen maar door, en na een poosje kan hij alleen nog maar denken aan vleestomaten, mosterd en dampende, met ui gevulde steaks vol zwarte strepen van de grill. Hij staat op het punt hun te vragen van onderwerp te veranderen als Kaiser zich omdraait en zegt: 'Wat denk je, zou je wel een hapje eten lusten?'

'Ik weet het niet,' zegt Miller. 'Ik denk dat ik wel wat naar binnen kan krijgen.'

'We hadden het erover om even een pitstop te maken. Maar als jij liever doorrijdt, zeg je het maar. Het is jouw trip. Ik bedoel, officieel moeten we jou rechtstreeks terugbrengen naar de basis.'

'Ik kan wel wat eten,' zegt Miller.

'Dat is de juiste mentaliteit. In dit soort situaties moet je je energieniveau op peil houden.'

'Ik kan wel wat eten,' zegt Miller nogmaals.

Lebowitz kijkt in het spiegeltje, schudt zijn hoofd en kijkt weer voor zich.

Ze nemen de volgende afrit en rijden landinwaarts naar een kruising met twee benzinestations tegenover twee restaurants. Een van de restaurants is dichtgetimmerd, daarom rijdt Lebowitz het parkeerterrein op van de Dairy Queen aan de overkant van de weg. Hij zet de motor af en de drie mannen zitten bewegingloos in de plotselinge stilte. Dan hoort Miller het verre gekletter van metaal op metaal, het gekras van een kraai, het gepiep waarmee Kaiser op zijn stoel heen en weer schuift. Voor een roestige caravan naast het restaurant staat een hond te blaffen, een magere witte hond met gele ogen. Al blaffend schurkt de hond zich met een trillend geheven poot langs een bord met daarop een gespreide hand onder de tekst KEN UW TOEKOMST.

Ze stappen uit de jeep, en Miller loopt achter Kaiser en Lebowitz aan over het parkeerterrein. De lucht is warm en ruikt naar olie. Op het benzinestation aan de overkant probeert een roze man in een zwembroek de banden van zijn fiets op te pompen en rukt daarbij luid vloekend aan de luchtslang. Miller duwt zijn tong tegen de kapotte brug en tilt hem zachtjes op. Hij vraagt zich af of hij wel moet proberen een hamburger te eten en besluit dat het geen pijn hoeft te doen zolang hij voorzichtig met de andere kant van zijn mond kauwt.

Maar het doet wel pijn. Na een paar happen schuift Miller zijn bord weg. Hij laat zijn kin op één hand rusten en luistert naar Lebowitz en Kaiser, die redetwisten over de vraag of mensen echt de toekomst kunnen voorspellen. Lebowitz heeft het over een meisje van vroeger dat over buitenzintuiglijke gaven beschikte. 'Dan reden we ergens,' zegt hij, 'en vertelde ze me zomaar ineens heel precies wat ik op dat moment dacht. Het was niet te geloven.'

Kaiser heeft zijn hamburger op en neemt een slok melk. 'Dat

stelt niks voor,' zegt hij. 'Dat kan ik ook.' Hij trekt Millers hamburger over de tafel naar zich toe en neemt er een hap uit.

'Toe dan,' zegt Lebowitz. 'Probeer het dan eens. Ik denk nu niet wat jij denkt dat ik denk.'

'Jawel, wel waar.'

'Goed, nu wel,' zegt Lebowitz, 'maar daarnet niet.'

'Ik zou geen waarzegger bij me in de buurt laten komen,' zegt Miller. 'Hoe minder je weet hoe beter, zo zie ik het.'

'Nog een oude wijsheid uit de privéverzameling van W.P. Miller,' zegt Lebowitz. Hij kijkt naar Kaiser, die Millers hamburger bijna op heeft. 'Nou, wat doen we? Ik ben er wel voor in, als jij het ook doet.'

Kaiser kauwt nadenkend. Hij slikt en likt zijn lippen af. 'Wel ja,' zegt hij. 'Waarom ook niet? Zolang Miller er geen bezwaar tegen heeft.'

'Waartegen?' vraagt Miller.

Lebowitz komt overeind en zet zijn zonnebril weer op. 'Maak je over Miller maar geen zorgen. Miller bekijkt het rustig. Miller houdt het hoofd koel waar anderen helemaal in elkaar zouden klappen.'

Kaiser en Miller staan op van het tafeltje en volgen Lebowitz naar buiten. Lebowitz staat voorovergebogen in de schaduw van een afvalcontainer en veegt zijn schoenen af met een zakdoek. Er zoemen glimmende blauwe vliegen om hem heen.

'Waartegen?' herhaalt Miller.

'We dachten erover het orakel even te raadplegen,' zegt Kaiser tegen hem.

Lebowitz richt zich op en de drie beginnen het parkeerterrein over te steken.

'Ik zou eigenlijk liever door willen rijden,' zegt Miller. Als ze bij de jeep aankomen, blijft hij staan maar Kaiser en Lebowitz lopen door. 'Hoor eens,' zegt Miller, met een paar huppelpasjes om hen in te halen. 'Ik heb een heleboel te doen,' zegt hij tegen hun ruggen. 'Ik moet naar huis.'

'We weten hoe kapot je ervan bent,' zegt Lebowitz tegen hem. Hij blijft doorlopen.

'Het duurt niet zo lang,' zegt Kaiser.

De hond blaft één keer en als hij ziet dat ze werkelijk van plan zijn zich binnen het bereik van zijn tanden te wagen, rent hij om de caravan naar achteren. Lebowitz klopt op de deur. Hij zwaait open en in de deuropening staat een vrouw met een rond gezicht, donkere, diepliggende ogen en dikke lippen. Een van haar ogen loenst; het lijkt naar iets naast haar te kijken terwijl het andere neerkijkt op de drie soldaten voor haar deur. Haar handen zijn overdekt met meel. Het is een zigeunerin, een echte zigeunerin. Miller heeft nooit eerder een zigeunerin gezien, maar hij herkent haar zoals hij een wolf ook meteen zou herkennen als hij er een zag. Haar aanwezigheid doet het bloed in zijn aderen bonzen. Als hij hier woonde, zou hij 's nachts met een stel andere mannen terugkomen om haar schreeuwend en met toortsen zwaaiend te verjagen.

'Bent u open?' vraagt Lebowitz.

Ze knikt terwijl ze haar handen aan haar rok afveegt. Ze maken krijtwitte strepen op het bonte lapjeswerk. 'Alle drie?' vraagt ze.

'Jazeker,' zegt Kaiser. Zijn stem klinkt onnatuurlijk luid.

Ze knikt weer en draait haar goede oog van Lebowitz naar Kaiser, dan naar Miller. Miller aanstarend begint ze te glimlachen en ratelt een reeks vreemde klanken, woorden uit een andere taal of misschien een toverformule, alsof ze verwacht dat hij haar zal verstaan. Een van haar voortanden is zwart.

'Nee,' zegt Miller. 'Nee, mevrouw. Ik niet.' Hij schudt zijn hoofd.

'Kom,' zegt ze en stapt opzij.

Lebowitz en Kaiser lopen de treden op en verdwijnen in de caravan. 'Kom,' herhaalt de vrouw. Ze wenkt met haar witte handen.

Miller wijkt nog steeds nee schuddend achteruit. 'Laat me met rust,' zegt hij tegen haar, en voor ze kan antwoorden, draait hij zich om en loopt weg. Hij loopt terug naar de jeep en gaat achter het stuur zitten, met beide deuren open om de wind binnen te laten. Miller voelt hoe de warmte het vocht uit zijn gevechtspak trekt. Hij ruikt het muffe natte canvas boven zijn hoofd en de zure lucht van zijn eigen lichaam. Door de voorruit, die op twee vettige halve cirkels na overdekt is met modder, kijkt hij naar drie jongens die plechtig staan te urineren tegen de muur van het benzinestation aan de overkant.

Miller bukt zich om de veters van zijn gevechtslaarzen los te maken. Het bloed stuwt naar zijn gezicht terwijl hij worstelt met de natte veters, en zijn adem gaat steeds sneller. 'Kutveters,' zegt hij. 'Kutregen.' Hij krijgt de veters los en gaat hijgend overeind zitten. Hij staart naar de caravan. Een zigeunerin. Kut.

Hij kan niet geloven dat die twee idioten echt naar binnen zijn gegaan. Voor de gein. Een beetje dollen. Dat bewijst hoe stom ze zijn, want iedereen weet dat je geen geintjes moet uithalen met waarzeggers. Het is niet te voorspellen wat een waarzegger zal zeggen en als het eenmaal is gezegd, is het niet meer tegen te houden. Zodra je hoort wat je te wachten staat, staat het je niet meer te wachten en gebeurt het al. Als je de toekomst binnenlaat kun je net zo goed je deur openzetten voor een moordenaar.

De toekomst. Weet iedereen nog niet genoeg van de toekomst, zonder naar details te gaan spitten? Er is maar één ding wat je over de toekomst moet weten: alles wordt erger. Als je dat eenmaal weet, weet je alles. Over de nadere bijzonderheden kun je beter niet nadenken.

Miller is zeer zeker niet van plan over die bijzonderheden na te denken. Hij trekt zijn natte sokken uit en masseert zijn gerimpelde witte voeten. Nu en dan kijkt hij even op naar de caravan, waar de zigeunerin het noodlot afroept over Kaiser en Lebowitz. Miller maakt neuriënde geluidjes. Hij gaat niet over de toekomst nadenken.

Want het is waar – alles wordt erger. Op een dag zit je voor je huis met stokjes in een mierenhoop te purken en hoor je het getinkel van bestek en de stemmen van je vader en moeder in de keuken; en dan, op een moment dat je je niet eens kunt herinneren, is een van die stemmen verdwenen en hoor je hem nooit meer. Op weg van vandaag naar morgen loop je in een hinderlaag.

Je moet er niet aan denken wat er nog komt. Miller heeft al een maagzweer en zijn gebit zit vol gaten. Zijn lichaam laat hem in de steek. Hoe zal het zijn als hij zestig is? Of over vijf jaar al? Miller zat een paar dagen terug in een restaurant en zag daar een jongen van ongeveer zijn leeftijd in een rolstoel gevoerd worden door een vrouw die met een paar andere mensen aan het tafeltje zat te praten. De handen van de jongen lagen verwrongen in zijn schoot als een paar handschoenen die iemand daar had neergegooid. Zijn broekspijpen waren opgekropen tot halverwege zijn knieën en onthulden bleke, weggeteerde benen die niet dikker waren dan zijn botten. Hij kon zijn hoofd amper bewegen. De vrouw die hem soep voerde maakte er een smeerboel van omdat ze te druk met haar vrienden zat te kwebbelen. De helft van de soep kwam op zijn hemd terecht. Toch keken zijn ogen helder en oplettend. Miller dacht: *Dat kan mij ook overkomen.*

Het gaat allemaal prima met je en dan raakt er op een dag, zonder dat jij daar iets aan kunt doen, iets los in je bloedbaan en wordt een deel van je hersenen uitgeschakeld. Dan zit jij daar ook zo. En als het niet nu, in één klap gebeurt, gaat het straks in een langzaam tempo die kant op. Naar je eindbestemming.

Miller gaat op een dag dood. Hij weet het en is trots dat hij het weet terwijl alle anderen maar doen alsof en heimelijk geloven dat ze eeuwig zullen blijven leven. Maar dat is niet de reden waarom hij niet wil nadenken over de toekomst. Er is iets anders wat nog erger is, iets waar hij niet bij moet stilstaan, en ook niet bij zal stilstaan.

Hij gaat er niet bij stilstaan. Miller leunt achterover op de stoel en sluit zijn ogen, maar de truc om zichzelf zo te laten indommelen mislukt; achter zijn oogleden is hij klaarwakker en ongedurig van sombere angst, tegen zijn wil tastend naar datgene wat hij niet durft te vinden tot hij het, zonder enige verbazing, ook vindt. Een simpele waarheid. Zijn moeder gaat ook dood. Net als hij. En het is niet te zeggen wanneer. Miller kan er niet op rekenen dat ze er zal zijn als hij thuiskomt om haar zijn pardon te verlenen, als hij ten slotte besluit dat ze genoeg heeft geleden.

Miller opent zijn ogen en kijkt naar de ruwe vormen van de gebouwen aan de overkant, ontdaan van hun contouren door het vuil op de voorruit. Hij doet zijn ogen weer dicht. Hij luistert naar zijn eigen ademhaling en voelt de vertrouwde, bijna fysieke pijn van het besef dat hij buiten bereik van zijn moeder is. Dat hij heeft gezorgd dat zij hem niet kan zien, niet met hem kan praten en hem niet kan aanraken, niet haar handen op zijn schouders kan leggen als ze achter zijn stoel blijft staan om hem iets te vragen of er alleen even te staan, met haar gedachten elders. Dat moest haar straf zijn, maar op de een of andere manier is het zijn eigen straf geworden. Hij begrijpt dat er een eind aan moet komen. Hij gaat eraan kapot.

Er moet nu een eind aan komen, en alsof hij deze dag al lang heeft gepland weet Miller precies wat hij gaat doen. In plaats van zich te melden bij het Rode Kruis als hij terug is op de basis, gaat hij zijn tas pakken en dan met de eerste bus naar huis. Niemand zal het hem kwalijk nemen. Zelfs wanneer ze hun vergissing ontdekken zullen ze het hem niet kwalijk nemen, omdat het niet meer dan natuurlijk is dat een getroffen zoon zoiets doet. In plaats van hem te straffen zullen ze waarschijnlijk hun verontschuldigingen aanbieden dat ze hem zo hebben laten schrikken.

Hij neemt de eerste bus naar huis, of het een snelbus is of niet. Hij zal vol zitten met Mexicanen en militairen. Miller zal bij een raam zitten soezen. Nu en dan zal hij uit zijn dromen opduiken om te kijken naar de voorbijglijdende groene heuvels en kleiachtige akkers en de stations waar de bus stopt, stations vol uitlaatwalm en het geraas van motoren, waar de mensen die hij door zijn raam gadeslaat versuft naar hem zullen terugstaren alsof ze net uit een diepe slaap zijn ontwaakt. Salinas. Vacaville. Red Bluff. In Redding aangekomen zal Miller een taxi nemen. Hij zal de chauffeur vragen bij Schwartz even op hem te wachten terwijl hij bloemen koopt, en dan gaat het door naar huis via Sutter Street en dan Serra Street, langs het honkbalveld, de lagere school, de mormonenkerk. Rechtsaf Belmont Avenue op. Bij Park Street linksaf. Over de rugleuning hangend zegt hij: *Verder, verder, nog iets verder, daar is het, dat huis daar.*

Het geluid van stemmen achter de deur als hij aanbelt. De deur gaat open, de stemmen worden stil. Wie zijn die mensen? Mannen in pakken, vrouwen met witte handschoenen aan. Iemand stottert zijn naam, een vreemde nu, iemand die hij bijna is vergeten. *W-W-Wesley.* Een mannenstem. Miller blijft net voorbij de deur staan, ademt de parfums in. Dan worden de bloemen uit zijn hand gepakt en bij andere bloemen op de salontafel gelegd. Hij hoort opnieuw zijn naam. Het is Phil Dove, die door het vertrek naar hem toe komt. Hij loop langzaam, met opgeheven armen, als een blinde.

Wesley, zegt hij, *God dank dat je thuis bent.*

Twee jongens en een meisje

Gilbert had haar het eerst gezien. Dat was eind juni, op een feestje. Ze was alleen in de achtertuin, lag daar languit in een tuinstoel toen hij een biertje uit de koelbox kwam halen. Hij probeerde iets te bedenken wat hij tegen haar kon zeggen, maar zo te zien had ze genoeg aan haar eigen gezelschap en hij was bang dat het opdringerig en doorzichtig zou klinken. Later zag hij haar weer, binnen ditmaal, een bleek donkerharig meisje met bruine ogen en veegjes lipstick op haar tanden. Ze danste met Gilberts beste vriend, Rafe. De avond erna was ze met Rafe toen hij Gilbert kwam ophalen voor een ander feestje, en de avond daarna weer. Ze heette Mary Ann.

Mary Ann, Rafe en Gilbert. Die zomer gingen ze overal samen naartoe, naar feestjes en films, naar het meer, naar vrienden met een zwembad. Of ze maakten lange, doelloze ritten als Gilbert klaar was met werken in de boekwinkel van zijn vader. Gilbert had geen auto, dus zat Rafe achter het stuur; zijn grootvader had hem zijn smetteloze oude Buick cabriolet gegeven als beloning voor zijn toelating tot de universiteit van Yale. Mary Ann zat tegen hem aan geleund met haar ranke blote voeten op het dashboard, terwijl Gilbert breeduit als een pasja op de achterbank hing en de biertjes uitdeelde en ironisch commentaar leverde op alles wat zijn aandacht trok.

Gilbert was heel ironisch. Op de middelbare school waar hij en Rafe klasgenoten waren geweest, hadden de redacteuren van het jaarboek hem uitgeroepen tot Grootste Cynicus. Dat deed hem goed. Gilbert geloofde dat desillusie de natuurlijke consequentie, ja, zelfs de opdracht was van een scherpe geest die dwars door de officiële versie heen kon doordringen tot de ware aard der dingen. Hij had het zich eigengemaakt om niets in goed vertrouwen aan te nemen, geen enkel gezag te respecteren behalve dat van zijn eigen oordeel en minzaam, zonder enige verbazing kennis te nemen van de grofste misdaden en dwaasheden, met name die van de groten der aarde.

Mary Ann luisterde naar wat hij zei, zelfs wanneer het leek of ze louter aandacht voor Rafe had. Gilbert was zich hiervan bewust, en hij wist ook wanneer hij erin geslaagd was haar te choqueren. Dan klemde ze haar handen ineen en knipperde ze snel met haar ogen en verschenen er rode plekken, fel als een wijnvlek, in haar roomblanke hals. Het was niet moeilijk haar te choqueren. Haar vader, een kapitein bij de kustwacht, was de meest burgerlijke figuur die Gilbert ooit had ontmoet. Toen hij en Rafe op een avond op Mary Ann stonden te wachten, had kapitein McCoy met grote ogen naar Gilberts sandalen gekeken en gevraagd wat hij van de beatniks vond. Mevrouw McCoy had een huis vol kanten kleedjes en schilderijtjes van jonge poesjes en het Heilige Land en pokerende honden, en van dat chemische spul in de toiletpot waar het water blauw van werd. Gilbert had altijd met Mary Ann te doen als hij bij haar thuis naar de wc ging.

Begin augustus ging Rafe met zijn vader vissen in Canada. Hij gaf Gilbert de sleuteltjes van de Buick en vroeg hem goed op Mary Ann te passen. Gilbert herkende hierin de opdracht van de held in een oorlogsfilm aan zijn saaie makker als hij op het punt staat te vertrekken voor zijn grote missie.

Rafe gaf zijn instructies terwijl hij op zijn kamer bezig was met inpakken voor de trip. Gilbert hing op het bed en keek toe. Hij had zin om te praten, maar Rafe had een plaat opstaan uit zijn zesdelige album van *I Pagliacci*, die hij volgens Gilbert niet echt mooi vond, hoewel Rafe nu en dan neuriënde geluiden produceerde alsof hij de hele partituur uit zijn hoofd kende. Gilbert dacht dat hij naar opera was gaan luisteren zoals hij die winter aan squash was gaan doen, omdat hij het zag als een nuttige accessoire. Hij leunde achterover en zweeg terwijl Rafe bezig was zijn spullen te verzamelen. Hij ging vlot en trefzeker te werk, zonder overbodige bewegingen of enige aarzeling waar iets zou kunnen zijn. Op een gegeven moment liep hij naar de spiegel en bekeek zichzelf alsof hij alleen was, en Gilbert werd verrast door de woede die hij voelde opkomen. Daarna keerde Rafe zich naar hem toe, gooide de sleuteltjes op het bed en deed zijn zegje over Mary Ann, dat hij maar goed op haar moest passen.

De volgende dag reed Gilbert in zijn eentje de hele stad door in de Buick. Hij zette hem dubbel geparkeerd voor Nordstrom en zat met de kap omlaag sigaretten te roken terwijl hij naar de vrouwen keek die er naar buiten kwamen alsof hij op een van hen wachtte. Nu en dan raadpleegde hij zijn horloge en fronste zijn wenkbrauwen. Hij reed een havenpier op en wuifde naar een van de passagiers op de boot naar Victoria. Ze keek omlaag naar het water en zag hem niet, tot ze haar ogen opsloeg toen de boot achteruit van zijn aanlegplaats wegvoer en zag hoe hij haar een kusje toeblies. Ze stapte bij de reling vandaan en verdween uit het zicht. Later reed hij naar La Luna, een bar bij de universiteit waar ze niet naar zijn identiteitskaart zouden vragen, en ging op een plek zitten vanwaar hij de Buick kon zien. Toen de bar vol raakte, liep hij naar buiten, deed de kap omhoog en controleerde de olie, pal voor het grote raam van La Luna. Tegen een passerend stel zei hij: 'Dat monster zuipt een olie, dat is gewoon niet mooi meer.' Daarna reed hij weg met de gezichtsuitdrukking van een man die nog belangwekkende en niet louter aangename zaken te regelen heeft. Hij stopte bij twee verschillende winkels om sigaretten te kopen. Hij belde vanuit de tweede winkel naar huis en zei tegen zijn moeder dat hij niet thuis kwam eten en vroeg of er post voor hem was. 'Nee,' zei zijn moeder, 'niets.' Gilbert at iets in een drive-in en toerde nog wat rond, reed toen naar het uitkijkpunt boven Alki Point en zat daar op de motorkap van de Buick te roken met een sombere, filosofische blik, doelbewust geen aandacht schenkend aan de meisjes met hun vriendjes in de auto's om hem heen. Er kroop een zware mist het land in vanuit de baai. Aan de overkant van het water vervaagden de lichtjes van de stad en er begon een misthoorn te loeien. Gilbert schoot zijn sigaret het duister in en wreef over zijn blote armen. Toen hij thuiskwam, belde hij Mary Ann en ze spraken af de volgende avond naar een film te gaan.

Na de film bracht Gilbert Mary Ann weer naar huis. In plaats van meteen naar binnen te gaan bleef ze in de auto zitten en praatten ze nog wat. Het ging makkelijk, makkelijker dan hij gedacht had. Als Rafe erbij was, kon Gilbert zich via hem tot Mary Ann richten en geestige, diepzinnige of ongehoorde dingen zeggen. Op de momenten dat ze alleen waren, wachtend tot Rafe zich weer bij hen zou voegen, was hij altijd sprakeloos, in een soort van paniek. Dan pijnigde hij zijn hersens af om maar iets te verzinnen en klonk alles wat hij zei geforceerd en scherp. Maar die avond gebeurde dat niet.

Het regende. Toen Gilbert zag dat Mary Ann geen haast had om uit te stappen, zette hij de motor af en zaten ze daar in het zwakke onderwaterschijnsel van de radio, met steeds vervloeiende schaduwen op hun gezichten van de regen die over de ramen omlaagstroomde. De regen roffelde met vlagen op het canvas dak maar binnen was het warm en knus, als in een tent tijdens een onweer. Mary Ann praatte over de verpleegopleiding en haar angst dat ze niet mee zou kunnen komen in de zware vakken, vooral anatomie en fysiologie. Gilbert dacht dat ze nederig deed voor de vorm en zei: 'Ach kom, je redt het best.'

'Ik weet het niet,' zei ze. 'Ik weet het gewoon niet.' En daarna vertelde ze hem wat een slechte cijfers ze had gehaald voor natuurkunde en wiskunde, en dat twee van haar leraren persoonlijk naar de toelatingsraad van de verpleegopleiding waren gegaan om een goed woordje voor haar te doen. Gilbert zag dat ze echt bang was om te falen, en met reden. Nu ze het zelf had gezegd, kon hij wel begrijpen dat ze het op school moeilijk had. Ze was niet vlug van begrip, niet slim. Ze had iets simpels.

Ze leunde in de hoek en keek naar de regen. Ze keek treurig. Gilbert overwoog haar wang even met de rug van zijn hand aan te raken om haar gerust te stellen. Hij wachtte even, toen vertelde hij haar dat het niet echt klopte dat hij probeerde te besluiten of hij naar Washington of Amherst zou gaan. Hij had dat misverstand eerder moeten rechtzetten. De waarheid was dat hij niet tot de universiteit van Amherst was toegelaten. Hij had de wachtlijst nog wel gehaald, maar nu de colleges al over drie weken zouden beginnen schatte hij zijn kansen op ongeveer nul.

Ze draaide zich naar hem toe en keek hem aan. Hij kon haar ogen niet zien. Het waren donkere vijvers met slechts een glinstering op de bodem. Ze vroeg waarom hij niet was toegelaten.

Op deze vraag had Gilbert talloze antwoorden. Hij bedacht dagelijks nieuwe en had daar schoon genoeg van. 'Ik was opgehouden met leren,' zei hij. 'Ik deed er helemaal niets meer aan.'

'Maar je had toegelaten moeten worden waar je maar wilde. Je bent slim genoeg.'

'Ik heb een aardige babbel, denk ik.' Hij pakte een sigaret en tikte met het uiteinde op het stuur. 'Ik weet niet waarom ik die krengen rook,' zei hij.

'Je vindt het prettig hoe je er dan uitziet. Als een intellectueel.'

'Dat zal het zijn.' Hij stak hem op.

Ze nam hem nauwlettend op terwijl hij de eerste trek nam. 'Laat mij eens,' zei ze. 'Eén trekje maar.'

Hun vingers raakten elkaar toen hij haar de sigaret overhandigde.

'Je gaat een geweldige verpleegster worden,' zei hij.

Ze nam een trek van de sigaret en blies de rook langzaam uit.

Een tijdlang zeiden ze geen van beiden iets.

'Ik moet maar eens naar binnen gaan,' zei ze.

Gilbert keek hoe ze over het tuinpad naar het huis liep, haar gezicht afgewend van de regenvlagen. Hij wachtte tot hij haar naar binnen zag stappen, daarna zette hij de radio weer harder en reed weg. Hij proefde steeds haar lipstick aan de sigaret.

Toen hij de volgende dag van zijn werk belde nam haar moeder op en vroeg ze hem even te wachten. Mary Ann was buiten adem toen ze aan de telefoon kwam. Ze zei dat ze buiten op een ladder stond, bezig haar vader te helpen het huis te schilderen. 'Wat ben jij aan het doen?' vroeg ze.

'Ik vroeg me alleen maar af wat jij aan het doen was,' zei hij.

Hij nam haar die avond mee uit naar La Luna, en de volgende avond ook. Beide keren hadden ze hetzelfde tafeltje, vlak bij de jukebox. 'Don't Think Twice, It's All Right' was net uit en Mary Ann draaide het telkens opnieuw terwijl ze zaten te praten. Op de derde avond zat er een stel jongens in honkbaltenue toen ze binnenkwamen. Gilbert vond het vervelend en zag dat zij het ook vervelend vond. Ze zaten een poosje aan de bar maar werden steeds aangestoten door de drinkende gasten achter hen. Ze besloten ergens anders naartoe te gaan. Gilbert was aan het afrekenen toen de honkballers opstonden om te vertrekken, en Mary Ann was net iets sneller dan een ouder echtpaar dat in de buurt van het tafeltje had staan wachten.

'Wij waren hier het eerst,' zei de vrouw tegen Mary Ann terwijl Gilbert tegenover haar plaatsnam.

'Dit is ons tafeltje,' zei Mary Ann op vriendelijke, informatieve toon.

'Hoezo?'

Mary Ann keek de vrouw aan alsof ze een wel heel bizarre vraag had gesteld. 'Tja, dat weet ik niet,' zei ze. 'Het is gewoon zo.'

Naderhand bleef Gilbert eraan terugdenken hoe Mary Ann 'ons tafeltje' had gezegd. Hij verzamelde dergelijke observaties en overpeinsde ze als hij niet bij haar was: dat ze buiten adem aan de telefoon kwam, de gewoonte die ze had ontwikkeld om trekjes van zijn sigaret te nemen en ongevraagd zijn kleingeld te pakken voor de jukebox, dat ze zo ontvankelijk en goedgelovig naar hem luisterde dat hij het niet voor elkaar kreeg om op te scheppen, uitvluchten te zoeken of uitspraken te doen voor hun effect. Bij Mary Ann kon hij niet geestig zijn. Ze dacht altijd dat hij letterlijk bedoelde wat hij zei en dan moest hij zichzelf onderbreken om uit te leggen dat hij eigenlijk iets anders bedoelde. Zijn ironie begon slap en op de een of andere manier afgunstig te klinken. Het klonk zwakjes en niet erg mannelijk.

Mary Ann gaf hem geen gelegenheid tot spot. Ze nam hem serieus. Ze schreef de titels op van de boeken waar hij over praatte – *On the Road*, *The Stranger*, *The Fountainhead* en een paar andere die hij niet echt had gelezen maar wel in het vizier had en van plan was te gaan lezen zodra hij er tijd voor had. Ze luisterde als hij uitlegde wat er mis was met Barry Goldwater en *Reader's Digest* en de televisieprogramma's die ze leuk vond, en beaamde dat hij waarschijnlijk gelijk had. Onder haar plechtige aandacht hoorde hij zichzelf dingen zeggen die hij tegen niemand anders had gezegd, bekende hij aspiraties die zo onhaalbaar leken dat hij nauwelijks tegenover zichzelf had toegegeven dat hij ze koesterde. Hij werd vaak verrast door zijn eigen eerlijkheid. Maar hij vertelde Mary Ann niet wat hem het meest bezighield en wat zij volgens hem al wist, voor het geval ze het nog niet wist of nog niet in staat was het toe te geven. Als hij het eenmaal gezegd had, zou alles veranderen, voor hen allemaal, en hij was niet bereid dat risico te nemen.

Ze gingen alle avonden uit, behalve de ene keer dat Gilbert moest overwerken en de avond waarop kapitein McCoy Mary Ann en haar moeder mee uit eten nam. Ze gingen nog een paar keer naar de film, ze gingen naar een feestje en naar La Luna en toerden door de stad. Het waren warme, heldere avonden en Gilbert deed de kap omlaag en sukkelde zoetjes over de rechter rijstrook. Hij had zich altijd met enig ongeduld afgevraagd waarom Rafe zo langzaam reed. Nu wist hij het. Aan het stuur van een open auto met een meisje naast je betekende dat je een toestand had bereikt die alleen een gek haastig zou willen beëindigen. Hij reed langzaam rond het meer en door het centrum omhoog naar de uitkijkpunten en dan weer terug naar Mary Anns huis. De eerste paar avonden bleven ze in de auto zitten. Daarna nodigde Mary Ann Gilbert uit om binnen te komen.

Hij praatte, zij praatte. Zij praatte over haar kleine zusje, Colleen, dat twee jaar eerder was gestorven aan taaislijmziekte, en wier lange, zware sterfproces het gezin dicht bij elkaar had gebracht en haar had geïnspireerd om verpleegster te worden. Ze praatte over schoolvriendinnen en de nonnen van wie ze les had gehad. Ze praatte over haar ouders en grootouders en over Rafe. Bij haar ging het allemaal over de mensen die ze liefhad. Onvoorwaardelijk enthousiasme vond Gilbert over het algemeen nogal vermoeiend, maar Mary Anns lovende woorden leken niet bedoeld om zichzelf meer glans te geven of een zekere bitterheid te maskeren, het was gewoon haar karakter. Zo was ze, en daarom mocht hij haar, zoals hij het ook prettig vond dat ze niet alles in twijfel trok maar het trouwhartig aannam, als een kind.

Ze had zichzelf leren gitaarspelen en soms was ze bereid iets voor hem te spelen en te zingen, oude ballades over mijnrampen en goede jongens die waren opgeknoopt wegens stroperij, over jonkvrouwen die hun baby hadden verdronken. Hij kon zien dat de tekst haar ontroerde, zozeer dat haar stem het soms enige tellen begaf; dan beet ze op haar onderlip en staarde naar de vloer. Ze draaide folksongs op de pick-up en luisterde ernaar met gesloten ogen. Ze hield ook van Roy Orbison en de Fleetwoods en Ray Charles. Op een avond kwam ze met een schaaltje fudge uit de keuken toen 'Born to Lose' net begon. Gilbert stond op en bood haar zijn hand met een dandyachtige buiging die ze lachend had kunnen wegwuiven als ze gewild had. Ze zette het bord neer en pakte zijn hand en ze begonnen te dansen, eerst stijfjes, op afstand, daarna soepel en dicht tegen elkaar aan. Ze pasten perfect bij elkaar. Echt perfect. Hij voelde haar heupen en dijen tegen zich aan wrijven, de warmte van haar huid. Haar warme hand kneep in de zijne. Hij ademde het parfum in van lavendelwater en de zonnige geur van haar haar, de licht zilte geur van haar lichaam. Hij ademde het allemaal nog eens in, en nog eens. En toen voelde hij hem stijf worden en tegen haar omhoogkruipen, zodat ze het wel moest merken, ze moest het wel merken en hij wachtte tot ze zou terugwijken. Dat deed ze niet. Ze bleef zich dicht tegen hem aandrukken tot het nummer was afgelopen, en daarna nog eventjes. Toen stapte ze achteruit, liet Gilberts hand los en vroeg met een hese stem of hij wat fudge wilde. Ze stond tegenover hem maar slaagde erin hem niet aan te kijken.

'Misschien straks,' zei hij en stak opnieuw zijn hand uit. 'Mag ik de eer?'

Ze liep naar de bank en ging zitten. 'Ik ben zo onhandig.'

'Nee, niet waar. Je danst echt geweldig.'

Ze schudde haar hoofd.

Hij ging in de stoel tegenover haar zitten. Ze keek hem nog

steeds niet aan. Ze vouwde haar handen in elkaar en tuurde ernaar.

Toen zei ze: 'Hoe komt het dat Rafes vader altijd op hem zit te hakken?'

'Weet ik niet. Er is geen speciale reden voor. Ze liggen elkaar niet, denk ik.'

'Het lijkt of hij niets goed kan doen. Zijn vader laat hem nooit met rust, zelfs niet als ik erbij ben. Hij is nu vast doodongelukkig.'

Het was waar dat noch Rafes vader noch zijn moeder veel met Rafe ophad. Gilbert had geen idee waarom dit zo was. Evengoed was het vreemd dat dit onderwerp zomaar uit het niets opkwam, en zij plotseling bijna in tranen was. 'Maak je over Rafe maar geen zorgen,' zei hij. 'Rafe kan wel op zichzelf passen.'

De grootvadersklok begon te spelen en sloeg daarna twaalf keer. De klok was speciaal gemaakt voor dit zitkamerameublement, en de blikkige, valse klank werkte op Gilberts zenuwen. Het hele huis werkte op zijn zenuwen: de schilderijtjes, de bij elkaar passende koloniale meubelen, die ene plank vol gecomprimeerde boeken. Het leek wel zo'n huis waarin Russische spionnen Amerikaan moesten worden.

'Het is gewoon zo oneerlijk,' zei Mary Ann. 'Rafe is zo aardig.'

'Het is een goeie gozer, Rafe,' zei Gilbert. 'Absoluut. Kan niet beter.'

'Hij is echt geweldig.'

Gilbert stond op om te vertrekken, en nu keek Mary Ann hem wel aan, met een zekere schrik. Ze stond op en volgde hem naar buiten de veranda op. Toen hij aan het eind van het tuinpad omkeek, stond ze naar hem te kijken met haar armen gekruist voor haar borst. 'Bel me morgen,' zei ze. 'Oké?'

'Ik was van plan om wat te gaan lezen,' zei hij. Toen zei hij: 'Ik zie wel. Ik zie wel hoe het gaat.'

De volgende avond gingen ze bowlen. Het was Mary Anns idee. Ze kon goed bowlen en was er openlijk op uit om te winnen. Bij elke treffer gooide ze haar hoofd achterover en slaakte een kreet van triomf. Ze twijfelde aan Gilberts puntentelling tot hij geïrriteerd raakte en zei dat zij het dan maar moest doen, wat ze deed zonder ook maar voor de vorm te protesteren. Toen haar bal in de goot terechtkwam, beweerde ze dat ze was uitgegleden op een natte plek en stond ze erop de worp over te doen. Hij liet het niet toe, hij begreep dat ze hem erom zou verachten, maar op de een of andere manier stemde haar schaamteloosheid hem opgewekter dan hij de hele dag geweest was.

Toen hij voor haar huis stopte, zei Mary Ann: 'De volgende keer zal ik je een paar tips geven. Je zou het heel aardig kunnen als je wist wat je aan het doen was.'

Bij het horen van dat 'volgende keer' zette hij de motor af, draaide zich opzij en keek haar aan. 'Mary Ann,' zei hij.

Zoveel had hij nooit eerder gezegd.

Ze keek recht voor zich uit en gaf geen antwoord. Toen zei ze: 'Ik heb dorst. Wil je een glaasje sap of zoiets?' Voor Gilbert iets kon zeggen, voegde ze eraan toe: 'We moeten wel buiten zitten, oké? Volgens mij hebben we mijn vader gisteren wakker gemaakt.'

Hij wachtte op de verandatreden terwijl Mary Ann naar binnen ging. Op de balustrade van het balkon stonden potten verf met kwasten erop. Kapitein McCoy krabde elk jaar één kant van het huis af om die opnieuw te schilderen. Dit jaar deed hij de voorkant. Net iets voor hem, om het over één kant per jaar uit te smeren. Gilbert had de kapitein een keer geholpen gestampt ijs te maken voor de drankjes. Bij de methode die de kapitein hanteerde hield hij één ijsblokje vast en sloeg er met een hamer op tot het was vermorzeld. Dan het volgende ijsblokje. Enzovoorts. Toen Gilbert een heel bakje tegelijk in een handdoek wikkelde en ermee tegen het aanrecht begon te beuken, pakte de kapitein de handdoek van hem af. 'Zo doe je dat niet!' zei hij. Hij haalde nog een hamer voor Gilbert, en vervolgens stonden ze samen de ijsblokjes een voor een stuk te slaan.

Mary Ann kwam naar buiten met twee glazen sinaasappelsap. Ze ging naast Gilbert zitten en ze dronken wat en keken naar de Buick die onder de straatlantaarn stond te glanzen.

'Ik heb morgen vrij,' zei Gilbert. 'Heb je zin om een eindje te gaan rijden?'

'Jee, ik wou dat ik meekon. Ik heb mijn vader beloofd dat ik het hek zou schilderen.'

'Nou, dan gaan we schilderen.'

'Dat hoeft niet. Het is je vrije dag. Ga maar iets doen.'

'Schilderen is ook iets doen.'

'Iets leuks, dompie.'

'Ik vind schilderen leuk. Ik ben eigenlijk dol op schilderen.'

'Gilbert.'

'Zonder gekheid, ik ben dol op schilderen. Vraag het mijn ouders maar. Als ik maar even de tijd heb sta ik buiten te kwasten.'

'Ach, klets.'

'Hoe laat beginnen we? Kijk, het is pas drie uur geleden sinds ik mijn laatste hek gedaan heb, en mijn hand begint nu al te trillen.'

'Hou eens op! Ik weet het niet. Maakt niet uit. Na het ontbijt.'

Hij dronk zijn sap op en rolde het glas tussen zijn handen heen en weer. 'Mary Ann.' Hij voelde haar aarzeling.

'Ja?'

Hij bleef het glas heen en weer rollen. 'Wat vinden je ouders ervan dat wij zoveel met elkaar omgaan?'

'Ze vinden het niet erg. Volgens mij zijn ze er eigenlijk wel blij om.'

'Ik ben niet direct hun type.'

'Ha. Daar zeg je wat.'

'Waar zijn ze dan zo blij om?'

'Jij bent Rafe niet.'

'Hoezo, mogen ze Rafe dan niet?'

'Jawel, ze mogen hem graag. Heel graag. Ze zeggen altijd dat als zij een zoon hadden gehad, enzovoorts. Maar mijn vader vindt het te serieus worden tussen ons.'

'Aha, het wordt te serieus. Dus ik ben het komische intermezzo.'

'Dat moet je niet zeggen.'

'Ben ik niet het komische intermezzo?'

'Nee.'

Gilbert legde zijn ellebogen op de tree achter zich. Hij keek op naar de hemel en zei voorzichtig: 'Over een paar dagen is hij er weer.'

'Weet ik.'

'En dan?'

Ze boog zich naar voren en keek de tuin in alsof ze daar een geluid had gehoord.

Hij wachtte een tijdje, zich bewust van elke keer dat hij ademhaalde. 'En dan?' zei hij weer.

'Ik weet het niet. Misschien... ik weet het niet. Ik ben echt nogal moe. Dus je komt morgen, ja?'

'Als je dat wil.'

'Je zei dat je zou komen.'

'Alleen als jij het wil.'

'Ik wil het.'

'Oké. Goed. Tot morgen dan.'

Gilbert ging onderweg naar huis nog even naar een restaurant. Hij at een stuk appeltaart, dronk daarna koffie en keek naar de langsrijdende auto's. Voor de gewone voorbijganger moest het er behoorlijk tragisch uitzien, dacht hij, zoals hij daar in zijn eentje zat met een kop koffie, zijn gezicht gehuld in de kringelende rook van een sigaret. En het vreemde was dat die voorbijganger gelijk zou hebben. Hij stond op het punt om zijn beste vriend te verraden. Om Rafe te beroven van de twee mensen die hij het meest vertrouwde, en mogelijk ook van zijn vertrouwen zelf, besefte hij. Hij zou zichzelf ook verraden, zijn overtuiging, ergens diep onder die stroom van lichtzinnige spot, dat hij betrouwbaar en loyaal was. En hij wist wat hij aan het doen was. Daarom was het allemaal zo tragisch, omdat hij wist wat hij aan het doen was en niet anders kon.

Hij had het helemaal uitgedacht. Hij kon zichzelf redenen verschaffen. Rafe en Mary Ann zouden vroeg of laat toch uit elkaar zijn gegaan. Rafe ging de grote wereld in. Hij besefte het nog niet, maar hij ging hen achter zich laten. Hij zou kamergenoten krijgen, jongens uit rijke families die hem voor de vakantie bij hen thuis zouden uitnodigen, met hem zouden gaan skiën en zeilen. Hij zou in smoking naar debutantenbals gaan en daar meisjes ontmoeten van Smith en Mount Holyoke, meisjes die filosofie en Engels studeerden, meisjes met ideeën die dezelfde boeken lazen als hij en nog andere boeken hadden gelezen, die dingen konden zeggen die hij niet van hen verwacht zou hebben. Hij zou belangstelling krijgen voor een van die meisjes en met zijn vrienden uitstapjes maken naar haar universiteit. Ze zou naar New Haven komen. Ze zouden elkaar in Boston en New York ontmoeten. Hij zou kennismaken met haar ouders. En op de eerste dag van zijn volgende bezoek aan thuis zou de fatsoenlijke Rafe Mary Anns huis binnenstappen en na een halfuur weer vertrekken met een verdrietig gezicht en een hart dat bonsde van blijdschap. Daarna zou hij niet meer zo vaak thuiskomen. Wie moest hem van zo ver terug naar huis lokken? Zijn ouders niet, die oude krokodillen. Mary Ann ook niet. Hijzelf? De goeie ouwe Gilbert? Kom nou.

En Mary Ann, hoe zou het Mary Ann vergaan? Als Rafe haar had bedrogen en daarna als een baksteen had laten vallen, wat zou er dan gebeuren met die simpele goedhartigheid van haar? Zou ze die gaan wantrouwen, op haar hoede raken? Hij deed er goed aan alles in het werk te stellen om dat te verhinderen.

Dat waren de redenen en Gilbert vond het goede redenen, maar hij kon ze niet gebruiken. Hij wist dat hij zou doen wat hij ging doen, ook al bleef Rafe thuis en ging hij hier samen met hem studeren, ook al zat er een tikkeltje meer berekening achter Mary Anns gedrag. Redenen hadden altijd een doel, ze moesten de schijn wekken van een strijd tussen principes en verlangens. Maar er was geen strijd geweest. Principes verloren hun macht zodra je ontdekte wat je moest en zou hebben.

Kapitein McCoy was bezig mevrouw McCoy te helpen instappen toen Gilbert achter hun auto stopte. De kapitein wachtte tot zijn vrouw haar rokken naar binnen had gegaard, sloot toen het portier en liep naar de Buick. Gilbert liep hem om de auto tegemoet.

'Mary Ann zei dat je gaat helpen met het hek.'

'Ja, meneer.'

'Het is niet zoveel, dat duurt niet al te lang.'

Ze keken allebei naar het hek, een bijna twintig meter lange rij puntige witte latten langs het trottoir. Mary Ann kwam de veranda op en mimede hallo.

Kapitein McCoy zei: 'Zou jij de verf willen gaan halen? In die winkel van Glidden aan California Avenue. Zeg maar dat het voor mij is.' Hij opende zijn portier, keek toen weer naar het hek. 'Krab het maar goed af. Dat is het geheim. Goed afkrabben, dan gaat de rest vanzelf. En probeer geen verf op het gras te morsen.'

Mary Ann kwam door het tuinhek aanlopen en wuifde toen haar ouders wegreden. Ze zei dat ze naar haar grootmoeder in Bremerton gingen. 'Nou,' zei ze. 'Wil je koffie of zo?'

'Ik hoef niets.'

Hij volgde haar over het tuinpad. Ze had een afgeknipte spijkerbroek aan en hij keek hoe haar gladde witte benen zich
spanden toen ze de verandatreden op liep. Kapitein McCoy
had twee krabbers en twee kwasten op de balustrade klaargen-
legd, alle vier precies evenwijdig naast elkaar. Mary Ann gaf
Gilbert een krabber en ze liepen terug naar het hek. 'Wat een
dag!' zei ze. 'Wat een prachtige dag, hè!' Ze knielde rechts van
het tuinhek en begon te krabben. Daarna keek ze om naar de
toekijkende Gilbert en zei: 'Doe jij die kant? Dan kijken we wie
er het eerste klaar is.'

Er was niet veel te krabben, wat blaren, hier en daar een af-
bladderend plekje. 'Dat hek is nog in goede staat,' zei Gilbert.
'Waarom schilderen jullie het?'

'Het hoort bij de voorkant. Als we de voorkant schilderen,
schilderen we het hek ook altijd.'

'Het is niet nodig. Het moet alleen wat bijgewerkt worden.'

'Misschien wel, ja. Maar pap wil dat we het helemaal schilderen. Hij schildert het altijd als hij de voorkant schildert.'

Gilbert keek naar het glimmende witte huis, het helgroene,
onkruidloze, minutieus gemillimeterde gazon.

'Raad eens wie er vanochtend belde,' zei Mary Ann.

'Nou?'

'Rafe! Er was een zware storm op komst, daarom zijn ze eerder vertrokken. Hij komt vanavond thuis. Hij klonk echt geweldig. Je krijgt de groeten van hem.'

Gilbert haalde de krabber over een lat heen en weer.

'Het was zo fijn om zijn stem te horen,' zei Mary Ann. 'Ik wou
dat je hier was geweest, dan had je hem ook even kunnen spreken.'

Er kwam een jongetje langs op een fiets, met kartonnetjes
die langs de spaken ratelden.

'We zouden iets moeten doen,' zei Mary Ann. 'Om hem te

verrassen. Misschien kunnen we met de auto naar zijn huis gaan, zodat we voor zijn huis zitten te wachten als hij terugkomt. Zou dat niet leuk zijn?'

'Dan kan ik daarna niet meer naar huis.'

'Rafe kan je naar huis brengen.'

Gilbert ging op zijn hielen zitten en keek naar Mary Ann. Ze was halverwege haar kant van het hek. Hij wachtte tot ze zich naar hem zou omdraaien. In plaats ervan boog ze zich voorover om een plekje vlak boven de grond te doen. Haar haar viel naar voren en legde haar nek bloot. 'Misschien kun je iemand mee vragen,' zei ze.

'Iemand mee vragen? Wat bedoel je, een meisje?'

'Ja. Het zou leuk zijn als jij een meisje had. Dat zou perfect zijn.'

Gilbert gooide de krabber tegen het hek. Hij zag Mary Ann verstijven. 'Dat zou helemaal niet perfect zijn,' zei hij. Toen ze zich nog altijd niet omdraaide, stond hij op en liep over het tuinpad en door het huis naar de keuken. Hij beende heen en weer. Hij liep naar de gootsteen, dronk een glas water en bleef daar staan met zijn handen op het aanrecht. Hij zag wel wat Mary Ann voor ogen had: zij samen in de open auto, zij in één sprong eruit als Rafe kwam aanrijden, de wilde omhelzing. Rafe ongeschoren, riekend naar rook en natuur, een beetje beduusd van al die emotie in het bijzijn van zijn vader, maar ook gestreeld, geamuseerd. En al die tijd stond Gilbert koeltjes toe te kijken, met zijn handen in zijn zakken, klaar om de sluwe, spottende opmerkingen te maken die Rafe zouden vertellen dat alles nog hetzelfde was. Zo zag zij het voor zich. Alsof er niets was gebeurd.

Mary Ann was zo ongeveer klaar met haar kant toen Gilbert weer naar buiten kwam. 'Ik ga de verf halen,' zei hij tegen haar. 'Ik geloof niet dat er aan mijn kant nog veel te krabben valt, maar je kunt even kijken.'

Ze kwam overeind en probeerde te glimlachen. 'Dank je,' zei ze.

Hij zag dat ze had gehuild, en dat stemde hem niet milder maar stijfde hem in zijn voornemen.

Mary Ann had het dekzeil al uitgespreid en één kant onder het hek doorgetrokken zodat er geen druppels op het gras zouden vallen. Toen Gilbert het blik openmaakte, lachte ze en zei: 'Kijk nou! Ze hebben je de verkeerde kleur meegegeven.'

'Nee, dit is precies de goede kleur.'

'Maar dit is rood. We moeten wit hebben. Zoals het nu is.'

'Je moet het niet wit maken, Mary Ann. Geloof me.'

Ze fronste haar wenkbrauwen.

'Rood is de perfecte kleur voor dit hek. Ik wil je niet beledigen, maar wit is de ergste kleur die je had kunnen kiezen.'

'Maar het huis is ook wit.'

'Precies,' zei Gilbert. 'De huizen ernaast ook. Als je dit hek ook nog wit maakt, wordt het helemaal saai. Alsof je in een ziekenhuis ligt, begrijp je wat ik bedoel?'

'Ik weet het niet. Het is wel veel wit, misschien.'

'Wat dat rood zal doen, dat rood zal voor wat contrast zorgen en de bakstenen van het tuinpad beter laten uitkomen. Dat is precies wat je hier moet hebben.'

'Tja, misschien wel. Het punt is, ik denk niet dat ik dat kan doen. Deze keer niet. De volgende keer misschien, als mijn vader het wil.'

'Luister eens, Mary Ann. Wat jouw vader wil is dat jij je eigen verstand gebruikt.'

Mary Ann bekeek het hek met toegeknepen ogen.

'Je moet me vertrouwen, oké?'

Ze zoog haar onderlip naar binnen, knikte toen. 'Oké. Als je het zeker weet.'

Gilbert doopte zijn kwast in de verf. 'De wereld is al kleurloos genoeg, ja toch? Iedereen heeft het altijd over de banaliteit van het kwaad – hoe zit het met het kwaad van de banaliteit?'

Ze schilderden de hele ochtend, tot in de middag door. Nu en dan deed Mary Ann een paar passen naar achteren om het resultaat op zich te laten inwerken. Eerst hield ze haar gedachten voor zich. Hoe meer ze hadden geschilderd, hoe meer ze erover te zeggen had. Toen het hek bijna af was, liep ze de straat op en bleef daar staan met haar handen op haar heupen. 'Interessant, hè? Het is echt anders. Ik zie wat je bedoelt, dat die bakstenen zo beter uitkomen. Maar het is wel erg rood.'

'Het is perfect.'

'Denk je dat mijn vader het mooi zal vinden?'

'Je vader? Die zal het te gek vinden.'

'Denk je, Gilbert? Denk je dat echt?'

'Wacht maar tot je zijn gezicht ziet.'

De ketting

Brian Gold stond boven aan de heuvel toen de hond aanviel. Een groot zwart wolfachtig beest aan een ketting sprong van een achterveranda, stoof door de tuin het park in en rende ondanks de diepe sneeuw met vloeiende bewegingen op Golds dochter af. Gold wachtte tot de ketting de hond tot staan zou brengen; de hond bleef dichterbij komen. Gold stortte zich schreeuwend de helling af. Sneeuw en wind dempten zijn stem. Anna's slee was bijna onder aan de helling. Gold had de capuchon van haar parka over haar hoofd getrokken tegen de priemende sneeuwvlagen, en hij wist dat ze hem niet kon horen en de hond ook niet op zich af zag rennen. Hij was zich bewust van de snelheid van de hond en zijn eigen tempo als in een droom, het gewicht van zijn rubber laarzen, de korst onder de verse sneeuw waarin zijn voeten bleven steken. Zijn jas flapperde om zijn knieën. Hij gaf nog één laatste schreeuw toen de hond haar aanvloog, en op dat moment dook Anna weg en kreeg de hond haar schouder te pakken in plaats van haar gezicht. Gold was nauwelijks halverwege de helling, met pompende armen en voeten die steeds weggleden in hun laarzen. Hij leek al rennend pas op de plaats te maken, alsof hij op een onoverbrugbare afstand werd vastgehouden terwijl de hond Anna achterover van de slee trok en als een pop heen en weer schudde. Gold wierp zich hulpeloos de helling af, toen slonk de afstand ineens en was hij er.

De slee lag ondersteboven, de sneeuw was omgewoeld. De hond beschouwde dit als zijn terrein. Hij had Anna nog bij haar schouder beet. Gold hoorde de razernij in zijn lijf zieden. Hij zag de gespannen achterpoten, de platliggende oren en een rode glinstering van tandvlees onder de gerimpelde snuit. Anna lag op haar rug, met een verbleekt gezicht dat leeg naar de hemel staarde. Ze had er nog nooit zo kleintjes uitgezien. Gold greep de ketting en rukte eraan, maar kon zich in de sneeuw niet schrap zetten. De hond ging alleen maar woester grommen en begon Anna opnieuw heen en weer te schudden. Ze maakte geen geluid. Bij haar stilzwijgen werd Gold hol en koud vanbinnen. Hij wierp zich op de hond, haakte een arm om zijn nek en gaf er een harde ruk aan. Nog liet de hond niet los. Gold voelde de lichaamswarmte van het beest en het diepe gegrom van zijn verbeten wil. Met zijn andere hand probeerde hij de bek open te wrikken. Zijn handschoenen werden glibberig van het kwijl, hij kreeg er geen greep op. Golds mond zat naast het oor van de hond. Hij zei: 'Laat los, godverdomme', en toen nam hij het oor tussen zijn tanden en beet er uit alle macht in. Hij hoorde een jankende kreet en kreeg een klap tegen zijn neus, waardoor hij achterover werd geworpen. Toen hij zich overeind hees, rende de hond al naar huis, daarbij heftig met zijn kop schuddend zodat de sneeuw besproeid werd met bloed.

'Het heeft alles bij elkaar misschien zestig seconden geduurd,' zei Gold. 'Misschien nog minder. Maar het leek een eeuwigheid.' Hij had het verhaal nu vele malen verteld en zei dit er altijd bij. Hij wist hoe afgezaagd het was om zich erover te verbazen hoe de seconden zich uitrekten of tot stilstand kwamen, maar hij kon het niet laten. Hij kon het evenmin laten om te herhalen dat het een 'wonder' mocht heten — aldus de radioloog — dat Anna niet verminkt, verlamd of zelfs gedood was; dat haar dokter niet begreep hoe ze aan bot- en zenuwschade had kunnen ontsnappen. Ondanks de zware kneuzingen was haar huid niet eens doorboord.

Gold hield van het gezicht van zijn dochter. Hij hield van haar gezicht als een op zichzelf staand object, iets dat hij vol aandacht en verwondering kon observeren. Maar na de aanval kon hij niet meer op dezelfde manier naar Anna kijken. Hij bleef zien hoe de hond haar aanvloog en hijzelf voor eeuwig aan de grond genageld op die heuvel stond; dan begon zijn hart te bonzen en werd hij gespannen, ongedurig en kwaad. Hij wilde niet meer aan die hond denken, hij wilde hem weg hebben. Hij zou afgemaakt moeten worden. Hij was gestoord, een gevaar, en hij was er nog steeds, klaar om een ander kind aan te vliegen, want de politie weigerde er iets aan te doen.

'Ze doen er niets aan,' zei hij. 'Helemaal niets.'

Hij was het verhaal op een zondagmiddag, een week na de aanval, nog eens helemaal aan het recapituleren met zijn neef Tom Rourke. Gold had hem de avond nadat het gebeurd was opgebeld, maar het stukje over de politie was nieuw en zoals Gold al had verwacht, begon Rourke zich vreselijk op te winden. Zijn neef had een veeleisend, prikkelbaar rechtvaardigheidsgevoel en een kant-en-klare voorraad loyale verontwaardiging waar Gold al sinds hun jongensjaren uit had kunnen putten. Hij was nu een week alleen met zijn kwaadheid en had behoefte aan gezelschap. Zijn vrouw beweerde wel dat zij ook kwaad was, maar zij had niet gezien wat hij had gezien. Voor haar was de hond iets abstracts, en ze was toch al niet het type dat over iets bleef tobben.

'Wat was hun excuus?' wilde Rourke weten. 'Wat voor reden gaven die smerissen op voor hun volslagen hopeloze optreden?'

'Die ketting,' zei Gold. 'Ze zeiden – dit slaat echt alles – ze zeiden dat er geen wet was overtreden omdat die hond aan een ketting lag.'

'Maar die hond lag toch niet aan een ketting?'

'Jawel, maar die ketting reikt tot in het park. Ik bedoel echt een heel eind, wel tien, twaalf meter.'

'Volgens die redenering zou hij aan een ketting van twintig kilometer kunnen liggen en godver volkomen legaal de hele stad kunnen verslinden.'

'Precies.'

Rourke stond op en liep naar het grote raam. Hij stond vlak voor de ruit en keek met duistere blik naar de vallende sneeuw. 'Wat is dat toch met nazi's en honden? Die hebben echt wat met elkaar, is dat je ooit opgevallen?' Nog steeds naar buiten kijkend zei hij: 'Heb je er met een advocaat over gesproken?'

'Eergisteren.'

'En wat zei die?'

'Het is een zij. Kate Stiller. Ze zei dat de politie onzin uit-kraamt. Daarna zei ze dat ik het maar uit mijn hoofd moest zetten. Volgens haar is die hond al van ouderdom gestorven voor wij ooit een rechtszaal van binnen hebben gezien.'

'Ziedaar ons juridisch stelsel, mijn beste Brian. Ze geven je alle gerechtigheid die je hebben wil, met de boodschap dat je die maar in je reet moet steken.'

Er klonk een luide bons op het plafond. Anna was boven aan het spelen met Rourkes zoontje, Michael. Beide mannen sloe-gen hun ogen op en wachtten, en toen er niemand begon te gil-len, zei Gold: 'Ik weet niet waarom ik de moeite heb genomen haar te bellen. Ik heb het geld niet om een advocaat te betalen.'

'Weet je hoe het gegaan is?' zei Rourke. 'De smeris die de klacht behandelde heeft misgekleund, en nu wordt hij door de anderen gedekt. Goed, wil je hem uit de weg hebben?'

'Die smeris?'

'Ik dacht eerder aan die hond.'

'Bedoel je of ik die hond dood wil hebben?'

Rourke keek Gold alleen maar aan.

'Bedoel je dat? Of die hond dood moet?'

Rourke grinnikte, maar hij zei nog steeds niets.

'Hoe dan?'

'Hoe wil je dat het gebeurt?'

'Jezus, Tom, ik kan niet geloven dat ik dit aan het bespreken ben.'

'Toch is het zo.' Rourke schoof de kunstleren poef met zijn voet opzij tot hij tegenover Gold stond, ging er toen op zitten en leunde naar voren, zo dicht tegenover Gold dat hun knieën elkaar raakten. 'Geen vergif, geen glas. Dat is laf geknoei, dat zou ik mijn ergste vijand nog niet aandoen. Het moet in één keer raak zijn.'

'Jezus, Tom.' Gold probeerde te lachen.

'Je kunt mijn Remington met telescoop gebruiken, dan pak je hem vanaf de heuvel. Of als je wil, kun je het van dichtbij doen met het jachtgeweer of de 44 Magnum. Heb je wel eens met een pistool geschoten?'

'Nee.'

'Laat die Magnum dan maar.'

'Ik kan het niet doen.'

'Natuurlijk wel.'

'Ze zullen weten dat ik het was. Ik maak al een hele week heibel over die hond. Wie denk je dat ze gaan zoeken als hij daar plotseling ligt met een gaatje in zijn kop?'

Rourke zoog zijn wangen naar binnen. 'Daar heb je een punt,' zei hij. 'Oké, jij kunt het niet doen. Maar ik wel.'

'Nee. Niks ervan, Tom.'

'Jij gaat die avond met Mary uit eten. Bij Chez Nicole of Pauly's, een klein restaurant waar ze je zich zullen herinneren. Tegen de tijd dat je thuiskomt is alles achter de rug en kunnen ze je niks maken.'

Gold dronk zijn bier op.

'We moeten dit aanpakken, Brian. Als wij het niet doen, doet niemand het.'

'Misschien moet ik het dan maar doen. Misschien. Zoiets door jou laten doen, dat voelt gewoon niet goed.'

'En dat die hond nog vrij rondloopt na wat hij Anna heeft aangedaan? Voelt dat wel goed?' Toen Gold geen antwoord gaf, schudde Rourke aan zijn knie. 'Heb je die rothond echt in zijn oor gebeten?'

'Ik kon niet anders.'

'Heb je het eraf gebeten?'

'Nee.'

'Maar het bloedde wel, hè? Je hebt bloed geproefd.'

'Ik kreeg wel wat in mijn mond, ja. Daar was niks aan te doen.'

'En het smaakte goed, hè? Kom op, Brian, maak mij niks wijs, het smaakte goed.'

'Het gaf me een zekere voldoening,' zei Gold.

'Je wil het doen zoals het hoort,' zei Rourke. 'Daar heb ik begrip voor. Dat kan ik waarderen. Jij moet het zeggen, oké? Maar het aanbod blijft staan.'

Gold wist dat Rourke die opmerking over nazi's en honden niet debiteerde als resultaat van diep nadenken, maar omdat mensen voor nazi uitmaken zijn eerste reactie was op alles wat hem ergerde of griefde. Maar toen hij het Rourke eenmaal had horen zeggen, kon Gold het niet meer uit zijn hoofd zetten. Het beeld dat hem voor ogen kwam was iets dat hij zich al eerder had voorgesteld: een rij razende honden die joden opjoegen over een perron.

Gold was joods van zijn vaders kant, maar zijn ouders waren gescheiden toen hij jong was en hij was katholiek opgevoed door zijn moeder. Zijn naam paste niet bij hem, hij klonk hem ironisch in de oren. Waar kon je, als je 'Gold' hoorde, anders aan denken dan aan goud? Met die naam zou hij een goocheme goudvink moeten zijn in plaats van een paapse sloeber met een zieltogende zaak. De zwarte jongeren die zijn videotheek beklantten waren onmiskenbaar die mening toegedaan. Ze spraken hem op spottend-formele toon aan met 'Mister Goold', het woord rekkend alsof het hier het kostbare metaal zelf betrof. Als ze geld tekortkwamen voor de huur van een video, voelden sommigen zich niet te goed om hem te vragen het verschil bij te passen uit zijn eigen welgevulde zakken, en veinsden ze verbazing als hij dat weigerde. De roestige Toyota die altijd voor de zaak geparkeerd stond wekte verbazing en onderlinge discussies; ze snapten niet waarom hij, met al zijn geld, geen fatsoenlijke auto kocht. Op een avond opperde een meisje dat met haar vriendinnen bij de toonbank stond dat Gold zijn Cadillac thuisliet omdat hij bang was dat de zwarten hem zouden stelen. Ze zaten hem een beetje te dollen, ze maakten maar gekheid, maar toen ze dat zei, zweeg iedereen alsof er een harde waarheid was uitgesproken.

Een Cadillac. Wat dacht je anders?

Na jaren van vervreemding was Gold teruggekeerd tot de katholieke kerk en ging hij wekelijks naar de mis om zijn fragiele geloof levend te houden, maar hij begreep dat hij in de ogen van de buitenwereld een jood was. Hij had nooit geweten wat hij daarmee aanmoest. Hij zag wel dingen in zichzelf die hij als joods beschouwde, eigenschappen die niet opvielen tussen de merendeels Ierse jongens met wie hij was opgegroeid, onder wie ook zijn neven. Leeshonger, geduld, een voorliefde voor klassieke muziek en ingewikkeld gemoraliseer, een aversie tegen alcohol en geweld. Daar kon hij mee leven. Maar hij had ook zekere andere, hem minder dierbare trekjes waarvan hij ook vermoedde dat ze joods waren. Een bijtende zelfspot. Aanvallen van bijna verlammende scepsis. Fysieke onhandigheid. Een neiging tot passiviteit, capitulatie zelfs, wanneer hij werd belaagd of in het nauw gedreven. Gold wist dat die denkbeelden over de joodse identiteit ook leefden onder antisemieten, en hij probeerde zich er niet door te laten beïnvloeden, maar zonder veel succes.

Bij het al vertrouwde beeld dat Rourke had opgeroepen, van joden die door honden bijeen werden gedreven, voelde Gold iets van die berusting die hij bij zichzelf zo haatte. Hij wist dat het niet eerlijk was om het mensen kwalijk te nemen dat ze niet in verzet waren gekomen tegen een kwaad dat ze zich juist door hun onschuld niet konden voorstellen, maar hoewel hij toegaf dat ze werden geterroriseerd en uitgehongerd en in shock verkeerden, moest hij zich toch afvragen: waarom heeft niemand van hen een bewaker neergeslagen – zijn wapen gepakt – een paar van die schoften mee het graf in genomen? Waarom deed niemand iets? Hoewel hij besefte hoe verschrikkelijk onterecht die vraag was, had hij hem nooit echt laten rusten.

En met dat oude beeld nog levendig in zijn gedachten had Gold het gevoel dat die vraag nu aan hem werd gesteld. Waarom deed híj niets? Zijn eigen dochter was aangevlogen door precies zo'n hond, het scheelde een fractie of haar gezicht was er afgescheurd. Hij had de dolle woede van het beest gezien, zijn razende wil om te verwonden gevoeld. En de hond lag daar nog steeds op de loer omdat niemand, ook hij niet, bereid was om te doen wat er gedaan moest worden. Hij kon niet ontsnappen aan dat besef van zijn eigen gebrek aan daadkracht. In de dagen na zijn gesprek met Rourke werd het ondraaglijk. Waar hij ook was, thuis of op de zaak, hij stond steeds weer sprakeloos, aan de grond genageld op die heuvel te kijken hoe de hond met moordlust in zijn hart op Anna af rende en die ketting achter hem aan gleed als een oneindig lange zwarte slang.

Op een avond reed hij langs het park en stopte tegenover het huis waar de eigenaren van de hond woonden. Het was een koloniale villa met een hele rij dakkapellen, een duur, royaal bemeten huis, zoals de meeste huizen rond het park. Gold dacht dat hij wel kon raden waarom de politie zo lankmoedig was geweest. Dit was geen drugspand, geen nest vol veelplegers die de wet aan hun laars lapten. De sonore bons van de koperen klopper op de brede groene voordeur, de fonkelende luchter in de vestibule, de majesteitelijke draai in de trap met zijn monumentale wentelspil en glanzende leuning – aan alles kon je zien dat de wet hier onder vrienden was. Natuurlijk moest een hond wat kunnen rondrennen. Als mensen hun kinderen overal vrij lieten rondzwerven, moesten ze de consequenties voor lief nemen. Sommige mensen waren gewoon geboren querulanten.

Hoewel Gold geen enkel vertrouwen had in de politie, dacht hij dat hij hen wel begreep. Wie hij niet begreep waren de mensen die dit hadden laten gebeuren. Ze hadden nooit gebeld om hun verontschuldigingen aan te bieden of ook maar te vragen hoe het met Anna was. Het kon ze kennelijk niet schelen dat hun hond een gevaar was voor zijn omgeving. Gold was erheen gereden met het idee dat hij misschien eens met ze zou kunnen praten, om ze te laten inzien wat ze zouden moeten doen – alsof ze hem ook maar binnen zouden laten. Sukkel die hij was!

Die avond belde hij Rourke en zei dat hij het maar moest doen.

Het leek Rourke een geweldig plan als Gold op de bewuste avond met Mary uit eten zou gaan – op zijn kosten. Hij had een theatraal scenario voor ogen, waar kennelijk ook bij hoorde dat zij tweeën met champagne op hem zouden toosten terwijl hij deed wat hem te doen stond.

Gold sloeg het aanbod af. Mary wist niet wat ze in hun schild voerden, en hij kon niet drie uur lang tegenover haar aan een tafeltje zitten, terwijl de daad gepleegd werd nog wel, zonder het haar te vertellen. Ze zou het niet prettig vinden, maar ze zou het niet tegen kunnen houden; de wetenschap zou alleen maar als een last op haar drukken. Gold had een postdoctoraal student, Simms, in dienst die 's avonds voor hem in de zaak stond, behalve op dinsdag, omdat hij dan een werkgroep had. Hoewel Rourke Golds alledaagse dramaturgie maar teleurstellend vond, stemde hij toe: dinsdagavond zou het gebeuren.

Die ochtend viel er nog meer sneeuw, gevolgd door ijsregen. De straten en trottoirs waren bij het vallen van de avond nog beijzeld en Gold had weinig klandizie. Hij speelde een nieuwe video af op de monitor boven de toonbank, maar kon de plot niet volgen door de hectische beeldovergangen en de vreselijke muziek, daarom zette hij hem halverwege maar af en nam niet de moeite er een andere in te stoppen. Daarmee was het eigenaardig stil in de zaak. Misschien bleven zijn klanten daarom niet rondhangen zoals gewoonlijk, om nog wat met Gold of met elkaar te kletsen. Ze maakten hun keuze, betaalden en vertrokken. Hij probeerde de krant te lezen. Om half-negen belde Anna om te zeggen dat ze op school een poster-wedstrijd had gewonnen. Nadat ze had opgehangen, was Gold getuige van een vechtpartij voor de Domino's aan de overkant. Twee mannen, onder invloed van drank of drugs, stonden tegen elkaar te schreeuwen, en een van hen haalde onbeholpen uit naar de ander. Ze begonnen aan elkaar te sjorren en vielen samen op het ijs. Een leverancier en een van de koks kwamen naar buiten, hielpen hen overeind en leidden hen weg in tegengestelde richtingen. Gold warmde het restje chili con carne van zondag op in de magnetron. Langzaam etend keek hij naar de voortkruipende stoet auto's en de mensen die ineengedoken, behoedzaam langs zijn raam schuifelden. Mary was royaal geweest met de komijn, precies zoals Gold het lekker vond. Zijn voorhoofd werd vochtig van het zweet en hij trok zijn trui uit. De verwarmingselementen langs de plinten tikten. De lange tl-buizen zoemden boven zijn hoofd.

Rourke belde net voor tienen, toen Gold bezig was de zaak te sluiten. 'Scooter heeft zijn laatste bot begraven,' zei hij.

'Scooter?'

'Zo heette hij.'

'Ik wou dat je me dat niet verteld had.'

'Ik heb zijn halsband voor je meegenomen, als aandenken.'

'Godallemachtig, Tom.'

'Maak je geen zorgen, ze kunnen je niks maken.'

'Vertel me maar niets meer,' zei Gold. 'Ik ben bang dat ik te veel zal zeggen als de politie langskomt.'

'Die komen niet langs. Ik heb het zo geregeld dat ze er niet eens achter zullen komen wat er gebeurd is.' Hij kuchte. 'Het moest gebeuren, Brian.'

'Waarschijnlijk wel, ja.'

'Laat dat waarschijnlijk maar weg. Maar ik moet erbij zeggen dat het niet iets was wat ik nog eens zou willen doen.'

'Het spijt me, Tom. Ik had het zelf moeten doen.'

'Het was geen pretje, dat kan ik je wel vertellen.' Rourke zweeg. Gold hoorde hem ademen. 'Mijn ballen zijn er zowat afgevroren. Ik dacht dat ze dat klotebeest nooit meer naar buiten zouden laten.'

'Ik zal het niet vergeten,' zei Gold.

'*De nada*. Het is voorbij. Ga in vrede.'

Eind maart belde Rourke Gold over iets wat hém was overkomen. Hij stond te tanken op Eric Boulevard toen een BMW van de luchtslang achteruitreed en een sneedeuk in zijn portier maakte. Hij riep naar de bestuurder, een zwarte met een zonnebril en een gebreide muts op. De gozer negeerde hem. Hij keek recht voor zich uit en reed door het tankstation de weg op, maar niet voor Rourke zijn kenteken goed had bekeken. Het was zo'n kenteken voor ijdeltuiten en gemakkelijk te onthouden – SCUSE ME. Rourke belde de politie, die de bestuurder opspoorde en een bekeuring gaf wegens doorrijden na een aanrijding.

Tot zover niets aan de hand. Toen bleek dat de bestuurder niet verzekerd was. Rourkes maatschappij wilde het grootste deel van de rekening wel vergoeden – achthonderd dollar voor een deukje van niks! – maar hij bleef zitten met de driehonderd dollar eigen risico. Rourke vond dat die Mister scuse me het verschil maar moest bijpassen. Zijn verzekeringsagent gaf hem 's mans personalia, en Rourke begon hem te bellen. Hij belde twee keer op een redelijk tijdstip, na het avondeten, maar beide keren zei de vrouw die opnam dat hij niet thuis was en gaf ze Rourke het nummer van een club in Townsend Street, waar hij een antwoordapparaat kreeg. Hoewel hij een duidelijke boodschap had achtergelaten, hoorde hij niets meer. Ten slotte belde Rourke het eerste nummer om zeven uur 's morgens en kreeg hij de man zelf aan de lijn, de heer Vick Barnes.

'Vick met c-k,' zei Rourke. 'Is het jou wel eens opgevallen dat ze dat met hun namen doen? Als je Victor afkort, krijg je Vic, ja? V-i-c. Dus waar komt die kut-k ineens vandaan? Of neem Sean. S-e-a-n. Dat wordt al zo'n vijfhonderd jaar zo gespeld. Maar niet door die lui, die moeten het nodig spellen als S-h-a-w-n. Alsof ze sowieso al recht hebben op die naam.'

'Wat zei hij?'

'Ik kreeg een grote bek. Om te beginnen wordt hij kwaad dat ik hem wakker heb gebeld, dan zegt hij dat de politie hem ook al heeft lastiggevallen met dat gezeik en dat hij volgens hem niemand geraakt heeft trouwens. Daarna hangt hij op.'

Rourke zei dat hij wel beter wist dan nog eens te bellen; met die gozer ging hij toch niks bereiken. In plaats ervan was hij naar die club gegaan, Jack's Shady Corner, waar onze Vick Barnes bleek te werken als deejay, en ongetwijfeld nog wat bijverdiende met drugs. Dat deden al die deejays. Waar haalde hij anders de poen vandaan voor een gloednieuwe bmw? Maar Rourke moest toegeven dat hij wel een echte profi was, onze Mister Barnes, mooie fluwelen stem, vlotte babbel. Rourke had er een paar biertjes gedronken en naar de dansende mensen gekeken, daarna was hij op zoek gegaan naar de auto.

Hij stond niet op het parkeerterrein. Rourke neusde wat rond en vond hem apart in een hoekje achter de club, waar hij niet zou worden aangereden door dronken chauffeurs. Hij ging vanavond terug om Mister Barnes een koekje van eigen deeg te serveren, hij ging het hem met rente betaald zetten.

'Dat kun je niet doen,' zei Gold. 'Ze zullen weten dat jij het was.'

'Laat ze het maar bewijzen.'

Gold had van begin af aan begrepen waar dit verhaal naartoe ging, al wist Rourke dat zelf nog niet. Toen hij zei: 'Ik doe het wel', voelde het alsof hij de woorden uit een script voorlas.

'Hoeft niet, Brian. Ik heb het helemaal in de hand.'

'Wacht even. Blijf even aan de lijn.' Gold legde de hoorn neer en hielp een oude vrouw die *The Sound of Music* kwam huren. Daarna pakte hij de hoorn weer op en zei: 'Je wordt gegarandeerd gepakt.'

'Hoor eens, ik kan me niet zomaar door die gozer laten piepelen. Dan staat straks de hele stad in de rij om me in mijn reet te naaien.'

'Ik heb het je toch gezegd? Ik regel het wel. Vanavond niet – dan is er op school een talentenjacht. Donderdag.'

'Weet je het zeker, Brian?'

'Ik heb gezegd dat ik het zou doen. Heb ik dat net niet gezegd?'

'Alleen als je het echt wil. Oké? Voel je niet verplicht.'

Rourke kwam op donderdagmiddag naar de zaak met instructies en benodigdheden: tien liter buitenbeits om over de BMW heen te gieten, een jachtmes om de banden kapot te snijden en de lak te beschadigen en een breekijzer om de voorruit te verbrijzelen. Gold moest uiterst voorzichtig te werk gaan. Hij moest snel zijn. Hij moest zijn auto met draaiende motor en de neus naar een vrije uitweg achterlaten. Als het om de een of andere reden niet pluis leek, moest hij onmiddellijk vertrekken.

Ze laadden de spullen in de kofferbak van Golds auto.

'Waar ben jij straks?' vroeg Gold.

'Chez Nicole. Waar jij naartoe was gegaan als je enig gevoel voor stijl had gehad.'

'De laatste keer dat ik daar was heb ik er een goede tong à la meunière gegeten.'

'Een zware jongen als ik heeft liever biefstuk. *Rare.* We willen bloed proeven, wat jij, Brian.'

Gold keek de wegrijdende auto na. Het was een warme dag, de derde op rij. De sneeuw van vorige week was grauw geworden en etaleerde zijn sortering bierblikken en hondendrollen. De goten stroomden over van het smeltwater en de zon scheen op het natte trottoir en de glasscherven voor de Domino's, die drie weken geleden plotseling was gesloten. Rourkes remlichten flitsten op. Hij stopte en reed achteruit terug. Gold wachtte terwijl het elektrische raam omlaag ging, boog zich toen naar de auto.

'Voorzichtig, Brian. Oké?'

'Je kent me.'

'Zorg dat je niet gepakt wordt. Echt, dat is iets wat je absoluut moet vermijden.'

Gold reed om halftwaalf naar de club, met het idee dat het rond die tijd op een doordeweekse dag geen komen en gaan zou zijn van bezoekers. De gelegenheidsdrinkers zouden al naar huis zijn, terwijl de harde kern er nog eens goed voor ging zitten. Er stonden tien, twaalf auto's her en der op het parkeerterrein. Gold parkeerde zijn auto achteruit op een plek zo dicht mogelijk achter het gebouw. Hij zette de motor af en keek om zich heen, opende toen de kofferbak, pakte het breekijzer en gleed het donker in achter het gebouw. De bmw stond op de plek die

Rourke had aangegeven, op het korte pad van de steeg naar de afvalcontainer.

Gold was niet van plan de beits of het mes te gebruiken. Rourke had een deuk opgelopen; dat was geen reden om iemands auto te slopen. Met één flinke deuk terug stonden ze quitte en had hij zijn eigen schuld ook ingelost. Als Rourke meer wilde, mocht hij dat helemaal zelf regelen.

Gold liep om de auto heen – een prachtige wagen, een glanzende zwarte 328 met die speciale wielen waar bendeleden elkaar kennelijk voor omlegden. De garage waar Gold zijn Toyota liet repareren was ook de plaatselijke BMW-dealer, en hij bracht tijdens het wachten altijd een bezoekje aan de showroom. Hij genoot ervan de portieren open en dicht te doen, in de leren stoelen plaats te nemen en de versnellingspook te proberen, de verschillende uitvoeringen en prijzen te vergelijken. Met alles erop en eraan kwam dit model in de buurt van de veertig mille. Gold kon zich niet voorstellen dat die Vick Barnes met zijn deejaysalaris in aanmerking kwam voor zo'n lening, dus moest hij hem contant hebben betaald. Rourke had gelijk. Hij zat in de drugs.

Gold woog het breekijzer in zijn hand. Hij voelde de stuwende puls van de muziek door de muren van de club heen en hoorde de vocalist – zanger wilde hij hem niet noemen – dreigend en foeterend meebrullen. Het was een vreemde toestand. Je verkocht drugs aan je eigen mensen, je verwoestte hun buurten en veranderde hun kinderen in prostituees en straattuig en daarmee werd je de grote bink. Een man van vermogen en aanzien. Maar als je probeerde een bescheiden zaakje te runnen, hun gemeenschap iets goeds te brengen, was je een bloedzuiger, een parasiet. Mister Goold. Hij smakte het breekijzer in zijn handpalm. Hij overwoog om misschien toch maar wat met dat mes aan te richten. En de buitenbeits. Hij zag wel emplooi voor de beits.

Een vrouw op het parkeerterrein lachte en een man antwoordde met zachte stem. Gold dook achter de afvalcontainer en wachtte tot hun koplampen door het donker veegden en verdwenen. Zijn hand lag gespannen om het staal. Hij voelde zijn eigen woede en had er geen vertrouwen in. Alleen een gek handelde uit kwaadheid. Nee, hij zou precies doen wat fair was, en meer niet.

Gold liep naar de bestuurderskant van de BMW. Hij hield het breekijzer met beide handen vast en legde de bocht op bumperhoogte tegen het portier, op de plek waar Rourkes auto moest zijn geraakt. Hij verzette zijn voeten. Hij legde het breekijzer nog eens tegen het portier, daarna hief hij het op als een honkbalknuppel en haalde hij uit met alle kracht die hij in zich had, en besefte op het moment dat de beweging niet meer was terug te draaien dat hij zichzelf volledig had verraden. De klap schokte door zijn armen omhoog. Hij liet het breekijzer vallen en raapte het niet op.

Victor Emmanuel Barnes vond het daar drie uur later. Hij knielde en liet zijn hand over de rafelige scheur in het portier glijden, waarbij er schilfers lak onder zijn vingertoppen omkrulden. Hij wist precies wie dit gedaan had. Hij raapte het breekijzer op, gooide het op de passagiersstoel en reed regelrecht naar het flatgebouw waar Deveraux woonde. Hij sloeg huilend met zijn vuist op het dashboard terwijl hij door de lege straten joeg. Hij stopte met krijsende banden, greep het breekijzer en rende de trappen op naar Deverauxs flat. Hij bonkte op de voordeur. 'Ik zei toch volgende week, kankerlijer! Ik zei toch volgende week!' Hij hoorde stemmen, maar toen niemand opendeed, begon hij te schelden en ging met het breekijzer aan het werk. De deur kraakte en steunde. Toen gaf hij mee en struikelde Barnes om Deveraux schreeuwend de flat binnen.

Maar Deveraux was niet thuis. Zijn zestienjarige neefje Marcel was die nacht op de bank blijven slapen nadat hij Deveraux' zusje had geholpen met het schrijven van een opstel. Hij stond achter de deur terwijl Barnes bezig was hem open te wrikken. Zijn tante, zijn neefjes en nichtjes en zijn oma verzamelden zich achter hem aan het eind van de gang en klampten zich bevend aan elkaar vast. Toen Barnes naar binnen struikelde, probeerde Marcel hem weer naar buiten te duwen. Er volgde een worsteling. Barnes duwde hem opzij, haalde uit met het breekijzer en raakte Marcel vol op zijn slaap. De ogen van de jongen werden heel groot. Zijn mond ging open. Hij zakte op zijn knieën en viel voorover op zijn gezicht. Barnes keek naar Marcel, dan naar de oude vrouw die op hem af kwam. 'O god,' zei hij, en hij liet het breekijzer vallen en rende de trappen af naar buiten, naar zijn auto. Hij reed naar het huis van zijn oma en vertelde haar wat er gebeurd was, en zij hield zijn hoofd in haar schoot en wiegde wenend en biddend boven hem heen en weer. Daarna belde ze de politie.

De dood van Marcel was 's morgens op het nieuws. Elk half-uur kwamen ze met het verhaal, met foto's van zowel hem als Barnes. Barnes was te zien terwijl hij in een politiewagen werd gepropt, Marcel stond voor zijn stand op de regionale wetenschapsbeurs. Hij was een van de beste leerlingen op de Morris Field High School, had meegedaan aan een samenwerkingsprogramma tussen leerlingen en volwassenen en was al voorzitter geweest van de christelijke jeugdvereniging. Er was geen motief bekend voor de aanval.

Cameraploegen van de tv-stations volgden scholieren van hun bussen naar de ingang van de school terwijl ze vragen stelden over Marcel en close-ups maakten van de zwaarst aangeslagen leerlingen. Aan het begin van het tweede lesuur deelde de directeur via de omroepinstallatie mede dat er hulpverleners beschikbaar waren voor leerlingen die met hen wilden praten. Leerlingen die zich niet in staat voelden om die dag verder te gaan met hun lessen, waren daarvan vrijgesteld.

Garvey Banks keek opzij naar zijn vriendin, Tiffany. Ze hadden Marcel geen van beiden gekend, maar het was mooi weer en op school gebeurde niets behalve dat er leerlingen moesten huilen en over hun toeren waren. Toen hij naar de deur knikte, reageerde ze met haar speciale glimlach, pakte haar boeken bij elkaar en haalde een briefje bij de leraar. Garvey wachtte een paar minuten en volgde haar toen naar buiten.

Ze liepen naar Bickel Park en gingen daar op een bank aan de vijver zitten. Twee blanke oude dames waren de eendjes brood aan het voeren. Het natte gras dampte in de zon. Tiffany legde haar hoofd op Garveys schouder en neuriede voor zich heen. Garvey wilde zich verdrietig voelen over die vermoorde jongen, maar het was fijn om lekker in het zonnetje tegen Tiffany aan te zitten.

Ze zaten op de bank in de zon. Ze praatten niet; ze praatten zelden. Tiffany vond het prettig om naar dingen te kijken en rustig bezig te zijn met haar eigen gedachten. Dadelijk zouden ze een video huren en naar Garveys huis gaan. Ze zouden gaan zoenen. Hoewel ze geen risico's zouden nemen, zouden ze elkaar gelukkig maken. Dat ging allemaal gebeuren, en Garvey kon er met plezier op wachten.

Na een poosje hield Tiffany op met neuriën. 'Klaar, Gar?'

'Ja.'

Ze stapten bij Golds Video naar binnen en Garvey pakte *Breakfast at Tiffany's* van de plank. Ze hadden hem de eerste keer gehuurd vanwege de titel, daarna was het hun favoriete film geworden. Op een goeie dag zouden ze in New York gaan wonen en daar allerlei mensen leren kennen – zeker weten.

Meneer Gold deed lang over het schrijven van de bon. Hij zag er ziek uit. Hij telde Garveys wisselgeld uit en zei: 'Waarom zitten jullie niet op school?'

Garvey voelde zich in het nauw gedreven en besloot het verhaal een beetje aan te dikken. 'Er is een vriend van me vermoord,' zei hij.

'Kende je hem? Kende je Marcel Foley?'

'Jazeker. Al heel lang.'

'Wat was het voor een jongen?'

'Marcel? Man, Marcel was helemaal top. Als je ergens problemen mee had ging je naar Marcel. Je weet wel, problemen met je vriendin of wat ook. Problemen thuis. Problemen met een vriend. Marcel had iets speciaals, ja toch, Tiff? Hij kon mensen bij elkaar brengen. Hij was gewoon heel relaxed en praatte met je alsof hij je belangrijk vond, zo van iedereen is belangrijk. Hij kon mensen bij elkaar brengen, begrijp je wat ik bedoel? Zodat ze met elkaar verder konden. Hij was een vredestichter. Marcel was een echte vredestichter. En dat is het beste dat je kan zijn.'

'Ja,' zei meneer Gold. 'Zo is het.' Hij legde zijn handen op de toonbank en boog zijn hoofd.

Toen zag Garvey dat hij er verdriet om had, en bedacht hij hoe oneerlijk het was dat Marcel Foley was geveld met zijn hele leven nog voor zich, dat al die zonnige dagen hem waren afgepakt. Het was verkeerd, en Garvey wist dat het daarmee niet was afgelopen. Hij legde even een hand op meneer Golds schouder. 'Die man krijgt zijn portie nog wel,' zei hij. 'Hij krijgt zijn verdiende loon. Reken daar maar op.'

Smorgasbord

'Een kostschool in maart is als een zeilschip in de stiltegordel.' Dat zei onze geschiedenisleraar, als het ware in zichzelf, terwijl wij wachtten op de bel aan het eind van het lesuur. Hij stond bij het raam en tikte met zijn ring tegen de ruit op een dromerige, afwezige manier die ons het idee moest geven dat hij was vergeten dat wij er waren. We moesten de indruk krijgen dat hij, wanneer wij er niet waren, veranderde in een interessante figuur, een geestige, diepzinnige man die spontaan bon mots debiteerde en een poëtische kijk op het leven had.

De bel ging.

Ik ging lunchen. De eetzaal was bijna leeg, omdat het een vrij weekend was en de meeste jongens meteen na hun laatste lesuur naar New York of naar huis of naar het huis van vrienden waren vertrokken. Zo ongeveer de enigen die waren achtergebleven waren buitenlanders en beursleerlingen zoals ik en een paar andere onaanraakbaren van diverse pluimage. De school had ons een heerlijke lunch voorgezet, kaassoufflé, maar de porties waren klein en ik had nog honger toen ik terugging naar mijn kamer. Ik had altijd honger.

Er viel natte sneeuw langs mijn raam. De sneeuw op de binnenplaats zag er groezelig uit; boven de ondergrondse verwarmingsbuizen was hij gesmolten, zodat er lange bruine stroken modder blootlagen.

Ik kon niet aan het werk komen. Op de verdieping onder mij draaide iemand voortdurend 'Mack the Knife'. Door dat ene, zichzelf onophoudelijk herhalende liedje leek het studentenhuis niet gewoon leeg maar verlaten, alsof degenen die waren vertrokken nooit terug zouden komen. Ik maakte mijn kamer schoon, daarna probeerde ik te lezen. Ik keek uit het raam. Ik ging aan mijn bureau zitten en bekeek de nieuwe foto die mijn vriendin me had gestuurd, niet in staat haar aan de hand van dat portret voor me te zien; ik moest mijn ogen dichtdoen en dan zag ik haar, haar plechtige ogen en de zware witte borsten die ze me soms ernstig liet vasthouden, maar niet liet kussen. Nog niet in elk geval. Al was me wel iets beloofd. Die zomer, zodra ik thuis was, zouden we minnaars worden. 'Minnaars worden'. Zo had ze het gezegd, heel doelbewust, naar de woorden luisterend terwijl ze ze uitsprak. Ik had ze het hele jaar voor mezelf herhaald om de pijn te verzachten van mijn eenzaamheid en de aanvallen van lust die maakten dat ik wilde schreeuwen en mijn vuist wel door een muur kon rammen. Die zomer zouden we minnaars worden, en onze hele studietijd zouden we minnaars blijven, ook op duizenden kilometers van elkaar zouden we elkaar trouw blijven, en na onze studie zouden we gaan trouwen en ons aansluiten bij het Peace Corps en samen iets gaan doen om mensen te helpen. Dat was ons plan. In september, de avond voor ik naar kostschool vertrok, hadden we het allemaal opgeschreven met nog een heleboel andere bijzonderheden omtrent onze toekomst: het aantal kinderen (zes), hun namen, het soort honden dat we zouden hebben, een schets van ons ideale huis. We verzegelden het papier in een fles en begroeven die in haar achtertuin. Op onze gouden bruiloft zouden we hem opgraven en aan onze kinderen en kleinkinderen laten zien om te bewijzen dat dromen in vervulling kunnen gaan.

Ik zat haar een brief te schrijven toen Crosley naar mijn kamer kwam. Crosley was een kei in de exacte vakken. Hij won elk jaar de wetenschapsprijs en werkte tijdens de zomervakanties als stagiair op verschillende laboratoria. Hij was ook een fanatieke gewichtheffer. Hij had zulke bultige armen dat hij ze al lopend een eindje van zijn lichaam moest houden, alsof hij emmers droeg. Zelfs zijn gelaatstrekken leken gespierd. Zijn gezicht was permanent rood aangelopen. Crosley zat in zijn eentje in een van de eenpersoonskamers verderop in de gang. Er werd gezegd dat hij een dief was; dat zou ook de reden zijn waarom hij nu zonder kamergenoot zat. Ik wist niet of het waar was en probeerde een mening over de kwestie uit de weg te gaan, maar telkens als we elkaar tegenkwamen voelde ik me opgelaten en keek ik een andere kant op.

Crosley stak zijn hoofd om de deur en vroeg hoe het ging.

'Goed,' zei ik.

Hij stapte naar binnen en keek de kamer rond, zijn hoofd scheefhoudend om de vaantjes van mijn kamergenoot en de titels van onze boeken te lezen. Ik voelde me slecht op mijn gemak. Ik zei: 'Nou, wat kan ik voor je doen?' waarbij ik niet zo koeltjes wilde klinken als ik het zei maar het ook niet echt betreurde.

Mijn toon was hem niet ontgaan en hij glimlachte. Het was het soort glimlach dat je op je gezicht zet wanneer je een groepje mensen passeert en vermoedt dat ze het over jou hebben; met andere woorden, het was zijn gebruikelijke uitdrukking.

Hij zei: 'Jij kent García, hè?'

'García? Ja, ik geloof het wel.'

'Natuurlijk ken je hem,' zei Crosley. 'Hij gaat met Hidalgo en die lui om. Hij is die lange.'

'Ja,' zei ik. 'Ik weet wel wie García is.'

'Nou, zijn stiefmoeder is in New York voor een modeshow of zoiets, en vanavond komt ze hiernaartoe en neemt ze hem mee uit eten. Ze zei dat hij maar een paar vrienden mee moest brengen. Ga je mee?'

'En Hidalgo en die anderen dan?'

'Die zijn naar een of andere polotoestand in Maryland. Om paarden te kopen. Of pony's heten dat, geloof ik.'

Het idee dat iemand van mijn leeftijd pony's ging kopen om aan wedstrijden mee te doen overviel me zo dat ik het niet helemaal kon bevatten. 'Jezus,' zei ik.

'Nou?' zei Crosley. 'Ga je mee?'

Ik had García zelfs nog nooit gesproken. Hij was de neef van een beroemde dictator, en al zijn vrienden waren familieleden van andere dictators. Ze deden hier waar ze zin in hadden. De meesten hadden een paar straten van de campus een auto staan, hoewel dat volkomen tegen de regels was. Ze waren brutaal en charmant en zaten vol streken. Ze gingen overal samen naartoe met hun zonnebrillen boven op hun hoofd, jasjes nonchalant over een schouder, door elkaar heen kwetterend als mussen, *chinga* dit, *chinga* dat. De directeur had niets in te brengen. Na de kerstvakantie had een stel van hen gonorroe opgelopen, en het enige dat hij deed was de jongens bij zich roepen en aanraden niet te veel haast te maken met het verliezen van hun onschuld. Het werd de grap van de school. Je hoefde maar 'onschuld' te zeggen en iedereen lag dubbel.

'Ik weet het niet,' zei ik.

'Kom op,' zei Crosley.

'Maar ik ken die jongen niet eens.'

'Nou en? Ik ook niet.'

'Waarom heeft hij je dan gevraagd?'

'Ik zat naast hem bij de lunch.'

'Fantastisch,' zei ik. 'Wat jou betreft is het duidelijk. Maar hoe zit het met mij? Waarom heeft hij mij gevraagd?'

'Hij heeft jou niet gevraagd. Hij zei dat ik nog maar iemand mee moest brengen.'

'Wat, zomaar iemand? Gewoon de eerste de beste die toevallig jouw aandacht op zich wist te vestigen?'

Crosley haalde zijn schouders op.

'Klinkt geweldig,' zei ik. 'Dat klinkt als hét recept voor een gedenkwaardige avond.'

'Heb jij wat beters te doen?' vroeg Crosley.

'Nee,' zei ik.

De limousine pikte ons op onder de luifel van de directeurswoning. De chauffeur, een oude man, stapte langzaam uit en schoof daarna langzaam zijn pet recht alvorens de portieren voor ons te openen. García schoof naast de vrouw achterin. Crosley en ik gingen tegenover hen zitten op stoelen die je kon neerklappen. Ik ving onmiddellijk haar geur op. Ik ben daarna nog enkele jaren parfum blijven kopen voor vrouwen, en die geur heb ik nooit kunnen vinden.

Zodra de chauffeur het portier achter mij had gesloten, barstte García in het Spaans los. Hij klonk kwaad en gebaarde wild terwijl hij de vrouw het een en ander toebeet. Ze week iets achteruit en vuurde toen zelf een salvo af. Ik zat haar openlijk aan te gapen. Haar huid was heel wit. Ze droeg een zwarte cape over een zwarte jurk die net laag genoeg was uitgesneden om haar bleke hals en de beenderen onder aan haar keel te onthullen. Haar mond was rood. Hoog op elke wang zat een vleug rouge, niet gelijkmatig verdeeld om eruit te zien als een echte blos maar achteloos, of juist zorgvuldig, zo aangebracht, om je er nog eens aan te herinneren hoe wit haar huid was. Ze had kleine, zo te zien scherpe tanden die ze in overeenstemming met bepaalde gebaren en stembuigingen ontblootte. Onder het praten flitste haar kleine puntige tong steeds even naar buiten.

Ze was niet veel ouder dan wij.

Ze zei iets definitiefs en hakte haar hand door de lucht. García begon aan een antwoord maar ze zei: 'Nee!' en kliefde de lucht weer doormidden. Toen draaide ze zich om en glimlachte tegen mij en Crosley. Het was een volkomen valse glimlach. Ze zei: 'Waar willen jullie eten, jongens?' In het Engels klonk haar stem lager, een beetje schor zelfs. Ze noemde ons 'jonkens'.

'Maakt niet uit, ik vind alles best,' zei ik.

'Maakt niet uit,' herhaalde ze. Ze vernauwde haar grote zwarte ogen en tuitte haar lippen. Ik zag dat mijn antwoord haar teleurstelde. Ze keek Crosley aan.

'Er schijnt een goed Frans restaurant te zijn in Newbury,' zei Crosley. 'Er is ook een Italiaan. Het hangt ervan af wat u wilt.'

'Nee,' zei ze. 'Het hangt ervan af wat jullie willen. Ik heb niet zo'n honger.'

Als García al een voorkeur had, hield hij die voor zich. Hij zat in de hoek te mokken, met hangende ronde schouders en zijn handen tussen zijn knieën. Hij scheen op die manier iets duidelijk te willen maken.

'Er is ook een smorgasbord,' zei Crosley. 'Als u daarvan houdt.'

'Smorgasbord,' zei ze. Het woord was duidelijk nieuw voor haar. Ze herhaalde het tegen García. Hij fronste zijn wenkbrauwen, antwoordde haar toen op norse, vlakke toon.

Ik kon niet geloven dat Crosley de smorgasbord had voorgesteld. Het was een ontzettend lomp voorstel. De smorgasbord was de tent waar de plaatselijke dikzakken kwamen schransen. Footballcoaches lieten er hele teams aanschuiven om massa te kweken. Het eten was er best goed en je kreeg absoluut genoeg, zoveel je opkon, eigenlijk, al hing er ook een ontluisterend zakelijke sfeer. Maar het eten was goed. Grote schotels garnalen op gestampt ijs. Dubbele lendenstukken. Gerookte kalkoen. Eindeloze hoeveelheden eten.

'Jij... Hou jij van smorgasbord?' vroeg ze aan Crosley.

'Ja,' zei hij.

'En jij?' vroeg ze aan mij.

Ik knikte. Toen zei ik, om niet zo'n slappe indruk te maken: 'Reken maar!'

'Smorgasbord,' zei ze. Ze lachte en klapte in haar handen. 'Smorgasbord!'

Crosley gaf de chauffeur aanwijzingen en we reden langzaam weg van de school. Ze zei iets tegen García. Hij knikte naar ons alle twee en noemde onze namen, daarna wendde hij zich weer af en keek naar buiten, waar de besneeuwde velden donker werden. Zijn gezicht was lang, zijn ogen droevig als die van een hond. Hij had nauwelijks een woord gezegd terwijl we op de limousine stonden te wachten. Ik wist niet waarom hij kwaad was op zijn stiefmoeder, waarom hij niet met ons praatte of waarom hij ons eigenlijk mee uit had gevraagd, maar inmiddels kon me dat niet meer schelen.

Ze nam ons aandachtig op en herhaalde sceptisch onze namen. 'Nee,' zei ze. Ze wees naar Crosley en zei: 'El Blanco.' Ze wees naar mij en zei: 'El Negro.' Toen wees ze naar zichzelf en zei: 'Ik ben Linda.'

'Lien-da,' zei Crosley. Hij legde het er heel dik bovenop, maar ze liet haar scherpe tandjes zien en zei: *Exactamente.*'

Daarop leunde ze weer achterover en trok de cape dicht om haar schouders. Hij gleed weldra weer open. Ze was ongedurig. Ze ging naar voren zitten en leunde achterover, sloeg haar benen over elkaar, sloeg ze andersom over elkaar en zwaaide haar voet ongeduldig heen en weer. Ze droeg hoge zwarte pumps met een dun riempje over de wreef; ik kon bijna haar hele voet zien. Ik hoorde haar kousen zijdezacht langs elkaar wrijven en telkens als ze zich bewoog ademde ik een verse wolk in van haar parfum. Dat parfum had een bepaalde uitwerking op mij. Het trof me niet alleen maar als een geur. Het was iets persoonlijks dat uit haar intiemste wezen leek voort te komen. Het zette de haren op mijn armen overeind en joeg lichte sidderingen door mijn schouders en knieholten. Telkens als ze zich bewoog voelde ik een rukje en volgde ik haar bewegingen met een lichte eigen beweging.

Toen we aankwamen bij de smorgasbord — Swenson's of Hanson's, zo'n soort betrouwbare Zweedse naam — weigerde

García uit de limousine te stappen. Linda probeerde hem over te halen, maar hij trok zich terug in zijn hoekje en reageerde niet, hij wilde haar niet eens aankijken. Ze gooide haar handen in de lucht. 'Ah!' zei ze en keerde zich van hem af. Crosley en ik volgden haar over het parkeerterrein naar de grote rode schuur. Haar jurk ritselde onder het lopen. Haar hakjes tikten op het beton.

Eén ding moest je de smorgasbord nageven: ze hadden er geen pretenties. Het was een echte schuur, niet een of andere ludieke fantasieschuur met karntonnen als lampen en repen leer met kleine messing ornamenten aan de muren. Aan één kant was de keuken. De rest was opengelaten en volgezet met picknicktafels. Aan de hanenbalken hingen felle gloeilampen. Midden in de schuur stond wat mijn leraar Engels 'de vreetstapel' zou hebben genoemd, een grote tafel hoog opgetast met alle soorten eten die je kon bedenken, en nog veel meer. Ik was er menig keer geweest en het gaf me altijd weer een lichte, aangename schok om te zien hoeveel eten er was.

Meisjes in dirndls draafden heen en weer om hier en daar de rotzooi op te ruimen, tafellakens te vernieuwen en verse schalen eten aan te dragen uit de keuken.

We stonden met onze ogen te knipperen in het plotselinge licht en liepen toen achter een van de serveersters aan. Linda liep langzaam, om zich heen kijkend als een toerist. Verscheidene mannen keken op van hun bord toen ze langskwam. Ik liep vlak achter haar en keek bestraffend terug opdat ze zouden denken dat ze mijn vrouw was.

We hadden geluk; we kregen een tafel voor ons alleen. Linda schudde haar cape af en dirigeerde ons met een gebaar naar het eten. 'Vooruit,' zei ze. Ze ging zitten en opende haar tasje. Toen ik omkeek stak ze net een sigaret op.

'Je bent behoorlijk stil vanavond,' zei Crosley terwijl we onze borden volschepten. 'Heb je ergens de pest over in?'

'Misschien ben ik gewoon wat stil, Crosley, weet je wel?'

Hij harpoeneerde een plak vlees en zei: 'Toen ze jou El Negro noemde, was dat niet omdat ze dacht dat jij een neger was. Ze zei het alleen maar omdat je donker haar hebt. Ik heb licht haar, daarom noemde ze mij El Blanco.'

'Dat weet ik, Crosley. Jezus. Denk je dat ik dat niet kon verzinnen? Gun mij ook een onsje verstand, wil je?' En terwijl we rond de tafel liepen zei ik: 'Spreek jij Spaans?'

'*Un poco*. Meer een *un poquito* eigenlijk.'

'Waar is García kwaad over?'

'Geld. Iets met geld.'

'Zoals wat?'

'Dat is het enige dat ik ervan begreep. Maar het gaat in ieder geval over geld.'

Ik was van plan geweest rustig te beginnen, maar toen ik het eind van de tafel had bereikt was mijn bord vol. Aardappelsalade, ham, reuzengarnalen, toast, rundvlees van de barbecue, gepocheerde eieren. Crosleys bord was ook vol. We liepen terug naar Linda, die voorovergebogen op haar ellebogen leunde en de schuur rondkeek. Ze nam een lange trek van haar sigaret, hief haar kin op en blies een pluim rook naar de hanenbalken. Ik ging tegenover haar zitten. 'Schuif eens op,' zei Crosley en drong zich naast me aan tafel.

Ze keek een poosje hoe we zaten te eten.

'Nou,' zei ze. 'El Blanco. Kom je uit New York?'

Crosley keek verrast op. 'Nee, mevrouw,' zei hij. 'Ik kom uit Virginia.'

Linda drukte haar sigaret uit. Haar lange nagels hadden dezelfde dieprode kleur als de lipstickvlekken op haar peuk. Ze zei: 'Ik kom net uit New York en ze zijn echt gek daar, dat kan ik je wel vertellen. Niet te geloven. Moet je horen. Ik zit in een taxi, weet je wel, en we staan een hele tijd stil in een verkeersopstopping en naast ons staat een taxi met een vent erin die me aan zit te gapen. Zo, weet je wel.' Ze zette grote ogen op. 'Ik negeer hem natuurlijk. En wat denk je, mijn deur gaat open en hij komt in mijn taxi zitten. "Neem me niet kwalijk," zegt hij, "ik wil met je trouwen." "Wat leuk," zeg ik. "Vraag maar aan mijn man." "Met jouw man heb ik niks te maken," zegt hij. "Met mijn vrouw heb ik ook niks te maken." Ik moest natuurlijk lachen. "Oké," zegt hij. "Vind je dat grappig? Hoe vind je dit dan?" En dan zegt hij…' Linda keek ons allebei scherp aan. Ze snoof en trok een grimas. 'Dan zegt hij dingen die je niet zou geloven. Echt niet. Hij wil dit met me doen, hij wil dat met me doen. Nou, ik doe alsof ik dadelijk ga gillen. Ik doe mijn mond open, zo. "Hé," zegt hij, "oké, oké, rustig maar." Dan stapt hij uit en gaat hij weer in zijn eigen taxi zitten. Daarna staan we er nog een hele tijd te wachten, en weet je wat hij zit te doen? Hij zit de krant te lezen. Met zijn hoed op. Vooruit, eten,' zei ze tegen ons, met een knik naar het buffet.

Een lang blond meisje was bezig verse plakken rosbief te snijden en op een bord te leggen. Het was een gezonde meid met een volle boezem – ik zag de bandjes van haar hemdje spannen. Haar wangen gloeiden. Haar blote armen en schouders waren rozig van inspanning. Crosley keek me even met opgetrokken wenkbrauwen aan. Ik trok de mijne ook even op, maar niet van harte. Ze was een vikingdroom, pure Gemütlichkeit, maar ik was dronken van García's stiefmoeder, en in die toestand wil je geen glas melk; dan wil je meer van het goedje waar je van gaat strompelen en omvallen.

Crosley en ik schepten onze borden nog eens vol en liepen terug.

'Ik heb altijd honger,' zei hij.

'Ik weet wat je bedoelt,' zei ik tegen hem.

Linda rookte nog een sigaret terwijl wij aten. Ze keek naar de andere tafels alsof ze in een bioscoop zat. Ik probeerde met enige verfijning te eten en Crosley ook, na elke puilende mondvol bette hij zijn lippen met een servet, maar sommigen van de mensen om ons heen waren helemaal losgeslagen. Ze bogen hun hoofd diep voorover om hun eten naar binnen te schoffelen en al kauwend keken ze achterdochtig om zich heen, met hun onderarmen om hun bord. Een groot gezin links van ons was het ergst. Er hing een sfeer om hen heen van competitie en wanhoop; ze leken vastbesloten zich een toestand te eten waarin ze nooit meer zouden hoeven eten. Je zou haast denken dat ze waren gevlucht uit een vreselijk hongergebied, dat buiten deze muren het hele land werd geteisterd door droogte en onvruchtbaarheid. Ik voelde zelf ook een zekere wanhoop, alsof ik met elke hap die ik nam holler werd vanbinnen.

Er hing een geraas in de lucht, een gestaag ruisen als van een waterval.

Linda keek met een voldaan gezicht om zich heen. Hoewel ze met niemand hier enige gelijkenis vertoonde, leek ze zich hier volkomen thuis te voelen. Ze stuurde ons terug om nog een bord te halen, dan een dessert en koffie, en terwijl we de laatste happen verorberden, vroeg ze El Blanco of hij een vriendin had.

'Nee, mevrouw,' zei Crosley. 'Het is uit,' voegde hij eraan toe, en zijn rode gezicht werd bijna paars. Het was duidelijk dat hij loog.

'En jij. Jij wel?'

Ik knikte.

'Ha!' zei ze. 'El Negro wel! Nou. Hoe heet ze?'

'Jane.'

'Jaaane,' lijsde Linda. 'Oké, vertel ons over Jaaane.'

'Jane,' zei ik nogmaals.

Linda glimlachte.

Ik vertelde haar alles. Ik vertelde haar hoe mijn vriendin en ik elkaar hadden ontmoet, hoe ze eruitzag, wat onze plannen waren – alles. Ik vertelde haar meer dan dat, want ik maakte wat schuchtere maar onmiskenbare toespelingen op de extreme hoogten die onze passie al had bereikt. Ik wilde haar imponeren met mijn potentie, ik wilde haar in vuur en vlam zetten, die glimlach van haar gezicht poetsen, maar hoe meer ik haar vertelde, hoe wreder ze glimlachte en hoe harder haar ogen mij uitlachten.

'Lachende ogen', dat is nog eens een cliché waarvoor mijn leraar Engels me levend zou hebben gevild. 'Hoe lachten die ogen dan precies?' had hij dan gevraagd, van mijn opstel opkijkend terwijl mijn klasgenoten om me heen zaten te gnuiven. 'Giechelden ze, of grinnikten ze alleen maar? Schaterden ze het uit? Of gilden ze misschien van het lachen?'

Ik kan je vertellen dat ogen wel degelijk kunnen gillen van het lachen. Linda's ogen deden dat. Terwijl ik voor haar de grote Hombre uithing kon ik precies zien hoe jammerlijk ik daarin faalde. Ik kon haar horen zeggen: *Oké, El Negro, toe maar, vertel maar over jouw vriendien, maar wij weten wel wat jij wil, ja toch? Jij wil op mijn tong sabbelen en aan mijn tieten lebberen en je gezicht in mij begraven. Dat wil jij.*

Crosley onderbrak me. 'Mevrouw...' zei hij en knikte naar de deur. García stond tegen de deurpost geleund met zijn armen over elkaar en een woedende uitdrukking op zijn gezicht. Toen ze naar hem keek, draaide hij zich om en liep weg.

Haar ogen werden mat. Even bleef ze zo zitten. Ze begon een sigaret uit haar koker te halen, stopte hem er weer in en stond op. 'We gaan,' zei ze.

García zat stug zwijgend in de auto te wachten. Hij zei niets tijdens de terugrit. Linda zwaaide haar voet heen en weer en staarde uit het raampje naar de langsglijdende huizen en heldere, maanverlichte velden. Net voor we bij de school aankwamen, boog García zich naar voren en begon met zachte stem tegen haar te praten. Ze luisterde onbewogen en gaf geen antwoord. Hij praatte nog steeds toen de limousine voor de directeurswoning stopte. De chauffeur opende het portier. García hield zijn ogen strak op haar gericht. Nog altijd onbewogen pakte ze haar portemonnee uit haar tasje. Ze maakte hem open en keek erin. Ze dacht even na over de inhoud, trok er toen een biljet uit en bood het García aan. Het was een briefje van honderd dollar. 'Kom nou!' zei hij en leunde achterover. Zonder dat er iets aan haar gezichtsuitdrukking veranderde draaide ze zich om en hield mij het biljet voor. Ik wist niets anders te doen dan het aan te nemen. Ze pakte er nog een uit haar portemonnee en reikte het Crosley aan, die nog minder aarzelde dan ik. Daarna keek ze ons aan met diezelfde valse glimlach waarmee ze ons had begroet en zei: 'Goedenacht, het was een genoegen kennis met jullie te maken. Goedenacht, goedenacht,' zei ze tegen García.

We stapten alle drie uit. Ik liep weg, daarna vertraagde ik mijn pas en keek achterom.

'Doorlopen!' siste Crosley.

García schreeuwde iets in het Spaans terwijl de chauffeur het portier dichtdeed. Ik keek weer voor me en liep met Crosley over de binnenplaats. Toen we ons studentenhuis naderden versnelde hij zijn pas. 'Ik kan het niet geloven,' fluisterde hij. 'Honderd pegels.' Toen we binnen waren bleef hij staan en riep: 'Honderd pegels! Honderd dollar!'

'Stil jij,' riep iemand.

'Ja ja. Ja ja. Krijg de klere!' voegde hij eraan toe.

We liepen lachend en tegen elkaar botsend de trappen op naar onze verdieping. 'Geloof jij het?' zei hij.

Ik schudde mijn hoofd. We stonden voor mijn deur.

'Nee, serieus, luister.' Hij legde zijn handen op mijn schouders en keek me in de ogen. Hij zei: 'Geloof jij dit echt?'

Ik zei van niet.

'Nou, ik ook niet. Ik geloof er geen ene zak van.'

Daarna leek er niet veel meer te zeggen. Ik had Crosley binnen kunnen vragen, maar om je de waarheid te zeggen beschouwde ik hem nog altijd als een dief. We lachten nog wat en wensten elkaar welterusten.

Het was koud in mijn kamer. Ik pakte het biljet uit mijn zak en keek ernaar. Het was nieuw en stijf, het soort geld dat je associeert met ontvoeringen. Het portret van Franklin was verrassend levensecht. Ik keek er een poosje naar. Honderd dollar was toen een hoop geld. Ik had nooit eerder honderd dollar gehad, niet zomaar in één klap. Voor alle zekerheid plakte ik het met sellotape vast aan een pagina van *Profiles in Courage* – pagina 100, zodat ik niet zou vergeten waar het was.

Ik had moeite om in slaap te komen. Het eten lag als een steen op mijn maag en ik voelde me ellendig over de dingen die ik had gezegd. Ik begreep dat ik me had gedragen als een leugenaar en een stomkop. Ik bleef woelen onder de dekens, ging toen rechtop zitten en deed mijn leeslampje aan. Ik pakte de nieuwe foto die mijn vriendin me had gestuurd en sloot mijn ogen, en toen ik me wat rustiger voelde hernieuwde ik mijn beloften aan haar.

Een maand na mijn thuiskomst maakten we het uit. Haar ouders waren op een avond niet thuis, en we grepen de kans om in hun hemelbed te vrijen. Het was de vijfde keer dat we het met elkaar deden. Erna stond ze onmiddellijk op en begon haar kleren aan te trekken. Toen ik haar vroeg wat er was, wilde ze me geen antwoord geven. Ik dacht: O jezus, wat nou weer. 'Toe nou,' zei ik. 'Wat is er?'

Ze zat haar schoenveters te strikken. Ze keek op en zei: 'Je houdt niet van me.'

Dat verraste me, niet zozeer dat ze het zei maar omdat het waar was. Voor dat moment had ik niet geweten dat het waar was, maar het was zo – ik hield niet van haar.

Nog lang daarna bleef ik mezelf vertellen dat ik nooit echt van haar had gehouden, hoewel dat niet waar was.

We horen te glimlachen om de passies van jonge mensen, en

om wat we ons herinneren van onze eigen passies, alsof ze niet meer waren dan een vertederend bedrog waarmee we onszelf voor de gek hielden tot we beter wisten. Niet alleen de passies van jongens en meisjes voor elkaar maar ook die andere – het hartstochtelijke verlangen naar gerechtigheid, de drang om het goed te doen, de wereld te veranderen. Al die passies worden na verloop van tijd kil weggelachen. Toch was er niets geks aan wat we toen voelden. En we waren ook niet alleen maar jong. Ik kon het gewoon niet aan. Ik liet het vuur uitdoven.

Een poosje later hoorde ik iemand zachtjes op mijn deur kloppen. Ik was nog klaarwakker. 'Ja,' zei ik.

Crosley stapte de kamer in. Hij was gekleed in een blauwe kamerjas van een zijdeachtige stof die glinsterde in het vage licht van de gang. Hij zei: 'Heb jij rennies of zo?'

'Nee. Ik wou dat ik ze wel had.'

'Dus jij hebt het ook?' Hij deed de deur dicht en ging op het bed van mijn kamergenoot zitten. 'Voel jij je net zo beroerd als ik?'

'Hoe beroerd voel jij je?'

'Of ik doodga. Ik denk dat er iets mis was met de garnalen.'

'Kom nou, Crosley. Je hebt alleen de schuur zelf niet gegeten.'

'Net als jij.'

'Inderdaad. Daarom klaag ik ook niet.'

Hij kreunde en wiegde heen en weer op het bed. Ik hoorde echte pijn in zijn stem. Ik ging overeind zitten. 'Gaat het, Crosley?'

'Ik denk het wel,' zei hij.

'Moet ik de ziekenboeg bellen?'

'Mijn god,' zei hij. 'Nee. Dat hoeft niet.' Hij bleef heen en weer wiegen. Toen zei hij met een zorgvuldige achteloosheid: 'Hoor eens, is het goed als ik hier een poosje blijf zitten?'

Ik zei bijna van niet, maar hield me in. 'Ja hoor,' zei ik tegen hem. 'Doe of je thuis bent.'

Hij moest mijn aarzeling hebben gehoord. 'Laat maar,' zei hij. 'Sorry dat ik het vroeg.' Maar hij maakte geen aanstalten om te gaan.

Ik was in verwarring met mijn sympathie voor Crosley omdat hij pijn had, en mijn afkeer vanwege alles wat ik over hem gehoord had. Maar misschien was alles wat ik gehoord had niet waar. Ik wilde fair zijn, daarom zei ik: 'Hé, Crosley, mag ik je wat vragen?'

'Dat hangt ervan af.' Hij keek me aan, met zijn armen over zijn buik. In het maanlicht glansde zijn kamerjas iriserend als olie.

'Is het waar dat je betrapt bent op diefstal?'

'Lul,' zei hij. Hij keek naar de vloer.

Ik wachtte af.

'Als je daar iets over wilt horen,' zei hij, 'vraag je het gewoon aan iemand. Iedereen weet er alles van, ja toch?'

'Ik niet.'

'Nee, jij niet. Jij weet er geen reet van en al die andere mensen ook niet.' Hij hief zijn hoofd op. 'Het meest hilarische is nog dat ik niet gesnapt werd terwijl ik hem aan het stelen was, ik werd gesnapt toen ik hem terughing. Ik probeer me er niet uit te draaien. Ik heb hem wel gestolen.'

'Wat heb je wel gestolen?'

'Die jas,' zei hij. 'Robinsons jas. Vertel me niet dat je dat niet wist.'

'Nee, dat wist ik niet.'

'Dan heb je hier zeker in een grot gewoond of zoiets. Je kent Robinson wel, hè? Robinson was mijn kamergenoot. Hij had een kameelharen jas, echt een prachtige jas. Het werd een soort obsessie voor me. Ik dacht er aldoor aan. Als hij ergens naartoe ging zonder die jas, trok ik hem aan en ging ermee voor de spiegel staan. En toen heb ik hem op een dag gewoon gejat. Ik stopte hem in mijn kluisje bij de gymzaal. Robinson was helemaal van slag. Hij liep wel tien, twintig keer per dag naar zijn kast, alsof hij dacht dat die jas alleen maar een eindje was gaan wandelen of zo. Dus nou ja, toen heb ik hem teruggebracht. Robinson kwam net de kamer in toen ik bezig was hem in de kast te hangen.' Crosley boog zich plotseling voorover, leunde toen weer achterover.

'Je boft dat ze je niet van school hebben getrapt.'

'Hadden ze dat maar gedaan,' zei hij. 'Maar de decaan wilde voor Jezus spelen. Hij schoot helemaal vol over het feit dat ik hem had teruggebracht.' Crosley wreef over zijn armen. 'Man, wat wilde ik die jas graag hebben. Het was belachelijk zo graag als ik hem wilde hebben. Ken je dat?' Hij keek me recht aan. 'Weet je waar ik het over heb?'

Ik knikte.

'Echt waar?'

'Ja.'

'Mooi.' Crosley leunde weer achterover tegen het kussen, tilde toen zijn voeten op het bed. 'Zeg,' zei hij, 'ik denk dat ik erachter ben waarom García mij heeft uitgenodigd.'

'Nou?'

'Hij was kwaad op zijn stiefmoeder, ja toch? Hij wilde haar straffen.'

'Dus?'

'Dus ik was de straf. Hij had waarschijnlijk gehoord dat ik de grootste zak van de hele school ben, en ging ervan uit dat iemand die met mij mee zou komen ook wel een zak moest zijn. Dat is mijn theorie in ieder geval.'

Ik begon te lachen. Ik kreeg er pijn in mijn buik van maar kon niet meer ophouden. Crosley zei: 'Kom op, man, maak me niet aan het lachen', en begon toen ook te lachen, en tegelijkertijd te kreunen.

We lagen er een tijdje zonder iets te zeggen, toen zei Crosley: 'El Negro?'

'Ja.'

'Wat ga jij met je honderdje doen?'

'Weet ik niet. Wat ga jij ermee doen?'

'Een vrouw kopen.'

'Een vrouw kopen?'

'Ik heb echt al heel lang niet geneukt,' zei hij. 'Ik heb eigenlijk nog nooit geneukt.'

'Ik ook niet.'

Ik dacht na over zijn woorden. Een vrouw kopen. Hij kon dat echt doen. Ik kon het zelf ook doen. Ik hoefde niet te wachten, ik hoefde niet maanden aan één stuk te blijven branden van lust tot Jane had besloten dat ze klaar was om mij verlichting te schenken. Drie maanden wachten was lang. Het was onredelijk om zo lang op iets te wachten als je er geen goede reden voor had, als je gewoon kon kopen wat je moest hebben. En het idee dat je het kon kopen, een mond voor jouw mond, armen en benen die jou stevig zouden omhelzen. Ik had dit nooit eerder overwogen. Ik dacht aan het geld in mijn boek. Ik kon het bijna voelen. Het was een reële mogelijkheid.

Jane zou er nooit iets van weten. Het zou haar helemaal geen pijn doen en in bepaalde opzichten zou het misschien helpen, want in het begin zou het een vreselijk onhandig gedoe worden als we geen van tweeën enige ervaring hadden. Als man hoorde ik te weten wat ik deed. Op die manier zou het allemaal een stuk beter gaan.

Ik zei tegen Crosley dat zijn idee me wel aanstond. 'Het is tijd dat we onze onschuld verliezen,' zei ik.

'*Exactamente*,' zei hij.

Dus gingen we overeind zitten om te beraadslagen, en vanaf de bedden naar elkaar opzij leunend, met die gezwollen buiken in onze armen, bespraken we fluisterend hoe dit moest gebeuren, en wanneer, en waar.

Lady's droom

Lady zit te stikken. Robert kan niet met open ramen rijden omdat hij last van zijn ogen krijgt door de wind die dan naar binnen waait. De aanjager staat aan maar op de laagste snelheid, omdat het geluid hem irriteert. Lady's hoofd wordt zwaar, en als ze met haar ogen knippert kost het moeite om haar oogleden weer op te tillen. Haar warme, vochtige huid geeft haar het gevoel dat ze koorts heeft. Ze begint dingen te zien tijdens de steeds langere momenten waarop ze haar ogen dicht heeft, dingen die duidelijker en vertrouwder zijn dan de golvende telegraafdraden, het waas van bomen en de zwijgend voor zich uit kijkende man die ze ziet wanneer haar ogen open zijn.

'Lady?' Roberts stem roept haar terug, maar ze houdt haar ogen dicht.

Dat is hem ten voeten uit. Kan er niet tegen dat zij slaapt als hij niet slaapt. Al heeft hij altijd wel een goede reden om haar wakker te maken. Het is nooit uit gemeenheid. Nooit. Wanneer hij iemand om een gunst gaat vragen, belt hij altijd eerst op om alleen maar een praatje te maken, dan belt hij de volgende dag terug en zegt dat het geweldig was met hen te praten, hij vond het zo leuk dat hij was vergeten te vragen of ze iets voor hem zouden willen doen. Hij heeft er geen idee van dat hij dit doet. Ze heeft hem nooit een leugen horen vertellen, niet eens om een verhaal mooier te maken. De verhalen die hij vertelt zijn ook zo saai. Stomvervelend. Hij denkt over elk woord na. Hij denkt overal over na. Begin januari koopt hij twaalf stofzuigerzakken en schrijft op elke zak een andere maand, zodat zij niet zal vergeten ze te vervangen. Natuurlijk doet ze met elke zak zo lang als ze kan en gooit dan de overgebleven zakken aan het eind van het jaar weg, omdat hij ze anders zou vinden en erachter zou komen. Hij zou er niets van zeggen, het alleen maar registreren. Eén keer had ze er zeven weggegooid. Ze was er stiekem mee door de sneeuw naar buiten gelopen en had ze in de vuilnisbak gestopt.

Die zorgzaamheid. En alles is een principekwestie. Rechtvaardigheid voor iedereen. Geel, bruin, blank of zwart, ieder heeft een plaatsje in zijn hart. Hij kan geen nee zeggen tegen goede doelen maar vergeet altijd het geld over te maken. Stelt haar vragen over zichzelf. 'Hoe heet die actrice ook weer die ik zo goed vind? Wat is mijn favoriete vis?' Blijft onder alle omstandigheden kalm. Poetst aldoor zijn brillenglazen. Ze glimmen zo dat je zijn ogen nauwelijks kunt zien. Hij moet aan de rechterkant van het bed slapen. De lakens moeten wit zijn. Van alle andere kleuren krijgt hij nachtmerries, over lakens met een patroon hebben we het maar niet. Dat zou hij niet overleven. Hij draagt een bouwhelm bij karweitjes in en om het huis. Zegt honderd keer per dag haar naam. Heeft hij altijd gedaan. Als het maar even kan.

Hij houdt van haar naam. Lady. Hij is met haar naam getrouwd. Heeft haar in die naam opgesloten. Hij heeft haar opgesloten.

'Lady?'

Helaas, meneer. Lady is weg.

Ze weet waar ze is. Ze is weer thuis. Haar vader is er niet maar haar moeder en haar zus Jo zijn thuis. Lady hoort hun stemmen. Ze is in de keuken en laat water in een glas lopen, laat het water over haar vingers stromen tot het lekker koud is. Ze tilt het glas op, drinkt tot ze genoeg heeft en zet het glas neer, daarna tippelt ze langzaam als een poes door de keuken en de gang naar de lichte deuropening die toegang geeft tot de veranda

waar haar moeder en zus zitten. Haar moeder gaat even rechtop zitten en laat zich weer terugzinken als Lady naar de balustrade loopt en op haar ellebogen steunend de straat af tuurt en
dan uitkijkt over de velden erachter.

'Godallemachtig wat is het heet.'

'Ja, heet is het, hè.'

Jo hangt onderuit in haar stoel en rolt een flesje cola over
haar voorhoofd. 'Ik sterf zowat.'

'Is hij weer te laat, Lady?'

'Hij komt wel.'

'Zeker weer de bus gemist.'

'Ik denk het.'

'Die boerenkinkels moesten hem natuurlijk weer hebben,'
zegt Jo. 'Ik zou geen soldaat willen zijn.'

'Hij komt wel. Anders had hij wel gebeld.'

'Nee hoor, ik zou geen soldaat willen zijn.'

'Niemand heeft jou iets gevraagd.'

'Nou nou, meisjes.'

'Het leger zou anders wel wat voor jou zijn, voor iemand die
de hele dag niks anders doet dan slapen en in bed liggen snoe-
pen. Een beetje rondhangen. O generaal, laat me alsjeblieft
niet marcheren, daar word ik zo moe van. O, moet ik dat rare
groene ding echt aan, in dat groen lijk ik wel ziek, heeft u dat
niet in het rood? Nee hoor, ik kan geen limabonen eten, weet u
dat niet, dat ik daar niet tegen kan?'

'Lady…' Maar haar moeder zit te lachen en Jo lacht ook, in
weerwil van zichzelf.

O, wat klinkt dat goed. En die klank van haar eigen stem. Zo
zangerig. 'Maar mijn lieve generaal, u weet toch dat ik niet met
dat enge ding kan schieten, waarom vraagt u een van die ouwe
jongens niet om het voor mij te doen, zij vinden het heerlijk
om hun geweer af te schieten voor Jo Kay.'

'Lady!'

Ze zitten met hun drieën op de veranda te wachten, en toch niet. Ze hebben aan zichzelf genoeg. Er hoeft niemand te komen. Maar Robert is onderweg. Hij legt zijn hoofd tegen het raam van de bus en probeert op adem te komen. Hij heeft de eerste bus gemist en moest rennen om deze te halen omdat zijn sergeant iets niet in orde had bevonden tijdens de inspectie en hem nog een corvee had laten opknappen. De sergeant heeft de pest aan hem. Het is zo'n zuidelijk stuk onbenul en Robert is een hoogopgeleide jongen uit Vermont, een net afgestudeerde ingenieur die op de dag dat Noord-Korea de breedtegraad had overschreden, ontslag nam bij Shell Oil in Louisiana om in dienst te gaan. Hij is de enige noorderling in zijn compagnie. Robert zegt dat er overzee geen noorderlingen en zuiderlingen meer zullen zijn, alleen Amerikanen. Lady vindt het leuk aan hem dat hij daarin gelooft, maar plaagt hem ermee omdat ze weet dat het niet waar is.

Hij heeft haastig zijn uitgaanstenue aangetrokken en niet in de spiegel gekeken voor hij de kazerne verliet. Er zit een veeg op zijn rechterwang. Schoensmeer. Zijn gezicht is rood aangelopen en bezweet, zijn overhemd is drijfnat. Hij zit uit het raam te kijken en zegt in zichzelf een gedicht op. Hij is een man van gedichten, onze Robert. Hij heeft gedichten voor het hardlopen en gedichten voor het exerceren, gedichten om te gaan slapen en gedichten om zich staande te houden tussen al die pummels.

Vanuit de nacht die mij wereldwijd
en zwart als de hel omringt,
dank ik God of wie de mens ook bezingt
voor mijn onoverwinnelijkheid.

Dat is het gedicht waar hij kracht uit put. Het is voortdurend in zijn gedachten, zelfs als ze in zijn gezicht staan te schreeuwen.

Het houdt hem overeind. Lady lacht wanneer hij haar dit soort dingen vertelt, en hij kijkt haar altijd een beetje verbaasd aan en begint dan ook te lachen, om te laten zien dat hij wel houdt van zo'n bijdehandje, al is dat niet waar. Hij denkt dat ze alleen maar jong en verwend is en dat het wel over zal gaan als hij haar weg kan krijgen uit dat huis en dat gezin, als ze eenmaal onder verstandige mensen verkeert die niet denken dat alles maar een lolletje is. Het zal mettertijd wel slijten en dan wordt ze een kalme, waardige vrouw vol respect voor de serieuze zaak die het leven is, dan wordt ze een echte Lady.

Dat denkt hij soms. Meestal heeft hij helemaal geen hoop. Hij denkt erover haar mee naar huis te nemen, naar het huis van zijn vader, en wanneer hij zich voorstelt wat ze tegen zijn vader zou kunnen zeggen, hoort hij zijn eigen excuses en verontschuldigingen al. En weet hij dat het onmogelijk is. Robert heeft hier en daar een graantje psychologie meegepikt en denkt dat hij begrijpt hoe hij zichzelf in dit moeilijke parket heeft gebracht. Uit rebellie. In het onderbewuste, natuurlijk. Het is uit onderbewuste rebellie tegen zijn vader dat hij verliefd is geworden op een meisje als Lady. Want je wordt niet zomaar verliefd. Nee. Het leven is geen liedje. Je kiest ervoor om verliefd te worden. En er zijn redenen voor die keuze, zoals er voor elke keuze een reden is, als je het goed bekijkt. Als je eenmaal weet wat je redenen zijn, ben je baas over je keuzes. Zo simpel is het.

Robert kijkt uit het raam zonder echt iets te zien.

Het is onmogelijk. Lady is maar een jong ding, ze weet niets van het leven. Ze heeft nogal wat ongepolijste kantjes en het zal jaren kosten dat te corrigeren. Ze is verwend en eigenzinnig, ze laat zich weinig zeggen maar mag zelf alles zeggen. En ze is een zuiderling, niet dat daar op zichzelf iets mee is, maar ze is een speciaal soort zuiderling. Niet van de straat, zoals zij het zou noemen, maar wel te trots dat ze dat niet is. Irrationeel. Bijgelovig. Familieziek.

En wat een familie is het, die familie Cobb. Meneer Cobb is een handelsreiziger in verf die altijd op pad is, een met zijn bretels knallende lolbroek vol vertegenwoordigersmoppen over negers en watermeloenen. Mevrouw Cobb is een eindeloze kletskous met een sentimenteel geloof die zich maar door haar dochters laat leiden in plaats van ze met discipline en het goede voorbeeld op te voeden tot volwassen vrouwen. En die zus, Jo Kay. Dat trieste verhaal kun je al opschrijven voor het gebeurd is.

Al met al kan Robert zich geen betere familie voorstellen om zijn vader mee om zijn oren te slaan. Dat moet de reden zijn waarom hij hen heeft gekozen, en waarom hij die keuze ongedaan moet maken. Zijn besluit staat vast. Hij was de laatste keer al van plan het haar te zeggen, maar kreeg er de kans niet voor. Vandaag moet het hoe dan ook gebeuren. Ze zal het niet begrijpen. Ze zal gaan huilen. Hij zal lief voor haar zijn. Hij zal zeggen dat ze een prima meid is maar nog te jong. Hij zal zeggen dat het niet eerlijk is van haar te verlangen dat ze op hem wacht terwijl er wie weet wat zou kunnen gebeuren, om hem dan te volgen naar een plek waar ze nooit is geweest, ver van haar familie en vrienden.

Hij zal Lady alles vertellen behalve de waarheid: dat hij zich schaamt dat hij haar heeft gekozen om haar tegen zijn vader in te zetten. Dat is zijn eigen oorlog. Hij loopt er al voor weg zolang hij zich kan herinneren, en hij weet dat er een eind aan moet komen. Hij moet die man een keer tegemoet treden.

Dat zal hij ook doen. Zodra hij terug is uit Korea. Dan zal zijn vader wel naar hem moeten luisteren. Robert zal hem dwingen naar hem te luisteren. Hij zal het tegen hem zeggen, hij zal zijn vader recht aankijken en zeggen…

Roberts keel trekt dicht en hij gaat rechtop zitten. Hij hoort zichzelf zo snel ademen dat het meer klinkt als hijgen, en hij vraagt zich af of iemand het heeft opgemerkt. Zijn hart bonst.

Zijn mond is droog. Hij sluit zijn ogen en dwingt zichzelf langzamer en dieper adem te halen, kalmte te imiteren tot die bijna echt wordt.

Ze passeren de krachtcentrale en het Greyhoundbusstation. Ervoor staan verhitte soldaten met glimmende schoenen aan te roken. De bus stopt in een straat vol bars, en de andere mannen stappen joelend, elkaar verdringend uit. Alleen Robert en vier vrouwen zitten nog in de bus. Ze verlaten Jackson Street en hotsen over de spoorlijnen en rijden vandaar oostwaarts langs de houtzagerij. Een paar zwarte mannen gooien planken in een vrachtwagen, hun ontblote bovenlijven glanzen in het heiige licht. Dan zijn ze verdwenen achter een omheining. Robert trekt aan het koord voor zijn halte en staat dan te wachten achter een brede vrouw in een gebloemde jurk. Onder haar armen zwaaien lappen vlees als hangmatten heen en weer. Ze doet een eeuwigheid over de treden.

De zon verblindt hem. Hij trekt de klep van zijn pet over zijn ogen, loopt naar de hoek en slaat rechtsaf. Dit is Arsenal Street. Lady woont twee blokken verderop, waar de straat overgaat in velden. Er was geen plan hoe de straat moest eindigen, hij houdt gewoon op. Vanaf hier zijn er kilometers in de omtrek alleen boerderijen. 's Avonds stelen Lady en Jo Kay aardbeien uit het veld achter hun huis en dienen ze vervolgens op met dikke verse slagroom en geschaafde chocola. De aardbeien hebben de hele dag in de warmte liggen stoven en barsten bij de geringste druk van je tanden al open. Robert keurt het af andermans oogst binnen te halen, maar hij laat zijn portie niet staan, integendeel. Het seizoen is bijna afgelopen. Hij boft als hij er vanavond nog een paar krijgt.

Hij denkt aan aardbeien als hij Lady op de veranda ziet en op dat ogenblik vult de zoete smaak zijn hele mond. Hij blijft staan alsof hij zich ineens iets herinnert, loopt dan verder naar haar toe. Haar lippen bewegen maar hij kan haar niet horen, hij is zich alleen bewust van de smaak in zijn mond, die sterker wordt naarmate hij dichterbij komt. Zijn pas versnelt zich, zijn hand strekt zich uit naar de leuning. Hij neemt de treden alsof hij haar wil verslinden.

Nee, zegt ze, nee. Ze heeft het tegen hem en tegen het meisje dat hij helemaal voor zichzelf wil hebben. Ze weet wat haar lot zal zijn als ze hem zijn zin geeft. Blijf hier op de veranda bij je moeder en je zus, ze zullen je binnenkort nodig hebben. Laat je vader nog een poosje van je genieten. Dit is geen man voor jou. Hij zal je geduldig halfdood kneden. Hij zal je vriendelijk onder onbuigzame vreemden brengen om hem daar als held te zien falen. Om te lijden onder zijn zorgzaamheid en je kinderen eronder te zien kronkelen, om te zien hoe ze zich eraan ontworstelen met alle vormen van zelfverwondende roekeloosheid. Om je te laten veranderen. Om jezelf te horen spreken en dan niet te weten wie dat is. Wacht, jongedame. Beid je tijd.

'Lady?'

Het helpt niet. Het meisje zal het niet horen. Ze buigt zich nu zelfs naar hem toe terwijl hij de trap op komt. Ze steekt een hand uit naar zijn wang, om het veegje weg te poetsen waar hij geen weet van heeft. Hij denkt dat ze het om iets anders doet en zijn fijne, magere gezicht bekent alles, vraagt alles. De aanraking is niet meer ongedaan te maken. Ze is niet tegen te houden. Ze gaat haar eigen weg, en ze weet iets wat Lady niet weet. Ze weet hoe ze van hem moet houden.

Lady hoort opnieuw haar naam.

Wacht even, meneer.

Ze geeft het meisje haar zegen. Dan draait ze zich naar de verre golvende velden die ze droomde tot een oceaan, waar hun huis als een schip op varen kon. Ze kijkt er nog één keer naar en opent haar ogen.

Poedersneeuw

Vlak voor Kerstmis nam mijn vader me mee skiën op Mount Baker. Hij moest vechten voor het privilege van mijn gezelschap, omdat mijn moeder nog steeds kwaad op hem was sinds hij me tijdens zijn laatste bezoek een nachtclub had binnengesmokkeld om Thelonious Monk te zien.

Hij gaf het niet op. Hij beloofde met zijn hand op zijn hart dat hij goed voor me zou zorgen en dat ik op kerstavond thuis zou zijn voor het diner, en daarop gaf ze toe. Maar toen we die ochtend uit het chalet vertrokken begon het te sneeuwen, en in die sneeuw herkende hij een zeldzame kwaliteit die ons noodzaakte nog één laatste keer de helling af te dalen. Er volgden nog verscheidene laatste keren. Hij bleef onverschillig onder mijn bezorgdheid. De sneeuw wervelde om ons heen in bijtende, verblindende vlagen die sisten als zand, en nog bleven we doorskiën. Terwijl de lift ons nogmaals naar de top voerde, keek mijn vader op zijn horloge en zei: 'Crimineel. We moeten nu wel snel zijn.'

Inmiddels kon ik de piste niet meer zien. Het had geen zin het te proberen. Ik bleef vlak achter hem en deed wat hij deed en kwam op de een of andere manier beneden zonder van een klif te vliegen. We brachten onze ski's terug en mijn vader voorzag de Austin-Healey van sneeuwkettingen, terwijl ik van de ene op de andere voet deinend mijn wanten tegen elkaar sloeg en wou dat ik thuis was. Ik zag het helemaal voor me. Het groene tafellaken, de borden met het hulstmotief, de rode kaarsen die klaarstonden om te worden ontstoken.

Toen we het skioord uit reden passeerden we een restaurant. 'Wil je een bord soep?' vroeg mijn vader. Ik schudde mijn hoofd. 'Kop op,' zei hij. 'Ik krijg je wel thuis. Oké, dokter?'

Ik moest nu zeggen: 'Oké, dokter', maar ik zei niets.

Buiten het skioord gebaarde een agent van de verkeerspolitie ons te stoppen bij een paar schragen waarmee de weg was afgezet. Hij liep naar onze auto en bukte zich bij het raampje van mijn vader, met een gezicht bleek van de kou en sneeuwvlokjes aan zijn wenkbrauwen en de bontranden van zijn jack en pet.

'Nee hè?' zei mijn vader.

'Ja,' zei de agent. De weg was gesloten. Misschien zou hij nog vrijgemaakt worden, misschien ook niet. De sneeuwstorm had iedereen verrast. Het viel niet mee mensen te mobiliseren. Op kerstavond. Niets aan te doen.

Mijn vader zei: 'Luister. We hebben het over tien, vijftien centimeter. Ik heb in deze auto wel meer voor mijn wielen gehad.'

De agent richtte zich op. Zijn gezicht was niet te zien, maar ik kon hem wel horen. 'De weg is gesloten.'

Mijn vader zat met beide handen aan het stuur en wreef zijn duimen over het hout. Hij keek een hele poos naar de versperring. Het leek of hij probeerde het te bevatten. Toen bedankte hij de agent en keerde de auto met een bizar vertoon van voorzichtigheid, als een oud dametje. 'Je moeder zal me dit nooit vergeven,' zei hij.

'We hadden vanochtend moeten vertrekken,' zei ik. 'Dokter.'

Hij praatte niet meer met me tot we in het restaurant aan een tafeltje zaten en op onze hamburgers wachtten. 'Ze zal het me niet vergeven,' zei hij. 'Begrijp je wat ik zeg? Nooit.'

'Waarschijnlijk niet, nee,' zei ik, hoewel er niets waarschijnlijks aan was. Ze zou het hem niet vergeven.

'Dat kan ik niet laten gebeuren.' Hij boog zich naar me toe. 'Ik zal je zeggen wat ik wil. Ik wil dat het allemaal weer goed komt met ons. Wil jij dat ook?'

'Jazeker.'

Hij stootte zijn knokkels tegen mijn kin. 'Meer hoef ik niet te weten.'

Toen we klaar waren met eten, liep hij naar de publieke telefoon achter in het restaurant en kwam daarna weer bij me aan het tafeltje zitten. Ik ging ervan uit dat hij mijn moeder had gebeld, maar hij bracht geen verslag uit. Hij nam kleine slokjes van zijn koffie en staarde door het raam naar de verlaten weg. 'Kom op, kom op,' zei hij, maar niet tegen mij. Even later zei hij het nog eens. Toen de politiewagen met flitsende zwaailichten langsreed, kwam hij overeind en liet wat geld op het bonnetje vallen. 'Oké. *Vámonos.*'

De wind was gaan liggen. Het sneeuwde nu lichter, in kleinere vlokken die recht omlaag vielen. We reden weg uit het skioord, recht op de versperring af. 'Haal dat ding weg,' zei mijn vader tegen me. Toen ik hem aankeek, zei hij: 'Waar wacht je nog op?' Ik stapte uit, sleepte een van de schragen opzij en zette hem terug toen hij erlangs was gereden. Hij duwde het portier voor me open. 'Nu ben je medeplichtig,' zei hij. 'Nu gaan we samen ten onder.' Hij zette de wagen in zijn één en wierp me een blik toe. 'Grapje, jongen.'

Op het eerste lange rechte stuk hield ik de weg achter ons in de gaten, om te zien of de politie ons op de hielen zat. De versperring verdween uit het zicht. En toen was er niets dan sneeuw: sneeuw op de weg, sneeuw die van de kettingen opdwarrelde, sneeuw op de bomen, sneeuw in de lucht, ons spoor in de sneeuw. Toen keek ik voor me en kreeg ik een schok. Voor ons uit waren er geen sporen. Mijn vader verbrak maagdelijke sneeuw tussen hoge rijen bomen. Hij neuriede 'Stars Fell on Alabama'. Ik voelde sneeuw langs de bodem onder mijn voeten schuren. Om te voorkomen dat mijn handen gingen beven klemde ik ze tussen mijn knieën.

Mijn vader bromde nadenkend en zei: 'Dit mag je zelf nooit proberen.'

'Dat ga ik ook niet doen.'

'Dat zeg je nu, maar op een dag heb je je rijbewijs en denk je dat je alles kunt. Maar dit zul je niet kunnen. Hiervoor moet je, ik weet het niet, hiervoor moet je een zeker instinct hebben.'

'Misschien heb ik dat wel.'

'Dat heb je niet. Je hebt je sterke kanten, zeker, maar daar hoort dit niet bij. Ik zeg het alleen maar omdat je niet het idee moet krijgen dat dit iets is wat iedereen zou kunnen. Ik kan geweldig goed rijden. Dat is geen verdienste, oké? Het is gewoon een feit, iets dat je goed moet beseffen. Dat oude barrel verdient natuurlijk ook een pluim. Er zijn niet zoveel auto's waarmee ik dit zou proberen. Hoor je dat!'

Ik luisterde en hoorde het geklapper van de kettingen, het stugge, hortende geschraap van de ruitenwissers, het snorren van de motor. Hij snorde echt. Dat oude barrel was zo goed als nieuw. Mijn vader kon zich die wagen niet permitteren en beloofde aldoor dat hij hem zou verkopen, maar mooi dat hij hem nog had.

Ik zei: 'Waar is die agent naartoe gegaan, denk je?'

'Heb je het warm genoeg?' Hij reikte schuin naar voren en zette de aanjager harder. Daarna zette hij de ruitenwissers af. Die hadden we niet nodig. De wolken waren lichter geworden. Er zweefden nog wat schaarse, pluizige vlokjes in ons kielzog waar ze meteen werden weggeblazen. We lieten de bomen achter ons en reden nu over een breed veld vol sneeuw dat een tijdje vlak bleef en daarna steil af helde. Hier waren met tussenruimten oranje stokken in twee evenwijdige rijen neergezet en mijn vader koerste ertussendoor, hoewel ze zo ver uit elkaar stonden dat ik lang niet zeker was waar de weg zich precies be-

vond. Hij zat weer te neuriën en riffjes rond de melodie te scat-
ten.

'Oké, dan. Wat zijn mijn sterke kanten?'

'Breek me de bek niet open,' zei hij. 'Dan ben ik vanavond
nog niet uitgepraat.'

'Goed. Noem er dan één.'

'Dat is makkelijk. Jij denkt altijd vooruit.'

Dat was waar. Ik dacht altijd vooruit. Ik was een jongen die
zijn kleren op genummerde knaapjes hing om ze ordelijk te laten rouleren. Ik zat mijn leraren ver voor de inleverdatum achter hun broek over mijn huiswerk zodat ik schema's kon maken. Ik dacht vooruit en daarom wist ik dat ons aan het eind
van de rit andere agenten zouden wachten, als we daar ooit zouden aankomen. Wat ik niet wist was dat mijn vader zich er smekend en flikflooiend uit zou redden – hij hoefde nog net geen
'O dennenboom' te zingen – en me op tijd voor het diner thuis
zou krijgen, waarmee hij nog wat uitstel had verdiend voor
mijn moeder definitief besloot van hem te scheiden. Ik wist
dat we gepakt zouden worden; ik had me erbij neergelegd. En
misschien hield ik daarom op met tobben en begon ik ervan te
genieten.

Waarom ook niet? Deze rit zou de boeken in gaan. Het was of
je in een speedboot zat, maar dan nog beter. In een boot kun je
niet afdalen. En we hadden het rijk alleen. Het bleef maar
doorgaan, de zwaarbeladen bomen, de ongerepte sneeuw, de
plotselinge witte vergezichten. Hier en daar zag ik aanwijzingen dat we goed zaten – greppels, hekken, palen – maar niet zoveel dat ik zelf mijn weg had kunnen vinden. Maar dat hoefde
ook niet. Mijn vader reed. Mijn vader op zijn achtenveertigste,
een wat verkreukelde, vriendelijke man, moreel failliet, bla-
kend van zelfvertrouwen. Hij reed geweldig goed. Met zachte
hand, zonder enige dwang. Subtiel sturend, tactvol met zijn
voeten. Ik vertrouwde hem echt. En het mooiste moest nog ko-

men: bochten en haarspelden die elke beschrijving tartten. Ik zou misschien alleen kunnen zeggen: als je niet door verse poedersneeuw hebt gereden, heb je niet gereden.

Die bewuste avond

Frances was naar het appartement van haar broer gekomen om even een arm om zijn schouders te slaan na een teleurstelling in de liefde, maar Frank werkte de helft van de kersentaart naar binnen die ze voor hem had meegebracht en zei nauwelijks iets over de vrouw. Hij was in extase over een preek die hij die middag had gehoord. Dominee Violet had zichzelf overtroffen, vertelde Frank; dit was zijn beste preek, de gouden standaard. Frank wilde hem voor Frances herhalen, zoals hij altijd filmscènes voor haar naspeelde toen ze jong waren.

'Ik moet ervandoor, Franky.'

'Hij is niet zo lang,' zei Frank. 'Vijf minuten. Tien minuten – hooguit.'

Drie jaar eerder was hij met haar auto tegen het bruggenhoofd van een viaduct gereden en bijna gestorven en daarna was hij, tijdens een afkickbehandeling, nog eens bijna gestorven aan een tonisch-clonische aanval. Nu wilde hij tegen haar preken. Ze moest er maar dankbaar voor zijn. Ze zei dat hij tien minuten de tijd kreeg.

Het was een drukkende avond, maar zoals altijd droeg Frank een overhemd met lange mouwen om de bizarre tatoeages te verbergen waarmee hij op een ochtend wakker werd toen hij in Manilla was gestationeerd. Het overhemd was wit, fris en kreukvrij gesteven en gestreken. De stropdas die hij naar de kerk had gedragen zat nog strak onder zijn prominente adamsappel. Frances zag een lange man in een klein kamertje, die voor de bank heen en weer liep terwijl hij zich opmaakte om te gaan spreken. Hij ontzag zijn linkerbeen, waarvan de knie was verbrijzeld bij het ongeluk; telkens als zijn rechtervoet neerkwam, rinkelden de borden in de kasten.

'Oké, daar gaat ie,' zei hij. 'Ik zal hier en daar zelf wat moeten aanvullen, maar het meeste weet ik nog wel.' Hij bleef langzaam, doelbewust heen en weer lopen met zijn handen op zijn rug, het hoofd gebogen onder een hoek die meditatie suggereerde. 'Mijn dierbare vrienden,' zei hij, 'jullie hebben niet zo lang geleden misschien iets in de krant gelezen over een man in onze staat, een vader zoals zovelen van jullie hier vandaag bijeen… maar ook een vader die voor een verschrikkelijke keuze stond. Zijn naam is Mike Bolling. Mike werkt bij de spoorwegen, als wisselwachter, hij zit al vanaf de middelbare school bij het spoor, net als zijn vader en zijn grootvader voor hem. Hij en Janice zijn nu tien jaar getrouwd. Ze hoopten op een heel huis vol kinderen, maar de Heer besloot hun er maar één te geven, een heel bijzonder kind. Dat was negen jaar geleden. Benny, noemden ze hem, naar Janice' vader. Hoewel deze was gestorven toen zij nog maar een jong meisje was, herinnerde ze zich zijn grote scheve grijns en hoe hij zijn hoofd achterover gooide als hij lachte, en ze hoopte dat er iets van haar vaders levenslust aan zijn naam was blijven hangen. Nou, het bleek dat ze meer levenslust in huis kreeg dan ze aankon.

Benny. Hij kwam in de hoogste versnelling ter wereld en heeft daarna nooit meer teruggeschakeld. Mike zei altijd dat je een trein op hem kon laten rijden, zoveel energie had hij. Hij was een goede leerling, een geboren atleet, maar wat hem het meest interesseerde was techniek. Hij was zo'n jongetje dat je niet in een kamer met een klok moest achterlaten, want dan had hij hem al uit elkaar voor je je hielen gelicht had. Tegen de tijd dat hij in de tweede klas van de lagere school zat, kon hij die klokken ook weer in elkaar zetten, en dan hebben we het maar niet over de stofzuiger en de tv en de motor van Mikes oude grasmaaier.'

Dit klonk niet als Frank. Hij had een normale manier van praten, niet vormelijk en niet volks, zuinig en soms ook zo scherp dat zijn grappen klonken als aantijgingen of beledigingen. Frances was zo ongeveer de enige die ze begreep. Deze toon maakte haar nerveus. Er ging iets vreselijks gebeuren in dit verhaal, zo vreselijk dat Frances spijt zou hebben dat ze het had gehoord. Ze wist het zeker. Maar ze hield hem niet tegen. Frank was haar kleine broertje en ze zou hem nooit iets ontzeggen.

Toen Frank nog een baby was, nog niet eens kon lopen, was Frank senior, hun vader, begonnen zijn zoon de betekenis van het woord 'nee' bij te brengen. Tijdens het avondeten liet hij zijn horloge voor Franks ogen heen en weer zwaaien, zei dan 'Nee!' en trok het weg op het moment dat het jongetje ernaar graaide. Als Frank bleef volhouden, gaf Frank senior steeds een tik op zijn handje, tot hij huilde van woede en begeerte. Dit gebeurde avond aan avond. Frank wilde het maar niet leren; zodra het horloge hem werd voorgehouden, graaide hij ernaar. Frances volgde het voorbeeld van haar moeder en zei niets. Ze was acht jaar, en hoewel ze haar vaders aandacht vreesde miste ze die ook, en ze maakte zich boos over Franks hardnekkigheid en de onrust die erdoor werd veroorzaakt. Waarom kon hij het niet leren?

Toen gaf haar vader Frank een draai om zijn oren. Het was op oudejaarsavond. Frances herinnerde zich de stomme hoedjes met kwastjes die ze allemaal ophadden toen haar vader haar kleine broertje een klap gaf. In het tijdloze vacuüm na de klap was er geen ander geluid dan de lange haal lucht tot diep in Franks longen waarmee hij zich rood aangelopen, in zijn stoel kronkelend volzoog om te gaan brullen. Frank senior boog zijn hoofd. Frances zag dat hij zichzelf had verrast en bang was voor hetgeen er zou volgen. Ze keek naar haar moeder, die haar ogen had gesloten. Jaren later probeerde Frances vaak een moment te bedenken waarop hun leven, al was het maar één graad, had kunnen worden omgebogen in een andere richting, en kwam dan altijd weer terecht bij dit ogenblik, toen haar vader besefte dat hij fout zat en zich geschokt zou laten berispen. Wat zou er gebeurd zijn als haar moeder uit haar stoel was opgesprongen en boven hem uittorenend had gezegd dat het nu afgelopen moest zijn, voor eens en voor altijd? Of als ze hem alleen maar had áángekeken en daarmee had bevestigd dat hij zich moest schamen? Maar haar ogen waren gesloten, en bleven gesloten tot Franks wanhopige verdriet om hun oren loeide en Frank senior de kamer verliet. Zoals Frances zelfs toen al wist, kon haar moeder zichzelf niet toestaan om datgene te zien waartegen ze zich niet kon verzetten omdat ze er de kracht niet voor had. Ze had een zwak hart. Drie jaar later reikte ze naar een fles ammonia, zei 'o', ging op de vloer zitten en stierf.

Frances kwam wel in verzet tegen haar vader. Ze trotseerde zijn bevelen en bracht Frank eten als hij naar zijn kamer was verbannen, ze kwam voor hem op en zei hem dat hij er goed aan deed voor zichzelf op te komen. Franks vader had besloten dat zijn zoon gebroken moest worden en Frank brak niet. Hij deed alles wat zijn vader hem verbood, waarbij Frances hem opjutte en zich moederlijk over hem ontfermde als hij was gesnapt. Na verloop van tijd gaf hun vader geen redenen meer op voor zijn misnoegen. Zijn stilzwijgen ging zwaarder wegen, net als de klappen die hij uitdeelde. Op een avond greep Frances haar vader bij zijn broekriem toen hij Frank achterna wilde, en toen hij haar van zich af slingerde gaf Frank hem een kopstoot in zijn maag. Frances sprong haar vader op zijn rug en zo knalden ze met hun drieën door de kamer. Toen het voorbij was, lag Frances languit op de vloer met een kapotte lip en een gonzend gefluit in haar oren en lachte ze als een bezetene.

Frank senior zei altijd nee tegen zijn zoon, en Frances zou nooit nee tegen hem zeggen. Frank was zich bewust van haar toegeeflijkheid en leerde die uit te buiten, tot hij in de maanden voor zijn ongeluk geen enkele schaamte meer kende. Hij had zich in haar huis genesteld, moeilijkheden voor haar veroorzaakt op haar werk, haar huwelijk bijna te gronde gericht. Tot op de dag van vandaag had Frances' echtgenoot het haar niet vergeven dat ze, in zijn woorden, medeplichtig was geweest aan die nachtmerrie. Maar haar echtgenoot was nooit door een kamer gesmeten of geschopt of met zijn hoofd tegen een deur geramd. Niemand had ooit tegen hem gesproken zoals haar vader tegen Frank had gesproken. Hij had geen idee hoe het was om hulpeloos en eenzaam te zijn. Niemand zou eenzaam moeten zijn in deze wereld. Iedereen zou iemand moeten hebben die vertrouwen in hem bleef houden, wat er ook gebeurde, voor de volle honderd procent.

'Op de bewuste avond,' zei Frank, 'belde Mikes voorman op met de vraag of hij de dienst van een ander wilde overnemen in het brugwachtershuis waar hij wel eerder had gewerkt. Het was een maandagavond midden in januari en het was bitterkoud. Janice was naar een bijeenkomst van de oudercommissie toen Mike werd gebeld, dus zat er voor hem niets anders op dan Benny mee te nemen. Het was strikt genomen tegen de regels, maar hij kon de overuren goed gebruiken en had het wel eerder gedaan, meer dan eens. Niemand had er ooit iets van gezegd. Benny gedroeg zich altijd en het was een goede gelegenheid voor hem en Mike om samen wat te klooien, als mannen onder elkaar. Ze zouden wat praten en gekheid maken, een paar knakworstjes warmen, daarna zou Mike een plekje voor Benny in orde maken met een slaapzak en een luchtbed. Het zou een echt avontuur worden.

Het was die avond ijskoud, zoals ik al zei. Er was wel een kachel in het brugwachtershuis, maar die deed het niet. De vent die Mike kwam aflossen had zijn parka en wanten aangehouden. Mike plaagde hem ermee, maar algauw hadden Benny en hij ook hun mutsen weer op en hun handschoenen weer aan. Mike maakte warme chocolademelk en ze speelden gin rummy of probeerden het in elk geval – dat gaat niet zo makkelijk met handschoenen aan. Maar ze dachten niet aan winnen of verliezen. Ze hadden er genoeg aan om samen te zijn, met hun tweetjes, terwijl de koude wind buiten tegen de ramen beukte. Vader en zoon! Kon het nog beter? Toen moest Mike de brug ophalen voor een paar boten en werd de situatie behoorlijk gespannen omdat een ervan te dicht naar de kant stuurde en bijna aan de grond liep. De schipper moest achteruit een eindje de rivier af zakken om het nog eens te proberen. Het duurde allemaal veel langer dan het had moeten duren, en tegen de tijd dat de tweede boot erdoor was, liep Mike achter op het schema en stond hij onder druk om de brug op tijd omlaag te krijgen voor de sneltrein uit Portland. Op dat moment merkte hij dat Benny er niet was.'

Frank bleef bij het raam staan en keek nietsziend naar buiten, alsof hij overwoog of hij moest stoppen of doorgaan. Maar toen hij zich van het raam afwendde en de draad weer opnam, begreep Frances dat dit kleine moment van overpeinzing gewoon bij de preek hoorde.

'Mike roept Benny's naam. Geen reactie. Hij roept hem nog eens, en kijkt daarbij niet op een decibel. Je moet begrijpen in wat voor positie Mike zich bevindt. Hij moet de brug neerlaten voor die trein en daar heeft hij nog net genoeg tijd voor. Hij weet niet waar Benny is, maar hij heeft wel zo'n idee. Uitgerekend op de plek waar hij nu niet moet zijn. Beneden, in de machinekamer.

De machinekamer. Het raderwerk, zoals Mike en de andere brugwachters het noemen. Je kunt je voorstellen wat een kracht er nodig is om een brug op te halen en neer te laten, afgezien van de motor zelf – al die winsen en hefbomen, katrollen, assen, tandwielen en wat al niet. Een enorme machinerie. Overal draaien gigantische schroeven en wormwielen met tanden als archiefkasten. Er zijn loopbruggen en nauwe doorgangen voor de monteurs, maar niemand kruipt daar in tenzij hij weet wat hij doet. Je moet weten wat je doet. Je moet precies weten waar je je voeten moet neerzetten en je moet je handen dicht tegen je aan houden en de juiste kleding dragen. En zelfs als je weet wat je doet, ga je daar niet naar binnen als de brug wordt bewogen. Nooit. Er is daar gewoon te veel gaande, er zijn te veel kansen om ergens aan te blijven haken en in het mechaniek getrokken te worden. Mike heeft Benny wel honderd keer gezegd: 'Blijf uit de machinekamer.' Dat is de ijzeren regel als Benny meegaat naar het brugwachtershuis. Maar Mike had de fout gemaakt hem één keer beneden te laten kijken toen er onderhoud aan de motor werd gepleegd, en hij had gezien hoe Benny's ogen begonnen te glanzen bij de aanblik van al dat staal, dat hele raderwerk. Benny popelde om aan de slag te gaan met al die tandwielen en hefbomen, om te kijken hoe het allemaal in elkaar zat. Mike voelde de machine aan Benny trekken als een grote magneet. Daarna had hij hem altijd nauwlettend in het oog gehouden, tot deze avond, toen hij werd afgeleid. En nu zit Benny daar beneden. Mike weet het zo zeker als twee en twee vier is.'

Frances zei: 'Ik wil dit verhaal niet horen.'

Frank liet niet merken dat hij haar had gehoord. Ze wilde nog iets zeggen, trok toen een zuur gezicht en liet hem doorgaan.

'Om in de machinekamer te komen zou Mike door de gang naar de achterkant van het brugwachtershuis moeten lopen en daar op de lift moeten wachten, of anders via de brandladder omlaag moeten klimmen. Hij heeft voor beide mogelijkheden te weinig tijd. Het enige wat hij nog kan doen is de brug neerlaten en ook daarvoor heeft hij nauwelijks genoeg tijd. Hij moet die brug nu neerlaten, anders rijdt de trein dadelijk de rivier in met iedereen aan boord. Dat is de situatie waarin hij zich bevindt, dat is de keuze die hij moet maken: zijn zoon, zijn Benjamin, of de mensen in die trein.

Goed, laten we een ogenblik stilstaan bij de mensen in die trein. Mike heeft geen van hen ooit ontmoet, maar hij loopt lang genoeg op deze aarde rond om te weten wat voor mensen het zijn. Het zijn mensen zoals wij allemaal. Er zijn mensen bij die de Heer kennen en hun naasten liefhebben en in het licht wandelen. Er zijn ook anderen. In die trein zitten mannen die druk smoezend snode plannen smeden en zelfs een weduwe haar schamele uitkering afhandig zullen maken. In die trein zit de man die zijn arbeiders blootstelt aan dood en verminking in zijn fabrieken. Er zitten leugenaars in deze trein, en dieven, huichelaars. Er is de man wiens vrouw hem niet genoeg is, die niet gelukkig kan zijn tot hij alle vrouwen op deze wereld heeft bezeten. Er is de valse getuige. Er is de man die steekpenningen aanneemt. Er is de vrouw die haar man en kinderen in de steek laat voor haar eigen genoegens. Er is de verkoper van bedorven waren, de lafaard, de woekeraar, de man die leeft voor zijn drugs, die alles zal doen voor die valse belofte, die zal stelen van degenen die hem werk verschaffen, van zijn vrienden, van zijn familie, die zelfs van zijn eigen ouders zal stelen en met arglist hun medelijden wekt, onder valse beloften geld leent, zelfs bij hen inbreekt. Al die mensen zitten in de trein, klaarwakker en hongerig als wolven, en in die trein zitten ook de slapenden, de mensen die met open ogen door hun leven slaapwandelen, die geen kwaad doen en geen kwaad bestrijden, als soldaten die zich dood houden en niet deelnemen aan de strijd voor hun steden en huizen, niet eens zullen strijden voor hun vrouwen en kinderen. Hoe kan Mike voor zulke mensen zijn zoon opofferen, zijn Benjamin, die nergens schuld aan heeft?

Dat kan hij niet. Natuurlijk kan hij dat niet, in zijn eentje.

Maar Mike is niet alleen. Hij weet wat wij allemaal weten, zelfs wanneer we proberen het te vergeten: wij zijn nooit alleen, nooit. Wij leven in de aanwezigheid van onze Vader in het licht van de dag en in het duister van de nacht, zelfs in die duisternis waarin we ons van hem afkeren en ons gezicht verbergen als angstige kinderen. Hij zal ons niet verlaten. Nee. Hij zal ons nooit alleen laten. Ook al sluiten we alle ramen en vergrendelen we alle deuren, nog zal hij binnenkomen. Ook al is ons hart leeg en van steen, dan nog zal hij erin wonen.

Hij zal ons niet alleen laten. Hij is met jullie allen, zoals hij ook met mij is. Hij is met Mike, en ook met de valse getuige in die trein, en de vrouw die de man van haar vriendin moet hebben, en de man die een borrel nodig heeft. Hij kent hun behoeften beter dan zijzelf. Hij weet dat hij is wat zij werkelijk nodig hebben, en ook al ontvluchten ze zijn stem, hij zal nooit ophouden hun te zeggen dat hij er is. En op dit moment, nu Mike zich nergens kan verschuilen en niet meer weet wat hij tegen zichzelf zou kunnen zeggen, kan hij hem horen, en dan weet hij dat hij niet alleen is, dan weet hij wat hij moet doen. Het is eerder gedaan, zelfs door hem die nu spreekt, de Almachtige Vader, die zijn eigen geliefde Zoon heeft gegeven opdat anderen gered zouden worden.'

'Hou op!' zei Frances.

Frank zweeg en keek Frances aan alsof hij zich niet kon herinneren wie ze was.

'Zo is het genoeg,' zei ze. 'Ik heb mijn portie heiligheid voor dit jaar wel binnen.'

'Maar er komt nog meer.'

'Weet ik. Ik zie het al aankomen. Die vent heeft zijn kind gedood, ja? Het is een heel naar verhaal, dat moet ik je wel zeggen, Frank. Wat is de lering die wij uit zo'n verhaal moeten trekken, dat we ons eigen kind moeten doden om een onbekende te redden?'

'Er zit veel meer in.'

'Oké, een hele treinlading onbekenden dan, tien treinladingen onbekenden. Moet ik dat doen omdat die zogenaamde Almachtige dat heeft gedaan? Is dat de boodschap? Hoe verzinnen mensen dit soort dingen eigenlijk? Het is een walgelijk verhaal.'

'Het is echt gebeurd.'

'Hoezo is het echt gebeurd? Toe Franky, alsjeblieft, je bent toch geen imbeciel?'

'Dominee Violet kent een man die in die trein zat.'

'O ja, vast. Laat me eens raden.' Frances kneep haar ogen stijf dicht en sperde ze toen wijd open. 'De drugsverslaafde! Ja, en daarna heeft hij zijn leven gebeterd en is hij in Brazilië met straatkinderen gaan werken en heeft hij iedereen laten zien dat Mikes offer niet voor niets is geweest. Loopt het zo af?'

'Je snapt niet waar het om gaat, Frances. Daar gaat het niet om. Laat me het verhaal afmaken.'

'Nee. Het is een vreselijk verhaal, Frank. Dat doen mensen niet. Ik zou het in elk geval nooit doen.'

'Het wordt jou ook niet gevraagd. Hij vraagt ons niet om iets te doen wat we niet kunnen.'

'Het kan me niet schelen wat hij vraagt. Waar heb je zo leren praten, trouwens? Je klinkt niet eens als jezelf.'

'Ik moest veranderen. Ik moest iets veranderen aan de manier waarop ik over dingen nadacht. Misschien klink ik daarom ook een beetje anders.'

'Ja, nou, toen je dronken was klonk je beter dan nu.'

Frank leek op het punt iets te zeggen, maar zei niets. Hij deed een stap achteruit en liet zich neerzinken in een afzichtelijke schotsgeruite leunstoel die door de vorige huurder was achtergelaten. De verstelbare stoel zat vast in de rechtopstand.

'Al stak de Almachtige een pistool in mijn oor, dan zou ik het nog niet doen,' zei Frances. 'In geen honderdduizend jaar. Jij ook niet. Wees eens eerlijk, broertje, als ik daar in die machinekamer zat, zou je mij dan fijnmalen? Zou je dan op de knop Francesburger drukken?'

'Dat is geen keuze die ik moet maken.'

'Ja, ja, dat weet ik. Maar stel dat het wel zo was.'

'Het is niet zo. Hij houdt ons geen pistool tegen het hoofd.'

'O nee? En de hel dan? Wat is dat dan? Maar wat zou dat ook. Wat kan mij die hel verdommen. Word ik fijngemalen of niet?'

'Zet me niet voor het blok, Frances. Dat is niet aan jou.'

'Ik zit in die machinekamer, Frank. Ik zit klem tussen die tandwielen en er komt een trein aan met Moeder Teresa en vijfhonderd zondaars aan boord, toet-toet, toet-toet. Wat wordt het, Frank? Wie gaat eraan?'

Frances wilde lachen. Zoals hij daar zo beteuterd rechtop zat, met zijn handen stevig om de armleuningen, zag Frank eruit of hij dadelijk zou worden meegezogen door een wervelstorm. Ze hield die kleine observatie voor zich. Frank was aan het denken en ze moest hem laten begaan. Ze wist wat zijn antwoord zou zijn – uiteindelijk was er geen ander antwoord mogelijk – maar hij kon niet gewoon zeggen: 'Ze is mijn zus', en het daarbij laten. Nee, hij zou een aantal rechtschapen, nobel klinkende redenen moeten verzinnen om voor haar te kiezen. En misschien zou hij dat aanvankelijk niet doen, misschien was hij daar te schijterig voor en zou hij met het antwoord van de zondagsschool aankomen. Frances was er klaar voor; ze kreeg hem wel om. Frances ging een gevecht niet uit de weg, vooral niet als het om haar broer ging. Voor haar broer had ze gevochten met rotjochies uit de buurt, met laatdunkende leraren en geringschattende coaches, met woekeraars, huiseigenaren en uitsmijters. Vanaf de tijd dat ze een meisje met korstige knieën was, had ze het opgenomen tegen haar eigen vader, en als het erop aankwam zou ze het ook opnemen tegen de Almachtige Vader, die onbegrijpelijke tiran. Ze was er klaar voor. Het zou weer net zo zijn als vroeger, als ze met hun tweetjes in haar kamer boven afwachtten terwijl Frank senior beneden mompelend, met deuren slaand bezig was zich op te winden tot een staat van razernij en het hele huis begon te stinken van de sigaren die hij ging paffen als hij aan het doordraaien was. Ze herinnerde het zich allemaal, haar trillende benen, hoe het bloed in haar hals bonkte terwijl de rooklucht almaar sterker werd. Ze kon die rook nog op haar tong proeven en de voetstappen van haar vader nog op de trap horen terwijl Frank naast haar zat te hijgen en dichter tegen haar aan kroop, ze hoorde weer hoe zijn stem haar naam fluisterde en haar eigen stem antwoordde terwijl de angst al plaatsmaakte voor felle vechtlust en een onverklaarbare vreugde: 'Het komt wel goed, Franky, ik ben bij je.'

Haardvuur

Mijn moeder zwoer dat we nooit meer in een pension zouden wonen, maar de omstandigheden stonden haar niet toe die belofte na te komen. Ze besloot van stad te veranderen; we moesten toch ergens slapen. Dit pension was erger dan het vorige, onvriendelijk, somber, doortrokken van de geuren die ontmoedigde mensen lijdzaam uitwasemen. Op de verdieping beneden die van ons was een gepensioneerde zeeman zijn longen eruit aan het hoesten. Het was een vriendelijke oude baas die altijd een complimentje voor mijn moeder klaar had als wij naar boven liepen langs de bedompte kamer waarin hij op de rand van zijn bed zat te roken. Overdag hadden we met hem te doen maar 's nachts, als we lagen te wachten op de volgende scheurende hoestbui en die al voelden aanzwellen in de stilte, hadden we een hekel aan hem. Ik in elk geval wel.

Mijn moeder zei dat het maar tijdelijk was. We gingen daar absoluut weg. Om mij en misschien ook zichzelf te laten zien dat het haar menens was, nam ze elke zaterdagochtend aan het ontbijt de krant door en omcirkelde de advertenties voor gemeubileerde appartementen die, in haar woorden, 'aan onze behoeften voldeden'. Ik hield van die uitdrukking. Hij gaf me het gevoel dat onze behoeften enig gewicht hadden in deze wereld, dat er rekening mee moest worden gehouden. Vervolgens zette mijn moeder haar uitgeslapen gezicht, vergeleek de huren en schrapte de duurste en ook de goedkoopste appartementen. Dat verhaal kenden we: de wrakkige koelkast en de klamme muren, de badkuip die bezig was door de vloer te zakken, de man boven die zijn vrouw sloeg. Die weg hadden we al bewandeld. Wanneer mijn moeder vijf of zes mogelijke appartementen had, belde ze om te kijken of ze nog vrij waren, en daarna gingen we de hele dag de adressen af.

We konden nog niet echt een woning nemen. De huisbazen wilden de huur voor de eerste en de laatste maand, plus een aanbetaling voor de schoonmaakkosten, en het zou even duren voor mijn moeder dat allemaal bij elkaar had. Ik begreep dit, maar elke zaterdag herhaalde mijn moeder het nog eens om te voorkomen dat ik al te enthousiast werd. We gingen alleen maar kijken. De markt verkennen.

De aanschaf van goederen en diensten kan plezier schenken. Ik geniet er nu zelf ook van de rol te spelen van een man die weet wat hij wil en het mee naar huis kan nemen. Maar in die tijd had ik aan kijken meestal wel genoeg. En daar bofte ik bij, want wij deden niets dan kijken en niet kopen.

Mijn moeder behoorde niet tot de vergelijkende consumenten die meteen op het prijskaartje kijken en hoofdschuddend over de winstmarge mopperen tegen iedereen die toevallig in de buurt is. De prijs interesseerde haar niet zo. Ze had er toch het geld niet voor, maar dat was niet het enige. Ze winkelde graag omdat ze zich thuisvoelde in winkels en belangstelling had voor de koopwaar. Verkopers hielpen haar zonder ongeduld, omdat ze zagen dat het geen goedkope, oppervlakkige nieuwsgierigheid was, die nieuwsgierigheid die haar zo jong en zo gedreven hield. Ze moest gewoon weten wat er te koop was.

We gingen altijd al winkelen, maar die eerste herfst in Seattle, berooider dan ooit, kregen we de smaak pas goed te pakken. We keken naar leren koffers. We keken naar grote televisiemeubelen in mediterrane stijl. We keken naar antiek en oosterse tapijten. Oosterse tapijten bekijken is iets dat je niet lichtvaardig doet, want de mensen die ze verkopen werken als paarden, sleuren ze van hoge stapels omlaag en komen er zwetend en hijgend, wankelend onder het gewicht mee aansjouwen, hun gezichten donzig van het pluis. Het zijn vaak kleine mannetjes. Je kunt niet te teergevoelig zijn. Je moet geen last hebben van schaamte, volkomen overtuigd zijn van je recht om te kijken naar dingen die je niet kunt kopen. En dat waren we dan ook.

Als de nieuwe modecollectie binnen was, paste mijn moeder kleren en keek ik hoe het stond. Ze was ooit model geweest en wist wat voor poses ze voor een spiegel moest aannemen, hoe ze nonchalant moest weglopen en dan moest blijven staan om met één uitgestoken heup over haar schouder te kijken alsof iemand haar net had geroepen. Als ze zich naar mij omdraaide, gaf ik mijn oordeel door te glimlachen, mijn schouders op te halen of nors nee te schudden. Ik vond haar in alles even prachtig maar voelde me verplicht om onderscheid te maken. Ze hield niet van te veel bewondering. Dat vond ze verstikkend.

We keken naar koperen pannen. We keken naar tuinmeubels en notenhouten eetkamersets. We brachten een hele middag door in een jachthaven en bestudeerden daar de boedelbeschrijving van een failliete handel in motorboten. De Grote Weggeefdag, noemden ze het. Het was de enige veiling waar we ooit echt naartoe zijn gegaan.

Mijn moeder droeg een elegant grijs mantelpak als we op huizenjacht gingen. Ik droeg mijn jongeherenkostuum, een trui met v-hals en een strik. Op de voorkant van de trui stond FRATERNITY ROW geborduurd. We zagen er respectabel uit, wat we goed beschouwd ook waren. We zagen er ook kapitaalkrachtig uit.

Op deze dag bezichtigden we appartementen in de buurt van de universiteit. De eerste drie waren best in orde, maar het vierde was een krot – de laatste huurder, een vrouw, moest er hebben gewoond als een dier in een hol. Iemand had geprobeerd de boel schoon te maken, maar zelfs met de ramen open en de frisse lucht die er naar binnen woei, hing er een geur van bedorven vlees. De huisbaas zei dat de vrouw depressief was geweest nadat haar huwelijk stuk was gelopen. Hij begon wel over een verfbeurt en nieuwe vloerbedekking maar leek ontmoedigd en verviel spoedig tot stilzwijgen. We liepen met ons drieën door de kamers en vervolgens weer naar buiten. De huisbaas voelde dat we niet zouden toehappen. Hij bood ons niet eens zijn kaartje aan.

We hadden nog één appartement te bekijken, maar mijn moeder zei dat ze genoeg had gezien. Ze vroeg of ik naar de haven wilde, of naar huis, of wat. Haar mond stond strak, haar gezicht was vertrokken. Ze probeerde aangenaam te klinken maar ze was in een zwart humeur. Ik voelde er niets voor om terug te gaan naar dat huis, naar die kamer, daarom vroeg ik of we naar de universiteit konden lopen om daar wat rond te kijken.

Ze tuurde de straat in. Ik dacht dat ze nee ging zeggen. 'Ja hoor,' zei ze. 'Waarom niet? Nu we hier toch zijn.'

We begonnen te lopen. Er stonden grote esdoorns langs het trottoir. Gevallen bladeren wervelden ritselend om onze benen in de vlagerige wind.

'Je mag je zelf nooit zo laten afglijden,' zei mijn moeder, zichzelf omarmend en omlaag kijkend. 'Daar is geen excuus voor.'

Ze klonk dodelijk beledigd. Ik wist dat ik niets gedaan had, dus ik hield me stil. Ze zei: 'Wat er ook gebeurt, het is nooit een excuus om het zo op te geven. Hoor je wat ik zeg?'

'Ja, mevrouw.'

Een groep Chinezen kwam ons achterop, tien of twaalf, allemaal jonge mannen die opgewonden met elkaar praatten. Ze weken nog altijd pratend om ons uiteen en stroomden weer samen, als water om een rotsblok. We volgden hen door de straat en de weg over naar de universiteit, waar we tussen de gebouwen ronddwaalden terwijl het licht al begon te verflauwen en de wind guur werd. Het was de eerste echt koude dag sinds we hiernaartoe waren verhuisd en ik was er niet op gekleed. Maar ik zei niets, omdat ik nog steeds niet naar huis wilde. Ik had nog nooit een voet op een campus gezet en mat alles gretig af tegen mijn idee hoe een universiteit eruit moest zien. Het was er allemaal. De oud ogende gebouwen met stenen bogen en hoge boogvensters. De welige grasvelden. De klimop. Hoog op de westelijke muren glinsterden de rode bladeren van de klimop in het laatste beetje zonlicht als de wind eroverheen streek. Nu en dan steeg er een enorm geraas op van het Husky Stadion, waar een wedstrijd aan de gang was. Telkens als ik het hoorde voelde ik een lichte huiver van medeplichtigheid, alsof ik erbij hoorde. Ik geloofde dat ik hier thuis was, dat de studenten die we op de bakstenen paden passeerden in mij een medestudent zouden herkennen met dat FRATERNITY ROW op mijn trui, ware het niet dat er een vrouw naast me liep met haar hand op mijn schouder. Ik begon het gewicht van die hand te voelen.

Mijn moeder merkte het niet. Ze was weer in een goed humeur, ze gloeide van de kou en haar herinneringen aan dit soort dagen op universiteiten als Yale en Trinity, toen ze gratis kaartjes voor footballwedstrijden kreeg van een vriendin die met een van de spelers ging. Ze was zelf ook omgegaan met een topspeler, een quarterback van Yale die Dutch Diefenbacher heette. Hij had met haar willen trouwen, voegde ze er achteloos aan toe.

'Bedoel je dat hij het je echt heeft gevraagd?'

'Hij gaf me een ring. Die had hij bij mijn vader gekocht, voor een vrouw waar hij smoorverliefd op was, maar ze wilde hem niet aannemen. Ze zei: "Kom zeg, ik ga niet met een ouwe vent als jij trouwen!" Dat zei ze echt.' Mijn moeder lachte.

'Wacht eens even,' zei ik. 'Had jij de kans om met een topspeler van Yale te trouwen?'

'Ja.'

'Waarom heb je het dan niet gedaan?'

We bleven staan bij een met bladeren verstopte fontein. Mijn moeder staarde in het water. 'Ik weet het niet. Ik was toen nog behoorlijk jong, en die Dutch was nou niet wat je een bruisende persoonlijkheid zou noemen. Hij was aardig... maar saai. Heel saai.' Ze haalde diep adem en zei met enige heftigheid: 'God, wat was die vent saai!'

'Ik zou wel met hem getrouwd zijn,' zei ik. Ik had hier nooit eerder iets over gehoord. Dat mijn moeder mij, uit schoolmeisjesachtig snobisme, een vader had onthouden die als quarterback in de ploeg van Yale had gespeeld, was hemeltergend. Anders was ik nu rijk geweest en had ik een collie gehad. Dan was alles heel anders gelopen.

We maakten een rondje om de fontein en liepen terug in de richting waaruit we waren gekomen. Toen we bij de weg aankwamen, vroeg mijn moeder of ik het appartement nog wilde bekijken dat we hadden overgeslagen. 'Ach, waarom ook niet,' zei ze, toen ze me zag aarzelen. 'Het is hier ergens in de buurt. Laten we ze nu maar allemaal afwerken.'

Ik had het koud, maar omdat ik er tot dan toe niets over gezegd had, dacht ik dat het hypocriet zou klinken als ik daar nu over ging klagen, hypocriet en kinderachtig. Ze hield twee meisjes staande in truien met letters erop, studentes, dacht ik met een steek van goedkope, hevige opwinding bij dat woord, en terwijl ze haar aanwijzingen gaven, keek ik aandachtig in de etalage van een boekwinkel, alsof ik maar toevallig naast deze persoon stond die hier de weg niet wist.

De heldere avondschemer duurde maar kort. Op een gegeven moment vlamde het licht nog wat op, daarna was het verdwenen. We liepen enkele stratenblokken naar een buurt met negentiende-eeuwse huizen waarvan de ramen, vanaf de lege straat gezien, baadden in een rijke, exclusieve gloed. De wind blies ons in de rug. Ik begon te rillen. Ik zei het nog steeds niet tegen mijn moeder. Ik wist dat ik het eerder had moeten zeggen, dat het dom was geweest dat niet te doen, en nu concentreerde ik al mijn wilskracht op een poging die domheid te verbergen door hem vol te houden.

We bleven staan voor een huis met een torentje. De bovenverdieping was donker. 'We zijn te laat,' zei ik.

'Zo laat is het niet,' zei mijn moeder. 'Bovendien is het appartement op de begane grond.'

Ze liep naar de portiek terwijl ik op het trottoir bleef wachten. Ik hoorde het gedempte geklingel van een bel en keek naar de ramen of ik iets zag bewegen.

'Stom… ik had moeten bellen,' zei mijn moeder. Ze had zich net omgekeerd toen een van de twee deuren openzwaaide en een man naar buiten leunde, een grote man die donker afstak tegen de verlichte deuropening. 'Ja?' zei hij. Hij klonk ongeduldig, maar toen mijn moeder zich naar hem toe keerde, liet hij er vriendelijker op volgen: 'Wat kan ik voor u doen?' Zijn stem was zo zwaar dat ik hem bijna voelde, als het gerommel van kolen door een stortkoker.

Ze vertelde hem dat we kwamen voor het appartement. 'We zijn een beetje laat, geloof ik,' zei ze.

'Een uur te laat,' zei hij.

Mijn moeder slaakte een uitroep van verbazing en zei dat we op de universiteit hadden rondgelopen en de tijd helemaal waren vergeten. Ze putte zich uit in verontschuldigingen maar maakte geen aanstalten om weg te gaan, en het moet hem duidelijk zijn geweest dat ze niet van plan was te vertrekken voor ze het appartement had gezien. Mij was het in elk geval wel duidelijk. Ik kwam al over het pad aanlopen en beklom de treden van de portiek.

Alles aan de man was groot – hij was lang en tonrond en had een kolossaal hoofd, een hoofd als een jachttrofee. Hij had de lichaamsgrootte die haast onvermijdelijk de bijnaam Kleintje uitlokt, al weet ik zeker dat niemand hem ooit zo noemde. Daarvoor was hij te gewichtig, in gedachten verzonken als een buffel met dat brede, plechtstatige gezicht. Hij keek op ons neer door een zwartomrande bril. 'Tja, u bent er nu toch,' zei hij niet onvriendelijk, en we volgden hem naar binnen.

Het eerste wat ik zag was het haardvuur. Ik was me bewust van andere dingen, het meubilair, de kerkachtige afmetingen van het vertrek, maar mijn ogen gingen direct naar de vlammen. Ze brandden met een sissend geluid in een haard die ik had kunnen binnenstappen zonder te bukken, of bijna dan. Voor de haard lag een meisje op haar buik met één blote voet langzaam ronddraaiend in de lucht, een hand onder haar kin. Ze las een boek. Ze las nog even door toen wij binnen waren, ging toen zitten en zei precieus: 'Goedenavond.' Ze had tieten. Ik zag ze tegen haar blouse duwen. Maar ze was niet mooi. Ze was groot en had net zo'n uilenbril op als de man, op wie ze jammer genoeg erg veel leek. Ze knipperde voortdurend met haar ogen. Ik voelde me bij haar onmiddellijk op mijn gemak. Ik glimlachte en zei hallo, in plaats van de onverschillige, zelfs vijandige houding aan te nemen waarmee ik mooie meisjes bejegende.

Er stond iets in de oven, iets met chocola. Ik liep naar de haard en bleef er met mijn rug naartoe staan, vouwde mijn handen achter mijn rug open en dicht.

'O ja, het is heel comfortabel,' zei de man in antwoord op een opmerking van mijn moeder. Hij keek nieuwsgierig om zich heen, alsof het hem verbaasde dat hij zich hier bevond. Het was een grote kamer, de grootste die ik ooit in een appartement had gezien. We zouden het ons nooit kunnen veroorloven hier te wonen, maar dat feit begon ik al uit het oog te verliezen.

'Ik zal mijn vrouw even halen,' zei de man, en vervolgens bleef hij op zijn plek en sloeg mijn moeder gade.

Ze draaide zich om en knikte nadenkend. 'Al die ruimte,' zei ze. 'Het geeft je zo'n gevoel van vrijheid. Hoe kunt u dat opgeven?'

Eerst gaf hij geen antwoord. Het meisje begon aan het kleed te plukken. Toen zei hij: 'We zijn aan verandering toe. Nietwaar, Sister?'

Ze knikte zonder op te kijken.

Er kwam een vrouw uit het aangrenzende vertrek binnen met een schaal brownies. Ze was lang en mager. In haar wangen zaten diepe groeven die haar mond tussen haakjes zetten. Haar grijze haar was bijeengebonden in een paardenstaart. Ze liep naar ons toe met trage, afgemeten passen, alsof ze gaven naar een altaar bracht, en zette de schaal op de koffietafel. 'U bent net op tijd om een paar van dr. Avery's brownies te proeven,' zei ze.

Ik dacht dat ze verwees naar een recept. Toen de man zich naar de koffietafel repte en een handvol koekjes van de schaal graaide, begreep ik het. Ik begreep niet alleen dat hij dr. Avery was, maar ook dat die brownies hem toebehoorden: zijn aanval op de schaal droeg alle tekenen van jaloers eigenaarschap. Ik durfde er geen een te pakken, maar Sister wel en ze overleefde het, ze ging zelfs terug voor een tweede koekje. Ik nam er zelf ook een paar. Terwijl we ze opaten, schoof de vrouw haar arm achter dr. Avery's rug en leunde tegen hem aan. Het weinige dat ik van het huwelijksleven had gezien, had mij ertoe gebracht publieke affectie tussen echtelieden te beschouwen als puur toneel – kijk, dit is een huis waarin mensen elkaar liefkozen –, hoewel ze zo zichtbaar blij was met haar leven, dat ik haar blijdschap wel moest delen.

Mijn moeder drentelde ongedurig door het vertrek. 'Hebt u er bezwaar tegen als ik wat rondkijk?' zei ze.

Mevrouw Avery vroeg Sister ons de rest van het appartement te laten zien.

Nog meer grote kamers. Twee ervan met een open haard. Boven de schoorsteenmantel in de echtelijke slaapkamer hing een grote foto van een man met donkere, bedachtzame ogen. Toen ik Sister vroeg wie het was, zei ze, met een zweem van belangrijkheid: 'Gurdjieff.'

Ik vond haar neerbuigendheid niet erg. Ze was ouder en groter en volgens mij ook slimmer dan ik. Die neerbuigendheid leek volledig op zijn plaats.

'Gurdjieff,' zei mijn moeder. 'Daar heb ik wel eens van gehoord.'

'Gúrdjíéff,' herhaalde Sister, alsof mijn moeder het verkeerd had gezegd.

We liepen terug naar de woonkamer en schaarden ons rond de haard, dr. Avery en zijn vrouw op de bank, mijn moeder in een schommelstoel tegenover hen. Sister en ik gingen languit op de vloer liggen. Ze deed haar boek open en even later ging haar voet weer omhoog om zijn trage ronddraaiende bewegingen te hervatten. Mijn moeder en mevrouw Avery praatten over het appartement. Ik staarde in de vlammen, de stemmen boven mijn hoofd aangenaam en zonder betekenis tot ik mijn naam hoorde vallen. Mijn moeder vertelde mevrouw Avery over onze wandeling rond de campus. Ze zei dat het een prachtige universiteit was.

'Prachtig?' zei dr. Avery. 'Wat bedoelt u met prachtig?'

Mijn moeder keek hem aan. Ze gaf geen antwoord.

'Ik neem aan dat u het hebt over de gebouwen?'

'Ja. De gebouwen, de grond eromheen. Het hele complex.'

'Pseudo-gotische kitsch,' zei dr. Avery. 'Een filmdecor.'

'Dr. Avery vindt dat de universiteit te veel aandacht besteedt aan uiterlijk vertoon,' zei mevrouw Avery.

'Dat is het enige waar ze aandacht aan besteden,' zei dr. Avery.

'Dat zou ik niet weten,' zei mijn moeder. 'Ik ben geen deskundige op het gebied van architectuur. Ik vond het er mooi uitzien.'

'Ja nou, dat is toch net het punt?' zei dr. Avery. 'Het lijkt net een universiteit. Hetzelfde geldt voor de zogenaamde opleiding die ze verkopen. Het is allemaal nep, van begin tot eind. Een volstrekt loze ervaring. Louter *materia*, geen *anima*.'

Toen kon ik hem niet meer volgen en staarde ik maar weer in de vlammen. Dr. Avery dreunde maar door. Aanvankelijk was hij stil geweest, maar eenmaal op gang gekomen hield hij niet meer op en dat had ik ook niet gewild. Het geluid van zijn stem was zo geruststellend dat ik er soezerig van werd, zoals het gebrom van een automotor als je op de achterbank ligt en op weg naar huis bent na een lange reis. Nu en dan kwam mevrouw Avery ertussen om haar instemming te betuigen met iets wat hij had gezegd, om kenbaar te maken dat ze het volledig met hem eens was; daarna vervolgde hij zijn betoog. Sister verroerde zich naast me. Ze gaapte, sloeg een bladzijde om. De blokken in de haard gingen heel zachtjes verliggen, als een oude slapende hond die zijn botten schikt.

Dr. Avery bleef een hele poos praten. Toen zei mijn moeder mijn naam. Alleen mijn naam, meer niet. Dr. Avery ging door alsof hij haar niet gehoord had. Hij zat voorovergebogen en één vinger zwaaide op de cadans van zijn woorden heen en weer, zijn brillenglazen glinsterden als hij zijn grote hoofd schudde. Ik keek naar mijn moeder. Ze zat stijfjes in de schommelstoel, haar handen kneedden het tasje op haar schoot. Haar gezicht was bleek, bevroren. Het was de uitdrukking die haar gezicht kreeg wanneer ze gevangen werd gehouden door een vasthoudende colporteur of een paar mormonen die zich niet lieten afschepen. Ze wilde weg.

Ik wilde niet weg. Loom en tevreden knikkebollend bij het

haardvuur was ik vergeten dat ik hier niet thuis was. De gloed van het haardvuur had dezelfde uitwerking op me als de stem van dr. Avery, zodat ik wegsoesde in de serene staat van huiselijk geluk waarmee deze mensen schijnbaar waren gezegend. Ik slaagde er zelfs in te vergeten dat dit niet mijn gezin was en dat zij hier binnenkort ook weg moesten. Ik nam ze op in mijn verhaal zonder ook maar enigszins te beseffen dat zij hun eigen leven hadden.

Wat voor leven dat was, weet ik niet. We hebben hen nooit meer gezien. Maar nu, vele jaren later, heb ik wel een idee. Mijn idee is dat de universiteit zijn aanstelling had beëindigd en dat het noch de eerste noch de laatste keer was dat men te veel moeite had met dr. Avery. Ik zie hoe hij zijn strijd tegen louter uiterlijkheden voortzet, van de ene onwaardige instelling naar de andere, hoe zijn oproep tot authenticiteit telkens opnieuw, en met toenemende heftigheid wordt afgewezen. Dr. Avery's collega's, klein van geest en eng van hart, maken hem belachelijk en schilderen hem af als een vervelende zeur. Zijn idealisme, impliceren ze, is een dekmantel voor zijn gebrek aan distinctie op zijn terrein, wat dat ook is. Steeds opnieuw kan hij zijn koffers pakken. Mevrouw Avery troost zijn gekwetste anima met niet-aflatende trouw en verzorgt zijn zwellende materia met immer hogere bergen brownies. Zij gelooft in hem. Haar geloof, op welk fundament ook gegrondvest, is heroïsch. Niet eenmaal verbeeldt ze zich, zoals mindere vrouwen misschien zouden doen, dat haar kansen op alledaags geluk – oude vrienden, een eigen huis, een leven geworteld in de gemeenschap – zijn opgeofferd, niet aan een hogere waarheid maar aan ijdelheid en arrogantie.

Nee, die rol komt Sister toe. Sister wordt de afvallige. Ze heeft, als hun enig kind, geen keus. Mettertijd, luttele jaren na deze avond, zal ze besluiten dat de teleurstellingen in haar leven te herleiden zijn tot hun tekortkomingen. Wie kent die tekortkomingen beter dan Sister? Er volgen scènes. Dr. Avery en zijn vrouw worden ervan beschuldigd dat zij zichzelf zijn. De bezoeken aan haar ouders tijdens haar studie aan Barnard of Reed, of waar Sisters beurs haar ook heen gevoerd heeft, en daarna vanuit de verre stad waar ze werkt, worden theaterstukken. Kwaad gefluister in de keuken, geschreeuw aan tafel, een voortijdig vertrek. Dit gaat jaren zo door, maar niet voor altijd. Sister sluit vrede met haar ouders. Ze gaat zelfs koesteren wat ze heeft gehaat, hun weigering om te praten en te doen als de anderen, hun eindeloze verhuizingen, hun kleurig opspattende excentriciteit in de modderstroom. Ze ontdekt dat ze geen andere keus heeft dan hen lief te hebben, en wie kan hen beter liefhebben dan Sister?

Het kan zo of toch weer anders gegaan zijn. Ik heb die mensen in mijn verhaal opgenomen zonder iets van hun leven te weten, net als die avond, toen ik droomde dat ik bij hen hoorde. We waren vreemden. Ik had misschien drie kwartier in hun appartement doorgebracht, net genoeg om warm te worden en de feiten uit het oog te verliezen.

Mijn moeder zei opnieuw mijn naam. Ik kwam niet in beweging. Normaal zou ik overeind zijn gekomen zonder aangespoord te hoeven worden, niet uit gehoorzaamheid maar omdat ik er plezier in had haar voor te zijn, te pronken met onze samenwerking. Ditmaal wierp ik haar alleen een norse blik toe. Ze paste niet in die schommelstoel, ze was er te glamoureus voor. Ik kon haar glamour bijna zien als iets afzonderlijks, een andere verschijning, een brutale, ongeduldige vriendin die popelde om haar weg te krijgen uit dat knusse gedoe.

Ze zei dat we er eens over moesten denken om op te stappen. Sister hief haar hoofd op en keek naar mij. Ik verroerde me nog steeds niet. Ik zag dat mijn moeder hierdoor verrast werd. Ze wachtte af tot ik iets zou doen, en toen ik niets deed deinde ze langzaam voorover en kwam overeind. Iedereen stond gelijk met haar op behalve ik. Ik voelde me stom en recalcitrant daar in mijn eentje op de vloer, maar ik bleef er zitten terwijl zij de laatste beleefdheden uitwisselden. Toen ze naar de deur liep, stond ik op, mompelde een groet en liep achter haar aan naar buiten.

Dr. Avery hield de deur voor ons open.

'Toch vind ik het een mooie campus,' zei mijn moeder.

Hij lachte – ho ho ho. 'Tja, het zij zo,' zei hij. 'Ieder zijn smaak.' Hij wachtte tot we het trottoir hadden bereikt, deed toen het licht uit en sloot de deur. Hij viel met een stevige dreun achter ons dicht.

'Wat was dat nou?' zei mijn moeder.

Ik gaf geen antwoord.

'Voel je je wel goed?'

'Ja.' Toen zei ik: 'Ik heb het wel een beetje koud.'

'Koud? Waarom heb je dat niet gezegd?' Ze probeerde bezorgd te kijken, maar ik kon zien dat ze blij was met die simpele verklaring voor hetgeen er in dat huis was voorgevallen.

Ze trok het jasje van haar mantelpak uit. 'Hier.'

'Dat hoeft niet.'

'Trek aan.'

'Echt, mam. Het gaat wel.'

'Trek aan, druiloor!'

Ik trok het jasje om mijn schouders. We liepen een eindje door. 'Ik zie er belachelijk uit,' zei ik.

'Nou en... wie heeft daar last van?'

'Ik.'

'Oké, jij. Nou, sorry hoor. Tjongejonge, wat ben jij gezellig vanavond.'

'In de bus hou ik dat ding niet aan.'

'Er heeft ook niemand gezegd dat je het in de bus aan moet houden. Wil je even gauw wat eten voor we naar huis gaan?'

Ik zei ja hoor, prima, wat ze maar wilde.

'Misschien is er ergens een pizzatent. Heb je wel trek in een stuk pizza?'

'Ik denk het wel,' zei ik.

Een zwarte hond met glanzende ogen stak in onze richting de straat over.

'Hallo, jongen,' zei mijn moeder.

De hond draafde een eindje met ons mee, ging er toen vandoor.

Ik deed de kraag van het jasje omhoog en trok mijn schouders op.

'Heb je het nog steeds koud?'

'Een beetje.' Ik liep ontzettend te bibberen. Volgens mij had ik het nog nooit zo koud gehad en ik gaf mijn moeder de schuld, omdat zij me weer mee naar buiten had genomen, weg van dat haardvuur. Hoewel ik wist dat zij het ook niet kon helpen, gaf ik haar toch de schuld dat ik het zo koud had – en van de wind in mijn gezicht, van al het onbenoembare dat niet was zoals het moest zijn.

'Kom eens hier.' Ze trok me naar zich toe en begon haar hand over mijn arm op en neer te wrijven. Toen ik haar ontweek, bleef ze me vasthouden en over mijn arm wrijven. Het voelde prettig. Ik was nog niet echt opgewarmd, maar beter dan dit ging het niet worden.

'Niet om het een of ander,' zei mijn moeder, 'maar wat vond jij van de campus? Eerlijk zeggen.'

'Ik vond het er mooi.'

'Ik vond het geweldig,' zei ze.

'Ik ook.'

'Die grote opschepper,' zei ze. 'Wat verbeeldt hij zich wel?'

Ik heb nu mijn eigen open haard. Waar wij wonen zijn de winters lang en koud. De wind blaast de sneeuw schuin door de lucht, het huis kraakt, de ruiten vriezen dicht met varens van ijs. Na het avondeten maak ik het vuur aan en bouw daartoe vier wanden van stammetjes, als een blokhut zonder dak. Dat is de beste methode. Alleen beginnelingen hanteren de tipi-methode. Mijn kinderen zitten achter mij te wachten en verdringen elkaar, furieus kibbelend wie het recht heeft om de lucifer erbij te houden. Ik zeg dat ze het samen moeten doen. Hun handen trillen van gretigheid als ze de lucifers afstrijken en bij het verkreukelde papier houden, het op zo veel mogelijk plaatsen aansteken voor de aanmaakhoutjes beginnen te knetteren. Dan gaan ze op hun hielen zitten kijken hoe de vlammen de wanden van de blokhut verzwelgen. Hun gezichten staan eerbiedig.

Mijn vrouw komt binnen en prijst het vuur, wetend hoe trots ik erop ben. Ze gaat op de bank liggen met haar boek maar leest er niet in. Ik lees ook niet in het mijne. Ik kijk naar het vuur, ik kijk naar het flakkerende schijnsel op de gezichten van mijn gezinsleden. Ik probeer me thuis te voelen en dat voel ik me ook, bijna. Dit is het moment waar ik van droom wanneer ik ver van huis ben, dit is mijn droom van huiselijk geluk. Maar hier in de boezem van mijn gezin merk ik dat ik me een beetje schrap zet, alsof ik bang ben dat ik word bedrogen. Alsof mijn geloof in dit huiselijk geluk het op de een of andere manier zal laten verdwijnen, als een stem die me wekt uit mijn slaap.

Kogel door het hoofd

Anders kon pas vlak voor sluitingstijd naar de bank, zodat er natuurlijk een eindeloos lange rij stond, en hij moest aansluiten achter twee vrouwen die hem in een moordlustige stemming brachten met hun luide, stompzinnige gesprek. Hij was toch al nooit in een geweldig humeur. Anders, de criticus, stond bekend om de verveelde, elegante wreedheid waarmee hij vrijwel alles neersabelde wat hij recenseerde.

Terwijl de rij het koord nog moest ronden, zette een van de baliemedewerkers het bordje GESLOTEN voor haar loket en liep naar achteren, waar ze tegen een bureau geleund een praatje begon te maken met een man die wat papieren heen en weer schoof. De vrouwen voor Anders braken hun gesprek af en keken vol haat naar de baliemedewerkster. 'O, geweldig,' zei een van hen. Ze wendde zich tot Anders en vertrouwend op zijn instemming voegde ze eraan toe: 'Alweer zo'n kleine mensvriendelijke geste waar wij voor blijven terugkomen.'

Anders had ook al een verzengende haat tegen de baliemedewerkster opgevat, maar richtte die onmiddellijk op de laatdunkende zeurkous voor hem. 'Het is vreselijk onrechtvaardig,' zei hij. 'Echt tragisch. Als ze niet je verkeerde been afzetten of het dorp van je voorouders platbombarderen, sluiten ze wel een loket.'

Ze gaf geen krimp. 'Ik zei niet dat het tragisch was,' zei ze. 'Ik vind het alleen geen stijl om je klanten zo te behandelen.'

'Het is onvergeeflijk,' zei Anders. 'Het zal in de hemel genoteerd worden.'

Ze zoog haar wangen naar binnen maar keek langs hem heen en zei niets. Anders zag dat haar vriendin dezelfde kant op keek. En toen staakten de baliemedewerkers hun bezigheden en draaiden de andere klanten zich langzaam om en werd het stil in de bank. Bij de deur stonden twee in een blauw pak gestoken mannen met zwarte bivakmutsen op. Een van hen hield de bewaker een pistool in zijn nek. De bewaker had zijn ogen gesloten en bewoog zijn lippen. De andere man had een afgezaagd jachtgeweer. 'Hou je grote bek!' zei de man met het pistool, hoewel niemand een woord had gesproken. 'Als er iemand op het alarm drukt daar achter de balie, knal ik iedereen overhoop.'

'Ah, bravo,' zei Anders. 'We gaan "knallen".' Hij wendde zich tot de vrouw voor hem. 'Goed script, hè? De grimmige boksbeugelpoëzie van de gevaarlijke klassen.'

Ze keek hem met verdrinkende ogen aan.

De man met het jachtgeweer dwong de bewaker op zijn knieën. Hij gaf het geweer aan zijn compagnon, rukte de polsen van de bewaker achter zijn rug omhoog en maakte ze aan elkaar vast met een paar handboeien. Hij smakte hem tegen de vloer met een trap tussen zijn schouderbladen, pakte zijn wapen weer aan en liep naar het veiligheidshek aan het eind van de balie. Hij was kort van stuk en zwaar en bewoog zich eigenaardig langzaam. 'Laat hem erin,' zei zijn compagnon. De man met het jachtgeweer opende het hek, kuierde langs de rij baliemedewerkers en gaf ieder van hen een plastic zak. Bij de lege plek aangekomen keek hij opzij naar de man met het pistool, die zei: 'Wie zit daar?'

Anders keek naar de baliemedewerkster. Ze legde een hand tegen haar hals en keerde zich naar de man met wie ze had staan praten. Hij knikte. 'Ik,' zei ze.

'Schiet dan op met je dikke reet en stop die zak vol.'

'Ziezo,' zei Anders tegen de vrouw voor hem. 'Gerechtigheid.'

'Hé! Wijsneus! Heb ik gezegd dat je kon gaan praten?'

'Nee,' zei Anders.

'Hou dan je kop dicht!'

'Hoorde je dat?' zei Anders. '"Wijsneus". Regelrecht uit *De killers* van Hemingway.'

'Stil toch, alstublieft,' zei de vrouw.

'Hé, ben jij doof of zo?' De man met het pistool liep naar Anders toe en stak het wapen in zijn buik. 'Denk je dat ik maar een geintje maak?'

'Nee,' zei Anders, maar de loop kietelde als een stugge vinger en hij moest een gegiechel onderdrukken. Hij deed dit door zichzelf te dwingen strak in de ogen van de man te kijken die duidelijk zichtbaar waren door de gaten in de bivakmuts. Ze waren lichtblauw en felrood omrand. Het linkerooglid van de man vertrok steeds. Hij ademde een penetrante ammoniaklucht uit die schokkender was dan alles wat er tot dan toe was voorgevallen, en Anders begon zich onbehaaglijk te voelen toen de man hem weer een por gaf met het pistool.

'Val je op mij, wijsneus?' zei hij. 'Wil je aan mijn pik zuigen?'

'Nee,' zei Anders.

'Sta me dan niet zo aan te kijken.'

Anders richtte zijn blik op de glimmende gaatjesschoenen van de man.

'Nee, nee. Daarheen kijken.' Hij stak het pistool onder Anders' kin en duwde hem omhoog tot hij naar het plafond keek.

Anders had nooit veel aandacht besteed aan dat deel van de bank, een bombastisch oud gebouw met marmeren vloeren en balies en vergulde krullen boven de loketten. Het koepelplafond was versierd met mythologische figuren van een vlezige, in toga's geplooide lelijkheid die Anders jaren geleden met een vlugge blik in zich had opgenomen en naderhand niet meer wenste op te merken. Nu had hij geen andere keus dan het werk van de schilder nauwkeurig te bestuderen. Het was nog erger dan hij het zich herinnerde, en allemaal uitgevoerd in dodelijke ernst. De kunstenaar had een paar trucs in huis en die steeds weer gebruikt, een rozige blos aan de onderkant van de wolken, een kokette achterwaartse blik op de gezichten van de cupido's en faunen. Het plafond was druk beschilderd met diverse taferelen, maar Anders' blik werd getroffen door een voorstelling van Zeus en Europa, in deze weergave een stier die vanachter een hooiberg naar een koe staat te lonken. Om de koe sexy te maken had de schilder haar heupen suggestief gekanteld en haar lange, neerhangende wimpers gegeven waardoor ze zwoel uitnodigend naar de stier omkeek. De stier grijnsde zelfvoldaan en had zijn wenkbrauwen opgetrokken. Als er een tekstballonnetje van zijn bek was opgerezen, had daarin gestaan: HUBBA BUBBA.

'Wat is er zo grappig, wijsneus?'

'Niks.'

'Vind je mij grappig? Denk je dat ik een of andere komiek ben of zo?'

'Nee.'

'Denk je dat je mij een beetje in de zeik kan nemen?'

'Nee.'

'Nog één keer en je bent er geweest. *Capiche*?'

Anders barstte in lachen uit. Hij sloeg beide handen voor zijn mond en zei: 'Sorry. Sorry', proestte toen hulpeloos door zijn vingers heen en zei: 'Capiche, o god, capiche', en daarop hief de man met het pistool zijn pistool op en schoot Anders door zijn hoofd.

De kogel doorboorde Anders' schedel, ploegde door zijn hersenen en verliet zijn hoofd achter het rechteroor, waarbij rondvliegende botsplinters doordrongen in de hersenschors en het corpus callosum en verder naar achteren in de basale ganglions en de daaronder liggende thalamus. Maar voor dit alles plaatsvond, veroorzaakte de intrede van de kogel in de grote hersenen een knetterende opeenvolging van ionentransporten en neurotransmissies. Vanwege hun eigenaardige oorsprong volgden deze een eigenaardig patroon en brachten ze lukraak een zomermiddag tot leven die zo'n veertig jaar geleden had plaatsgevonden en sindsdien allang uit zijn geheugen was verdwenen. Na de inslag in het cranium bewoog de kogel zich voort met een snelheid van driehonderd meter per seconde, de zielige sukkelgang van een gletsjer vergeleken bij de synaptische schichten die er aan alle kanten langsflitsten. Dat wil zeggen dat de kogel, eenmaal in de hersenen, werd onderworpen aan de hersentijd, wat Anders ruimschoots de gelegenheid gaf om de scène te overdenken die zich, in een uitdrukking die hij zou hebben verafschuwd, 'voor zijn ogen ontrolde'.

Het is, gezien de herinneringen die bij hem opkwamen, de moeite waard om te vermelden wat Anders zich niet herinnerde. Hij herinnerde zich niet zijn eerste liefde, Sherry, of wat hij zo verrukkelijk aan haar had gevonden voor het hem begon te irriteren – haar ongegeneerde lichamelijkheid, en dan vooral de hartelijke manier waarop ze omging met zijn lid, dat ze meneer Mol noemde, zoals in: o, o, zo te zien heeft meneer Mol wel zin in een spelletje. Anders herinnerde zich noch zijn vrouw, van wie hij ook had gehouden tot hij doodmoe werd van haar voorspelbaarheid, noch zijn dochter, nu een stuurse hoogleraar economie in Dartmouth. Hij herinnerde zich niet dat hij voor de kamerdeur van zijn dochtertje stond terwijl zij haar beer een standje gaf voor zijn ondeugende gedrag en de afgrijselijke straffen beschreef die Pootjes zou krijgen als hij zijn leven niet beterde. Hij herinnerde zich geen regel van de honderden gedichten die hij in zijn jeugd in zijn geheugen had geprent zodat hij zichzelf naar believen kippenvel kon bezorgen – regels als 'Silent, upon a peak in Darien', of 'My God, I

heard this day', of 'All my pretty ones? Did you say all? O hell-
kite! All?' Hij herinnerde zich niets van dit alles, niet één regel. Anders herinnerde zich niet wat zijn moeder op haar sterf-
bed over zijn vader zei: 'Ik had hem in zijn slaap dood moeten
steken.'

Hij herinnerde zich niet dat professor Joseph zijn studenten
vertelde dat Atheense gevangen op Sicilië werden vrijgelaten
als ze Aeschylos konden citeren, en daarna ter plekke zelf Aeschylos begon te citeren, in het Grieks. Anders herinnerde
zich niet hoe zijn ogen prikten bij die klanken. Hij herinnerde
zich niet hoe verrast hij was geweest toen hij niet lang na hun
afstuderen de naam van een medestudent op het omslag van
een roman had gezien, of hoeveel respect hij voor hem had gevoeld na het lezen van het boek. Hij herinnerde zich niet hoeveel plezier het hem deed respect te tonen.

Noch herinnerde Anders zich dat hij maar enkele dagen na
de geboorte van zijn dochter een vrouw vanaf het gebouw tegenover het zijne haar dood tegemoet had zien springen. Hij
herinnerde zich niet dat hij 'God wees haar genadig!' had geroepen. Hij herinnerde zich niet dat hij de auto van zijn vader
moedwillig tegen een boom had gereden, dat hij door drie
agenten in zijn ribben was geschopt bij een demonstratie tegen de oorlog, dat hij zichzelf wakker had gelachen. Hij herinnerde zich niet wanneer hij met verveling en angst ging opzien
tegen de stapel boeken op zijn bureau, wanneer hij het schrijvers kwalijk begon te nemen dat ze die boeken schreven. Hij
herinnerde zich niet wanneer het zover was gekomen dat alles
hem aan iets anders deed denken.

Dit is wat hij zich wel herinnerde. Hitte. Een honkbalveld.
Geel gras, het gegons van insecten, hijzelf tegen een boom geleund terwijl de jongens uit de buurt zich verzamelen voor een
potje honkbal. Hij kijkt toe terwijl de anderen ruziën over het
genie van respectievelijk Mickey Mantle en Willie Mays. Ze

maken zich de hele zomer al druk over dit onderwerp, en het is Anders gaan vervelen: het is even verstikkend als de hitte.

Dan arriveren de laatste twee jongens, Coyle en een neefje van hem uit Mississippi. Anders heeft Coyles neefje nooit eerder ontmoet en zal hem ook nooit meer zien. Hij zegt net als de anderen hallo maar slaat verder geen acht op hem tot ze twee partijen hebben gekozen en iemand het neefje vraagt op welke plek hij wil spelen. 'Ik ga nie ketsen,' zegt het jongetje. 'Ketsen kank nie.' Anders draait zich om en kijkt hem aan. Hij wil Coyles neefje laten herhalen wat hij net zei, al weet hij wel beter dan het te vragen. De anderen zullen hem een zak vinden als hij dat joch gaat pesten met zijn uitspraak. Maar daar gaat het hem niet om, helemaal niet, het gaat Anders erom dat hij op een eigenaardige manier wordt geprikkeld, wordt opgevrolijkt door dat laatste zinnetje met zijn onverwachte klank en cadans. Hij loopt in trance het veld op, het zinnetje in zichzelf herhalend.

De kogel zit al in de hersenen; die hersenen zullen hem niet eeuwig voorblijven of met bezweringen tot staan brengen. Uiteindelijk zal de kogel zijn werk doen, en het getraumatiseerde brein verlatend zal hij een kometenstaart vol herinneringen en ambities, talenten en liefdes achter zich aan slepen door dat marmeren paleis van de commercie. Daar is niets aan te doen. Maar voorlopig heeft Anders nog tijd. Tijd waarin de schaduwen langer kunnen worden op het gras, tijd waarin de aangelijnde hond naar de wegvliegende bal kan blaffen, tijd waarin de jongen in het rechter verre veld een vuist in zijn zwartgezwete handschoen kan slaan terwijl hij zachtjes voor zich heen prevelt: ketsen kank nie, ketsen kank nie, ketsen kank nie.

Nieuwe verhalen

Die kamer

De zomer na mijn eerste jaar op de middelbare school kreeg ik een aanval van onafhankelijkheid en liftte ik naar boerderijen her en der in de vallei om er een dag bessen te plukken of stallen uit te mesten. Toen vond ik een boer die me tien cent per uur meer dan het minimumloon betaalde, en zijn mollige, kinderloze vrouw gaf me 's middags te eten en moederde over me terwijl ik at, dus bleef ik daar werken tot de school weer begon.

Tijdens het stront scheppen of terwijl ik in een afwateringssloot onkruid stond te kappen, hield ik soms even op om uit te staren over de verre weilanden, waar de echte knechten van de boer balen hooi op een wagen gooiden en ze tot wankele hoogten optasten. Nu en dan bereikte me een blaffend gelach, de laatste flard van een gesprek. De boer liet mij niet meehelpen hooien omdat ik te klein was, maar in de winter was ik een stuk steviger geworden en de volgende zomer liet hij me met de hooiploeg meewerken.

Dus nu was ik knecht. Een echte boerenknecht! Ik werd een beetje vrijgevochten van het idee, van het plezier dat woord op mezelf toe te passen. Een baantje als dit veranderde alles. Het bevrijdde je uit de greep van je ouders en van de scherpe, kritische blikken van je vrienden. Het maakte je een vrij man tussen vreemden in die wereld waarin van alles gebeurde, waarin je kon oefenen iemand anders te zijn tot je ook echt iemand anders was. Je had geld op zak en kon geloven dat je andere leven, dat irrelevante, bijkomstige leven op school en thuis, maar een zoethoudertje was voor degenen die in de waan verkeerden dat je hen nog nodig had.

Er werkten drie anderen samen met mij op het land: de verlegen, gespierde neef van de boer, Clemson, die bij mij in de
klas zat maar op wie ik neerkeek omdat hij maar een onnozele
jongen was, en twee Mexicaanse broers, Miguel en Eduardo.
Miguel was kort van stuk, onverstoorbaar en eenzelvig en
sprak heel weinig Engels, maar de vlotte Eduardo praatte voor
twee. Terwijl wij drieën het zware werk opknapten, verschafte
Eduardo adviezen over meisjes en vertelde hij verhalen waarin
hij een hoofdrol speelde als slimmerik en behendige, onvermoeibare zwaardvechter. Hij deed het om ons aan het lachen
te maken, maar in de stof van zijn verhalen – de danstenten en
bars, de blunderende grenswachten, de oliedomme boeren en
hun onverzadigbare vrouwen, de stelende smerissen, de hoeren die dol op hem waren – voelde ik de echtheid van een leven
dat ik helemaal niet kende maar op een of andere manier toch
voor mezelf wenste: een echt leven in een echte wereld.

Terwijl Eduardo praatte, arbeidde Miguel zwijgend aan onze
zijde, nu en dan grommend onder het gewicht van een baal,
zijn door acne gehavende gezicht roodaangelopen van de
warmte, de nauwe ogen nog verder vernauwd tegen de zon.
Clemson en ik gingen er hard tegenaan en vielen dan stil, bij
ons was het hollen of stilstaan terwijl we lachten om Eduardo's
verhalen en hem opjutten met vragen. Miguel viel nooit stil en
lachte ook nooit. Hij sloeg zijn broer soms gade met een ogen-
schijnlijk milde nieuwsgierigheid, meer niet.

De boer, die een hoop land had met veel hooi dat binnengehaald moest worden, had meer knechten in dienst moeten nemen. Hij had alleen ons vieren, en er bestond altijd het gevaar
dat het ging regenen. Het was een ontspannen, vriendelijke
man, maar met het verstrijken van het seizoen werd hij bezorgd en begon hij ons harder en langer te laten werken. Zowat
de hele laatste week overnachtte ik bij Clemson, even verderop aan de weg, zodat ik net als de anderen bij zonsopgang op de

boerderij kon zijn en tot het donker kon doorwerken. De balen waren zwaar van de dauw als we begonnen ze binnen te halen. De zolder begon te dampen van het gistende hooi en Eduardo waarschuwde de boer dat het wel eens in brand kon vliegen, maar hij hield ons aan zijn schema. Ik hinkte voort, ik was verbrand en zat onder de schrammen en kon 's ochtends nauwelijks uit mijn bed komen. Maar hoewel ik erover mopperde tegen Clemson en Eduardo was ik heimelijk blij dat ik mijn plaats aan hun zijde kon innemen, dat ik kon werken alsof ik geen keus had.

Tegen het einde van de week begaf Eduardo's auto het en ging Clemson hem en Miguel ophalen en terugbrengen naar het vervallen motel waar ze met andere seizoenarbeiders woonden. Als we voor hun deur waren gestopt, bleven we soms allemaal in de auto zitten zonder iets te zeggen, zo moe waren we. Op een avond vroeg Eduardo ons wat te komen drinken. Clemson, brave jongen die hij was, probeerde het af te houden, maar ik stapte uit met Miguel en Eduardo, wetend dat hij me daar niet alleen zou achterlaten. 'Kom op, Clem,' zei ik, 'je bent toch geen homo?' Hij keek me aan en zette daarna de motor af.

Die kamer. Jezus. De broers deden hun best, ze maakten de bedden op en bewaarden hun kleren netjes opgevouwen in open koffers, maar zodra je er binnenstapte werd je overweldigd door een lucht van schimmel. De vloer voelde zompig onder je voeten en de vale linoleumtegels lieten los, het plafond hing door en zat vol vlekken. Het plafondlicht reikte niet helemaal tot in de hoeken. Achter de schimmel hing nog een andere, verontrustende geur. Clemson was een inkeurige jongen en zat griezelend heen en weer te schuiven terwijl ik opzichtig deed alsof ik me hier volkomen thuis voelde.

We goten ryewhiskey in onze lege magen en luisterden naar Eduardo, en algauw waren we allemaal dronken. Er kwam iemand aan de deur die in het Spaans met hem sprak, en Eduardo ging naar buiten en kwam niet terug. Miguel en ik gingen door met drinken. Clemson zat half te slapen, zijn kin zonk langzaam op zijn borst en schoot dan weer omhoog. Toen keek Miguel mij aan. Hij kneep zijn ogen tot spleetjes en begon mij fel en strak aankijkend te protesteren over een onrecht dat hem door onze baas, of misschien door een andere baas, was aangedaan. Ik kon zijn Engels nauwelijks verstaan en hij ging voortdurend over op Spaans, wat ik helemaal niet verstond. Maar hij was kwaad, dat begreep ik wel.

Op een gegeven moment liep hij naar de andere kant van de kamer, kwam terug met een revolver en legde die recht voor zich op tafel. Een revolver met lange loop waar het meeste blauw af was gesleten. Miguel staarde me boven de revolver aan en hervatte zijn klaagzang, nu volledig in het Spaans. Hij keek naar mij, maar ik wist dat hij iemand anders zag. Ik had hem nauwelijks eerder horen praten. Nu stroomden de woorden eruit in een gegriefde litanie en ik zag dat zijn eigen stem hem op een of andere manier opzweepte, alleen al de klank van zijn verontwaardiging bewees dat hem onrecht was aangedaan en voedde zijn razernij, vervulde hem met haat tegen de persoon die hij voor zich dacht te zien. Ik was te bang om iets te zeggen. Het enige wat ik kon doen was glimlachen.

Die kamer — eenmaal binnen, kom je er eigenlijk nooit meer uit. Je kunt vergeten dat je daar zit, je kunt blijven doen alsof je de touwtjes in handen hebt en je levensloop, ja, zelfs je levensduur een afspiegeling zal zijn van de kracht van je karakter en de wijsheid van je oordeel. En dan tref je op een zonnige dag in maart een plak ijs in een bocht en ben je niet meer dan toeschouwer bij je eigen dromerige slip naar de berm, en weet je weer waar je bent.

Of je stapt met dertig andere jongemannen in een bus. Het is vroeg, vlak voor het aanbreken van de dag. De bussen vertrekken altijd op dat uur, met gedimde lichten, om aan de aandacht van de quakers buiten de poort te ontsnappen, maar het werkt niet en ze staan klaar, houden zwijgend hun borden omhoog en kijken je niet verwijtend maar vol verdriet en medelijden aan als de bus langs hen heen wegrijdt naar de luchthaven en het vliegtuig dat jou ergens naartoe zal brengen waar je zelf nooit heen zou gaan – en op dat moment weet je precies wat je verlangens en je plannen en al je fysieke vermogens en wilskracht waard zijn. Dan weet je weer waar je bent, zoals je dat ook weet wanneer je dierbaren voortijdig sterven – voor de tijd om is die jij voor hen had gepland, die jij nog met hen zou doorbrengen – wanneer je dagelijkse portie woorden en dromen je wordt onthouden, wanneer je dochter frontaal tegen een boom botst. En als ze er dan zonder een schrammetje af komt, voel je toch dat zwarte plafond nog omlaagkomen en weet je weer waar je bent. En wat kun je doen behalve wat je in die vreselijke kamer deed, toen Miguel je om niets zat te haten met een revolver bij de hand? Glimlachen en hopen dat er een ander onderwerp ter tafel zal komen.

Ditmaal gebeurde dat ook. Clemson schoot van zijn stoel omhoog, boog zich voorover en kotste de hele tafel onder. Miguel hield op met praten. Hij staarde Clemson aan alsof hij hem nooit eerder had gezien, en toen Clemson weer begon te kokhalzen, sprong Miguel overeind, greep hem bij zijn hemd vast en duwde hem naar de deur. Ik nam het over en hielp Clemson naar buiten, terwijl Miguel schreeuwend van walging toekeek. Van walging! Nu was hij de keurige meneer. Weerzin had zijn woede afgetroefd, zelfs zijn haat afgetroefd. O, wat zorgde ik die avond liefdevol voor Clemson! Ik dacht dat hij mijn leven had gered. En misschien was dat ook zo.
Die winter brandde de schuur van de boer tot de grond toe af.

Toen ik ervan hoorde, zei ik: 'Heb ik het hem niet gezegd? Ik heb het hem gezegd, ik heb die stomme boerenlul nog zo gezegd dat hij geen nat hooi moest opslaan.'

In afwachting van orders

Sergeant Morse zat met avonddienst in het compagnieskantoor toen er een vrouw belde die naar Billy Hart vroeg. Hij zei haar dat specialist Hart een week eerder naar Irak was uitgezonden. Ze zei: 'Billy Hart? Weet u dat zeker? Daar heeft hij nooit iets over gezegd, dat hij uitgezonden ging worden.'

'Ik weet het zeker.'

'Nou. Jezus christus. Wat een nieuws.'

'En wie bent u, als ik vragen mag?'

'Ik ben zijn zus.'

'Ik kan u zijn e-mailadres geven. Wacht even, dan zoek ik het voor u op.'

'Laat maar. Er staan mensen te wachten om te bellen. Mensen die niks beters kunnen verzinnen dan andere mensen in hun nek hijgen.'

'Ik heb het zo gevonden.'

'Laat maar. Dus hij is weg?'

'U kunt gerust later terugbellen. Misschien kan ik u helpen.'

'Ha,' zei ze en hing op.

Sergeant Morse ging verder met zijn administratie maar was uit zijn doen door dit telefoongesprek. Hij stond op en liep naar de waterkoeler, tapte een glas en bleef ermee bij de deur staan. Het was een somber drukkende, stille avond, even na elven, en op de kazerne heerste rust, met alleen de gloed van een paar vensters in het wazige donker. Een dikke grijze mot bleef tegen de hor bonzen.

Morse kende Billy Hart niet goed, maar hij had hem wel in

de gaten gehouden. Hart kwam uit de bergen bij Asheville en speelde graag de boerenkinkel vanwege de dekking die het hem bood. Altijd aan het ritselen, die Hart, altijd ergens anders bezig als er gewerkt moest worden, maar ook altijd bij de hand om de nieuwelingen kaal te plukken met pokeren of tegen betaling naar de stad te rijden in zijn Mustang cabrio. Er werd gezegd dat hij dealde, maar hij was nooit betrapt. Hij dacht dat alle anderen dom waren; je zag het hem denken, met dat strakke glimlachje van hem. Hij zou zichzelf wel een keer tegenkomen, maar voorlopig zat hij nog goed. Er was daar genoeg te halen voor types als Billy Hart.

Wel een knappe soldaat, anders. Wat indiaans bloed, met van die hoge jukbeenderen en diepliggende zwarte ogen; een schoonheid eigenlijk, en dan die trage, katachtige manier van doen, zo koel en afstandelijk, minachtend bijna in de lome gratie van zijn bewegingen. In weerwil van zichzelf had Morse die oude aantrekkingskracht weer gevoeld. Hoewel hij wist dat Hart hem problemen zou bezorgen, was hij in zijn aanwezigheid altijd gespannen, in gevecht met zijn ogen die koppig bleven afdwalen naar Harts gezicht, naar dat zweem van geheime kennis dat om zijn lippen speelde. Morse wist zeker dat Hart te benaderen was, openstond voor alles wat zowel interessant als voordelig zou kunnen zijn. Toch had Morse zich op een afstand gehouden. Hij gaf geen gelegenheid, kon het risico van een onbezonnen affaire ook niet nemen – nu niet in ieder geval.

Hij had twintig van zijn negenendertig jaren in het leger doorgebracht. Hij behoorde niet tot degenen die beweerden dat het uit liefde was, maar hij hoorde erbij als bij een stam, hij was met de mensen om zich heen verbonden door een netwerk van niet te weigeren verplichtingen, waarbij liefde er uiteindelijk niet toe deed. Hij was soldaat en kon zich een leven als burger niet meer voorstellen – de vormeloosheid van dat bestaan, de eindeloze reeks triviale keuzes die je moest maken.

Morse wist dat hij hier thuishoorde, toch had hij vaak schandalen en ontslag geriskeerd met losse contacten. Vlak voor zijn uitzending naar Irak was er de Cubaanse ober geweest die getrouwd bleek te zijn en een pathologische leugenaar was – zo iemand die loog voor de sport – en uiteindelijk, toen Morse de relatie verbrak, ook nog een poging deed tot chantage. Morse liet zich niet chanteren. Hij schreef de naam en het telefoonnummer van zijn commandant op. 'Hier,' zei hij, 'vooruit, bel hem maar op', en hoewel hij niet dacht dat de man het ook zou doen, liep hij de volgende paar weken mentaal ineengedoken rond, alsof hij een klap verwachtte. Toen werd hij uitgezonden en was hij algauw weer de oude, klaar voor het volgende avontuurtje.

Dat werd een jonge luitenant die in de week van zijn aankomst aan Morse' eenheid werd toegevoegd. Ze deden samen de oriëntatie en Morse zag dat de luitenant zich tot hem aangetrokken voelde, hoewel de luitenant niet zeker leek van zijn eigen geaardheid, zelfs niet toen hij zich eraan overgaf – met een dringende haast die alleen maar werd verhevigd door de schier onmogelijke opgave er tijd en een privéplek voor te vinden. Eigenlijk was hij zichzelf net aan het ontdekken, en in dat proces leed hij onder aanvallen van een zo wrede en duistere zelfhaat dat Morse bang was dat hij zichzelf iets zou aandoen of zijn woede naar buiten, misschien op Morse zelf zou richten, of hen allebei in de afgrond zou storten met een huilerige, dronken bekentenis aan een vaderlijke kolonel in een officiersmess.

Zover kwam het niet. De luitenant had zich tijdens een patrouille ontfermd over een schurftige kat met één oor; de kat krabde zijn enkel open en de wond raakte ontstoken, en in plaats van het te laten behandelen was hij zo stom maar op zijn tanden te bijten tot hij goddomme bijna zijn voet kwijt was. Na vijf maanden werd hij op krukken naar huis gestuurd. Tegen die tijd was Morse zo uitgewrongen dat hij geen greintje medelijden voelde, alleen opluchting.

Hij had geen reden tot opluchting. Niet lang na zijn terugkeer in Amerika werd hij naar het bataljonshoofdkwartier ontboden voor een gesprek met twee uiterst minzame, vriendelijke mannen in burger die beweerden te werken voor het congreslid van het district waarin de luitenant woonde. Ze zeiden dat hun congreslid te maken had met een gevoelige kwestie die meer kennis vereiste omtrent de dienst van de luitenant in Irak – zijn optreden te velde, zijn betrekkingen met andere officieren en met de manschappen die onder hem hadden gediend. Hun vragen meanderden losjes, bijna lui door het gesprek heen, maar kwamen steeds weer terug op zijn eigen betrekkingen met de luitenant. Morse liet niets los, zelfs niet in zijn pogingen een open indruk te maken, alsof hij niet op zijn hoede was. Volgens hem waren het officieren van de narcoticabrigade, wat ze verder ook beweerden. Ze lieten verscheidene weken verstrijken voor ze hem opriepen voor een tweede gesprek, dat zonder voorafgaand bericht werd geannuleerd; Morse verscheen, zij niet. Hij wachtte nog steeds op de volgende oproep.

Hij had vaak gewild dat zijn verlangens hem beter zouden uitkomen, maar daarin was hij niet anders dan andere mensen, dacht hij, je was echt een geluksvogel als je verlangens je goed uitkwamen. Toch had hij nog hoop. De laatste paar maanden had hij een relatie gekregen met een sergeant-majoor van de inlichtingendienst op divisieniveau, een kalme, wetenschappelijk ingestelde man die vijf jaar ouder was dan hij. Hoewel Morse zichzelf nog niet kon zien als iemands 'partner', keerde hij zijn kamer in het onderofficiersverblijf steeds vaker de rug toe om nachten en weekeinden buiten de poort, in Dixons huis in de stad door te brengen. Het huis was afgeladen met antieke wapens en maskers en schaakspellen die Dixon tijdens zijn uitzendingen overzee had verzameld, en aanvankelijk had Morse een soort nerveuze eerbied gevoeld, alsof hij in een museum was, maar dat was overgegaan. Nu vond hij het prettig die dingen om zich heen te hebben. Hij voelde zich er thuis.

Dixon zou echter vrij gauw weer uitgezonden worden en Morse zou binnenkort zelf ook nieuwe orders krijgen. Hij wist dat het dan ingewikkeld zou worden. Ze zouden bepaalde inschattingen over elkaar en over zichzelf moeten maken. Ze zouden moeten besluiten hoeveel ze gingen beloven. Wat ze dan nog aan elkaar hadden, wist Morse niet. Maar dat moest allemaal nog komen.

Billy Harts zuster belde terug rond middernacht, toen Morse net bezig was zijn dienst aan een andere sergeant over te dragen. Toen hij opnam en haar stem hoorde, wees hij naar de deur, en de andere man glimlachte en stapte naar buiten.

'Wilt u het adres hebben?' vroeg Morse.

'Ik denk het wel. Al zal ik er niet veel mee opschieten.'

Morse had het al opgezocht. Hij las het haar voor.

'Bedankt,' zei ze. 'Ik heb geen computer, maar Sal wel.'

'Sal?'

'Sally Cronin! Mijn nicht.'

'U zou ook naar een internetcafé kunnen gaan.'

'Tja, misschien wel,' zei ze sceptisch. 'Zeg, wat bedoelde u daarmee, dat u misschien kon helpen?'

'Dat weet ik niet precies,' zei Morse.

'Maar u hebt het wel gezegd.'

'Ja. En toen lachte u.'

'Dat was niet echt lachen.'

'Ah. Dat was geen lachen.'

'Het was meer iets van... Ik weet het niet.'

Morse wachtte.

'Sorry,' zei ze. 'Hoor eens, ik vraag niet om hulp, oké? Maar waarom zei u dat? Ik ben gewoon nieuwsgierig.'

'Zomaar. Ik dacht er niet bij na.'

'Bent u een vriend van Billy?'

'Ik mag Billy graag.'

'Nou, dat was aardig van u, weet u dat? Het was echt aardig om dat te zeggen.'

Nadat Morse zich had afgemeld, reed hij naar het pannenkoekenrestaurant vanwaar ze had gebeld. Zoals afgesproken, stond ze bij de kassa op hem te wachten en toen hij in zijn gevechtspak binnenkwam, zag hij dat ze hem opnam met een scherpe, schattende blik. Ze richtte zich op, een lange vrouw, bijna zo lang als Morse zelf, met steil bruin haar en een langwerpig, vermoeid gezicht met donkere sproeten onder de ogen. Haar ogen waren donker, maar verder leek ze helemaal niet op Hart, en Morse werd even in verwarring gebracht door zijn plotseling opkomende teleurstelling en een impuls om te vluchten.

Ze stapte op hem toe, haar hoofd schuin alsof ze hem probeerde te peilen. Ze droeg een mouwloze rode blouse en omhelsde haar sproetige armen tegen de kou van de airco. 'Dus ik moet sergeant tegen u zeggen?' zei ze.

'Randall.'

'Sergeant Randall.'

'Gewoon Randall.'

'Gewoon Randall,' herhaalde ze en stak haar hand uit. Hij was droog en ruw. 'Julianne. We zitten daar in de hoek.'

Ze leidde hem naar een tafeltje bij het grote raam dat uitzag op het parkeerterrein. Daar zat een zeven- of misschien achtjarig jongetje met een dik gezicht te tekenen op de achterkant van een placemat tussen de samengeklonterde resten van spiegeleieren, wafels en worstjes. Hij hield het potlood als een dolk vast en keek op toen Morse op de bank tegenover hem aanschoof. Hij had dezelfde felle wenkbrauwen als de vrouw en keek Morse lang aan, zonder met zijn ogen te knipperen;

daarna zoog hij zijn onderlip naar binnen en ging hij verder met zijn tekening.

'Zeg eens hallo, Charlie.'

Hij ging door met kleuren. Ten slotte zei hij: 'Hoi.'

'Wil geen hallo zeggen, dat jong. Zegt nu "hoi". Ik weet niet waar hij dat vandaan heeft.'

'Maakt niet uit. Dan zeg ik toch ook hoi. Hoi Charlie.'

'Je bent net een kikker,' zei de jongen. Hij liet het kleurpotlood vallen en viste een ander uit de rommel op tafel.

'Charlie!' zei ze. 'Gedraag je,' voegde ze er mild aan toe terwijl ze de serveerster wenkte die aan een naburig tafeltje koffie stond te schenken.

'Geeft niet,' zei Morse. Hij had het kennelijk verdiend. Niet omdat hij eruitzag als een kikker, hoewel hij zich onmiddellijk bewust was van zijn brede mond, maar omdat hij had zitten slijmen. Dan zeg ik toch ook hoi!

'Wat mankeert dat mens?' zei Julianne toen de serveerster sloom het vertrek rondkeek. Daarna ving Julianne haar blik en kwam ze langzaam naar hun tafeltje en schonk haar kopje nog eens vol. 'Wat een mooie tekening ben je daar aan het maken,' zei de serveerster. 'Wat moet het voorstellen?' De jongen negeerde haar. 'U hebt een kleine kunstenaar in de familie,' zei ze tegen Morse en liep dromerig weg.

Julianne goot een lange straal suiker in haar koffie.

'Is Charlie je zoon?'

Ze draaide zich opzij en nam de jongen peinzend op. 'Nee.'

'Je bent mijn moeder niet,' mompelde hij.

'Dat zeg ik toch net?' Ze streelde zijn bolle wang met de rug van haar hand. 'Bemoei jij je nou maar met je tekening, jochie. Heb jij kinderen?' zei ze tegen Morse.

'Nog niet.' Hij keek hoe de jongen blauwe strepen over de placemat kliederde, het kleurpotlood hanterend alsof het uit koppig plichtsbesef was.

'Je mist niks.'

'O, ik denk van wel.'

'Een hoop rommel en een brutale mond toe,' zei ze. 'Charlie is van Billy. Van Billy en Dina.'

Morse had het nooit gedacht, naar de jongen kijkend. 'Ik wist niet dat Hart een zoon had,' zei hij, en hij hoopte dat ze de klagende toon niet had opgemerkt die hijzelf maar al te duidelijk hoorde en niet van zichzelf kende.

'Hij weet het zelf ook niet, zoals hij zich gedraagt. En Dina is net zo.' Dina, legde ze uit, was aan haar tweede ontwenningskuur bezig in Raleigh. Julianne en Belle – Juliannes moeder, begreep Morse – hadden voor Charlie gezorgd, maar ze konden het niet zo goed met elkaar vinden, en na de laatste uitbarsting was Belle met een vriend naar Florida vertrokken, zodat Julianne nu helemaal klem zat. Ze reed het grootste deel van het jaar op een schoolbus en kookte in de zomervakanties voor de Padvindsters, maar omdat ze nu met Charlie zat en geen geld had voor kinderopvang, had ze haar baantje in het zomerkamp moeten opgeven. Dus was ze hiernaartoe gereden om te proberen wat bij Billy los te krijgen, genoeg om het uit te zingen tot de school weer begon of Belle besloot weer naar huis te komen en haar deel voor haar rekening te nemen, nou, weinig kans.

Morse knikte in de richting van de jongen. Hij vond het niet prettig dat Charlie dit allemaal moest horen, als er al iets door die concentratie heen kon dringen, maar Julianne praatte door alsof ze het niet had opgemerkt. Ze had een zware, bijna mannelijke stem met een nasale snik erin als het gejengel van een klemmende zaag. Bij haar hoorde je niets van die lijzige muziek waar Hart zo goed in was en ze leek, anders dan hij, waarachtig verbonden met de dalen en boerderijen van hun geboortestreek. Ze sprak over de mensen daar alsof Morse ze ook moest kennen, alsof ze geen notie had van de wijde wereld daarbuiten.

Aanvankelijk verwachtte Morse dat ze zou proberen wat geld van hem te lenen, maar dat deed ze niet. Hij begreep niet wat ze dan van hem wilde, of waarom hij ongevraagd had aangeboden hier vanavond naartoe te komen.

'Dus hij is weg,' zei ze. 'Dat weet je zeker.'

'Helaas wel.'

'Nou. Goed om te weten dat het niet nog erger gaat worden. Daar bof ik weer bij.' Ze leunde achterover en sloot haar ogen.

'Waarom heb je niet eerst gebeld?'

'Wat, hem laten weten dat ik zou komen? Dan ken je onze Billy niet.'

Julianne leek daarna in trance te raken en Morse volgde weldra haar voorbeeld, soezerig geworden door het getik van bestek en de stemmen om hen heen, het zacht gekras van het kleurpotlood. Hij wist niet hoe lang ze er zo hadden gezeten. Hij schrok op bij het getik van regendruppels tegen het raam, een paar dikke druppels die over de ruit omlaag glijdend vettige strepen achterlieten. Het hield weer op met regenen. Toen begon het echt, met een stortbui die op het asfalt kletterde en de auto's op het parkeerterrein deed glanzen, een aangenaam gezicht na de lange, vochtig warme dag.

'Het regent,' zei Morse.

Julianne nam niet de moeite om te kijken. Zonder de lichte hoofdknik in zijn richting had hij kunnen denken dat ze sliep.

Morse herkende twee mannen van zijn compagnie aan een tafeltje aan de andere kant van het vertrek. Hij hield zijn blik op hen gericht tot ze zijn kant op keken, toen knikte hij en knikten ze terug. Een goede investering, sergeant Morse gesignaleerd met vrouw en kind. Een gezin. Hij vond het vreselijk cynisch en goedkoop om zo te denken en haatte het idee dat erachter stak. Maar hoe konden ze anders worden gezien, met hun drieën in een pannenkoekenrestaurant, op dit uur? En er was niet alleen de uiterlijke gelijkenis met een gezin. Nee, er hing ook de sfeer van een gezin, juist door die stilte aan tafel: Julianne met haar ogen dicht, de jongen bezig met zijn tekening, Morse zelf toekijkend zoals elke vader en echtgenoot dat zou doen.

'Je bent moe,' zei hij.

De tederheid in zijn stem verraste hem, en haar ogen knipten open alsof ook zij erdoor werd verrast. Ze keek hem dankbaar aan, en Morse bedacht dat ze hem had teruggebeld om precies de reden die ze had genoemd, omdat hij aardig tegen haar was geweest.

'Ja, ik ben moe,' zei ze. 'Dat ben ik zeker.'

'Luister, Julianne. Wat heb je nodig om het nog even uit te houden?'

'Niets. Laat dat allemaal maar zitten, ik was alleen maar stoom aan het afblazen.'

'Ik heb het niet over liefdadigheid, oké? Gewoon een lening, meer niet.'

'We redden het wel.'

'Er zit verder toch niemand op te wachten,' zei hij, en dat was de waarheid. Morse' vader en zijn oudere broer hadden zich, toen ze het jaren geleden eindelijk doorkregen, van hem afgekeerd. Hij had wel een nauwe band gehouden met zijn moeder, maar zij was vlak na zijn terugkeer uit Irak overleden. In zijn nieuwe testament had Morse als enige begunstigde de hospice genoemd waar zij haar laatste weken had doorgebracht. Dixon tot erfgenaam benoemen leek te plotseling en veelzeggend en zou onwelkome aandacht kunnen trekken, bovendien had Dixon een paar slimme investeringen gedaan en zat hij er warmpjes bij.

'Dat kan ik gewoon niet doen,' zei Julianne. 'Maar het is echt heel lief van je.'

'Mijn vader is soldaat,' zei de jongen, met zijn hoofd nog altijd over de placemat gebogen.

'Weet ik,' zei Morse. 'Hij is een goede soldaat. Je zou trots op hem moeten zijn.'

Julianne glimlachte tegen hem, en voor het eerst die avond was het een echte glimlach. Ze had hem tot dan toe met toegeknepen ogen aangekeken, haar lippen strak opeengeklemd; nu glimlachte ze en leek ze iemand anders. Morse zag dat ze schoonheid bezat, en dat ze zichzelf toestond die schoonheid te tonen nu ze plezier in hem kreeg. Het bezorgde hem een opgelaten gevoel, een gevoel van dubbelhartigheid dat hij onmiddellijk, zelfs verontwaardigd onderdrukte. 'Ik kan het je niet opdringen,' zei hij. 'Doe maar wat je wilt.'

De glimlach verdween. 'Dat zal ik doen,' zei ze op dezelfde harde toon die hij had gebruikt, die harder klonk dan hij het bedoeld had. 'Maar in ieder geval bedankt. Charlie,' zei ze, 'tijd om te gaan. Pak je spullen.'

'Ik ben nog niet klaar.'

'Maak hem morgen maar af.'

Morse wachtte terwijl ze de placemat oprolde en de jongen hielp zijn kleurpotloden te verzamelen. Hij zag de rekening onder het zoutvaatje en pakte hem.

'Die is voor mij,' zei ze, haar hand uitstekend op een manier die geen tegenspraak duldde.

Morse stond er onhandig bij terwijl Julianne aan de kassa betaalde, daarna liep hij met haar en de jongen naar buiten. Ze stonden samen onder het afdak en keken hoe het onweer het parkeerterrein geselde. Glinsterende regenstralen vielen schuin door de schittering van de lantaarns boven hen. De omringende bomen zwiepten wild heen en weer en de wind joeg glimmende ribbels over het asfalt. Julianne veegde een lok van het voorhoofd van de jongen. 'Ik ben klaar. Jij?'

'Nee.'

'Nou, het gaat niet ineens droog worden voor Charles Drew Hart.' Ze gaapte met wijd open mond en schudde haar hoofd. 'Het was leuk met je te praten,' zei ze tegen Morse.

'Waar gaan jullie overnachten?'

'In de pick-up.'

'In de pick-up? Gaan jullie in de auto slapen?'

'In dit weer kan ik niet rijden.' En aan de verwachtingsvolle en spottende blik waarmee ze hem aankeek, zag hij dat ze wist dat hij haar een motelkamer ging aanbieden, en dat ze al genoot van de voldoening die het haar zou schenken zijn aanbod af te slaan. Maar dat weerhield hem er niet van het te proberen.

'Boerentrots,' zei Dixon later die ochtend, toen Morse hem het verhaal vertelde. 'Je had ze moeten uitnodigen hier te blijven slapen. Dat soort mensen, uit de bergen, accepteren gastvrijheid terwijl ze geen geld zouden aannemen. Het zijn net Arabieren. Gastvrijheid is heilig. Je weigert niet gastvrijheid aan te bieden, en je weigert ook niet gastvrijheid te accepteren.'

'Dat is geen moment bij me opgekomen,' zei Morse, hoewel zijn intuïtie hem hetzelfde had ingegeven toen hij met hen tweeën voor het restaurant stond, met zijn portefeuille in zijn hand. Nog terwijl hij Julianne probeerde over te halen het geld voor een kamer aan te nemen, met als argumenten het zware onweer en de noodzaak de jongen een veilig en droog onderdak te bezorgen, had hij het gevoel dat ze inderdaad ja zou zeggen als hij haar gewoon zou uitnodigen met hem mee naar huis te gaan. En dan? Dixon die wakker moest worden om gastheer te spelen en met schone handdoeken voor de logeerkamer kwam aandragen, koffie ging zetten, de jongen een beetje plaagde – terwijl hij Morse aankeek met die blik van hem. Wat die betekende zou Julianne maar al te duidelijk zijn. En wat zou ze met die wetenschap doen? Uit gechoqueerde walging, misschien zelfs uit een gevoel van verraad, zou ze hen te gronde kunnen richten.

Morse had daar wel aan gedacht maar was er niet echt bang voor. Hij vond haar aardig en dacht niet dat ze gemene streken zou uithalen. Wat hij vreesde, wat hij niet mocht toestaan, was dat ze zou zien hoe Dixon hem aankeek, en dan zou zien dat hij niet kon teruggeven wat hij ontving. Dat hun verhouding ongelijk was, dat er bij hem geen sprake was van liefde.

Daarom had hij zich, nog terwijl hij Julianne aanbood voor hun onderdak te betalen, een huichelachtige bedrieger gevoeld, alsof hij haar probeerde af te kopen. En de oneerlijkheid van dat schuldgevoel terwijl hij haar zijn geld opdrong en zijn aanbod geweigerd zag, werd hem te veel. Uiteindelijk zei hij dat ze dan maar in die rotauto moesten gaan slapen als ze dat zo graag wilde.

'Ik wil niet in de auto slapen,' zei de jongen.

'Je zou een stuk vrolijker kijken als je het wel wilde,' zei Julianne. 'Kom op, zin of geen zin.'

'Probeer alleen niet naar huis te rijden,' zei Morse.

Ze legde een hand op de schouder van de jongen en leidde hem naar het parkeerterrein.

'Je bent te moe!' riep Morse haar na, maar als ze al antwoordde kon hij het niet horen onder het geroffel van de regen op het metalen afdak. Ze liepen verder over het asfalt. De wind kwam in vlagen en joeg de regen zo hard voort dat Morse achteruit moest springen. Julianne kreeg hem vol in haar gezicht en draaide niet eens haar hoofd opzij. De jongen ook niet. Charlie. Zin of geen zin, hij leerde iets van haar, zoals hij daar tegen de regen in liep alsof het helemaal niet regende.

Een witte bijbel

Het was donker toen Maureen de Hundred Club verliet. Ze bleef net buiten de deur staan, een beetje overvallen door de plotselinge kou en de overgang van daglicht naar avond. Een vlagerige wind beet koud in haar gezicht. De lantaarns boven de winkelpuien glansden in de laag ijs op het trottoir. Ze tastte in haar zakken naar haar handschoenen, zocht toen zonder veel hoop in haar handtas. Ze had ze op de club laten liggen. Ze wist dat ze er zou blijven plakken als ze nu terugging, en dan kon ze al haar goede voornemens gedag zeggen. Jane of een van de anderen zou de handschoenen wel meenemen en maandag mee naar school brengen. Maar ja, daar stond ze dan. Er kwam iemand achter haar naar buiten en Maureen hoorde muziek en boven de muziek verheven stemmen. Toen de deur dichtviel, trok ze haar sjaal dichter om zich heen en begon over het trottoir naar het parkeerterrein te lopen waar ze haar auto had achtergelaten.

Maureen had bijna een blok gelopen toen ze zich realiseerde dat ze de verkeerde kant op liep. Een begrijpelijke vergissing – het terrein waar iedereen altijd parkeerde was vol geweest. Ze liep terug en stak de straat over om de club te vermijden. Haar vingers waren stijf geworden. Ze stopte haar handen in haar jaszakken, rukte ze er vervolgens weer uit toen haar rechtervoet uitgleed over het ijs. Daarna hield ze ze half opgeheven naast haar lichaam.

Voorovergebogen schuifelde ze met voorzichtige passen van de ene veilige plek naar de andere, het evenbeeld van haar versleten, kalende, jichtige moeder. Maureen stond zich die zelf-spot toe om zich jong te voelen, maar dat effect bleef uit. Het parkeerterrein was verder dan ze had beseft toen ze met Molly, Jill en Evan naar de club was gelopen en moest lachen om Evans verhaal over zijn dominante Zweedse vriendin. Ze had een afschuwelijke dag op school achter de rug en was blij de week te kunnen afsluiten, zichzelf even te verliezen in grapjes en losse gesprekjes en de bleke, late zonneschijn bijna warm op haar gezicht te voelen. Nu had ze geen gevoel meer in haar gezicht en was ze gespannen van de concentratie die zoiets simpels als lopen al van haar vergde.

Ze passeerde een groep mensen die ineengedoken, stamp-voetend stonden te wachten voor de ingang van Harrigan's, waar ze vroeger zelf ook heen was gegaan om de lokale bands te horen spelen. Destijds heette het Far Horizon. Of Lost Hori-zon. Ja, Lost Horizon.

In het voorbijgaan speurde ze onwillekeurig de gezichten af, op zoek naar haar dochter. Ze had haar nu bijna twee jaar niet gezien, sinds Katie haar volledige studiebeurs voor Ithaca Col-lege had opgegeven om hier te gaan samenwonen met een van Maureens mededocenten Engels aan het St. Ignatius. Het bleek dat het tijdens Katics laatste schooljaar op het Ignatius al aan de gang was – de man was ook nog getrouwd en had een dochtertje. Maureen had altijd geprobeerd Katies eigenzin-nigheid te beschouwen als wilskracht, maar dit kon ze niet ac-cepteren. Ze had een paar onvergeeflijke dingen gezegd, aldus Katie. Waarop Maureen wilde weten sinds wanneer een paar harde waarheden onvergeeflijk waren.

Ze was nog aan het proberen Katie op andere gedachten te brengen toen pater Crespi lucht kreeg van de hele affaire en de docent werd ontslagen. Maureen was niet de bron geweest van pater Crespi's informatie, maar dat wilde Katie niet geloven. Ze verklaarde dat het daarmee afgelopen was tussen hen en had tot nu toe woord gehouden, hoewel ze de sukkel al een paar weken nadat hij zijn vrouw had verlaten aan de dijk had gezet.

Katie had nog wel een hechte band met Maureens moeder. Van haar had Maureen vernomen dat Katie voor een uitzendbureau werkte en met een andere man samenwoonde. Meer kon Maureen niet uit haar krijgen – ze had haar woord gegeven! Maar het oude mens genoot er duidelijk van om verder niets te zeggen, om op de hoogte te zijn en mee te helpen Maureen te straffen omdat ze Katie had weggejaagd, zoals zij het zag.

Maureen stak de straat weer over en liep het parkeerterrein op, een ongeplaveid stuk grond op een hoek met een afrastering van gaas eromheen. Het hokje van de parkeerwacht was donker. Ze scharrelde over ribbels van bevroren modder naar haar auto. Ze had hem van de zomer voor een aanbiedingsprijs laten overspuiten, maar de lak was alweer dof en gebleekt door het strooizout. Door een waas van opgedroogde drab op de ruit zag Maureen de stapel blauwe examenboekjes op de passagiersstoel liggen, een heel weekend nakijkwerk. Ze viste de sleuteltjes uit haar handtas, maar haar hand was gevoelloos van de kou en ze liet ze glippen toen ze het portier wilde openen. De sleuteltjes vielen met een vrolijk gerinkel op de grond. Ze boog en strekte haar vingers een paar maal en bukte zich. Toen ze zich overeind hees schoot er een pijnscheut door haar slechte knie. 'Godverdomme!' zei ze.

'Niet vloeken!' De stem kwam van achter Maureen, een mannenstem, maar hij klonk hoog, bijna schril.

Ze sloot haar ogen.

Hij zei iets wat ze niet kon verstaan; hij had een of ander accent. Hij zei het nog eens, voegde er toen aan toe: 'Nu!'

'Wat?'

'De sleutels. Geef hier.'

Maureen hield de sleutels achter zich in de hoogte, met haar ogen stijf dicht. Ze dacht maar één ding: zorg dat je hem niet ziet. De sleutels werden uit haar hand gepakt en ze hoorde het slot openklikken.

'Deur open,' zei de man. 'Doe de deur open. Ja, en nu instappen.'

'Neem hem maar gewoon mee,' zei Maureen. 'Alstublieft.'

'Instappen, alstublieft. Alstublíéft.' Hij pakte haar arm, werkte haar half duwend, half tillend in de auto en smakte het portier dicht. Ze zat achter het stuur met haar hoofd voorovergebogen en haar ogen dicht, de handen over haar handtas gevouwen. Het portier aan de passagierskant ging open. 'Opstellen,' mompelde de man.

'Examens,' zei ze, ineenkrimpend omdat ze zo dom was hem te corrigeren.

Maureen hoorde de examenboekjes met een bons op de vloer achterin vallen. Het volgende moment zat hij op de stoel naast haar. Hij bleef even zo zitten, snel en licht ademhalend. 'Doe uw ogen open! Ogen open! Zo ja, en nu rijden.' Hij rammelde met de sleutelts.

Recht over het stuur voor zich uit kijkend zei ze: 'Ik geloof niet dat ik dat kan.' Ze voelde iets haar kant opkomen en week opzij.

Hij hield de sleutels bij haar oor, rammelde er nog eens mee en liet ze in haar schoot vallen. 'Rijden.'

Maureen had ooit een cursus zelfverdediging gedaan. Dat was vijf jaar geleden, nadat haar huwelijk was stukgelopen en ze er alleen voorstond met een tienerdochter, alsof de gevaren zich ergens buiten bevonden en nog niet in huis, tussen hen tweeën dreigden. Ze was alle ingewikkelde bewegingen vergeten maar niet haar vastbeslotenheid om te vechten, om voor Katie of voor zichzelf in de aanval te gaan, de schoft tegen zijn kloten te trappen, te gaan schreeuwen, schoppen, slaan en bijten, tot de dood door te vechten. Dat was ze niet vergeten, zelfs nu niet, terwijl ze zichzelf niets zag doen. Ze was zich ervan bewust wat ze niet deed, niet kon, en het schokkende besef dat ze niet op zichzelf kon vertrouwen bracht een gevoel van berusting, een lege, echoënde kalmte. Met vaste hand startte ze de auto, reed het parkeerterrein af en sloeg linksaf zoals de man haar opdroeg, weg van de lichten in het centrum, naar de rivier.

'Niet zo langzaam,' zei hij.

Ze gaf gas.

'Langzamer!'

Ze nam gas terug.

'Je probeert aangehouden te worden,' zei hij.

'Nee.'

Hij produceerde een vreugdeloos lachend geluid. 'Zie ik eruit of ik gek ben?'

'Nee… Ik weet het niet. Ik heb u niet gezien.'

'Ik ben niet gek. Rechtsaf.'

Ze waren nu op Frontage Road en reden stroomopwaarts langs de rivier. Het was een heldere avond en de bijna volle maan hing net boven de oude leerlooierijen aan de overkant. De maan legde een breed zilveren pad over het gladde water midden in de rivier, glansde dof op de kruiende schotsen langs de oevers en maakte Maureens blote handen op het stuurwiel spookachtig wit. Ze zagen er koud uit, ze waren ook koud. Ze voelde zich verkild tot op het bot. Ze zette de kachel hoger, en binnen enkele ogenblikken werd de auto gevuld met de geur van de man, een rijpe, niet onaangename muskusgeur.

'U hebt alcohol gebruikt,' zei hij.

Ze wachtte tot hij meer ging zeggen. Zijn knieën wezen in haar richting en lagen stijf tegen elkaar tegen de tunnelconsole. 'Een beetje,' zei ze.

Hij zweeg. Zijn ademhaling werd langzamer, dieper, en Maureen was hier om onduidelijke redenen dankbaar voor. Ze voelde hem naar haar kijken.

'Er zit ruim zeventig dollar in mijn portemonnee,' zei ze. 'Neem het maar. Alstublieft.'

'Zeventig dollar? Is dat uw bod?' Hij produceerde zijn onechte lach.

'Ik kan wel meer halen,' zei ze. Haar stem klonk iel en toonloos, helemaal niet als haar eigen stem. 'Dan moeten we naar een pinautomaat.'

'Het gaat niet om geld. Rijden. Alstublieft.'

Dat deed ze. In een auto over Frontage Road rijden was iets wat ze wel kon, ze deed het nu al bijna dertig jaar. Ze reed langs de Toll House Inn, langs het failliete bouwproject met zijn onvoltooide, skeletachtige, aan weer en wind blootgestelde huizen, langs de weg over de brug naar haar huis, langs de uitgebrande woning met de caravan ernaast, langs de steenbakkerij en de steengroeve en de boerderij die haar grootouders, de looierijen ontvlucht, hadden gepacht tot de boel na verscheidene jaren van vallen en opstaan was verkocht en de nieuwe eigenaar pachters met meer ervaring had gevonden zodat zij weer naar de overkant konden vertrekken. Toen Maureen jong was hadden zij en haar zusjes op diverse boerderijen aardbeien geplukt met hun moeder, en ze had zich erover verwonderd hoe haar moeder met een vrouw in de rij ernaast kon kletsen of gewoon dof in de verte kon staren terwijl haar vingers rap de planten afgraasden naar rijpe vruchten alsof ze over hun eigen ogen en motivatie beschikten. Aan het eind van de dag keek ze dan naar Maureens kaart, waarop een fractie was aangevinkt van het aantal kratjes dat zijzelf had geplukt, gaf hem terug en zei: 'Je mond werkt in ieder geval wel.'

Maureen reed langs de helverlichte 7-Eleven, de kerstbomenkwekerij en de steiger van de oude veerpont waar zij en Francis, haar ex-man, toen een lieve, verlegen jongen, na dansavondjes op school de auto hadden geparkeerd om wat te drinken en te vrijen; vandaar verder door bleke velden en kleine groepen kale zwarte bomen die in de zomer een groen dak over de weg vormden. Ze kende elke helling en elke bocht, de auto nam ze met gemak en ze gaf zich over aan het kalmerende effect van haar eigen rijvaardigheid. De zwijgende man naast haar scheen het ook te voelen, het leek hem in een trance te houden.

Toen ging hij verzitten en leunde naar voren. 'Daar rechtsaf,' zei hij met zachte stem. 'Die weg daar, ziet u wel, die daar, na dat bord.'

Maureen reed bijna dromerig de zijweg in. Hij was niet geveegd en overdekt met korstige sneeuw die langs de bodem van de auto schraapte. Ze reed een diepe kuil in; de voorkant sloeg met een klap omlaag, de wielen tolden even rond, toen kregen ze weer grip en schoot de auto naar voren met duizelig dansende koplampen. De weg kwam na één bocht uit op een open plek omringd door hoge dennen.

'U rijdt te hard,' zei de man.

Ze wachtte met draaiende motor, haar handen nog op het stuur, en de koplampen verlichtten een bord van de Park Service waarop de lokale planten en dieren waren afgebeeld. Het puntdak boven het bord droeg een muts van sneeuw. Toen drong het tot Maureen door dat ze hier eerder was geweest, het was het startpunt van een wandelpad dat haar aanvankelijk niet bekend was voorgekomen in zijn winterse grauwheid. Ze was hier met Katies scoutgroep geweest voor een wandeling naar de kliffen met hun uitzicht op de rivier. Het was een historisch pad, de aanvalsroute voor een of andere veldslag in de Onafhankelijkheidsoorlog.

De man snoof, snoof nog eens. 'Bier,' zei hij.

'Ik heb wat gedronken met een paar vrienden.'

'Wat gedronken? U stinkt naar drank. Onze geweldige docente!'

Het feit dat hij wist dat ze docent was, dat hij iets van haar wist, verbrak de bijna serene apathie die Maureen had verdoofd. Ze herinnerde zich dat hij de examenboekjes had gezien. Dat verklaarde misschien waarom hij wist wat ze deed, maar het was geen verklaring voor zijn toon, die minachting en triomf bij het ontdekken van wat hij duidelijk als haar zwakke plek zag.

Een licht kloppende pijn achter haar ogen was het enige wat ze nog voelde van de alcohol die ze had gedronken. De warmte die de auto in werd geblazen maakte haar contactlenzen droog en schraal. Ze reikte naar voren om de kachel lager te zetten, maar hij greep haar pols vast en trok haar hand terug. Zijn vingers waren dun en vochtig. Hij zette de kachel weer hoger. 'Laat hem zo staan, op warm,' zei hij en liet haar hand los.

Op dat moment keek ze hem bijna aan, maar ze hield zich in. 'Alstublieft,' zei ze. 'Wat wilt u?'

'Het gaat niet om seks,' zei hij. 'Dat denkt u, natuurlijk. Dat is het Amerikaanse antwoord op alles.'

Maureen keek voor zich uit en zei niets. Ze zag de koplampen van auto's op Frontage Road tussen de boomstammen opflitsen. Hoewel ze niet zo ver van die weg verwijderd was, leek het idee ernaartoe te vluchten van een vernederende absurditeit, ze zag zichzelf al met maaiende armen door de sneeuwhopen ploeteren als een huilende, suffe, ten dode opgeschreven figurante in een horrorfilm.

'U weet niets van ons leven,' zei hij. 'Wie wij zijn. Wat wij allemaal hebben moeten doen in dit land. Ik was dokter! Maar oké, ze laten mij hier geen dokter zijn. Dus ik geef dat op. Ik geef mijn oude leven op zodat mijn gezin hier een nieuw leven kan beginnen. Mijn zoon wordt dokter, ik niet! Oké, dat accepteer ik, zo is het nu eenmaal.'

'Waar komt u vandaan?' vroeg Maureen, en toen zei ze: 'Laat maar', in de hoop dat hij geen antwoord zou geven. Ze had het gevoel dat de muskusgeur sterker was geworden, een beetje zuur ook. Ze hield haar ogen gericht op het bord van de Park Service in de koplampen, maar was zich ervan bewust dat de knieën van de man snel en geluidloos tegen elkaar sloegen.

'Laat maar,' zei hij. 'Ja, dat is precies uw mentaliteit. Dat is precies hoe onze geweldige docente een heel gezin kapotmaakt. Zonder erbij na te denken. Laat maar.'

'Maar ik ken uw gezin niet.' Ze wachtte. 'Ik weet niet waar u het over hebt.'

'Nee, u weet niet waar ik het over heb. Dat bent u al vergeten. Laat maar!'

'U hebt de verkeerde voor u,' zei Maureen.

'Hebt u gelogen, mevrouw de docente?'

'Toe, alstublieft. U hebt vast de verkeerde voor u. Wat u zegt… dat slaat allemaal nergens op.' En omdat dit absoluut waar was, omdat hij niets had gezegd wat ook maar iets met haar te maken had, voelde Maureen zich gedwongen om – als eerste aanzet tot een serieuze poging het hele probleem uit de wereld te helpen – haar hoofd opzij te draaien en naar hem te kijken. Hij leunde achterover tegen het portier, weggedoken in een gewatteerde jas van de feloranje kleur die wegwerkers dragen. In het weerkaatste schijnsel van de koplampen hadden zijn donkere ogen een omfloerste, vloeibare glans. Zijn kale schedel verhief zich dof glimmend boven wenkbrauwen als een rechte streep. Hij droeg een korte baard, waarvan een paar dunne plukjes tot hoog op zijn wangen reikten.

'Ik heb de juiste persoon voor me,' zei hij. 'Wilt u me nu alstublieft antwoord geven.'

Ze begreep er niets van en schudde haar hoofd alsof het daarmee helder zou worden.

'Nee?' zei hij. 'Heeft onze geweldige docente nooit gelogen?'

'Wat bedoelt u? Waarover?'

Een plotselinge schittering van tanden achter de baard. 'Vertelt u dat maar aan mij.'

'Of ik ooit heb gelogen?'

'Ja. Gelogen of gefraudeerd?'

'Wat denkt u? Natuurlijk heb ik dat wel eens gedaan. Wie niet, god nog aan toe.'

Hij leunde naar voren en stak zijn hoofd fel in haar richting. 'Niet vloeken! Niet meer vloeken!'

Maureen kon zijn gezicht nu duidelijk zien, de volle, fijn gewelfde, bijna vrouwelijke lippen, de lange dunne neus, de donkere, onverwachte sproeten over de brug van zijn neus en onder zijn ogen, tot onder zijn baard. Ze wendde zich af en liet haar bonzende hoofd op het stuurwiel rusten.

'U kunt liegen en frauderen,' zei hij. 'Dat is oké, geen probleem. Wie doet dat niet? Laat maar! Maar bij anderen... bam! Verboden een foutje te maken!'

'Dit is krankzinnig,' mompelde ze.

'Nee, mevrouw Casey. Het leven van een goede jongen zomaar kapot maken, dat is krankzinnig.'

Haar adem stokte. Ze hief haar hoofd op en keek hem aan.

'Hassan maakt één foutje – één foutje – en u maakt hem kapot. Luister goed, hooggeachte mevrouw de docente: dat zal ik niet toestaan.'

'Hassan? Is Hassan uw zoon?'

Hij leunde weer achterover en tuitte zijn lippen, blies zijn wangen bol en liet ze inzakken, blies ze bol en liet ze weer inzakken, als een vis.

Hassan. Ze mocht hem wel, te veel zelfs. Hij was lang en gratieus, een knappe verschijning met zijn broeierige, gloedvolle oogopslag. Hassan was niet erg snugger en aartslui, maar hij had ook een plotselinge, terloopse charme die haar amuseerde en voorkwam dat ze hem stevig aanpakte, zoals hij heel goed wist. Hij was het hele jaar al met van alles weggekomen en sjoemelde met zijn huiswerk, leverde opstellen in die hij duidelijk niet zelf had geschreven, en Maureen had er niets aan gedaan behalve hem waarschuwen. Ze vond het vreselijk mensen aan te spreken op hun misdragingen: haar verheven stem en trillende handen, dat hart dat bonsde van morele verontwaardiging, het hele ritueel van grieven en verwijten stond haar tegen en zou haar altijd weerhouden, tot er een grens was bereikt. Voorbij die grens spaarde ze de roede niet. Maar het duurde lang voor het zover was; haar zussen hadden met haar gesold, ze had haar dochter verwend, de goklust van haar man had hen tot de rand van de afgrond gebracht voor ze de schaamte om haar eigen lafheid niet meer kon verdragen en vraagtekens ging plaatsen bij zijn excuses en ontwijkende antwoorden en ze hem uiteindelijk had gezegd waar het op stond – 'de deur uit had gejaagd', zoals Katie graag zei als ze haar diep wilde raken.

Een soortgelijke afkeer van zichzelf was Maureen vanochtend te veel geworden. Nadat ze Hassan maanden had laten afglijden, had ze hem openlijk zien frauderen tijdens een examen en was ze ontploft, echt ontploft, zodat ze er zelf ook door verrast werd. Ze had hem mee de klas uit genomen en tot in de nodige details verteld hoe min ze over hem dacht en hem vervolgens naar huis gestuurd met de achter hem aan geschreeuwde belofte dat ze zijn fraude zou rapporteren bij pater Crespi, die hem zeker van school zou sturen. Daarop had Hassan zich omgedraaid en op vlakke toon gezegd: 'Stomme trut.' En nu ze terugdacht aan zijn verraad, het misbruik dat hij van haar had gemaakt, zijn beledigende zekerheid dat hij straffeloos onder haar ogen kon frauderen, voelde ze hoe haar vingers het stuurwiel steviger omklemden en staarde ze strak voor zich uit, zonder iets te zien.

'Hassan!' zei ze.

'Ik zal het niet toestaan,' herhaalde hij.

'Hassan is het hele jaar al aan het frauderen,' zei ze. 'Ik heb hem gewaarschuwd. Dit was de laatste druppel.'

'U hebt hem gewaarschuwd. U moet hem helpen, niet waarschuwen. Het is moeilijk voor Hassan. Hij is hier niet geboren. Zijn Engels is niet zo goed.'

'Met Hassans Engels is niets aan de hand. Hij is lui en oneerlijk, dat is zijn probleem. Hij zal liever frauderen dan werken.'

'Hassan gaat dokter worden.'

'O, vast.'

'Hij wordt dokter! Echt waar. En u zult hem niet tegenhouden, een dronken vrouw als u.'

'O,' zei ze. 'Natuurlijk. Natuurlijk. Vrouwen. Het is allemaal onze schuld, ja toch? Een stelletje stomme koeien die alles verpesten voor de stieren.'

'Nee! Ik buig voor de vrouw. De vrouw is de hand, het hart, de ziel van haar huis, daar neergezet door God zelf. Alles komt van haar. Alles is aan haar te danken.'

'U bent aan het citeren,' zei Maureen. 'Wie is uw bron?'

'Het huis,' zei hij. 'Niet het leger. Niet de spreekkamer. Niet de rechterstoel, die de wet voorschrijft. Niet de discotheek.'

'Wie is uw bron?' herhaalde Maureen. 'Is het God?'

De man week terug. 'Wees voorzichtig,' zei hij. 'God laat niet met zich spotten.'

Maureen wreef in haar prikkende ogen en een van haar contactlenzen schoof van zijn plek. Ze knipperde woest met haar ogen tot hij weer voor haar pupil gleed. 'Ik zet de kachel uit,' zei ze.

'Nee. Laat hem aan.'

Maar ze zette hem toch uit, en hij deed geen poging haar tegen te houden. Hij leek op zijn hoede, zoals hij haar vanaf zijn plek tegen het portier gadesloeg; hij leek in het nauw gedreven, alsof zij hém had gegijzeld en onder dwang naar deze eenzame plek had gevoerd. De motor van de auto deed iets raars, hij begon te razen, sloeg bijna af en begon toen weer te razen. Het geluid van de aanjager had het gemaskeerd. Ouwe rotbak. Daar ging weer een maandsalaris.

'Oké, dokter,' zei ze. 'U hebt uw ouderavond. Wat wilt u?'

'U gaat Hassan niet rapporteren bij meneer Crespi.'

'Pater Crespi, bedoelt u.'

'Voor mij bestaan er geen paters.'

'Geweldig. En u kiest een school die het St. Ignatius heet.'

'Ik begrijp het wel. Dit zou niet gebeuren als Hassan katholiek was.'

'O, schei uit. Hassan spreekt geen Engels, Hassan heeft hulp nodig, Hassan is niet katholiek. Jezus. Ik ben ook niet katholiek!'

Hij produceerde zijn lachende geluid. 'En u kiest een school die het St. Ignatius heet. Met uw Jezus aan het kruis achter uw bureau – ik heb het zelf gezien bij de open dag. Ik was er ook! Maar nee, ze is niet katholiek, onze mevrouw Maureen Casey.'

Zelfs met de verwarming uit hing er een ranzige, bijtende lucht in de auto. Maureen draaide haar raampje half open en baadde achteroverleunend haar gezicht in de koude tocht. 'Ja,' zei ze. 'Ik heb het helemaal gehad met hersenloze mannen die bevelen van God doorgeven.'

'Zonder God is er geen fundament,' zei hij. 'Zonder God hebben wij niets om op te staan.'

'Hoe dan ook, u bent te laat. Ik heb hem al gerapporteerd.'

'Dat is niet waar. Meneer Crespi is tot maandag de stad uit.'

'Pater Crespi. Nou, ik ben diep onder de indruk. Ú hebt in elk geval wel uw huiswerk gedaan.'

'Hassan wordt dokter,' zei hij, zijn handen wrijvend, erop neerkijkend alsof hij een zichtbaar resultaat verwachtte.

'Kijk me aan. Kijk mij aan. Luister.' Ze hield zijn vloeibare ogen vast, hield het moment nog even vast en vond het helemaal niet erg dat de dingen die ze dadelijk ging zeggen de man pijn zouden doen, ook al was het de waarheid. 'Hassan wordt geen dokter,' zei ze. 'Nee wacht, luister. Wees eens eerlijk, ziet u Hassan al medicijnen studeren? Vooropgesteld dat hij zou worden toegelaten. Vooropgesteld dat hij ook maar iets zou kunnen studeren. Denk daar eens over na, Hassan die medicijnen studeert. Het idee! Je zou er een lachfilm van kunnen maken – *Hassan studeert medicijnen*. Nee, Hassan wordt geen dokter. En dat weet u. Dat hebt u altijd al geweten.' Ze gaf die gedachten even de ruimte. Toen zei ze: 'Dus het doet er niet echt toe of ik hem rapporteer of niet, toch?'

Ze bleef zijn blik vasthouden. Zijn lippen bewogen, hij leek op het punt iets te zeggen, maar er kwam geen geluid.

Ze zei: 'Goed. Laten we zeggen dat ik niet meewerk. Laten we zeggen dat ik hem ga rapporteren, wat ik ook zal doen. Wat gaat u daar dan aan doen? Ik bedoel, wat had u vanavond in gedachten?'

Hij wendde zijn blik af, keek weer op zijn handen.

'U bent me vanaf de school gevolgd, hè? U hebt me opgewacht. U hebt deze plek vooraf gekozen. Wat was u van plan te gaan doen als ik niet mee zou werken?'

Hij schudde zijn hoofd.

'Nou? Me vermoorden?'

Hij gaf geen antwoord.

'Was u van plan me te vermoorden? Die is goed! Hebt u een pistool?'

'Nee. Ik bezit geen wapens.'

'Een mes?'

'Nee.'

'Wat zou u dan gaan doen?'

Met gebogen hoofd begon hij weer in zijn handen te wrijven alsof hij ze boven een vuurtje hield.

'Hou daar eens mee op. Wat zou u dan doen?'

'Alstublieft,' zei hij.

'Me wurgen? Met die handjes? Hou daarmee op!' Ze reikte opzij en greep zijn polsen vast. Ze waren dun, knokig. 'Hé,' zei ze, en nog eens: 'Hé!' Toen hij ten slotte zijn ogen naar haar opsloeg, tilde ze zijn handen op en duwde de handpalmen tegen haar hals. Ze waren koud, nog kouder dan de tocht langs haar gezicht. Ze liet haar eigen handen zakken. 'Toe dan,' zei ze.

Zijn vingers lagen ijskoud tegen haar hals. Zijn donkere, droevige ogen keken zoekend in de hare.

'Toe dan,' zei ze zacht.

De motor begon te razen, en hij knipperde met zijn ogen alsof hij schrok en haalde zijn handen weg. Hij legde ze in zijn schoot, keek er ongelukkig naar en schoof ze vervolgens tussen zijn knieën.

'Nee?' zei ze.

'Mevrouw Casey...'

Ze wachtte, maar meer zei hij niet. 'Vertel eens,' zei ze. 'Wat vond uw vrouw van dit lumineuze idee? Hebt u het haar verteld?'

'Mijn vrouw is dood.'

'Dat wist ik niet.'

Hij haalde zijn schouders op.

'Dat spijt me.'

'Mevrouw Casey...'

Ze wachtte opnieuw, en zei toen: 'Ja?'

'Het raampje. Het is heel koud.'

Maureen had zin om nee te zeggen, hem te zien kleumen, maar ze begon zelf ook behoorlijk te verstenen. Ze draaide het raampje omhoog.

'En de verwarming? Alstublieft.'

Maureen reed terug over Frontage Road. Hij hield zijn gezicht naar het raampje gekeerd, met zijn rug naar haar toe. Nu en dan zag ze zijn schouders bewegen maar hij maakte geen geluid. Ze was van plan geweest hem bij de afslag naar haar brug af te zetten, dan moest hij vandaar maar zien hoe hij thuiskwam, maar toen ze de kruising naderde, vroeg ze hem toch maar waar hij zijn auto had achtergelaten. Hij zei dat hij op het parkeerterrein stond waar zij haar auto ook had neergezet. Ja, natuurlijk. Dat was logisch. Ze reed door.

Ze spraken niet meer tot ze vlak voor het parkeerterrein, onder een straatlantaarn stopte, goed zichtbaar voor de passerende dronkaards. Zelfs hier, opgesloten in die auto met razende motor, voelde Maureen de zware basdreunen van de muziek in Harrigan's.

'Wordt Hassan van school gestuurd?' vroeg hij.

'Waarschijnlijk wel. Hij is verwend, uiteindelijk zal het hem goeddoen. U bent degene over wie ik nog geen besluit heb genomen. U staat nog op het luik. Begrijpt u wat ik bedoel?'

Hij boog zijn hoofd.

'Ik denk het niet. Nog even afgezien van de gevangenisstraf die u tegemoet kunt zien... u hebt niet eens gezegd dat het u spijt. Ik heb dat wel gezegd, over uw vrouw, waarmee ik goddomme de enige ben die dat woord vanavond in de mond heeft genomen. En dat vind ik eigenlijk wel belachelijk, gezien de omstandigheden.'

'Maar het is wel zo. Het spijt me wel.'

'Ja, nou, dat zien we nog wel. Eén ding nog. Stel dat ik had beloofd Hassan niet te rapporteren. Waarom dacht u dan dat ik me aan mijn woord zou houden?'

Hij tastte in de binnenzak van zijn jas, pakte er een wit boekje uit en legde het op het dashboard. Maureen pakte het op. Het was een bijbel, een in kunstleer gebonden bijbel voor meisjes met vergulde letters op de kaft. 'U zou het zweren,' zei hij. 'Zoals in de rechtbank, voor de rechter.'

Maureen opende het boekje, liet de vliesdunne pagina's langs een duim ritsen. 'Hoe komt u hieraan?'

'De kringloopwinkel.'

'O jee,' zei ze. 'U dacht echt dat u hem kon redden.'

Hij duwde het portier open. 'Het spijt me, mevrouw Casey.'

'Hier.' Maureen reikte hem de bijbel aan, maar hij hief zijn handpalmen op en stapte achterwaarts uit. Ze zag hem door de straat lopen, een kleine man zonder muts in een feloranje gewatteerde jas die bol geblazen werd door de wind. Ze zag hem het parkeerterrein op lopen en vergat toen te kijken of hij ook echt wegreed, zoals ze van plan was geweest, omdat ze in de bijbel zat te bladeren. Haar vader had haar precies zo'n bijbel gegeven na haar plechtige communie. Ze bewaarde hem nog altijd op haar nachtkastje.

Deze bijbel had toebehoord aan Clara Gutierrez. Onder haar naam had iemand in het Spaans een opdracht geschreven. Maureen kon het niet ontcijferen in het schemerige licht, alleen de datum, groot en onderstreept – Pascua 1980. Waar was ze nu, die Clara? Wat was er gebeurd met dat vurige, hoopvolle meisje in haar witte jurkje, omringd door familie, peetouders en vrienden? Wat was er van haar geworden dat haar bijbel in een bak in de kringloopwinkel was beland? Ook al las ze er niet meer in of was ze haar geloof kwijtgeraakt, ze zou hem toch niet hebben weggegooid, of wel? Was haar iets overkomen? Ach meisje, waar ben je nu?

Haar hond

Toen Grace Victor pas had, gingen zij en John bijna elke zondag met hem op het strand wandelen. Op een gegeven moment was er een kind gebeten door een chowchow en werden honden door de overheid verbannen naar de modderige vlakte achter de duinen. Grace ging er jarenlang met Victor naartoe, en na haar dood nam John het over en zette hij de gewoonte voort, hoewel hij het daar vreselijk vond. Dat zompige pad, aan weerskanten afgebakend door gifsumak. De bakkende platen gebarsten modder, onderbroken door plukken struikgewas. De duinen hielden de zeewind tegen, zodat er een roerloze, bedorven lucht hing die krioelde van de insecten.

Maar Victor kwam hier ondanks zichzelf weer tot leven. Thuis deed hij niets dan slapen en treuren, maar zijn verdriet kon de sporen van damherten en stekelvarkens niet uitwissen, het vermocht niets tegen de luchtjes van konijnen en ratten en de kleine grijze vossen die ze opvraten. Honden moesten aangelijnd blijven om het wild te beschermen, maar Grace had Victor altijd de vrijheid gegeven zijn neus achterna te gaan, en John kon het niet over zijn hart verkrijgen hem nu aan banden te leggen. Victor was trouwens te stram en zijn ogen waren te troebel om nog ergens achteraan te gaan; als hij toch enige beweging in de struiken ontwaarde, boog hij zich naar voren en trok hij, louter om zijn waardigheid op te houden, misschien één pootje omhoog — *Wat nou? Ja, ga jij er maar gauw vandoor!* — en ging dan weer door met snuffelen. John liet hem rustig begaan. Hij drentelde wat heen en weer en wuifde de muggen en vliegen weg die om zijn hoofd zwermden, tot het eerste vleugje van een nieuwe geur Victor verder langs het pad voerde.

Victor werd aangelokt door de bekende heerlijkheden, rottende kadavers, de braakballen van haviken en uilen, maar hij kon even opgewonden raken van een struik die niet leek te verschillen van het exemplaar ernaast. Op een vochtige morgen had hij zijn neus diep in een pluk moerasgras begraven toen John een hond uit de laaghangende mist verderop zag opdoemen. De hond had een brede borstkas, een kortharige getijgerde vacht en een stompe roze snuit en was tweemaal zo groot als Victor, zo groot als een labrador maar van een ras dat John niet kende. Toen hij Victor in het oog kreeg, bleef hij even staan en kwam toen op stijve poten naderbij.

'Af!' zei John en klapte in zijn handen.

Victor keek op van het gras. Toen de hond dichterbij kwam, deed hij een stapje in zijn richting en stak zijn kop reikhalzend naar voren, met zijn ogen knipperend als een mol. *Hè? Hè? Wie is daar? Is daar iemand?*

John pakte hem bij zijn halsband. 'Vooruit!' zei hij. 'Weg!'

De hond bleef dichterbij komen.

'Weg jij!' riep John weer. Maar de hond bleef komen, nu met langzame, bijna trippelende pasjes en vastberaden, zonder links of rechts te kijken. Hij hield zijn gele ogen op Victor gericht en negeerde John volledig. John ging voor Victor staan om de hond het zicht te benemen en zich aan zijn aandacht op te dringen, maar de hond verliet het pad en begon om hem heen te lopen, zijn ogen nog altijd strak op Victor gericht. John draaide mee om tussen ze in te blijven. Hij stak zijn vrije hand uit, met de palm naar de hond gekeerd. Victor gromde wat en hing aan zijn halsband naar voren. De hond kwam dichterbij. Te dichtbij, te vastberaden, zo te zien maakte hij zich al gereed. John reikte omlaag, schepte Victor van de grond en keerde de hond zijn rug toe. Hij had zelden een reden om Victor op te pakken en was altijd verbaasd hoe licht hij was. Victor hield zich even stil, maar begon tegen te stribbelen toen de hond voor hen kwam staan. 'Ga toch weg, rotbeest,' zei John.

'Bella! Hé, Bella.' Een mannenstem, scherp, nasaal. John keek het pad af en zag hem aankomen, een kaalgeschoren hoofd, gebogen zonnebril, leren vest waar blote armen uit staken. Hij nam er rustig de tijd voor. De hond bleef om John heen draaien. Victor protesteerde en kronkelde ongeduldig. *Zet me neer, zet me neer.*

'Haal die hond bij ons weg,' zei John.

'Bella? Die doet niks.'

'Als hij mijn hond aanraakt, maak ik hem af.'

'Hé, Bella.' De man kwam op zijn gemak achter de hond aan gelopen en pakte een riem uit zijn achterzak. Hij strekte zijn hand uit naar de hond maar die ontweek hem en liep weer voor John langs, Victor steeds in het oog houdend. 'Foei, Bella! Foei. Kom hier, nu!' De man zette zijn handen op zijn heupen en keek naar de hond. Zijn armen waren zwaar gespierd en overdekt met tatoeages, langs zijn nek reikten nog meer tatoeages omhoog als klimopranken. Zijn borst onder het openhangende vest was naakt en bleek. Boven op zijn hoofd glinsterden zweetdruppeltjes.

'Zorg dat u die hond onder controle krijgt,' zei John. Hij keerde zich weer om, met Victor nog altijd druk wiebelend in zijn armen, de hond op zijn hielen.

'Hij wil alleen maar vriendjes worden,' zei de man. Hij wachtte tot de cirkelgang van de hond hem dichterbij bracht, deed toen een greep en kreeg zijn halsband te pakken. 'Bella stout!' zei hij terwijl hij de riem vastklikte. 'Jij moet echt met iedereen vriendjes worden, hè?'

John zette Victor op de grond, deed hem aan de riem en liep met hem verder het pad op. Zijn handen beefden. 'Die hond is een gevaar,' zei hij. 'Bella. Jezus.'

'Het betekent "knapperd".'

'Nee, het betekent "knappe meid", om precies te zijn.'

De man keek John aan door zijn bolle zwarte glazen. Hoe kon hij iets zien? Het was irritant, net als dat vertoon van zijn nutteloos gespierde, geïllustreerde armen. 'Ik dacht dat Bella gewoon "knap" betekende,' zei hij.

'Nou, nee, het is wat preciezer. De uitgang is vrouwelijk.'

'Bent u soms leraar of zoiets?'

De hond rukte plotseling aan zijn riem.

'We gaan,' zei John. 'Hou die hond bij ons vandaan.'

'Dus u bent leraar?'

'Nee,' loog John. 'Ik ben advocaat.'

'Dat had u niet moeten zeggen, dat u Bella ging afmaken. Ik zou u een proces kunnen aandoen, ja toch?'

'Nee, niet echt.'

'Goed, maar toch, u hoefde niet zo agressief te worden. Hebt u een kaartje? Ik heb een vriend wiens filmscript van a tot z is gejat door Steven Spielberg.'

'Dat soort zaken doe ik niet.'

'U zou eens met hem moeten praten. Want nou, d-day, weet u wel, al die gasten op het strand? Dat is precies zoals mijn vriend het heeft beschreven, maar dan ook precies.'

'd-day is echt gebeurd,' zei John. 'Dat heeft jouw vriend niet verzonnen.'

'Oké, goed. Maar toch.'

'Die film is trouwens al heel lang uit.'

'U bedoelt dat het inmiddels verjaard is?'

Met een luid gejengel werd de Lofzang op de vreugde ingezet. 'Wacht even,' zei de man tegen hem. Hij pakte een mobiele telefoon uit zijn zak en zei: 'Hé, kan ik je zo terugbellen, ik zit hier in een soort juridische conferentie.'

'Nee!' zei John. 'Nee, praat maar verder. Maar hou Bella alstublieft aan de lijn, oké?'

De man stak zijn duim op en John leidde Victor weg, de mist tegemoet waaruit de andere twee tevoorschijn waren gekomen. Onmiddellijk voelde zijn huid klam aan. De insecten gonsden luid om zijn oren. Hij beefde nog steeds.

Victor stopte om een paar keutels naar buiten te persen, keek toen op naar John. *Mijn redder. Ik moet nu zeker hijgen van dankbaarheid. Je hand likken.*

Dat hoeft niet.

Hoe zei je het ook weer? Ik maak hem af als hij mijn hond aanraakt. Wat een toewijding! Honds bijna. Victor was klaar en schrapte voor het oog wat zand naar achteren. Hij hief zijn kop op en rook als een connaisseur aan de lucht voor hij verder liep over het pad, zijn pluimstaart hoog geheven. *Ik had hem wel aangekund.*

Misschien.

Hij ging helemaal niks doen. En trouwens, sinds wanneer kan jou dat iets schelen? Jij wilde mij niet eens hebben. Als Grace er niet was geweest, hadden die lui van het asiel me afgemaakt.

Het was niet zo dat ik jou, jou in het bijzonder, niet wilde hebben. Ik was gewoon nog niet aan een hond toe.

Dat zal het zijn. Zoals jij tekeerging toen Grace met me thuiskwam. Wat een verwend mannetje.

Ik weet het.

Al die kleinzielige voorwaarden van jou waaronder ik mocht blijven. Ik was haar hond. Me te eten geven en uitlaten, de poep opruimen, me in bad stoppen, afspraken bij de dierenarts, reserveringen voor het hondenpension als jullie de stad uit gingen — allemaal haar verantwoordelijkheid.

Ik weet het.

Ik was háár hond, het was háár taak mij uit de woonkamer, uit de studeerkamer, van de bank, van het bed, van het Perzische tapijt te houden. Geen geblaf, zelfs niet als er iemand vlak voor het huis langsliep — of voor de deur stond!

Ik weet het, ik weet het.

En toen ik van het strand was geschopt, weet je dat nog? Geen sprake van dat jij hier achter de duinen ging blijven. Nee, Grace moest me maar in dat moeras uitlaten terwijl jij langs de oceaan bleef wandelen. Ik hoop dat je ervan hebt genoten.

Nee. Ik voelde me een aansteller en een egoïst.

Maar de boodschap was duidelijk! Haar hond, haar verantwoordelijkheid. Je hebt haar een keer in de regen met mij naar buiten laten gaan toen ze verkouden was.

Ze stond erop.

Jij had erop moeten staan dat ze het niet zou doen.

Ja. Zo denk ik er nu ook over.

Ik mis haar! Ik mis haar! Ik mis mijn Grace!

Ik ook.

Maar niet zo erg als ik. Heb ik haar ooit afgeblaft?

Nee.

Jij wel.

En zij blafte terug. We hadden wel eens ruzie. Zoals alle echtparen.

Grace en Victor niet. Grace en Victor hadden nooit ruzie. Heb ik haar ooit genegeerd?

Nee.

Jij negeerde haar. Dan riep ze je en ging je gewoon door met de krant lezen of tv-kijken, alsof je haar niet had gehoord. Heeft ze mij ooit twee keer moeten roepen? Nee! Eén keer en ik was er en keek al naar haar op, klaar om te doen wat ze maar wilde. Heb ik ooit een ander vrouwtje gewild?

Nee.

Jij wel. Je keek naar ze in het park, op het strand, in andere auto's als we maar wat rondreden.

Dat doen alle mannen. Het betekende niet dat ik iemand anders wilde dan Grace.

Jawel, wel waar.

Misschien voor een uurtje. Voor een nacht. Langer niet.

Dan hield ik meer van haar dan jij. Ik hield van haar met heel mijn hart.

Jij had geen keus. Jij kunt niet zelfzuchtig zijn. Maar wij mannen – het is een wonder dat we onszelf lang genoeg kunnen vergeten om een verjaardagskaart te kopen. En dat houden van ... dat kunnen we wel, maar we vergeten het steeds.

Ik niet, ik ben dat nooit vergeten.

Dat is waar. Maar daarmee heb je wel gemist dat het je werd vergeven. Je hebt nooit geweten hoe het voelt om thuis te worden verwelkomd nadat je was weggelopen. Zonder vergeving zijn we verloren. Zelf kunnen we het niet. We kunnen onszelf niet weer in huis nemen.

Ik ben nooit weggelopen.

Nee. Je bent een brave hond. Altijd geweest ook.

Victor verliet het pad om een bergje aarde te onderzoeken dat door een of ander gravend dier was opgeworpen. Hij rukte aan de riem van opwinding. John maakte hem los en wachtte terwijl Victor druk snuffelend om de hoop heen draaide, daarna zijn neus in het hol stak en eromheen begon te graven. John genoot als hij zag hoe Victor alles om zich heen vergat, en hier vond hij dat genoegen, op zondag in het moeras. Hij keek omhoog door een wolk van insecten. Hoog boven hem beschreef een buizerd lome cirkels op de zeewind die John hier beneden niet kon voelen, al hoorde hij vaag de geluiden die erop werden aangedragen van achter de duinen, van krijsende meeuwen en brekende golven en de schreeuwende kinderen die ervoor wegvluchtten. Victor hijgde wild en hoorde niets van dit alles. Hij werkte snel voor zo'n oud heertje, met poten die wazig rondflitsend hele kluiten zwarte aarde naar achteren schraapten. Hij tilde zijn vuile snuit even uit het gat voor een keffende jagerskreet en dook er weer in.

Een volwassen student

Theresa verliet de bibliotheek om een sigaret te roken en trof professor Landsman in de rokershoek onder het vooruitstekende dak. Professor Landsman gaf de overzichtscursus kunstgeschiedenis die Theresa volgde. Ze was alleen en zat achterovergeleund in een van de twee plastic stoelen die er waren neergezet voor de onverbeterlijken, haar ogen halfgesloten tegen de namiddagzon. Het was eind maart en warm; een paar dagen terug was er 's nachts sneeuw gevallen en hier en daar, diep in de schaduw, lagen nog wat resten, maar het merendeel was gesmolten. De binnenplaats beneden was overdekt met een fel glinsterend laagje water. Theresa schoof haar tas onder de andere stoel en stak een sigaret op.

Professor Landsman scheen haar niet op te merken. Ze had haar lange benen voor zich uit gestrekt, de hooggehakte laarzen bij de enkels over elkaar geslagen. Ze was een lange vrouw met onwillig rood haar en een of ander rauw klinkend accent. Ze droeg geen bril maar was duidelijk bijziend; telkens wanneer ze zich tijdens haar colleges over haar aantekeningen boog, gleed dat haar voor haar ogen en schoof ze het terug met een geërgerd gebaar dat een dramatisch effect meegaf aan de ontsluiering van haar gezicht – die scherpe jukbeenderen, de brede, zwaar aangezette mond. Vandaag droeg ze een zwarte jas los om haar schouders en een van haar lange, prachtige sjaals; tijdens haar colleges bleef ze er rusteloos aan plukken en schikken terwijl ze sprak. Ze was niet mooi maar had een zekere glamour die in het oog sprong op deze grote stedelijke universiteit, waar de vrouwelijke docenten zich even degelijk kleedden als de mannen – als Theresa zelf.

Ze hadden elkaar nooit gesproken. Naast professor Landsmans colleges nam Theresa deel aan een discussiegroep onder leiding van een jongensachtige promovendus uit Nieuw-Zeeland die ook haar werk nakeek. Tijdens haar colleges stelde professor Landsman zelden vragen, en dan met tegenzin. Een goed antwoord werd beloond met een kort knikje; als het maar ietsje minder was, reageerde ze met ongeduld, spot of wanhoop. Alleen de stoutmoedigsten hapten toe, en daar hoorde Theresa niet bij.

Ze had haar sigaret bijna op toen professor Landsman zei: 'U volgt mijn colleges.'

'Ja, mevrouw.'

Professor Landsman draaide zich opzij en bekeek haar van top tot teen. 'Nou. U bent contractstudent, neem ik aan?'

Theresa begreep de vraag. Ze was een goede twintig jaar ouder dan de andere studenten in de collegezaal en wist dat het haar was aan te zien. 'Nee,' zei ze. 'Ik doe een volledige studie. Hotelmanagement.'

'Hotelmanagement! Kun je daarin afstuderen? Ongelooflijk. Wat een land. Je bent een crimineel als je rookt, maar je kunt een master halen in de horeca.'

'Ja, nou, ik volg uw colleges gewoon uit belangstelling. Ik hou altijd al van kunst, al weet ik er geen bal van.' Theresa wipte het vuurkegeltje van haar sigaret, roldc de peuk tussen haar vingers heen en weer tot de tabak eruit stroomde en verspreidde de kruimels met de punt van haar schoen. Toen ze opkeek zat professor Landsman haar aandachtig gade te slaan.

'Wat apart,' zei ze.

'Een oude gewoonte,' zei Theresa. 'Ik vind uw colleges erg interessant, trouwens.'

'O ja? Waarom?'

'Waarschijnlijk om dezelfde redenen waarom u uw eerste colleges kunstgeschiedenis erg interessant vond.'

'En wat waren die redenen, denkt u?'

'Jezus. Oké, u wilt weten waarom ik uw colleges interessant vind. Nou, schrik niet, vanwege de kunst. Vooral de schilderijen. Caravaggio! Ik vind Caravaggio echt geweldig. Wat een figuur ook, hè? Dus, ja, dat je dingen leert over de schilderijen en de schilders, de geschiedenis. U lijkt uw zaken goed te kennen. En ik mag het wel dat u zo bits bent, professor.' Dat was waar. Theresa had niet zo'n behoefte aan de amicale houding waarmee sommige andere docenten zich geliefd wilden maken.

'Aha. En u komt uit…'

'Californië. Tot voor kort. En u?'

Professor Landsman keek haar onderzoekend aan zonder antwoord te geven. Theresa wist wat ze zag: een door de zon verweerd gezicht, één ooglid dat een beetje slap hing door aangezichtsverlamming in haar jeugd. Ten slotte zei professor Landsman: 'Hoe komt u aan die gewoonte?'

'Pardon?'

'Met die sigaret. Dat gedoe met die sigaret.'

'O, dat leer je in dienst.'

'Hebt u in het léger gezeten?'

'Bij de mariniers. Tweeëntwintig jaar.'

Theresa was klaar voor de volgende vraag. Nee, antwoordde ze, ze had niet in Irak gediend. Ze zei niet dat ze twee keer naar Saudi-Arabië was uitgezonden als assistent-manager van een rust- en recuperatiecentrum; dat haar man, ook marinier en net teruggekomen uit Irak toen zij weer vertrok, tijdens haar tweede uitzending verliefd was geworden op de weduwe van een vriend; dat haar zoon zijn eindexamen had gehaald zonder dat Theresa erbij was, en daarna zijn belofte om te gaan studeren had verbroken en zelf dienst had genomen bij de mariniers.

Op haar eenenveertigste woonde Theresa voor het eerst van haar leven alleen. Het beviel haar. Ze ging nu en dan uit eten met de manager van het plaatselijke Sheraton Hotel, die ze had ontmoet nadat hij een presentatie had gegeven op de universiteit, maar voorlopig was ze – duidelijk tot zijn ongeduld – niet geïnteresseerd in meer dan een beetje waarderend gezelschap en de gelegenheid iets leuks aan te trekken. Ze werd 's morgens zonder wekker vroeg wakker, maakte koffie, zette de klassieke radiozender aan en schoof weer onder de dekens met een boek. Op weekdagen probeerde ze de lunchaanbiedingen van de goedkope buitenlandse restaurants rond de universiteit. Om de dag, soms vaker, ging ze 's avonds zwemmen in het bad van de universiteit; ze was sinds haar ontslag niet meer gaan hardlopen en had zich voorgenomen dat ook nooit meer te doen. Ze was blij met haar nieuwe leven hier in Illinois, bijna een heel continent verwijderd van Fort Pendleton. Het was een blij gevoel dat haar nog steeds kon verrassen, zoals het haar ook verraste dat ze helemaal geen spijt had. De plotselinge, adembenemende angst die soms bij haar opkwam, gold alleen haar zoon. Hij had zijn basisopleiding achter de rug en kreeg nu woestijntraining in Twentynine Palms.

'Dus u houdt van kúnst,' zei professor Landsman. 'Laat me eens raden. U schildert in uw vrije tijd, taferelen uit het wilde Westen. De gebleekte schedels van koeien langs de route van de pioniers. Oceaangezichten – de eenzame vuurtoren in de storm, de woest beukende golven op de rotsen eronder.'

'Dat is zeker een grapje? Ik kan niet eens een cirkel tekenen.'

'Ik ook niet. Dat kunnen maar weinig mensen, trouwens. En... doe ik het zo goed?' Ze scheurde haar sigaret open en strooide de tabak voor haar voeten op de grond.

'Goed genoeg.'

'Nu zal de vijand nooit weten dat ik hier geweest ben.'

'Behalve dat u het filter hebt laten vallen.'

'Waar hebt u dat dan gelaten?'

'Ik rook geen filtersigaretten. Dat zou ik wel moeten doen. Maar ik ga ermee kappen, deze zomer gaat het zeker gebeuren.'

'Wat laf! Een marinier die haar lotgenoten in de steek laat.'

'Zo zou ik het niet willen stellen.' Theresa hoorde de kilte in haar stem en had er maar weinig spijt van.

'O, dat had ik niet moeten zeggen,' zei professor Landsman. 'Het was een grapje.'

'Weet ik.'

'Een dom grapje.' Ze trok aan de uiteinden van haar sjaal. 'Door de manier waarop je hier, onder intelligente collega's, met woorden omgaat, ermee speelt, word je wat nonchalant. Zulke woorden betekenen natuurlijk wel iets.' Ze haalde een pakje sigaretten uit haar jaszak, schudde er een uit en stak hem op.

'Bij uw colleges bent u niet zo nonchalant,' zei Theresa.

'Nee, dat is waar. Ik ben serieus. Te serieus misschien?' Professor Landsman boog haar hoofd achterover, sloot haar ogen en blies een lange wolk rook uit, waarbij er een grillige paarse moedervlek in haar hals zichtbaar werd. Bijna op hetzelfde moment gaf ze, nog met gesloten ogen, een rukje aan de sjaal en verdween de moedervlek weer.

'Ja, u bent serieus,' zei Theresa. 'Dat moet u ook zijn, u bent de professor.'

'Het woord "laf" moet voor u een van de ergste beledigingen zijn.'

'Ik weet het niet. Ik kan er nog wel een paar bedenken.'

'Maar u zult moed toch zeer hoog achten, en neerkijken op lafheid. Dat moeten toch de fundamentele waarden zijn van uw bestaan.'

'Ik ben maar student, weet u nog? Ik studeer horeca.'

'Niet zo nederig, alstublieft. U begrijpt best wat ik bedoel.'

'Luister, professor Landsman.' Theresa wilde zeggen dat ze dat allemaal achter zich had gelaten en hoe dan ook niet meer van moed en lafheid af wist dan een ander, maar bij het horen van haar naam ging professor Landsman even verzitten en keek ze haar zo serieus, zo ernstig aan dat Theresa geen woord kon uitbrengen. In plaats ervan wendde ze zich af en deed of ze geïnteresseerd naar de studenten keek die over de binnenplaats liepen. Twee jongens schoten lachend op hun fietsen voorbij, de gesmolten sneeuw siste onder hun banden en sproeide in bogen achter hen omhoog. Theresa keek ze na tot ze uit het zicht waren. Er dreef een lange sigaarvormige wolk voor de zon en opeens was de binnenplaats in schemer gehuld. Ze sloeg haar armen over elkaar tegen de plotselinge koelte.

'Voor sommigen van ons,' zei professor Landsman, 'is het niet zo makkelijk om moedig te zijn.'

'Ik denk dat u een verkeerd beeld van mij hebt,' zei Theresa. 'Ik heb nooit deelgenomen aan gevechtsacties. Ik weet niet zeker wat ik dan zou doen. Niemand weet dat.'

'O, ik wel,' zei professor Landsman. 'Ik krimp ineen onder vijandelijk vuur. Ik laat mijn kameraden aan hun lot over.'

'Misschien. Mensen staan soms verbaasd van zichzelf. Je weet het gewoon niet tot je het hebt meegemaakt.'

'Maar ik heb het ook meegemaakt.'

'In Irak?'

'Nee, niet in Irak! Niet in een gevecht met wapens, ik heb nog nooit een wapen aangeraakt, maar het was wel een gevecht.'

'Nou, dan... dan heeft u mijn mening niet nodig.' Theresa pakte haar boekentas van onder de stoel en maakte aanstalten om te gaan.

'Ik was negentien, zo'n meisje als die daar.' Professor Landsman knikte naar de studentes die langsliepen. 'Ik zat op de universiteit, een blije vluchteling uit een saai klein stadje dat beroemd is om zijn worst. Ik had vrienden en ik was verliefd. Op de kunst, op de stad, op een man, een getrouwde man nog wel, ik hoorde er helemaal bij! Ik was zelfs verliefd op mezelf! Stel je voor! Ik had heel veel vrienden en heel veel gedurfde ideeën die ik nodig met iedereen moest delen. Het was praten praten praten en natuurlijk volgden ze die rivier van dappere woorden helemaal tot aan mijn deur. Het is een oud verhaal, zeker. Maar ik denk dat u het interessant zult vinden.'

Dit klonk op een eigenaardige manier als een waarschuwing. Theresa voelde zich in elk geval eerder ongemakkelijk dan nieuwsgierig. Ze begon het koud te krijgen en wilde weggaan, maar zag daar geen kans toe, op dit moment, bovendien voelde ze zich uiteraard gevleid dat haar aandacht kennelijk belangrijk was voor deze krachtige, succesvolle vrouw, haar professor. Maar ze hield haar tas op haar schoot, met beide handen om de lussen.

'Goed, hoe werd ik benaderd? Het was er maar één, de eerste keer. Een jonge man, redelijk knap, beschaafde stem, je zou hem kunnen aanzien voor een student of een jonge lector. Maar hij wist dingen over mij. Dat wil zeggen, hij wist van mijn vrienden en mijn minnaar, en mijn belangstelling voor politiek − mijn belangstelling voor *hervórmingen*, zoals hij het noemde. Hij was ook geïnteresseerd in hervormingen, zei hij. Net als anderen van wie ik me zou kunnen voorstellen dat ze minder vriendelijk zouden reageren. Ze konden ons een zekere bescherming bieden. Van tijd tot tijd zou er wat verhelderende informatie nodig zijn, enkel om hen te helpen onze toekomstideeën te begrijpen, zodat ze ons beter zouden kunnen beschermen tegen minder sympathieke elementen. Hij kon het mooi brengen, zo mooi dat hij zijn doel voorbijschoot, want ik begreep amper wat hij voorstelde, onnozel gansje dat ik was. Daarna was ik gechoqueerd. O ja, ik gaf heel theatraal uiting aan mijn verontwaardiging en wees hem nobel de deur.

Domoor die ik was. Ik had met die eerste duivel een pact moeten sluiten. Mijn god, de twee die me uiteindelijk in hun klauwen kregen! De man was volslagen paranoïde, iemand die een boekhouding bijhield van nietszeggende feitjes die allemaal even sinister werden door de eindeloze verbanden die hij ertussen zag. Alles betekende iets. Een studente gaat naar huis om haar zieke moeder te bezoeken, arbeiders van de vleesfabriek in dezelfde stad protesteren tegen de onhygiënische toestanden – Aha! Clandestiene bijeenkomsten! Agitatie! Zaak gesloten! En hij rook naar toiletten. Je weet wel, naar – hoe heet dat spul – naar nafta.

Maar de vrouw, de vrouw was erger. Hij streefde in elk geval nog naar rationaliteit. Zij was geheel vrij van dat soort burgerlijke aanstellerij. Zij had geen behoefte aan theorieën en bewijzen. Zij wist wie de vijand was en wat er gedaan moest worden. Ja, en het dan ook te doen, je bang te maken en op je plaats te zetten, je op je knieën te dwingen, dat was haar roeping, haar lust en haar leven.'

'Waar was dat?'

'Wat?' Professor Landsman keek haar aan alsof het een domme vraag was of, erger nog, een gebrek aan vertrouwen.

'Waar gebeurde dat allemaal?' Theresa was nu geboeid en ging helemaal op in het verhaal dat professor Landsman haar vertelde. Het was deels een gewoonte die ze had ontwikkeld in de collegezaal, waar ze gewend was zich over te geven aan professor Landsmans stem. Maar tijdens haar colleges sprak professor Landsman levendig, hartstochtelijk zelfs, met veel aandacht voor details. Nu was ze anders in haar manier van doen en haar koele, zakelijke verteltrant, de afwezigheid van namen, de vormeloze achtergrond waartegen het verhaal zich afspeelde, hadden Theresa op een of andere manier ondergedompeld in een nevel van abstractie. De kou voelde aan als een uitvloeisel van haar onzekerheid. Ze moest weten waar ze was.

'Wat maakt dat uit?' zei professor Landsman. Ze tuitte haar lippen. 'In Praag,' zei ze met zachte stem.

Praag. Oké. Theresa las geschiedenis. Ze kende het verhaal van Praag. Het Wenceslasplein. Hoe Russische tanks het land binnenrolden en de veiligheidspolitie jongeren in elkaar sloeg en afvoerde naar de gevangenis. Hoe de president van het land was ontvoerd en naar Moskou was overgebracht. 'Praag,' zei ze. 'Dat was in 1968, toch?'

'Nee,' zei professor Landsman. 'Later. Het doet er niet toe, het gebeurde aldoor, en niet alleen in Praag. Het is een oud verhaal, zoals ik al zei. Je denkt dat de vijand ergens achter je zit, misschien bezig is je te omsingelen. Daarom moet je die vijand koste wat kost zien te vinden en hem schade toebrengen. Goed. Die man. Aanvankelijk dacht ik dat ik zijn spelletje wel aankon, dat ik mijn eigen feiten tegen de zijne kon inzetten. Maar altijd, altijd weer wist hij me te verrassen. Geen normaal denkend mens had kunnen verzinnen wat voor hem volkomen logisch was. Door die theorieën van hem, die urenlange uiteenzettingen in dat afschuwelijke kamertje, werd ik letterlijk met stomheid geslagen. Ik kon geen woord meer uitbrengen. Maar hij heeft me niet gebroken. De vrouw was degene die me heeft gebroken.'

'Hoe heette ze?'

'Hoe ze heette? Denkt u dat ze hun naam zeiden? Zelfs bij een valse naam had ik me een voorstelling van hen kunnen maken, me tot hen kunnen richten. Daarmee hadden ze een zekere verwantschap toegegeven.'

'U was toen, wat, negentien?' zei Theresa. 'Nog maar een meisje.'

'Bewaar uw medelijden maar voor mijn vrienden,' zei professor Landsman. 'Ik heb ze uiteindelijk allemaal verraden. Mijn vrienden, mijn minnaar, twee van mijn professoren.'

Op dat moment brak de zon door en werd de natte binnenplaats overstroomd door dikke, lage bundels licht die de twee vrouwen vol in het gezicht schenen. Professor Landsman schermde haar ogen af. Het tijdstip waarop de zon doorbrak trof Theresa als een absurde, zelfs kwaadaardige dissonant. Het maakte haar een beetje duizelig en daarna berouwvol over haar gevoelens terwijl professor Landsman zo'n treurig verhaal vertelde.

'Wat heeft ze u gedaan, die vrouw?' vroeg Theresa, voorzichtig haar stem modulerend.

'Niets. Ze heeft me niets gedaan.' Professor Landsman klonk verstoord, alsof ze zich ook bewust was van een zeker gebrek aan respect in die laatste heldere opleving van de dag.

'Maar u zei dat zij degene was die, u weet wel...'

'Ja. Zij was het. Maar eigenlijk heeft ze niets anders gedaan dan mij herkennen, en mij aan mezelf laten zien. Begrijpt u? Ik zag het aan de manier waarop ze me aankeek, altijd met die blik van herkenning, ze wist gewoon dat ik laf was en binnenkort haar speeltje zou worden, en dat alles wat eraan vooraf zou gaan – de eindeloze ontmoetingen, de tirades en de beschuldigingen, de bedreiging van mijn familie, de beloftes – hoe kan ik het beschrijven? Alsof het een ritueel was dat in ere moest worden gehouden, dat ten volle moest worden nageleefd om het genot en de pijn die het kon verschaffen, terwijl er aan de afloop niet viel te ontkomen en die ons allebei al bekend was door mijn zichtbare lafheid. Daarin lag haar macht, en wat maakte het mij klein! Wat moest ik voor haar kruipen! Ik hoefde maar naar haar te kijken, naar die glimlach die altijd in haar ogen blonk. Ze kende me. En ze heeft er simpelweg voor gezorgd dat ik mezelf leerde kennen. Dus zo ziet u: dit is een soldaat die je niet naast je in de loopgraaf moet hebben.'

'Kom, kom,' zei Theresa. 'Het was gewoon een methode, de manier waarop ze u behandelde, het gevoel dat ze u gaf, dat u laf was. Daar was ze voor opgeleid.'

'Nee, daarmee geeft u ze te veel eer. Maar wat als het wel zo was? Het was nog steeds waar.'

'Wat is er met uw vrienden gebeurd?'

'Dat weet ik niet. Ze werden ongetwijfeld in de gaten gehouden. Misschien zijn een paar van hen ook omgegaan. Maar dat viel niet meteen op, ik merkte niets aan ze voor ik daar weg ben gegaan. Ze laten dat soort dingen graag rustig rijpen.' Ze schoof haar haar ruw met beide handen naar achteren en glimlachte. 'U denkt vast: Wat een vervelend mens! Waarom moet ik dat allemaal aanhoren?

'Dat moet u niet zeggen.' Theresa boog zich naar haar toe. De boeken in haar tas duwden tegen haar buik. 'Luister, professor Landsman.'

Ze hief waarschuwend een hand op. 'Alstublieft. Ik ben allergisch voor medeleven.'

'Luistert u nou gewoon. Mensen kunnen ervoor opgeleid worden om je sterk te maken, je het gevoel te geven dat je dapper bent zodat je je ook dapper gaat gedragen. Het is een hele wetenschap. Denkt u niet dat het ook andersom kan werken?'

'Dat doet er niet toe. Wat gebeurd is, is gebeurd.' Ze duwde haar stoel achteruit en stond op, haar ogen samengeknepen in het licht. 'En ik maar doorpraten! U bent veel te geduldig.'

Theresa was gelijk met haar opgestaan. 'U was negentien. Nu bent u in de vijftig, niet? Denkt u werkelijk dat iemand van uw leeftijd, met uw opleiding, iemand die zoveel van de wereld heeft gezien en zoveel mensen heeft leren kennen – wacht nou even, laat me uitpraten – denkt u dat u een oordeel moet vellen over een jong meisje dat bijna sterft van angst en helemaal alleen is en gemanipuleerd wordt door een stel griezels die precies weten hoe ze dat moeten aanpakken? Zou u zo over uw eigen kind oordelen?'

'Ik heb geen kinderen. Ook al uit lafheid.'

'Dat spijt me. Maar u weet wel wat ik bedoel.'

'Amerikanen!' Professor Landsman frunnikte aan de knopen van haar jas. 'Dat geloof in de toekomst, alsof iedereen zich dan met elkaar zal verzoenen. Die compassie ten opzichte van het verleden, alsof alles vergeven kan worden als je het maar begrijpt. Echt, jullie hebben geen benul van geschiedenis. Hoe definitief het allemaal is, echt gebeurd. Je kunt geen dag, geen moment van het verleden ongedaan maken met al dat inlevingsvermogen en al die fijngevoelige inzichten. Je kunt het alleen bezoeken zoals je een kerkhof bezoekt, met je hoed in de hand. Je mag de inscripties op de grafstenen wel lezen. Maar je mag ze niet herschrijven.'

Theresa hing haar tas aan haar schouder. 'Ik snap het. Bedankt voor de les.'

'O, nu heb ik misbruik gemaakt van uw vriendelijkheid. Ik had het recht niet u te belasten met mijn nutteloze oude verhalen. U moet het me vergeven.'

'Is dat wel toegestaan?'

'Ha!' zei ze. Ze sloeg haar ogen neer en knikte. 'Ik zou u willen vragen,' begon ze.

'Ja hoor,' zei Theresa. 'Natuurlijk. Geen woord.'

'Dank u.'

Op dat moment wist Theresa dat ze zou moeten ophouden met de cursus.

Toen ze die avond na het zwemmen thuiskwam, maakte ze een tonijnsalade en nam daarna haar aantekeningen nog eens door voor een examen economie. Daarna bladerde ze weemoedig in haar leerboek kunstgeschiedenis, *Gardner's Art Through the Ages*, en talmde even bij de *Annunciatie* van Fra Angelico. Aanvankelijk viel haar oog op de engel, op die stralende, bijna wilde blik van vreugde en belofte, maar wat haar aandacht vasthield was Maria's gezichtsuitdrukking – van aanvaarding, ja, maar ook van verdriet, alsof ze al wist wat haar kind zou overkomen in deze wereld.

Theresa's zoon schreef trouw, maar vanavond was er geen bericht van hem gekomen. Ze liep terug naar de computer – nog steeds niets. Ze opende zijn laatste twee e-mails en las ze nog eens. In de grappige, geestige verhalen over zijn dagen en werkzaamheden, over uitdagingen die hij had overwonnen, doken de namen op van zijn nieuwe vrienden en uit hun herhaalde vermeldingen sprak zijn plezier, en de bescheiden trots die hij ontleende aan hun respect. De scholier die zich altijd in boeken had teruggetrokken, was aan het ontdekken dat hij sterk en slagvaardig kon zijn. Een man op wie je kon vertrouwen, tegen wie je zelfs kon opkijken. Theresa was er blij om, hoewel ze wist dat uiteindelijk niets van dit alles hem zou redden. Geluk, daar kwam het op aan. De meesten hadden ook geluk, de meesten kwamen weer levend thuis – bijna iedereen. Hij had een goede kans, en zij daarmee ook. Ze hield die gedachte bij de hand. Ze moest zich er dikwijls aan vastklampen.

Maar vanavond voelde ze een andere, op zichzelf nog ergere angst, omdat kansberekening hierbij geen rol speelde. Ze was nu niet bang wat hem zou kunnen overkomen, maar hoe hij zou kunnen worden. Binnenkort zou hij tussen vreemde mensen zitten die hem allemaal op het eerste gezicht zouden haten. Ieder van hen zou van plan kunnen zijn hem te doden. Hoe kon hij er, geconfronteerd met zoveel haat en gevaar, aan ontsnappen dat hij zelf ook haat ging voelen? Tegen hen allemaal. Theresa had gezien hoe de jonge mannen keken na een paar maanden in dat land; ze wist hoe ze praatten, ze kende de stiltes die tussen hen vielen.

Haar zoon leerde al dat het plezierig is om sterk te zijn, dat het extra plezierig is om sterker te zijn dan anderen. Hij was mager en verlegen geweest toen hij jong was, en in groep zeven en acht van de lagere school was het pesten zo erg geworden dat ze met het hoofd moest gaan praten. Ze had er een tijd niet meer aan gedacht, maar vanavond herinnerde Theresa zich die blik in zijn ogen na een slechte dag, die inktzwarte bitterheid en schaamte. Wanneer hij nu macht kreeg over degenen die hem haatten en angst inboezemden, zou hij dan de verleiding kunnen weerstaan om ze op hun knieën te dwingen, te laten kruipen? En dan? Wat zou er dan gebeuren in zo'n klein kamertje waarin haat, macht en angst waren samengekomen, en niemand hem zou tegenhouden? Haar jongen had een goed hart. Hij had een ziel. Voor het eerst was ze bang dat hij die zou kwijtraken.

Theresa wilde hem waarschuwen, maar de lichte, opgewekte toon van hun correspondentie was voor hen een soort gedragsregel geworden. Ze zou die moeten overtreden. Al wist ze nu nog niet hoe, ze zou het wel onder woorden kunnen brengen. Hij zou het niet leuk vinden. Hij zou zich beledigd voelen. Goed zo, dan zou hij er misschien aan denken als het zover was.

Ze keek weer naar het schilderij van Fra Angelico voor ze opstond van haar bureau. Nee, ze ging verdomme helemaal niet ophouden met die cursus. Ze zou zoals altijd ergens vooraan in de collegezaal gaan zitten en als het professor Landsman stoorde dat Theresa naar haar keek en naar haar uitspraken luisterde terwijl ze die dingen van haar wist, wiens schuld was dat dan? Professor Landsman moest haar werk doen. Als ze zich daar ongemakkelijk bij voelde, moest ze maar een manier vinden om eroverheen te komen of eraan te wennen, zoals iedereen.

De getuigenverklaring

De getuige liet zich niet vangen. Uitspraken die hij eerder had
gedaan tegen zijn vriendin, ook verpleegkundige, uitspraken
die van cruciaal belang waren voor Burkes zaak, weigerde de
getuige nu onder ede te herhalen. Hij beweerde dat hij niet
meer wist wat hij precies had gezegd, niet eens duidelijke herinneringen bewaarde aan het geval in kwestie: een haastige,
slordig uitgevoerde ingreep die de chirurg als een medische
fout kon worden aangerekend. Als gevolg van een routinepro-
cedure – verwijdering van een cyste in een zenuwknoop – die
op een schandelijke, onverdedigbare manier was verprutst,
had Burkes cliënt de fijne motoriek van haar linkerhand verloren. Ze had aan de balie gewerkt van een autoverhuurbedrijf;
wat moest er worden van een achtenvijftigjarige baliemede-
werker die niet langer een toetsenbord kon gebruiken?

Burke besloot om een adempauze te vragen. Hij was pas de
dag ervoor per vliegtuig uit San Francisco gearriveerd om deze
getuigenverklaring persoonlijk af te nemen. Hij was nog
steeds gammel van de onaangename reis: vertraging bij het
vertrek uit San Francisco, dan in Washington rennen om zijn
vlucht naar Albany te halen, daarna met een slakkengang langs
de rivier naar New Delft. Een lange reis en een slapeloze nacht.
Hij had blijk gegeven van enige wrevel over de vergeetachtig-
heid van de getuige, en de getuige was op zijn beurt stug en on-
mededeelzaam geworden, het laatste wat Burke wilde. Hij
hoopte dat een kleine pauze kalmte zou brengen en 's mans geweten de kans zou geven zijn geheugen te hulp te schieten, als

hij nog ontvankelijk was voor dergelijke invloeden. Burke vermoedde van wel.

De raadsman van de getuige stemde in met de onderbreking: vijfenveertig minuten. Burke sloeg het aanbod van koffie met cake af en koos voor een stevige wandeling. Hij verliet het gebouw, een landhuis in federale stijl dat was verbouwd tot een advocatenkantoor, en begon de helling af te lopen naar de rivier. Het was een mooie oktobermiddag vol warmte en goud, de bomen in vlam, de lucht zwaar van de schimmel van gevallen bladeren. Die geur, dat honingkleurige licht... Burke raakte uit zijn ritme, overweldigd door de herinnering aan dit soort dagen in zijn geboortestad in Ohio. Die ene nazomer in de vijfde klas van de middelbare school, toen hij dag in dag uit zinderend en bevend van begeerte naar het huis van een wat ouder meisje was gerend om zich daar een wild uur te verlustigen in haar stoutmoedigheid voor haar moeder thuiskwam van haar werk. Julie Rose. Dat moedervlekje als een zandlopertje in haar hals... hij zag het nog voor zich, en de ragdunne, wuivende gordijnen in haar slaapkamerraam, de schittering van de bladeren, zachtjes wiegend op de warme wind.

Wat een flauwekul! Dat zwelgen in heimwee naar een plek die hij was gaan verachten, waar hij alleen maar had gedroomd van de dag dat hij er weg kon!

Het was verder naar de rivier dan Burke gedacht had. Hij was een grote, breedgeschouderde man die hard zijn best deed om zijn gewicht met een dieet en lichaamsbeweging binnen de perken te houden, maar hij had de laatste tijd lange dagen gemaakt, haastig hier of daar wat gegeten en de sportschool laten schieten; zelfs van deze ontspannen wandeling begon hij al te zweten. Hij schoof zijn stropdas los. Onder aan de helling gekomen trok hij het colbert van zijn pak uit en zwaaide het over zijn schouder.

Burke had gehoopt een pad langs de rivier te vinden, maar

de weg werd versperd door een paar fabrieksgebouwen die aan de oever op rezen achter een hek van gaas met een hangslot erop. De gebouwen waren verwaarloosd, er waren bakstenen uit de muren gevallen, alleen de hoogste ramen waren niet kapot en glinsterden vrolijk in de late middagzon. Her en der op het terrein lagen versplinterde pallets op het door onkruid gebarsten asfalt. Hij bekeek het tafereel met een bitter gevoel van herkenning voor hij zich afwendde.

Burke volgde het hek een paar honderd meter en liep toen in een lus de heuvel weer op door wat een winkelstraat bleek te zijn. Door de open deur van een afhaalchinees sloeg een weeë, zoute geur naar buiten, op het ene tafeltje binnen stond een half leeggegeten bord noedels omringd door sojasauszakjes. De bebrilde vrouw achter de toonbank keek op van haar krant om zijn blik te vangen. Hij keek een andere kant op en liep door, langs een oude bioscoop met lege vitrines en een blanco lichtbak; langs een trimsalon, de etalages gevuld met verschoten kiekjes van een grijnzende roodharige man boven diverse hondjes die hij belachelijk gemaakt had met zijn kunsten; langs een bazaar waarin nu een kringloopwinkel was gevestigd en een kleermaker met het bordje GESLOTEN voor het raam. Op de hoek stond een verlaten Mobiltankstation, de ramen dichtgespijkerd, de pompen al lang verdwenen.

Burke bleef staan en sloeg zijn ogen op naar het gevleugelde rode paard dat nog boven het terrein uit steigerde, daarna nam hij het stuk straat in zich op waar hij net doorheen was gekomen. Aan de overkant strompelde een gebogen lopende vrouw in een overjas over het trottoir, verder was er niemand te zien. Het zou een straat in zijn geboortestad kunnen zijn met zijn eigen failliete bedrijven, diezelfde sfeer van stagnatie. Burkes moeder was weduwe en woonde nog altijd in het oude huis. Hij ging plichtsgetrouw bij haar op bezoek met zijn vrouw, die beweerde dat ze het een charmant en aangenaam rustgevend stadje vond, maar Burke kon zich niet voorstellen dat hij daar zou kunnen wonen en wist niet goed waarom anderen dat wel konden.

Eigenlijk had hij het idee dat er ondanks al het gepraat over gezin, geloof en nabuurschap — de kernwaarden die hier werden hooggehouden in een aanklacht tegen competitieve, materialistische Gomorra's als San Francisco — iets in die vredige rust school dat niet helemaal gezond was, een zekere luiheid en sensualiteit. Burke voelde het wanneer hij door de straten van zijn geboortestad rondliep, en hier voelde hij het ook.

Hij stak door een rood licht over en versnelde zijn pas; hij zou stevig door moeten stappen om op tijd terug te zijn. Alle sporen van ondernemingsgeest hielden op bij het tankstation. Hij liep een aantal blokken langs kleine, op miezerige perceeltjes bijeengepakte huizen, ongetwijfeld de woningen van de mensen die hun leven in de fabrieken hadden doorgebracht. De meeste verkeerden in slechte staat: doorhangende daken, afbladderende verf, verroeste horren. Hier geen besteedbare inkomens.

Burke kende het verhaal, daar durfde hij zijn hachje om te verwedden. De vakbonden gebroken of afgekocht. Salarissen en uitkeringen gestaag gekort onder dreiging van ontslagen die toch vielen als het werk werd uitbesteed aan buitenlandse loonslaven, terwijl de eigenaren intussen vrolijke visioenen opriepen van betere tijden en een bedrijf als één grote familie, voor ze de tent net op tijd verkochten om te ontsnappen aan de boetes voor honderd jaar vervuiling van de rivier. Waarna de nieuwe eigenaren, in bedrijfskunde afgestudeerde aasgieren, zich erop stortten om het pensioenfonds te plunderen voor het faillissement werd uitgesproken. Burke kende het hele verhaal en hij walgde ervan, vooral van de arbeiders die zich zo door de eigenaren lieten naaien terwijl ze door diezelfde eigenaren op hun schouders werden geklopt, werden geprezen als de ruggengraat van de natie, het zout der aarde, de waarachtige Amerikanen. Jezus! En ze bleven het slikken, en stemden als rovers in plaats van de beroofden. Ze verdienden niet beter.

Burkes bonzende hart stuwde een golf van hitte naar zijn gezicht en maakte hem eigenaardig licht in het hoofd, alsof hij boven het trottoir zweefde. Hij nam de helling met lange, ferme passen. Een jongen met blonde dreadlocks stond bladeren in een vuilniszak te harken. Toen Burke hem passeerde, leunde de jongen op zijn hark en staarde hem aan, met een koptelefoon op waar een dreunende branding van percussie onderuit lekte.

Het hele land werd op die manier uitgehold, vanbinnen uit leeggevreten, zonder dat iemand ertegen in het geweer kwam. Het voelde ongemakkelijk, ergens ook beschamend, om te zien hoe mensen zich lieten koeioneren zonder verzet te bieden. Daarom had hij dat mopshondje van een cliënt met haar uitpuilende ogen en haar verpeste hand aangenomen, ze was een vechter. Ze was overal tegen dichte deuren op gelopen, ze was gebombardeerd met verzoeken om documenten, stiekem gefilmd, beledigd met armzalige financiële schikkingen, zelfs bedreigd met een proces, maar ze hield gewoon haar kop omlaag en bleef doorbeuken. Ze had al haar spaargeld besteed aan het vervolgen van de chirurg die haar zo had toegetakeld, tot ze genoodzaakt was naar San Francisco te verhuizen om daar te gaan inwonen bij haar zoon, een juridisch medewerker op Burkes kantoor. Haar advocaat in New Delft was na een beroerte opgehouden met werken. De zaak bood weinig perspectief, maar Burke had hem op no-cure-no-paybasis aangenomen omdat hij wist dat ze het niet zou opgeven, dat ze tot het bittere eind zou blijven knokken.

En nu leek ze uiteindelijk toch een kans te hebben. Ze hadden de vorige maand een doorbraak gehad, toen ze hoorden over de klachten die deze verpleegkundige had geuit tegen zijn nu verbitterde ex-vriendin. Het verslag dat Burke van deze gesprekken had was van horen zeggen, op zichzelf niet genoeg om ermee naar de rechter te stappen of zelfs een rechtvaardige schikking af te dwingen, maar hij maakte eruit op dat de getuige gevoelens van schuld en verontwaardiging koesterde. Dat hij een zekere trots had en het kwalijk vond dat hij was betrokken bij een verminking. Hij stond ongetwijfeld onder zware druk om de chirurg te steunen, maar de getuige had niet echt ontkend dat hij had gezien wat hij had gezien of had gezegd wat hij had gezegd. Hij beweerde slechts dat hij het zich niet duidelijk herinnerde.

Wat iemand vergeet kan hij zich weer herinneren. Het was een kwestie van wilskracht. En zelfs in de ontwijkende houding van de getuige bespeurde Burke zijn tegenzin om te liegen, met daarachter het nog niet doorslaggevende, maar wel hardnekkige en kwellende verlangen om de waarheid te vertellen.

Burke geloofde dat hij de gave had om intuïtief niet alleen iemands oprechtheid in een bepaalde kwestie aan te voelen maar, belangrijker nog, ook zijn natuurlijke neiging om de waarheid te vertellen. Voor degenen die over deze gave beschikten was het een soort radar. Hoe groot ook de risico's, hoe zorgvuldig ze zich ook verdedigden met dubbelzinnigheden en goed van pas komende gaten in hun geheugen, die neiging was er nog altijd en bleef zich roeren tot hij erkend werd. In de loop der jaren had hij een aanzienlijke vaardigheid ontwikkeld om mensen te helpen hun eerdere gedraai en verdringende gedrag, zelfs hun eigenbelang, te overwinnen en te zeggen wat ze werkelijk wilden zeggen. Die verpleegkundige had er behoefte aan zijn verhaal te vertellen; Burke was er zeker van, zoals hij ook zeker wist dat hij in staat zou zijn de man met zachte drang over te halen. Hij kreeg die terughoudende getuige er wel onder.

En terwijl hij overdacht hoe hij dit ging doen, voelde hij voor het eerst die dag dat hij soepel in zijn bewegingen werd. Dat hij zijn tempo en ademhaling nu onder controle had, gaf hem een prettig gevoel van kracht. Als hij zijn ranke, peperdure Italiaanse instappers niet aan had gehad, was hij misschien gaan rennen.

De huizen werden groter naarmate hij hoger kwam, de gazons weliger en groener. Grote esdoorns vormden koepels hoog boven de straat. Burke ging langzamer lopen om naar een plotseling neerdwarrelende zwerm bladeren te kijken, hoe ze schommelend, wiebelend neerdaalden en soms rondwervelend bleven hangen op een briesje zo licht en warm dat hij het nauwelijks voelde, alsof iemand hem even plagend in zijn nek ademde. Toen ronkte er een bus voorbij die net voor hem uit aan de stoeprand stopte en sisten de deuren open. En stapte dat meisje uit.

Burke hield zijn pas in, al was hij zich nauwelijks bewust dat hij het deed, of dat zijn adem in zijn keel stokte. Ze was lang, in zijn ogen magnifiek, zo lang. Hij ving net een glimp op van zwart geverfde lippen voor haar lange donkere haar naar voren viel en haar gezicht verhulde toen ze omlaagkeek om veilig een voet op de stoeprand te zetten. Ze bleef op het trottoir staan en keek naar de bus, die wegreed in een eruptie van zwarte walm. Daarna zette ze haar tas neer en rekte zich genotzuchtig, op haar tenen staand uit, met haar handen hoog boven haar hoofd. Nog altijd op haar tenen, vlocht ze haar vingers ineen en duwde haar heupen heen en weer. Ze was niet meer dan een meter of zes van hem verwijderd, maar het was Burke duidelijk dat ze hem niet had opgemerkt, dat ze zich hier alleen waande. Hij voelde zichzelf glimlachen. Hij wachtte. Ze liet haar armen omlaagvallen en boog haar nek even heen en weer, hing de tas weer aan haar schouder en begon de straat af te lopen. Hij volgde en voegde zijn pas naar de hare.

Ze liep langzaam, met de doelbewuste, bijna platvoetige tred van een danseres, de tenen iets naar buiten. Ze neuriede een liedje. Haar knielange geruite rok zwaaide onder het lopen lichtjes heen en weer, maar ze hield haar rug recht en stil. Op haar witte blouse zaten twee zweetplekken onder haar schouderbladen. Burke zag haar al in de bus achteroverleunen op de plastic stoel en een beetje dommelen in de zompige lucht terwijl mannen tersluiks over hun omgevouwen kranten naar haar keken.

Haar geneurie veranderde van toon, het werd ritmischer, minder melodieus. Haar heupen wiegden heen en weer onder haar rok, haar schouders deinden in subtiel contrapunt. Achter op haar rechterkuit zat een donker plekje ter grootte van een cent, misschien een pigmentvlek, of een spatje modder.

Ze hield op met neuriën en stak een hand in haar tas. Het was een grote canvas tas, zo vol dat hij uitpuilde, maar ze vond wat ze zocht zonder omlaag te kijken, haalde het eruit en schoof het om haar pols, een donzig rood bandje. Ze reikte met beide handen in haar nek en pakte haar haar bij elkaar, tilde het op, schudde even met haar hoofd en liet het weer vallen. Ze liep nu nog langzamer, met lome, dromerige passen. Ze reikte weer achter haar hoofd, tilde haar haar op en begon het tot één enkele streng in elkaar te draaien. In één beweging gaf ze er een laatste draai aan en schoof het rode bandje van haar pols over de dikke wrong, haalde hem over haar schouder naar voren en begon aan de eindjes te plukken.

Burke keek naar de glooiende lijn van haar nek, dat naakte wit. Haar huid leek vochtig, teer. Ze liep door met die langzaam voortglijdende tred en hij volgde haar. Hij liep in de pas achter haar aan maar ging zo in haar op dat hij het ritme kwijtraakte, en op het geluid van zijn voetstappen draaide ze zich schielijk om en keek hem recht in zijn gezicht. Burke liep vlak achter haar, hij had haar ingehaald zonder het zich te realiseren. Haar ogen gingen wijd open. Hij werd door die ogen vastgehouden, gefixeerd. Ze waren diepblauw, bijna het violet van een kneuzing, en donker omrand met eyeliner. Hij hoorde haar een lange, rafelige haal lucht naar binnen zuigen.

Burke probeerde iets te zeggen, haar gerust te stellen, maar zijn keel zat dicht en was zo droog dat er geen geluid kwam. Hij slikte. Hij wist niet wat hij moest zeggen.

Hij stond recht in haar gezicht te kijken. Een vlekkige witte huid, die belachelijk hippe zwarte mond. Maar haar ogen, dat fraaie hoge voorhoofd – ze was mooi, nog mooier dan hij zich had voorgesteld. Het meisje deed een stap achteruit, haar ogen nog steeds vast op de zijne gericht, daarna draaide ze zich om en begon ze schuin een gazon over te steken naar een groot wit huis. Halverwege begon ze te rennen.

Daarmee was Burke op de een of andere manier bevrijd. Hij vervolgde zijn weg en handhaafde doelbewust een waardig tempo, bleef zelfs even staan om zijn colbert aan te trekken – manchetten omlaag, schouders links rechts op hun plek, een rukje aan de revers. Hij stond zichzelf niet toe om om te kijken. Nu zijn dichtgeknepen keel zich weer ontspande hapte hij gulzig, bijna hijgend naar lucht en realiseerde hij zich dat hij nauwelijks adem gehaald had terwijl hij achter het meisje aan liep. Ze leek wel heel erg bang! Maar waarvoor dan? Hij stelde zichzelf de vraag met een verwondering die hij niet werkelijk voelde. Hij wist het, hij wist wat er op zijn gezicht te lezen was geweest. Hij zette het van zich af.

Burke liep door. Boven op de heuvel, negen of tien lange stratenblokken van de plek waar hij het meisje had achtergelaten, wilde hij net rechtsaf slaan naar het advocatenkantoor dat al aan het eind van de zijstraat in zicht kwam, toen er een sirene achter hem jankte. Eén scherpe, gebiedende kreet, meer niet, maar hij herkende het geluid, bleef staan en sloot even zijn ogen voor hij zich omdraaide en de patrouillewagen naar de stoeprand zag zwenken.

Hij wachtte. Een grijsharige vrouw achterin keek fel naar hem door het zijraam. Het meisje zat naast haar en leunde naar voren om naar hem te kijken, knikte toen tegen de politieman voorin. Hij sloeg op het stuurwiel een notitieboekje open, schreef iets op, legde het notitieboekje vervolgens op de stoel naast hem, zette zijn pet op, trok hem wat scheef en stapte uit de auto. Hij liep om de auto heen naar het achterportier en hield het open terwijl de vrouw en het meisje naar buiten schoven. Elk van deze handelingen werd uitgevoerd met trage, doelbewuste bewegingen, het was een optreden, begreep Burke, een intimiderend vertoon van methodische precisie en zelfverzekerdheid.

Hij knikte toen de politieman op hem toe liep. 'Dag agent. Wat kan ik voor u doen?'

'Legitimatie, alstublieft.'

Burke had hier bezwaar tegen kunnen maken, maar in plaats ervan haalde hij zijn schouders op, pakte zijn portefeuille uit de zak van zijn colbert en overhandigde zijn rijbewijs.

De politieman bekeek het, sloeg zijn ogen op naar Burke, keek weer naar het rijbewijs. Hij was jong, met een glad babygezicht ondanks zijn vlassige blonde snor. 'U bent niet van hier,' zei hij ten slotte.

Burke hield zijn kaartje al gereed. Hij stak het naar voren en nadat de politieman er argwanend naar had gekeken pakte hij het aan. 'Ik ben advocaat,' zei Burke. 'Ik ben hier om een verklaring af te nemen, over, even kijken...' Hij hief zijn horloge op. 'Drie minuten geleden. Halfvijf. Daar in Clinton Street.' Hij gebaarde vaag. 'Wat is het probleem?'

De grijsharige vrouw was vlak voor Burke komen staan en keek hem fel in zijn gezicht. Het meisje stond nog bij de patrouillewagen, ze zag bleek en haar handen bungelden onbeholpen langs haar lichaam.

'We hebben een klacht gekregen,' zei de politieman. 'Wegens stalking,' voegde hij er onzeker aan toe.

'Stalking? Wie is er gestalkt?'

'Dat weet u heel goed,' zei de vrouw met schorre stem, zonder haar blik ook maar een seconde van hem af te wenden. Ze had zo'n knap gezicht met een vierkante kaak en was diep gebruind. Er staken pezige bruine armen uit haar polohemd, op de knieën van haar kakibroek zaten grasvlekken. Burke zag haar al op het dek van een jacht staan en koelbloedig de zeilen reven in een storm.

'Die jongedame daar?' vroeg Burke.

'Doe maar niet zo onnozel,' zei de vrouw. 'Ik heb nog nooit meegemaakt dat iemand zo bang was. Het arme kind kon nauwelijks praten toen ze bij me voor de deur stond.'

'Ze was echt bang geworden,' zei de politieman.

'En wat was mijn aandeel daarin?' Burke keek het meisje recht aan. Ze had haar armen om zich heen geslagen en zoog op haar onderlip. Ze was jonger dan hij gedacht had; een kind nog. Hij zei vriendelijk: 'Heb ik je iets gedaan?'

Ze wierp hem een vlugge blik toe, wendde toen haar gezicht af.

'Heb ik iets tegen je gezegd?' zei hij op dezelfde toon.

Ze staarde naar de grond voor haar voeten.

'Nou?' zei de politieman scherp. 'Wat heeft hij gedaan?'

Het meisje gaf geen antwoord.

'Onze grote charmeur,' zei de vrouw.

'Ik herinner me wel dat ik haar een eindje terug voorbij ben gelopen,' zei Burke, zich tot de politieman richtend. 'Misschien heb ik haar laten schrikken – dat zal het zijn. Ik had een beetje haast.' Daarna legde Burke, met absolute kalmte in zijn stem, uit wat hij in New Delft kwam doen en vertelde hij over de pauze van drie kwartier, de route die hij had genomen zodat hij genoodzaakt was flink door te lopen om op tijd terug te zijn, al hield dat in dat hij andere mensen op het trottoir moest inhalen. Dit alles kon worden bevestigd in het advocatenkantoor, waar ze al op hem zouden zitten wachten, en Burke nodigde de politieman uit met hem mee te komen om de zaak meteen af te handelen. 'Het spijt me als ik je heb laten schrikken,' zei hij in de richting van het meisje. 'Dat was beslist niet mijn bedoeling.'

De politieman keek eerst hem en daarna het meisje aan. 'Nou?' herhaalde hij.

Ze keerde hun de rug toe, zette haar ellebogen op het dak van de patrouillewagen en borg haar gezicht in haar handen.

De politieman sloeg haar een ogenblik gade. 'Ah, jezus,' zei hij. Hij bekeek het rijbewijs nog eens, gaf het samen met het kaartje terug en liep naar het meisje. Hij mompelde iets, pakte haar toen bij een elleboog en begon haar op de achterbank te helpen.

De vrouw verroerde zich niet. Burke voelde haar ogen op zich gericht terwijl hij het rijbewijs en het kaartje weer in zijn portefeuille stopte. Ten slotte keek hij op en ontmoette haar blik, die heel groen was, en heel koud. Hij hield haar blik vast en knipperde niet met zijn ogen. Toen was er een flits van exploderende pijn en knakte zijn hoofd zo hard opzij dat hij het onder in zijn nek voelde kraken. De schok schroeide zijn ogen met hete, verblindende tranen. Zijn gezicht brandde. Het leek of zijn tong achterover in zijn keel was gepropt.

'Leugenaar,' zei ze.

Tot Burke haar stem hoorde, had hij niet begrepen dat ze hem een klap had gegeven, zo verdoofd was hij. Het bracht een soort opluchting, alsof hij onbewust iets ergers gevreesd had.

Hij hoorde de portieren van de patrouillewagen dichtslaan, één-twee! Hij boog zich met zijn handen op zijn knieën voorover om zijn evenwicht te hervinden, richtte zich toen op en wreef in zijn ogen. De patrouillewagen was verdwenen. De linkerkant van zijn gezicht gloeide nog, voelde zelfs heet aan. Een man met baard in een zwart pak liep langs hem heen de heuvel af, wierp Burke een blik toe en keek toen weer strak voor zich uit. Burke keek op zijn horloge. Hij was zeven minuten te laat.

Hij deed een stap, en nog een, en liep door, verbaasd over zijn zekere en ook zo lichte tred. Een eindje verder kwetterde een eekhoorn recht in zijn oor, zo leek het althans, maar toen hij opkeek zag hij het kwebbelende beestje hoog boven hem op een tak zitten. Toch kwam de stem als een schok, zo rauw klonk het, zo dichtbij. Het licht in de boomkruinen had de eigenschappen van mist.

Burke hield voor het advocatenkantoor even halt en poetste vlug zijn schoenen langs de achterkant van zijn broekspijpen. Hij liep de treden op en bleef voor de deur nog even staan. De klap gloeide nog op zijn wang. Was het te zien? Zouden ze ernaar vragen? Gaf niet, hij zou wel iets bedenken. Maar onwillekeurig voelde hij er nog eens voorzichtig aan, alsof hij hem wilde koesteren, terwijl hij naar binnen liep om die getuige vast te pinnen.

Tot op het bot

Hij had een afspraak met een begrafenisondernemer en popelde om weg te gaan. Zijn moeder lag op sterven, hier in haar eigen bed, zoals ze het had gewild, met hem aan haar zijde. Hij had haar brokjes ijs zitten voeren. Het was het enige wat hij nog voor haar kon doen. Ze leek weer te slapen, maar hij dwong zichzelf nog even te wachten voor hij wegging.

Hij ging zachtjes op de bank zitten waarop hij hier sliep en begon weer in een van haar fotoalbums te bladeren. Het was zijn favoriete album geweest toen hij klein was, omdat zijn moeder erin te zien was als meisje, in een sepiawereld van charlestonjurken, badpakken met ruches aan de pijpen en auto's als de Franklin tourer. Dit was ze bij haar eerste communie, het evenbeeld van zijn eigen dochter. De gelijkenis was zo groot dat hij naar zijn gezin begon te verlangen. Zijn moeder keek op naar de hemel in een heilige, eerbiedige pose die ongetwijfeld door haar vader was verordonneerd, want heiligheid noch eerbied maakte deel uit van haar karakter. Ze had zich altijd openlijk verwonderd over zijn eigen aanvallen van godsvrucht.

Hier was ze wat ouder, op het achterdek van een schip, geflankeerd door haar frêle, lieve moeder en haar vader, een kleine man in marine-uniform, de armen voor zijn borst over elkaar geslagen. Een echte lul, die vent. Een onvermoeibare betweter, een vrek en een tiran. Toen haar moeder was overleden, haalde hij haar van school en liet hij haar in huis sloven. Ze liep op haar zeventiende weg, nadat hij zijn pistool had afgeschoten op een jongen die zich in hun achtertuin had verscholen en daar wachtte tot zij naar buiten zou glippen. Ze sprak zelden over hem, en dan met strakke lippen. Bij zijn begrafenis had ze een uitdrukking op haar gezicht van een zeldzame, koude hardheid, van triomf bijna. Waarom was ze eigenlijk gekomen? Om te kijken of hij echt dood was?

Ah, en deze, dit was de mooiste, zijn moeder voor een lange, rechtop in het zand gestoken surfplank op Waikiki Beach, waar niemand minder dan Duke Kahanamoku haar geleerd had de golven te berijden. Ze was slank en mooi en stond voor de camera in een uitdagende pose waar hij naar blééf kijken. Dit was zijn moeder, zijn beste vriendin in zijn jonge jaren.

Hij zou te laat komen voor zijn afspraak. Het was vrijdagmiddag en als hij nu niet ging, zou hij tot maandag moeten wachten. Bij de gedachte niet naar buiten te gaan bekroop hem een soort paniek. Hij boog zich over zijn moeder heen en keek neer op het dunne witte haar als een nevel boven haar hoofdhuid. Haar schouders gingen op en neer met het zwakke gereutel van haar ademhaling. Hij sprak haar fluisterend aan. Wachtte, probeerde het nog eens. Niets.

Op weg naar buiten ging hij even langs de zusterpost en vroeg Feliz, de jonge vrouw die dienst had, om af en toe even bij zijn moeder te kijken en haar wat brokjes ijs te voeren als ze wakker werd voor hij terug was. Ze stemde toe, maar hij voelde haar tegenzin. Ze werkte hier pas en was net als hijzelf bang voor het uitgemergelde lichaam van zijn moeder; hij had die ochtend haar schroom gezien toen ze zijn moeder samen wasten, en hij veronderstelde dat zij de zijne ook had opgemerkt.

'Alsjeblieft,' zei hij. 'Ik blijf niet lang weg.'

'Ja, goed,' zei ze, maar ze ontweek zijn blik.

Jezus, wat heerlijk om er even uit te zijn – om de zuurstokrode MX5 die hij had gehuurd te starten en plankgas het parkeerterrein af te jagen, met de zon op zijn gezicht. Het reisbureau dat zijn vlucht naar Miami had geboekt, had tegen een voordelig tarief een middelgrote Buick personenwagen voor hem gereserveerd, maar zodra hij uit de aankomsthal de warme schemer instapte, werd hij gegrepen door het idee een cabrio te huren; en toen hij weer naar binnen ging en de mooie latina aan de balie hem vertelde dat ze een MX5 beschikbaar had, nam hij hem zonder aarzelen, al was hij belachelijk duur en, gezien de omstandigheden, misschien een tikkeltje te uitbundig.

Hij had nooit eerder in een sportwagen gereden. Hij vond het heerlijk zo dicht boven de weg, onder de blote hemel, in de zeelucht die fluwelig over hem heen stroomde. Tijdens zijn uren in de verduisterde, naar lavendel ruikende flat was hij zich steeds bewust van die auto buiten en de gedachte eraan deed hem goed.

Er waren hier niet veel dingen die hem goed deden, nog het minst van al de lange uren van zinloos toekijken bij het sterven van zijn moeder, niet in staat haar te bereiken, niet wetend wat hij moest doen of zeggen. Het was allemaal niet wat hij had gehoopt – dat ze samen oude herinneringen zouden ophalen terwijl de schaduwen langer werden, dat ze hun hechte band zouden hernieuwen, zouden afrekenen met de behoedzaamheid die op een of andere manier tussen hen was ontstaan. Hij probeerde het wel; hij praatte opgewekt over zijn vrouw en kinderen, aldoor beseffend dat ze de nieuwsgierigheid voorbij was, zo ze hem al kon verstaan. Hij wist dat hij het deed om haar zwoegende ademhaling te overstemmen, zijn eigen hoofd te vullen met de klanken van een normaal gesprek en even te vergeten dat hij ongeduldig wachtte op het einde – om harentwil; hij probeerde zichzelf wijs te maken dat hij op háár bevrijding wachtte.

Hij had het gevoel dat hem een weinig verheffende rol was toebedeeld, zoals toen hij de hele flat had doorzocht naar haar juwelen. Hij had dit gedaan nadat een begrafenisondernemer hem had verteld dat anderen met toegang tot de flat – verzorgers, personeel van het gebouw – wellicht hun kans zouden grijpen als hij hun niet voor was. 'Het gebeurt aldoor,' zei de man droevig. Het was een macabere bezigheid, in alle laden en kasten te snuffelen terwijl zijn moeder daar ineengerold op haar bed lag. Nu en dan verroerde ze zich en verstijfde hij als een dief met zijn hand in een jaszak, onder een stapel truien, en hield hij zijn adem in. Alles was er, alles wat hij zich herinnerde in elk geval, en niets was het stelen waard; misschien kon zijn dochter die dingen gebruiken bij een verkleedpartij. En hiermee had hij zichzelf nog een reden gegeven om moreel in het niet te zinken bij de onderbetaalde vrouwen die zijn moeder hadden verzorgd en aardig hadden gevonden, en nu ongecompliceerd en hulpeloos om haar treurden.

De begrafenisonderneming was maar een paar straten verderop. Het was de vierde waarmee hij een afspraak had gemaakt. Hij wilde het eenvoudigste pakket: crematie, de as in een standaard asbus, aangifte van het overlijden. Zijn moeder wilde gecremeerd worden en zou zijn vergelijkend prijsonderzoek zeker goedkeuren. Ze was zelf behept met een steenhard onvermogen tot piëteit. Twee weken na de dood van haar laatste man zat ze op een cruiseschip in de Egeïsche Zee. Toen haar cocker spaniel Mugsy, die haar dierbaarder was dan welke echtgenoot ook, door een vrachtwagen was overreden, kocht ze een levensgroot beeld om zijn rustplaats in haar achtertuin te markeren, maar het beeld was dat van een airedale; ze had het voor een prikje gekocht nadat de vent die het oorspronkelijk had besteld het had laten afweten.

De Grolier and Sons Memorial Chapel had een gelijkenis met een Spaanse missiepost die hem onmiddellijk op zijn hoede bracht. Wie anders dan de nabestaanden zouden de rekening betalen voor het decoratieve pannendak, de neppige klokkentoren? De prijzen die anderen hem al hadden opgegeven, varieerden van elfhonderd tot een pittige achttienhonderd dollar voor dezelfde minimale dienstverlening. Hoeveel lef hadden ze bij Grolier and Sons?

Hij werd binnengelaten door een lange vrouw in een zwart mantelpak. Ze had kortgeknipt zwart haar met een streep wit erin aan een van haar slapen, en haar lippen waren diep kastanjebruin geverfd. Ze keek hem zo strak aan terwijl hij zich voorstelde dat hij over zijn eigen naam struikelde en de hare meteen was vergeten. 'Kom,' zei ze en hij volgde haar door de gang in een zog van lichtjes met zweet gekruide parfum. Binnen was het koel en stil, doodstil. De vrouw vertelde hem dat alle anderen buiten de deur aan het werk waren. Ze hadden die middag twee uitvaarten, en ze was bij een ervan vroeg weggegaan om hem te ontvangen. Ze zag er misschien een beetje – 'hoe zeg je dat? – onverzorgd, ja, onverzorgd uit,' maar dat kwam omdat ze had vastgezeten in het verkeer en pas een paar minuten geleden bij de zaak was aangekomen, te laat voor hun afspraak. Ze dacht dat ze hem misschien al had gemist. Hoogst onprofessioneel! Maar hij was kennelijk ook wat laat, niet? Dan stonden ze quitte. 'Eén-één.'

De vrouw liet hem binnen in een klein kantoor en luisterde terwijl hij de toestand van zijn moeder beschreef en vertelde wat hij in gedachten had. Ze hield haar ogen strak op hem gericht terwijl hij sprak. Hij begon zich opnieuw ongemakkelijk te voelen onder haar directe blik.

'Dat is de moeilijkste fase,' zei ze. 'Mijn oude papa is vorig jaar gestorven en ik weet dat het geen pretje is. U kon goed met uw moeder opschieten, toch?'

'Heel goed.'

'Dat zie ik aan u,' zei ze.

Hij vroeg haar wat Grolier and Sons zouden rekenen voor wat hij wilde.

'Dus,' zei ze. 'Ter zake.' Met een paar geoefende rukjes trok ze de zwarte handschoenen uit die ze droeg, schudde toen haar jasje van haar schouders, pakte een bedrukt vel papier uit het bakje op haar bureau en begon verschillende regels aan te strepen met een markeerstift. Haar vingers waren mollig en ze droeg geen ringen. Natuurlijk niet, die handschoenen. Terwijl hij wachtte, kwam haar naam weer boven uit het gat waar hij in was gevallen. Elfie. Het paste niet bij haar. Ze had niets van een elfje, niets lichts of ongrijpbaars. In dit kleine vertrek kon hij haar duidelijk door haar parfum heen ruiken, ze rook eerder zout dan zuur. Haar borsten duwden bol tegen de stof van haar mouwloze blouse en haar armen waren stevig en rond, niet dik, ze hadden die volheid van een vrouw van een jaar of vijfenveertig, vijftig. Ze had een grote, bijna grove mond. Ze tuitte haar lippen terwijl ze de bedragen optelde, schoof toen het papier over het bureau naar hem toe en leunde achterover.

'Het kan voordeliger,' zei ze. 'Ik kan andere bedrijven aanbevelen die voordeliger zijn.'

Zijn ogen zakten meteen naar de onderkant van de pagina. Drieëntwintighonderd. Hij zorgde ervoor geen enkele reactie te tonen op dit bijna komische bedrag. 'Ik zal erover nadenken,' zei hij.

'Grolier and Sons Memorial Chapel staat voor volledige dienstverlening,' zei ze. 'Alles het beste van het beste. Wilt u opa begraven in een Vikingschip, dan komt u naar Grolier and Sons Memorial Chapel. Lach niet. Ik zou u verhalen kunnen vertellen. Maar... wat vreselijk van me! U moet het maar vergeven dat ik u al die tijd op een droogje heb laten zitten. Jus d'orange? Spa?'

Hij wilde het aanbod al afslaan, maar die jus klonk goed, en dat zei hij dan ook.

'Of bier? Ik heb ook bier.'

Hij aarzelde.

'Goed,' zei ze. 'Ik doe met u mee.' Ze reed haar stoel naar een kleine koelkast in de hoek. 'Water,' zei ze, erin rommelend. 'Water, water, water.'

'Water is prima.'

'Nee. Daar is het te laat voor. Kom.'

Ze leidde hem verder door de gang naar een groot kantoor met donkere houten panelen, ingericht als een herenclub. Oosterse tapijten, een roodlederen bank en fauteuils, planken vol in leer gebonden boeken. Elfie gebaarde naar een fauteuil. Ze pakte een fles en twee hoge glazen uit een koelkast die achter de lambrisering was ingebouwd. Ze schonk het bier met enige zorg in, reikte hem een glas aan en nam plaats achter een reusachtig bureau vol foto's in zilveren lijsten. 'Salut,' zei ze.

'Salut.'

Ze nam een lange teug en haalde haar tong langs haar lippen. Daarna boog ze zich abrupt naar voren en legde een van de foto's met de voorkant omlaag op het bureau.

'Lekker bier,' zei hij.

'Tsjechisch pils. Het beste wat er is.'

'Bent u Tsjechische?'

'Had u gedacht dat ik Japanse was als ik u een Asahi had gegeven? Nee. Ik kom uit Wien. Wel eens geweest?'

'Twee keer. Prachtige stad.' Hij was blij dat hij wist dat Wien Wenen was.

'Ik neem aan dat u naar de opera bent geweest?'

Hij kwam in de verleiding te liegen maar zag ervan af. 'Nee,' zei hij. 'Ik hou niet van opera.'

'Ik ook niet. Ik vind het bespottelijk.' Ze stak haar hand uit en legde nog een foto plat.

'Nou,' zei hij, 'hoe bent u hier terechtgekomen?'

'In Miami, hier in Amerika? Of bij Grolier and Sons Memorial Chapel?'

'Het eerste. Of het tweede. Allebei.'

'Dat is een lang verhaal.'

'Aha, de uitvlucht van de legionair.'

Ze hield haar hoofd schuin en wachtte.

'Als je een soldaat van het Vreemdelingenlegioen iets over zichzelf vraagt, zegt hij altijd: "Dat is een lang verhaal." Ze hebben meestal een verleden dat een nader onderzoek niet licht verdraagt.'

'Zoals wij allemaal.'

'Zoals wij allemaal,' zei hij, niet ontevreden dat hij beschouwd werd als de auteur van zo'n verleden.

'Hebt u in het Vreemdelingenlegioen gezeten?'

'Ik? Nee.'

'Maar u hebt wel in het leger gezeten. Dat zie ik aan u.'

'Lang geleden.'

'O, lang geleden! Bent u al zo oud?'

'Dertig jaar geleden.'

'Het laat sporen na,' zei ze. 'Ik kan het altijd zien.'

'Echt waar?'

'Altijd.'

Ze praatten door, en al die tijd had hij het gevoel dat ze nog een gesprek voerden. In dat parallelle gesprek zei hij: *Ik vind het leuk zoals je praat*, en zei zij: *Weet ik, en wat vind je nog meer leuk aan me?* Hij zei: *Je mond en hoe je me over het glas aankijkt terwijl je een slok van je bier neemt*, en zij zei: *Ik heb mijn zwakke momenten en volgens mij is dit zo'n moment, dus wat nu?*

Hij had wel vaker zo'n verbondenheid gevoeld. Nu en dan, toen hij jonger was, bleek het ook niet geheel van één kant te komen. Tegenwoordig voelde hij het minder dikwijls, en wanneer het gebeurde had hij de neiging het af te doen als wishful thinking. Weldra zou hij zichzelf uitlachen om het idee dat hij een object van begeerte zou kunnen zijn voor deze vrouw, die zich immers alleen maar wat ontspande na een lange warme dag en — speels, dat zeker — genoot van de belangstelling die hij niet kon verbergen.

Zo zou hij er naderhand op terugkijken, daarbij natuurlijk wel enige ruimte latend voor speculatie. Maar op dit moment twijfelde hij er niet aan dat ze inderdaad een zwak moment had, dat ze, als hij nu opstond en zijn bril afzette, glimlachend naar hem zou opkijken en zou zeggen: *Ja, dus wat nu?* Hij twijfelde er niet aan dat ze, als hij nu om het bureau heen liep, overeind zou komen met die willige mond van haar en dan samen met hem op de vloer, op die mooie Bochara zou neerzinken met haar hand aan zijn riem, haar adem in zijn oor: *Ah, mijn legionair!*

En waarom ook niet! Ze waren allebei realist, ze hadden een hekel aan opera, ze wisten wat hun over twintig, dertig jaar te wachten stond, zo niet morgen al. Waarom zouden ze hun kleren niet van zich af gooien om elkaar eens flink te pakken en te gaan vrijen – nee, niet vrijen, neuken! Neuken als kampioenen in het aangezicht van hemel en aarde, gewoon omdat ze daar zin in hadden, zonder één gedachte in hun hoofd behalve *Ja ja ja!*

Hij hoefde alleen maar zijn bril af te zetten en op te staan.

Waarom deed hij het dan niet? Ongetwijfeld waren er allerlei redenen: een lange gewoonte van echtelijke trouw, al was het geen waarachtige deugdzaamheid; het absolute vertrouwen dat zijn kinderen in hem hadden; misschien zelfs een kinderlijk gevoel dat hij werd gadegeslagen door de God in wie hij zonder veel vuur geloofde. Elk van die factoren kon aan het werk zijn geweest onder de horizon van zijn bewustzijn. Wat hij ineens wel bewust voelde, was zijn ergernis hier mee te doen aan een toneelstukje dat hem niet beviel, een toneelstukje van Freud. Freud! Waarom moest hij nu aan hém denken? Hij zag de Weense wijze al over zijn baard strijken en zelfvoldaan de rol herkennen die hij hier speelde, hoe hij zich aan Eros overgaf om zijn angst voor de dood te verdringen. De Grote Duider zou zich kostelijk amuseren met zijn lust in de lijkenkamer, zijn intense genot als hij met een drankje aan het strand kon zitten en de zon op zijn gezicht voelde bij het geluid van brekende golven, als hij laat in de avond zijn moeders flat kon ontvluchten om langzaam in een rode sportwagen over Collins Avenue te rijden en naar de meisjes in hun iele jurkjes te kijken, ze van club naar club te zien heupwiegen op hun torenhoge hakken.

Hij zag zichzelf, met andere woorden, in die meest afgezaagde en vernederende clichérol van allemaal. Hij vond het stuitend. Beklemmend. Hij dronk zijn bier op, bedankte de vrouw voor haar moeite en schudde bij de deur van het kantoor haar zachte hand. Hij stond erop zichzelf uit te laten zodat hij haar niet achter zich hoefde voelen, zodat ze hem niet zou nakijken terwijl hij over het lege parkeerterrein naar die glimmende, belachelijke MX5 liep.

Toen hij de flat van zijn moeder naderde, hoorde hij luide Spaans sprekende stemmen. Haar deur stond open. Nee, dacht hij, nee, niet terwijl ik weg was. Maar hij trof haar nog levend aan; ze stierf pas later die avond, terwijl hij verderop in de straat een bord gebakken bananen zat te eten. Op dit moment lag ze zwakjes te spartelen tussen Feliz, die hem koud aankeek, en een oudere vrouw die Rosa heette. Zijn moeder riep steeds hetzelfde woord: 'Pappie! Pappie!' Haar ogen waren open maar zagen niets. Rosa koerde een buitenlands wiegeliedje terwijl Feliz probeerde haar handen vast te houden.

'Pappie!'

'Daar is hij,' zei Rosa. 'Daar is pappie.'

'Pappie!'

Rosa hief smekend haar ogen naar hem op.

'Ik ben bij je,' zei hij, en ze zonk achterover en keek naar hem op. Hij nam Feliz' plaats op het bed in en streelde haar hand. Hij was uitgeteerd tot op het bot.

'Pappie?'

'Het komt allemaal goed. Ik ben bij je.'

'Waar was je?'

'Op mijn werk.'

De kamer was vaag verlicht. De twee vrouwen gleden als schimmen achter hem langs. Hij hoorde de deur met een klik dichtvallen.

'Ik was alleen.'

'Weet ik. Nu is alles goed.'

Haar vingers klemden de zijne steviger vast.

Hij wist niet meer hoe hij zoon moest zijn, maar vader zijn kon hij nog wel. Hij hield haar hand met beide handen vast. 'Het komt allemaal goed, liefje. Het komt allemaal wel goed. Je bent mijn lieve schat, mijn hartje, mijn lieve meidje.'

'Pappie,' fluisterde ze. 'Je bent bij me.'

Nachtegaal

Dr. Booth nam verscheidene keren een verkeerde afslag tijdens de rit naar het noorden. Het ergerde hem dat hij zo verdwaalde waar zijn zoon bij was, vooral omdat het lag aan de waardeloze kaart die de Academie hem had gestuurd, maar Owen was weer in zo'n trance en scheen het niet te merken. Zijn ogen staarden in de verte en zijn lippen vormden fluisterende geluidjes in een cadans die poëzie of muziek suggereerde. Dr. Booth wist wel beter dan te proberen er iets van te snappen, maar hij kon het niet laten. Hij dacht dat hij één woord – nachtegaal – herkende en dat riep een herinnering op aan drie kinderen, hijzelf en zijn oudere zussen, die in de avondschemer in een tuin zaten terwijl ergens boven hen een vogel zat te zingen. Hij wist dat het een valse herinnering was, een fantoombeeld; noch zo'n tuin noch zo'n avond was er ooit geweest. Toch stemde de gedachte aan zijn zussen, van wie de een dankzij haar achterlijke echtgenoot was verdronken bij een bootongeluk en de ander ergens ver weg woonde en al jaren niets meer van zich liet horen, hem nog somberder dan hij al was.

Owen wilde niet naar de Academie. Hij had dit duidelijk gezegd toen het idee voor het eerst ter sprake kwam, maar toen dr. Booth en zijn vrouw erover bleven praten, aanvankelijk vol twijfels, daarna langzaamaan toegevend aan de kosmische aantrekkingskracht van het plan, had de jongen er steeds minder op te zeggen. Hij trok zich nog verder terug in die afwezige houding waaruit dr. Booth hem juist naar buiten had willen lokken en nu dat niet was gelukt, zou hij hem verdomme wel dwíngen, en daar moest die school hem bij helpen.

Dr. Booth had nooit van de Fort Steele Academie gehoord tot de brochure in zijn brievenbus terecht was gekomen. Op de omslag stonden twee jongens in uniform op wacht aan weerskanten van een toegangspoort. Het sneeuwde, en zo te zien stonden ze er al geruime tijd; op hun petten en epauletten had zich een laag van wel vijf centimeter gevormd. De laatste pagina van de brochure bevatte een verklaring van de commandant, kolonel Carl: 'Het leven is een strijd en we helpen de jongeren niet vooruit door te doen alsof dat niet zo is. De wereld behoort toe aan mannen met een onbuigzame wil, en hoe eerder die les geleerd wordt hoe beter. Wij van Fort Steele zien het als onze plicht hun dit bij te brengen met alle middelen die ons ter beschikking staan.'

Dr. Booth kon heel goed begrijpen waarom Owen niet naar de Academie wilde. Hij had thuis een goed leven. Hij had die stomme hond van hem, zijn luie vrienden, het grote huis met zijn zonnige hoekjes waar hij kon zitten lezen, of in het niets staren en rare geluiden maken of wat hij de hele dag ook uitvoerde. Als dr. Booth de keuken binnenkwam, zag hij Owen daar zitten. Kwam hij de woonkamer binnen, zat Owen daar. In de voortuin, in de achtertuin, in de kelder, in de hangmat – overal kwam hij Owen tegen! Dr. Booth had als jongen voor schooltijd honderdtachtig kranten rondgebracht en 's avonds abonnementsgeld opgehaald. Hij zat in het footballteam. Hij stelde zich verkiesbaar als klassenvertegenwoordiger. Die herinneringen aan zijn eigen jeugd hadden zwaar meegewogen bij het besluit Owen weg te sturen, maar nu hij het lijstje nog eens doornam, dacht hij dat hij misschien iets had weggelaten, iets van doorslaggevende betekenis. Er zat meer achter, er moest meer achter zitten.

'Het is vast niet zo erg,' zei hij.

Owen zweeg.

'Probeer het, jongen. Misschien vind je het zelfs leuk.' Toen Owen nog steeds geen antwoord gaf, zei dr. Booth, of schreeuwde hij bijna: 'Het is voor je eigen bestwil.'

'Weet ik,' zei Owen.

'O ja?'

'Ja.'

'Hoe weet je dat?'

'Omdat het is wat jij wil.'

Dit was precies het antwoord waarop dr. Booth zou hebben gehoopt, en hij wist dat hij er tevreden mee moest zijn, maar dat was hij niet. Het zat hem dwars. Op dat moment kwam er een splitsing die niet op zijn kaart stond aangegeven, zodat hij moest gokken. Hij besloot rechts aan te houden, zwenkte toen op het laatste moment naar de linkerweg, die door een dicht bos van donker overhangende esdoorns voerde en daarna, over een veld vol gouden hooi heen, uitzicht bood op het toegangshek van de Fort Steele Academie. Dr. Booth minderde vaart. Hij was nog niet zo ver, hij wilde nog een ogenblik tijd om zijn twijfel nader te onderzoeken, maar toen zijn auto in zicht kwam, sprongen de twee cadetten aan het hek in de houding en ze bleven salueren tot hij tussen hen door het terrein van de school op was gereden. Owen zette zich schrap met zijn handen tegen het dashboard en dr. Booth hoorde hem binnensmonds iets zeggen. Ze hobbelden over de kinderhoofdjes van de oprijlaan naar een binnenplaats die aan drie kanten werd omgeven door grijze stenen gebouwen. Er hingen twee vlaggen aan de mast op de binnenplaats: de Stars and Stripes in top, daaronder wapperde het wapen van de school – twee gekruiste sabels boven een kasteel. Op het cirkelvormige pad aan het eind van de oprijlaan stond een rij kadetten te wachten, benen iets uit elkaar, armen op hun rug. Net als de schildwachten aan het hek, droegen ze een zwart uniform met witte koppel. Hun ogen werden overschaduwd door de glimmende klep van hun pet.

'Wat bedoelde je, jongen?' zei dr. Booth. 'Dat het is wat ik wil?'

Owen staarde hem niet-begrijpend aan, keek daarna weer naar de rij kadetten.

Dr. Booth stopte. 'Nou? Owen? Wat wil ik dan?'

'Dat ik volwassen word,' zei Owen, terwijl hij keek hoe een van de kadetten op hen af marcheerde. Hij was lang en had een lange, spitse kin, en de gesp van zijn riem flitste als een baken. Met een klembord in zijn handen dat hij op een kordate, kennelijk zo voorgeschreven manier vasthield, bleef hij voor de auto staan en wachtte terwijl dr. Booth en Owen uitstapten.

'Naam, meneer?'

'Booth.'

De cadet liet een vinger over het klembord glijden. 'Booth, Owen G., bloedgroep A.'

'Dat is hem.' Dr. Booth glimlachte tegen Owen, die recht voor zich uit keek. Hij had geprobeerd zijn tengere schouders recht te trekken en hield zijn armen stijf langs zijn lichaam. Hij had er nog nooit zo jong uitgezien. Dr. Booth nam zich voor nog even met kolonel Carl te gaan praten voor hij vertrok. Zonder bepaalde definitieve garanties ging hij zijn zoon hier niet achterlaten.

'Rekruut Booth is te laat, meneer. Het appel voor nieuwelingen was om dertienhonderd uur.'

'Dat weet ik. We hadden een beetje moeite om het te vinden. Een heleboel moeite, eigenlijk. Die kaart is zo goed als waardeloos.'

'Ik weet zeker dat u er uitstekende redenen voor zult hebben, meneer. Maar feit blijft dat rekruut Booth te laat is. Rekruut Booth gaat zich onmiddellijk melden bij de foerier. Wanneer rekruut Booth zijn uitrusting in ontvangst heeft genomen, gaat hij direct naar kazernegebouw D om daar orders af te wachten. Korporaal Costello zal hem escorteren. U kunt zijn koffers hier laten staan.' Hij knipte met zijn vingers en een andere cadet stapte uit de rij naar voren.

Owen draaide zich vlug om en stak zijn hand uit. Dr. Booth begreep dat hij dit deed om te ontsnappen aan de omhelzing die hij zag aankomen, die zijn gekwetste vader hem eigenlijk nog wel zou willen opdringen. Maar hij nam de hand van zijn zoon in de zijne.

'Dag, vader,' zei Owen. Daarna stapte hij achter korporaal Costello aan en volgde hem over de binnenplaats, waarbij hij de precieze tred en rigide houding van de cadet probeerde te evenaren. Hij kwam niet eens in de buurt, en dr. Booth wist dat het hem ook nooit zou lukken. De afwezige slentergang waar hij steeds in terugviel was geen kwestie van leeftijd, iets wat hij zou ontgroeien of overwinnen, het was echt Owen ten voeten uit.

'Ik moet kolonel Carl spreken,' zei dr. Booth.

'Kolonel Carl heeft het druk, meneer,' zei de cadet.

Dr. Booth drong aan, en ten slotte liet de cadet hem door een andere jongen naar een vensterloos vertrek in de kelder van het gebouw aan de overkant brengen. Hij was er alleen. Eén muur werd bijna volledig in beslag genomen door een luchtfoto van de school, verder was het vertrek kaal, zonder enige versiering. Er stonden vier te dik gecapitonneerde stoelen rond een koffietafel met daarop een brochure van de Academie, dezelfde die dr. Booth had ontvangen. Hij pakte hem op en sloeg langzaam de bladzijden om, legde hem toen weer neer en ijsbeerde door het vertrek. In een hoek stond een zwijgende grootvadersklok waarvan de wijzers op achttien minuten over zes waren blijven steken; in een andere stond een lege paraplubak. De tijd verstreek. Toen dr. Booth de trap op liep naar de deur waardoor hij was binnengekomen, was de binnenplaats leeg. De vlaggen hingen slap aan hun mast. Hij stapte naar buiten en toen hij niemand zag, volgde hij een klinkerpad achterom in de richting waarin Owen was verdwenen. Het pad liep rond een verlaten footballveld met een tribune aan één kant, dan langs een vijver overdekt met pompenbladeren. Aan de overkant rezen, zwart afgetekend tegen de heiige lucht, de stenen muren en de gekanteelde toren op van wat dr. Booth uit de brochure herkende als de herdenkingskapel. Hij stapte van het pad en drong zich door vlierstruiken en sumak naar de overkant van de vijver.

Eén helft van de dubbele boogvormige deur was op slot, de andere stond op een kier. Dr. Booth luisterde, hoorde niets en ging de kapel binnen. Er viel een flauw licht schuin omlaag door hoge smalle ramen die eruitzagen als schietsleuven. Het leek de eiken banken en stenen vloeren eerder te verduisteren dan te verlichten. Er was geen orgel. Het altaar was leeg. Op de verhoging ervoor had iemand een houten stoel neergezet met de hoge rugleuning naar het altaar gekeerd. Dr. Booth kon niet uitmaken wat het doel ervan was. Wie zich tot de aanwezigen wilde richten zou beslist gebruikmaken van de gebeeldhouw- de preekstoel met zijn gezaghebbende, verheven positie. En hij zou het staand, niet zittend doen. Dr. Booth bekeek de stoel van achter in de kapel, begon toen door het middenpad naar voren te lopen. Gehoorzamend aan een impuls die hij nauwe- lijks voelde maar niet kon weerstaan, hield dr. Booth zijn bo- venlichaam stram rechtop en wachtte na elke pas een tel met hangende voet, de hiel geheven. Hoewel hij nooit eerder had gemarcheerd, begaf hij zich op deze wijze door het gangpad en besteeg het altaar, waar hij een perfecte rechtsomkeert uit- voerde en zich vervolgens, als op bevel, op de stoel liet zakken met zijn rug recht, de handen in zijn schoot.

Wat was het er stil. Dr. Booth keek naar de sombere banken waarin de cadetten keurig naast elkaar zouden blijven staan voor ze in één enkele beweging gingen zitten – één groot gekraak, dan stilte. Wie op deze stoel zat, kon de gezichten van alle cadetten zien. Dr. Booth zag de gezichten zelf ook bijna voor zich, rij na rij, flauw oplichtend in het schemerduister. Hij voelde ze naar hem kijken met hun starre blik, voelde hoe ze hem de maat namen en ten slotte viel het hem in dat dit de plaats des gerichts was. Hier zat je om je fouten aan te horen en je straf te ontvangen. Dr. Booth keek een andere kant op, naar de zware balken boven zijn hoofd, het dak dat zich schuin tot in het donker verhief. Hij sloot zijn ogen. En nog zag hij de gezichten van de cadetten, gespannen en bleek boven hun zwarte uniformen. Hij tuurde ingespannen om een glimp van kameraadschap, een spoor van genade onder hen te ontdekken; hij zag niets. Hier kende men geen genade.

De deur achter in de kapel zwaaide open en een cadet stond in silhouet in de deuropening. 'Meneer,' zei hij.

Dr. Booth kwam onhandig overeind en stootte daarbij de stoel om. Hij zette hem rechtop en haastte zich door het middenpad. 'Ik kom eraan,' riep hij.

De cadet hield de deur voor hem open en volgde hem naar buiten, waar een andere cadet, de lange die hem had berispt omdat hij te laat was, meedeelde dat kolonel Carl tot zijn grote spijt, wegens eerder aangegane verplichtingen, niet in staat was hem vanmiddag te ontvangen. Dr. Booth kon de volgende morgen terugkomen als hij dat wenste, of bellen voor een afspraak op een later tijdstip.

Dr. Booth veronderstelde dat hij moeilijk kon gaan doen, het kolonel Carl onmogelijk kon maken hem niet te ontvangen, maar hij was bang dat het Owen problemen zou bezorgen, bovendien moest hij eens aan de terugreis beginnen wilde hij voor donker thuis zijn. Hij was klaar om de Fort Steele Academie te verlaten – wilde eigenlijk zo graag weg dat hij bijna paniek voelde opkomen –, daarom accepteerde hij de boodschap

van kolonel Carl zonder protest en liet zich door de twee cadetten terugbrengen naar zijn auto. Ze leidden hem weg als een
gevangene, de lange voor hem uit, de andere op zijn hielen,
maar ze salueerden scherp toen hij de auto startte en de oprijlaan af reed. De schildwachten aan het hek salueerden ook. In
het weiland aan de overkant van de weg reed een groene tractor langzaam langs het hek, met een maaimachine erachter.
De geur van versgemaaid hooi vulde de auto en bleef hangen
tot dr. Booth al verscheidene kilometers verder was, en opnieuw verdwaalde.

Hij stond met nog tikkende motor aan de kant van de weg en
kon zijn woede net genoeg verbijten om die godverdommese
klotekaart vast te houden zonder hem aan stukken te scheu-
ren. Met een trillende vinger probeerde hij zijn route terug te
vinden: vanaf de school had hij die weg door het esdoornbos
genomen, ja, dan moest hij langs deze weg hier over die brug
zijn gereden die niet stond aangegeven en vandaar naar die
ook al niet aangegeven driesprong, waar hij zonder enige hulp
van de kaart een hele reeks keuzes had moeten maken voor hij
ten slotte was gestrand in deze uitgestrekte vlakte, die helemaal niet op de kaart voorkwam.

In de verte glansde een watertoren. Er hing een zware stank
van mest. Drie koeien met witte snuiten keken van achter het
hek aan zijn linkerhand toe terwijl dr. Booth doorging de kaart
te bestuderen, ditmaal in omgekeerde richting de diverse wegen probeerde te vinden die hij en Owen van huis naar de Academie hadden gevolgd. Alleen de eerste paar afslagen na de
snelweg waren correct aangegeven. Het was zonder meer een
wonder dat hij de school ooit had gevonden, gezien het feit dat
hij gedwongen was geweest op instinct te navigeren. De kaart
correspondeerde gewoon niet met het land.

Hij verfrommelde hem tot een prop en gooide hem uit het

raam. Een van de koeien deed een stap achteruit, ging toen door met herkauwen en staren. Dr. Booth dacht aan de luchtfoto in dat vertrek. Hij herinnerde zich de foto tot in de details, en er begon hem iets dwars te zitten. Op de foto was er geen vijver en stond de kapel een heel eind van zijn werkelijke plek, aan een vierhoekige binnenplaats. Net als de kaart was die luchtfoto fictie.

Toen dr. Booth dit eenmaal besefte, moest hij een aantal vragen overdenken die hij had getracht te negeren. Tijdens zijn aanwezigheid op de Academie had hij maar enkele kadetten gezien, de schildwachten en degenen die zich over Owen hadden ontfermd. Waar waren alle andere jongens op die school van vijfhonderd leerlingen? Waarom was hij ze niet tegengekomen terwijl ze daar rondmarcheerden, of had hij niet op zijn minst hun stemmen gehoord? Hoe hadden hún ouders de school gevonden? Waarom wilde kolonel Carl hem niet ontvangen of had hij niet de beleefdheid gehad een plaatsvervanger te sturen?

Dr. Booth keerde de auto en reed terug in de richting waaruit hij was gekomen. Hij was vastbesloten Owen daar niet achter te laten. Hij zag een kruising naderen en wist zeker dat hij daar rechtsaf moest. Die zekerheid verraste hem en voelde weldadig aan, als de eerste diepe teug lucht wanneer hij aan het eind van de dag het ziekenhuis verliet. Eindelijk wist hij waar hij naartoe ging.

Hoe was het gebeurd? Die brochure was gearriveerd, maar waarom? En waarom had hij het überhaupt overwogen, zijn zoon over te leveren aan onbekende reglementen en straffen, aan een regime waarvan hij niets wist behalve dat er geen plaats was voor geduld, humor of genade? Van alle mysteries verbijsterde dit hem nog het meest.

Zijn vrouw had zich verzet, maar ondanks zijn eigen twijfel had hij zijn zin doorgedreven, tot ze net als Owen inzag dat praten nutteloos was. Zij hadden niets te kiezen; hij ook niet, leek het toen. Vanaf het moment dat hij de naam van de school had gezien, had hij met een ongelukkig, zelfs ellendig gevoel in zijn hart geweten dat Owen ernaartoe zou gaan. In zijn pogingen zichzelf ervan af te brengen, raakte hij nog hulpelozer verstrikt in redenen waarom hij de jongen erheen moest sturen, redenen die nu triviaal, onterecht, onbegrijpelijk leken.

Hij had Owen met zichzelf vergeleken, met zijn jeugd van kranten rondbrengen, sport en de leerlingenraad. Maar hij was nooit echt gekozen tot klassenvertegenwoordiger; hij had zichzelf jaar in jaar uit beschikbaar gesteld en zijn moeite alleen maar beloond gezien met weer een nieuwe vernedering. En zijn vader had hem gedwongen die krantenwijk te nemen omdat ze het geld nodig hadden; hij had alles even vreselijk gevonden, het wakker worden in het donker, de kou en de regen, de abonnees die riepen dat ze geen geld hadden en zich voor hem verborgen hielden. Hij had in het schoolteam gespeeld, o ja, maar pas in zijn laatste jaar, toen zijn broertje de krantenwijk had overgenomen. Owen was jonger, veel jonger dan hij toen was. Hoe had hij dat kunnen vergeten?

En hoe zat het met al die redenen die hij had aangevoerd? Tijd dat die jongen wakker werd en het huis uit ging, liet zien dat er pit in hem zat, een beetje energie, een beetje wilskracht – dat was steeds het laatste, doorslaggevende argument. Maar waarom? Owen deed het goed op school. Hij was rustig en hield van lezen en was niet zo'n sporter, maar hij was niet lui en het ontbrak hem ook niet aan durf; hij en zijn vrienden fietsten bijna verticale hellingen op en af alsof er niets aan de hand was. En de geluiden die Owen maakte... wat was daar mis mee? Waarom zou hij geen gedichten bedenken, of liedjes, of wat het ook waren? Waarom zou hij niet dromen? Hij was nog een kind.

Dr. Booth hield bij een splitsing links aan en stuurde zijn wagen door een reeks scherpe bochten alsof hij zijn hele leven al over die weg reed. De heiige nevel was verdwenen, het late middaglicht was bijna pijnlijk helder. In een langsglijdend veld glansden pompoenen.

Hij wilde Owen het huis uit hebben. Dat was de ware reden, en nu begreep hij daar niets van. Het ongeduld dat hij voelde als hij zijn zoon lezend aantrof of terwijl hij met zijn hond speelde, of niets uitvoerde, of zat te dromen – waarom was dat? Was het een misdaad? Zelf had hij als jongen niets liever gewild dan de kans om wat weg te dromen. Het overkwam hem zelden in dat overbevolkte, bezige huis en het duurde ook nooit lang. Waarom zou hij zijn zoon misgunnen wat hij zelf het liefst had gewild? Waarom zou hij hem zijn jeugd misgunnen?

Keurige rijen hoog opgeschoten maïs flitsten voorbij. Dr. Booth reed harder, zo hard als hij durfde door de nauwe bochten en over de rechte stukken, over grind en glanzend asfalt, door moerassen en velden, naar toppen badend in het licht en weer omlaag de grondeloze diepte in. Al rijdend had in gedachten het gezicht van zijn zoon voor ogen alsof het een wegenkaart was, alsof de curve van Owens hals, het boogje in zijn wenkbrauw hem kon vertellen waar hij moest afslaan. En toen begon het te vervagen. Aanvankelijk merkte hij het nauwelijks. De lange, fijne lijn van de neus begon zachtjes te vervloeien. De wangen verbleekten, de glimlach verflauwde, het licht in zijn ogen werd dof en doofde ten slotte. Terwijl zijn gelaatstrekken al vervlogen bleef hij ze intens bestuderen in een poging zich aan dat spookbeeld vast te klampen, het lang genoeg in gedachten te houden om de weg naar zijn ware gezicht terug te vinden. Toen verdween het en was hij weer verdwaald. Hij kwam door een donker bos. De bomen sloten zich bijna beschermend boven zijn hoofd, en toen hij uit hun omarming tevoorschijn kwam, minderde hij vaart en stopte aan de kant van de weg. De zon ging onder boven het weiland aan zijn rechter-hand, waar een tractor langzaam voortkroop in de verte om de laatste stroken hooi te maaien.

Dr. Booth stapte uit de auto. Hij stak de weg over en keek naar de top van de heuvel. Nog een veld vol vers hooi. De geur steeg naar zijn hoofd. Hij bleef even staan, dook toen onder het hek door, liep resoluut recht vooruit en bleef al klimmend naar de top kijken. Daar aangekomen bleef hij staan. Rondom hem glooiden de velden leeg naar alle kanten. Hij voelde een steentje onder zijn schoen, tikte het aan de kant, bukte zich toen om het op te rapen. Het was geen steentje. Het was een knoop, een metalen knoop vol aangekoekte modder. Hij pulkte eraan tot het koper zichtbaar werd en bekeek hem in het laatste licht van de dag. Onder het patina kon hij een paar gekruiste sabels onderscheiden. Een militaire knoop dus. Een oude. Er moest hier iets zijn gebeurd, lang geleden, daarom had deze plek hem natuurlijk aangetrokken. Er had hier een veldslag plaatsgevonden, een strijd zonder genade; jongens werden mannen, en waren verloren. Zo ging het toch? Hij liet de knoop in zijn zak glijden en begon de heuvel af te lopen.

Het voordeel van de twijfel

Bus 64 stopt bij de St. Pieter, dus hij is altijd afgeladen met pelgrims of sukkels – afhankelijk van je gezichtspunt – en daarmee een geliefd jachtterrein voor zakkenrollers. Mallon was geen pelgrim en naar zijn eigen oordeel ook geen sukkel. Zijn inmiddels van hem vervreemde vrouw kwam uit Italiaans-Zwitserland; hij sprak de taal vloeiend en kwam vaak voor zijn werk in Rome en stond die dag alleen maar, met de hand van een dief in zijn zak, in bus 64 omdat hij een afspraak vlak bij het Vaticaan had en zonder taxi in de buurt was overvallen door een plotselinge zomerse stortbui.

De bus was volgepakt met natte, dampende mensen. Ze zwaaiden bij haltes en bochten tegen elkaar aan, en tijdens een van die kettingbotsingen voelde Mallon een tastende hand in zijn achterzakken, die allebei leeg waren: zijn portefeuille, met daarin zijn paspoort, zat onder een knoop in de binnenzak van zijn colbert. De hand ging ruw, lomp te werk. Voor hij zich kon omdraaien om de dief een waarschuwende blik toe te werpen, gleed de hand in zijn rechter broekzak. De flagrante doortastendheid van die hand was verbazingwekkend, het gebeurde met niet meer finesse dan wanneer Mallon het zelf had gedaan, op zoek naar wat kleingeld.

De hand gleed in zijn zak en bleef er verdomme gewoon in. Deze zak was ook leeg, maar de hand leek niet bereid dat te accepteren. Mallon werd nieuwsgierig hoe lang dit zo kon doorgaan. Het observeren van zoveel geklungel ging gepaard met een dromerig gevoel van onthechting, een veilige, geamuseer-de distantie. Er hing een vochtige warmte om hem heen. De bus stopte om nog meer passagiers aan boord te nemen, en de dief werd tegen Mallons rug gedrukt. Zijn hand bleef grabbelen als een muis op zoek naar een kruimeltje. Op dat moment schoot de bus naar voren en greep de dief naar Mallons been terwijl hij achteruit struikelde. Hierdoor werd Mallon opgeschrikt uit zijn trance. Hij zette zich schrap, verzamelde zijn krachten en ramde zijn rechterelleboog achteruit in iets wat verrassend zacht aanvoelde, als een kussen. Er sproeide een hete ademstoot in zijn nek en de hand verdween. Mallon draaide zich met een vergenoegde blik om en zag een dubbelgevouwen man, met zijn armen om zijn buik. Hij maakte kleine miauwende geluidjes. De passagiers om hem heen, zo te zien voornamelijk Filippino's, keken bezorgd naar hem – een kleine ronde man helemaal in het zwart, zwart leren jack met een rug vol kreukels, flodderige zwarte broek, spitse zwarte schoenen zo klein als die van een kind. Zijn hoofdhuid schemerde door zijn dunne zwarte haar, dat in lange slierten boven de vloer heen en weer zwaaide. Niemand keek naar Mallon en de bus minderde al vaart voor zijn halte. Maar de zakkenroller hield zijn armen nog om zijn lichaam en bleef van die afgrijselijke geluidjes maken.

Mallon reikte omlaag en pakte hem bij zijn arm. Hij probeerde hem overeind te hijsen, maar de zakkenroller gaf niet mee. 'Kom op,' zei Mallon in het Italiaans. 'Kom op, je mankeert niks. Vooruit.' De zakkenroller keerde zich van hem af en bleef verstikt gierend naar adem happen. Mallon legde een hand op zijn rug terwijl de deur van de bus dicht siste – hij had zijn halte gemist. 'Oké,' zei hij. 'Vooruit. Kom mee. Kom mee.' Hij pakte de man weer bij zijn arm, loodste hem met zachte drang naar de deur en hield hem staande bij de heftige slalombewegingen en de abrupte, sidderende schok waarmee de bus vervolgens tot stilstand kwam. Toen de deur openging, hielp hij hem nog steeds dubbelgevouwen en naar adem happend de treden af, en de mensen maakten ruimte voor hem alsof hij melaats was.

Het regende niet meer maar er hing een donkere, dreigende lucht. Mallon leidde de zakkenroller onder de luifel van een winkel en keek hoe hij dramatisch kokhalsde, zij het zonder resultaat. Mallon klopte hem op zijn schouder. Hij merkte op dat de voorbijgangers recht voor zich uit bleven kijken, zoals hij ook zou hebben gedaan, en zag hun gezichten verstrakken van verborgen schaamte. Op een poster in de winkeletalage rees de *Pietà* boven Mallon uit achter een uitgestalde verzameling vrome gipsen beeldjes en opzichtige rozenkransen.

In zo'n situatie, met een kennelijk stervende man ter hoogte van je knieën, wil je niet gezien worden terwijl je net op je horloge kijkt, maar de grote klok op het trottoir wees maar wat, zoals alle openbare klokken in Rome, zodat Mallon werkelijk geen keus had. Het was tien over vier. Hij was tien minuten te laat en moest minstens vijf minuten teruglopen naar het kantoor van Dottore Silvestri. Het was een belangrijke afspraak. Gisteren was het gesprek niet goed verlopen en had Mallon meteen de vinger gelegd op diverse onjuiste voorstellingen van zaken in het plan van Il Dottore. Het ontwikkelingsagentschap waar Mallon voor werkte was van cruciaal belang voor Silvestri's programma, dat diverse waterzuiveringsprojecten in Oost-Afrika mogelijk moest maken. Dergelijke verdraaiingen in een subsidieaanvraag waren slechts te verwachten, en het bestuur van Mallons agentschap had in feite al besloten het programma te steunen. Hij was hier om de toekenningsvoorwaarden met Dottore Silvestri door te nemen, niet om te laten zien wat een scherpe neus hij had voor lulkoek. Gisteren had hij Il Dottore eventjes de zweep laten voelen en hem waarschijnlijk het gevoel gegeven dat de hele zaak ging afketsen. Mallon moest die indruk bijstellen voor zijn superieuren in Genève ervan hoorden.

Hij bukte zich naar de zakkenroller. Het kreunen en kokhalzen was opgehouden, maar hij bleef met veel vertoon naar adem happen. 'Dat ziet er al beter uit,' zei Mallon. 'Kun je rechtop staan? Probeer maar rechtop te gaan staan. Zo,' zei hij, en hij greep de zakkenroller bij zijn arm en hees hem overeind tot hij voor het eerst zijn gezicht kon zien. Het was een donker, rond gezicht met een klein rond mondje, de lippen vol en teergevoelig als die van een meisje. Ondanks de zweetglans op zijn bolle wangen, dat ijdele snorretje als een potloodstreepje, de schaarse slierten haar die over zijn vochtige voorhoofd waren geplakt, kreeg Mallon een indruk van waardigheid, van iemand die gekrenkt was in zijn waardigheid. Terwijl de zakkenroller moeizaam stond te ademen, keken zijn donkere ogen naar Mallon op. Hoe heb je dat kunnen doen? schenen ze te vragen.

Mallon had kunnen zeggen: omdat je me probeerde te beroven. Maar hij was zich nog bewust van de golf van vreugde die hij voelde opkomen toen zijn elleboogstoot aankwam, toen hij wist dat hij de man pijn had gedaan. Het bleef lichtjes in zijn huid natintelen, in een soort nerveus besef van veerkracht, vitaliteit. Waar die vreugde vandaan kwam kon hij niet zeggen, al wist hij wel dat de oorsprong dieper zat dan zo'n klunzig, mislukt diefstalletje.

Er begonnen dikke regendruppels op de luifel te spatten.

'Hoe gaat het?' zei Mallon. 'Kun je lopen?'

De zakkenroller wendde zich af alsof hij zich beledigd voelde door Mallons huichelachtige bezorgdheid. Hij leunde met beide handen tegen de winkelruit en zijn hoofd zonk dieper omlaag tussen zijn zwoegende schouders. Een grijsharige vrouw in de winkel tikte tegen de ruit en maakte een wegjagend gebaar. Toen de zakkenroller haar negeerde, tikte ze harder en bleef ze tegen de ruit tikken. Het was echt een klein mannetje; ze keek kwaad op hem neer als een schooljuffrouw die een ondeugend kind een standje geeft.

'Ik moet gaan,' zei Mallon. 'Het spijt me.' Hij keek naar de lucht. Hij had Silvestri graag willen bellen om hem te zeggen dat hij eraan kwam, maar zijn mobiele telefoon lag in het hotel en er was nergens een openbare telefoon te bekennen. 'Het spijt me,' zei hij nogmaals, en daarop stapte hij de regen in en liep weg.

Op de hoek van de straat stond een van de alomtegenwoordige parapluverkopers uit Bangladesh, en Mallon had net zeven euro uitgegeven toen hij een vrouw hoorde roepen. Hij wilde niet omkijken, maar deed het toch. Het was de signora van de winkel, bezig de zakkenroller duwend en porrend van haar etalage te verdrijven terwijl hij ineengedoken zijn hoofd beschermde als een bokser die de laatste tellen van een ronde probeert te overleven. Mallon liet zijn portefeuille weer in de binnenzak van zijn colbert glijden en pakte de paraplu aan die de verkoper voor hem had geopend. Hij aarzelde, liep toen terug.

De zakkenroller stond nu op het trottoir, in de regen. De vrouw stond net onder de luifel met haar armen over elkaar geslagen voor haar borst.

'Neem me niet kwalijk, signora,' zei Mallon, op hen toe lopend. 'Die man is onwel. Hij moet even bijkomen.'

'Ik ken die lui,' zei ze. 'Die moeten we hier niet.'

De regen kwam met bakken omlaag en stroomde over het glimmende hoofd en gezicht van de zakkenroller. Er hing een franje van straaltjes aan de zoom van zijn jack, en vandaar drupte het water op zijn flodderige broek en elegante schoenen.

'Hier,' zei Mallon en bood hem de paraplu aan, maar de man wierp Mallon slechts een gekwetste blik toe en boog opnieuw het hoofd, alsof hij weigerde deel te nemen aan die samenzwering waarin iedereen deed alsof de mens en de natuur nog enig erbarmen kenden. Mallon duwde hem met het handvat van de paraplu tegen zijn schouder. 'Vooruit, neem hem nou!' zei hij. En uiteindelijk deed de zakkenroller het, met een geslagen, onwillige blik. Hij stond zachtjes hijgend tussen Mallon en de signora, met de paraplu achteloos scheef in zijn hand. Hij schonk geen aandacht aan het water dat van de paraplu over zijn rug stroomde en leek niet in staat zich te verroeren. Net als de signora, die volhardde in haar ijzige pose. Mallon stapte onder de luifel, niet om de regen te ontvluchten maar omdat hij zich van dit tafereel wilde distantiëren.

En op dat moment zag hij een taxi de hoek om komen met een brandend daklicht. Het was absurd in zo'n stortbui op een vrije taxi te hopen, waarschijnlijk had de chauffeur vergeten het licht uit te doen, maar Mallon rende met zijn arm zwaaiend het trottoir op en de taxi zwenkte scherp naar de stoeprand, zodat er een golf water over zijn schoenen spoelde. Hij opende het portier maar moest toch nog omkijken. De zakkenroller had de paraplu ondersteboven op de grond gezet en leunde op de steel met zijn hoofd diep voorover, zijn nek blootgesteld aan de elementen. De signora bleef op haar post.

'Wacht,' zei Mallon tegen de chauffeur en liep terug, greep de zakkenroller bij zijn mouw en duwde hem de taxi in. Hij vouwde de paraplu dicht en gooide hem voor zijn voeten op de vloer. 'Oké,' zei hij, 'waar woon je?'

'Geen zigeuners!' snauwde de chauffeur. Hij had zich omgedraaid en keek de man woest aan.

'Geen zigeuners? Luister eens, die man is onwel. Ik betaal wel voor hem,' voegde Mallon eraan toe.

De chauffeur schudde zijn hoofd. 'Geen zigeuners.' De chauffeur was een breedgeschouderde kerel met een lange onderkaak en een haviksneus en dikke zwarte wenkbrauwen. Zijn geschoren hoofd zag blauw van de stoppels. 'Haal hem eruit,' zei hij. Mallon was van zijn stuk gebracht door zijn kwaadheid en zijn onverwacht bleke ogen en voor hij kon reageren, greep de chauffeur de zakkenroller bij zijn jack en gaf er een ruk aan. 'Eruit, jij!'

'Nee.' Mallon schoof naast de zakkenroller op de achterbank. 'Hij moet naar huis,' zei hij. 'Ik ga wel mee.'

De chauffeur stak een wijsvinger in Mallons richting: 'Eruit.'

Mallon keek naar het naamplaatje van de chauffeur: Michele Kadare. 'U bent het wettelijk verplicht,' blufte hij. 'Als u ons niet meeneemt, signor Kadare, ga ik u aangeven en raakt u uw vergunning kwijt. Geloof me, ik meen het serieus.'

De bleke ogen van de chauffeur keken hem strak aan terwijl de wissers rukkerig over de ruit schraapten, toen draaide hij zich om en legde zijn handen op het stuur. Zijn vlezige vingers waren zo wit en haarloos als kalk. Hij sloeg zijn ogen op naar het spiegeltje en wisselde een harde blik met Mallon. 'Oké, mister American,' zei hij. 'U betaalt.'

De chauffeur reed zwijgend de rivier over en vandaar verder door een reeks verkeersopstoppingen. De zakkenroller had geen adres opgegeven; in gebroken Italiaans zei hij de chauffeur de Via Tiburtina te volgen richting Tivoli, vandaar zou hij hem de weg wijzen. Daarna leunde hij weer achterover in zijn hoek en bleef hortend, met half gesloten ogen zitten hijgen. Het kon zijn dat hij zich een beetje aanstelde, maar Mallon was veel groter dan hij en had hem heel hard geraakt. Hij zag geen andere keuze dan hem het voordeel van de twijfel te gunnen.

De regen zwakte af tot gemiezer, en de lucht was gehuld in een zwavelgeel licht. Mallon voelde zijn natte sokken warm worden. Nu en dan keek de chauffeur naar hem in de achteruitkijkspiegel. Kadare. Geen Italiaanse naam. Mallon had een keer een boek gelezen van een Albanese schrijver die Kadare heette, dus misschien kwam hij uit Albanië. Dat leek op de een of andere manier te kloppen, zoals het ook klopte toen de chauffeur de zakkenroller een zigeuner noemde, dat verklaarde immers waarom de signora het over 'die lui' had en Mallon bij die man een nerveus, onzeker gevoel kreeg, zich vagelijk bewust werd van een mysterieus verschil dat hem gespannen maakte en tegelijkertijd intrigeerde. Maar hoe wisten de chauffeur en de signora dat de man een zigeuner was? Het was nou niet zo dat hij een viool bij zich had en een ring in zijn oor. Mallon haalde zigeunerinnen er wel uit met hun hoofddoeken en bonte lange rokken en de vrijpostige, platvoetige tred waarmee ze over een trottoir liepen, maar de mannen vielen hem niet op. Voor hem had de zakkenroller een Portugees of een Indiër kunnen zijn, of zelfs een van die kleine donkere Napolitanen. Maar de signora en de chauffeur wisten het meteen, gealarmeerd door een oerinstinct van de oude wereld, een waakzaamheid in het bloed waarvan uiteindelijk maar een vleugje op Mallon was overgedragen door zijn voorouders uit Ierland, Polen en Rusland.

Over het algemeen voelde hij zich beter af zonder al dat boerenbijgeloof – zout over je schouder gooien, strengen knoflook aan de deurpost, de ongeluksdreiging van zwarte vogels en gemorste wijn en de blik van een vreemdeling – hoewel hij zich soms afvroeg of zijn bloed door dat Amerikaanse filter misschien niet helder maar waterig was geworden, alsof een essentieel stofje dat bepalend was voor je karakter, je persoonlijkheid, aan die oude instincten was gekoppeld en er samen met die instincten uit was geloogd.

Het natte leren jack van de zakkenroller wasemde een flauwe pislucht uit. Mallon draaide het raam een paar centimeter open en werd overweldigd door de frisse lucht. Hij sloot zijn ogen en liet de wind genietend over zijn gezicht glijden. Toen hij zijn ogen weer opendeed zag hij de chauffeur in het spiegeltje naar hem kijken.

'Komt u uit Albanië?' vroeg Mallon.

De chauffeur tikte op de meter. Hij stond al op achttien euro en ze hadden de Via Tiburtina nog niet bereikt. 'Alleen cash, mister American. Geen magische Amerikaanse creditcards.'

'Hoe ver is het nog?' vroeg Mallon aan de zakkenroller, die met beide handen tegen zijn borst gedrukt heen en weer deinde. Hij staarde recht voor zich uit en gaf geen antwoord.

Kadare. Het zou een Albanees kunnen zijn. Het boek dat Mallon had gelezen ging over een jongen die wachtte tot hij gedood zou worden door een rivaliserende clan nadat hij een van hun zonen had doodgeschoten om de moord op zijn broer te wreken. De bloedige vete ging zo ver terug dat ze zich de oorzaak niet eens konden herinneren, maar er bleven mannen voor sterven en, sterker nog, voor leven. Het verschafte hun een duidelijk pad van eer en plicht en met dat martelaarschap verkregen ze ook macht over hun vrouwen; het gaf een tragisch doel aan een akelig leven en een akelige dood. Maar wat Mallon zich het beste herinnerde was de toenemende alertheid van de jongen naarmate hij dieper doordrongen raakte van het besef dat hij spoedig gedood zou worden. Hij leefde op als hij de zon op zijn gezicht voelde of het druipend vet van een lam aan het spit rook, of rotsblokken wit zag oplichten op de kale bergen die overal om hen heen oprezen. Hij zwierf over verlaten wegen en was nooit alleen: de Dood aan zijn zijde schonk hem zijn leven tot de beker overvloeide en hij zijn plaats afstond aan de volgende jonge moordenaar.

Mallon had, weliswaar schuldbewust, genoten van het boek. Hij had zich verzet tegen zijn fascinatie met die gewelddadige, achterlijke cultuur en verwierp het denkbeeld dat het leven, met de dood nabij, zou winnen aan betekenis en schoonheid. Hij was ervan overtuigd dat de meeste mensen een bestaan zonder moordaanslagen, om niet te spreken van fatsoenlijk onderdak en brood op de plank, zouden verkiezen boven zulke exquise bevindingen van je sterfelijkheid, als dergelijke gewaarwordingen al bestonden. Het waren verzinsels van een zieke religie en romantiek, had Mallon gedacht, tot hij ze zelf begon te krijgen.

Zijn dochter was niet lang na haar elfde verjaardag gaan klagen over hoofdpijn en bleek een hersentumor te hebben. Ze had het overleefd en in de drie jaren daarna waren de controles steeds negatief gebleven, maar tijdens Lucy's lange proces van bestralingen en chemotherapie waren er momenten geweest waarop Mallon en zijn vrouw allebei zeker wisten dat ze haar zouden verliezen. Chiara werd bitter. Ze bracht haar dagen in kille woede door en zei niets, at bijna niets en trok zich terug in de logeerkamer, waar ze een maand na Lucy's diagnose was gaan slapen. Ze zei vaak dat ze wilde dat ze nooit geboren was.

Mallon reageerde anders. Tijdens de ziekte van zijn dochter was hij zich intens bewust geworden van het leven als iets dat op zichzelf goed was, zowel zijn eigen leven als het hare. Dit nam eerder de vorm aan van geduld dan van vreugde of hoop zelfs, en hij had beter geweten dan ermee aan te komen in antwoord op Chiara's wanhoop, maar hij zag dat ze het op een of andere manier toch voelde en dat het haar ergerde, zoals ze zich aan zoveel dingen was gaan ergeren sinds Lucy ziek was geworden – aan zijn zelfbeheersing, zijn vermogen om te blijven werken, zijn stem en zijn aanrakingen, zelfs zijn plezier in eten, dat hij nu pas bij zichzelf had ontdekt en zich niet door fronsende wenkbrauwen liet afnemen, waar hij zich zo aan overgaf dat hij voor het eerst van zijn leven een buikje kreeg.

Op een loodgrijze middag in januari, toen hij na een bezoek aan het ziekenhuis langs het meer wandelde, had Mallon ineens opgekeken en toen hij zag hoe de donkere golven op de oever af stormden, had hij begrepen dat zijn vrouw niet meer van hem hield. Zou ze ooit weer van hem gaan houden? Hij dacht van niet, en de tijd had hem gelijk gegeven. Chiara had wel geprobeerd hem te laten delen in haar blijdschap toen Lucy weer voorgoed thuis was, maar ze kon hem gewoon niet om zich heen velen. Mallon dacht dat haar wrevel voortkwam uit schaamte, omdat ze hem slecht had behandeld, maar hij wist dat Chiara dat niet zou erkennen; ze was intelligent en hoogopgeleid – ze werkte als curator van zeldzame manuscripten aan de universiteit van Genève – maar ze vond analyses maar vervelend, vooral wanneer haar eigen gevoelens werden geanalyseerd. Ze vertrouwde erop dat haar gevoelens in wezen valide waren en accepteerde hun macht zonder vragen te stellen. Mallon had die eigenschap hoog gewaardeerd toen ze haar ouders trotseerde en een reeds goedgekeurde verloofde aan de kant zette om met hem te trouwen, maar nu werd zijn zaak daarmee hopeloos.

Ze waren nu meer dan een jaar uit elkaar. Zij woonde nog in het appartement. Hij had ergens vlakbij een kleine flat gehuurd, zodat hij en Lucy elkaar spontaan over en weer konden bezoeken. Dat was het idee. In de praktijk werd Chiara's kille houding tegenover hem zo pijnlijk dat hij er zelden heen ging en moest wachten tot Lucy naar hem toe kwam, wat ze minder vaak deed dan hij zou willen. Hij kon het haar niet kwalijk nemen. Ze had het druk met school en vriendinnen en jongens en haar koor, en had hij niet gebeden dat ze nog van al die dingen zou mogen genieten?

Als projectbeoordelaar van zijn agentschap had Mallon altijd moeten vechten voor tijd met zijn gezin. De laatste tijd was hij minder vasthoudend geweest. Van de afgelopen twee maanden had hij maar negen dagen in Genève doorgebracht tussen perioden in Zimbabwe en in Oeganda in, waar hij verbleef in dure hotels met een kapotte airco en een leeg zwembad, met zandzakken versterkte mitrailleursnesten aan de ingang en een hoorbaar afgetapte telefoon. De plaatselijke projectmanagers matten hem af met PowerPointpresentaties en ontmoetingen met regionale overheidsfunctionarissen. In hun nieuwe Land Cruisers reden ze hem naar plaatsen waar grootse dingen stonden te gebeuren, waarna hij werd vergast op lange diners met veel toespraken en soms een of ander tribaal schouwspel.

En er ging niets veranderen, niet echt. De ploeterende, ondervoede mensen van wie hij door de getinte ramen van die snelle auto's wel eens een glimp opving, zouden nog in dezelfde misère zitten bij het bezoek van de volgende beoordelaar, die dan al onder druk stond om zijn handtekening onder falende of gefingeerde projecten te zetten teneinde degenen die ze aanvankelijk hadden goedgekeurd niet in verlegenheid te brengen.

De mensen zouden nog in dezelfde misère zitten, het zouden er alleen meer zijn; maar zij waren tenminste niet belachelijk. Die kwalificatie was gereserveerd voor de managersplu, met hun Benson & Hedgessigaretten, hun Cartieraanstekers en gouden Rolexhorloges en eau de toilette van Armani en de voortreffelijke Europese drank die ze Mallon opdrongen met een behoedzame, onzekere trots. En in zijn ogen waren ze belachelijk omdat hij en anderen zoals hij, bezoekers uit het walhalla van belachelijkheid, hen zo hadden gemaakt, een hele klasse van gespannen, van zichzelf vervreemde charlatans hadden geschapen met hun zakken geld en hun aspiraties die in hun nobelheid zo dom waren, op zo gespannen voet stonden met de realiteit, dat ze zonder bedrog onhaalbaar bleven. En hiervoor had Mallon een goede baan bij Nestlé opgegeven, uit gêne over zijn succes in een wereld waarin het najagen van geld en zijn zegeningen nu bijna een oprechte, eerzame bezigheid leek.

Ze reden nu over de Via Tiburtina. De chauffeur tikte op de meter — eenenveertig euro — en wierp Mallon een bleke harde blik toe vanuit het spiegeltje. Het verkeer kroop voort afgezien van de motorinos die over de vluchtstrook gierden of met veel lef in de nauwe ruimte tussen de rijen auto's doken. De weg werd geflankeerd door benzinestations en supermarkten, goedkope meubelhallen en autodealers met wapperende vaantjes boven de occasions. Plastic tasjes woeien voorbij, bleven in hekken hangen. Zonder de vluchtige glimp van een Romeinse muur of een paar overgebleven bogen van een aquaduct ergens ver in een veld, had Mallon zich thuis in Illinois kunnen wanen.

De zakkenroller boog zich naar voren zei iets met schorre stem.

'Waar naartoe?' zei de chauffeur.

De zakkenroller wees naar een supermarkt aan de andere kant van de weg.

De chauffeur zwiepte de taxi de afslagstrook op en wachtte op een gaatje in de stroom tegenliggers. Dat kwam niet. Hij vloekte niet, zei geen woord, maar Mallon zag zijn kaakspieren werken en wist zeker dat hij zich zat op te laden om het erop te wagen. 'Wacht,' zei hij, maar op dat moment minderde een naderende vrachtwagen vaart om hen door te laten en schoot de chauffeur dwars over de weg het parkeerterrein op. De zakkenroller dirigeerde hem naar de achterkant van de winkel, waar een ongeplaveide weg van het parkeerterrein langs een lange rij metalen opslagloodsen voerde en daarna langs een afgerasterd terrein vol roestende machines en grote houten kabelhaspels. De chauffeur reed te hard voor zo'n weg; de wagen zweefde steeds weer misselijkmakend naar de volgende serie diepe, beukende gaten.

'Verder,' zei de zakkenroller. 'Nog iets verder.'

En toen kwam de weg uit op een modderig terrein. Aan de overkant stonden diverse kleine caravans en kampeerwagens bij elkaar naast een onvoltooid appartementengebouw met ramen zonder glas, balkons zonder balustrade, de betonnen muren gestreept van de watervlekken. Midden op het terrein stonden twee jongens op een matras te springen zonder zich iets van de regen aan te trekken, daarbij gadegeslagen door een stel andere kinderen die op twee kaalgesloopte auto's zaten. Ze sprongen eraf en holden schreeuwend naar de taxi die knerpend zijn weg zocht door een woestenij van metalen vaten, autobanden, doorweekte kranten en ongerijmd kleurige plastic flessen. Een harige, doorgezakte pony had zijn snuit begraven in een kartonnen doos. Bij het passeren van de stoet vluchtte hij weg en trapte van zich af om zijn aftocht te dekken. Een van de jongens sprong op de motorkap van de taxi en grijnsde tegen de chauffeur: sterke witte tanden in een bemodderd gezicht. De chauffeur keek recht voor zich uit.

De zakkenroller negeerde de jongens ook. Hij had het afstandelijke, afwezige air van iemand achter in een limousine met chauffeur. 'Daar,' zei hij en gebaarde loom naar het appartementengebouw. De taxi kwam tot stilstand en de jongen op de motorkap liet zich eraf glijden en stak zijn vuisten in de lucht als een kampioen en zijn vrienden lachten en stootten hun heupen tegen hem aan.

De zakkenroller stapte uit de taxi. Een van de jongens riep naar hem: 'Miri!' en enkele andere sloten zich bij hem aan: 'Miri! Miri!' Maar de zakkenroller liet niet blijken dat hij hen hoorde. Toen Mallon ook uitstapte om nog een paar laatste woorden tegen hem te zeggen, wendde de zakkenroller zich af en deed een paar passen, bleef toen staan en boog droef zijn hoofd. Mallon liep naar hem toe. 'Wacht even,' zei hij tegen de chauffeur terwijl hij de zakkenroller bij zijn elleboog pakte.

'Nee. Nu betalen. Achtenveertig euro.'

'Wacht nou even. Laat de meter maar lopen, u krijgt uw geld wel.'

Voor de ingang hing een stuk plastic. De zakkenroller duwde

het opzij, en Mallon liep vlak achter hem aan en hielp hem de hal binnen, een ruwe betonnen spelonk bezaaid met kapotte tegels die glansden in het schijnsel van een petroleumlamp aan het plafond. Een oude zigeunervrouw stond voorovergebogen aan een dampende ijzeren teil op een kampeerfornuis en wreef een doek over een wasbord. Ze richtte zich op en keek Mallon aan. Haar donkere gezicht was een web van diepe rimpels en plooien waarin haar kleine oogjes glinsterden alsof ze uit een schuilplaats naar buiten keken. Haar hoofd zat diep tussen haar schouders, die bijna tot haar oren reikten in een verstard schouderophalen. Ze zei met een krakende stem iets wat Mallon niet verstond. De zakkenroller liet zielig zijn hoofd hangen en mompelde wat. De oude vrouw gooide de doek in de teil, veegde haar handen aan de voorkant van haar jurk af en leidde hen door de hal en een donkere gang naar een deuropening waar een deken voor was gehangen. Ze hield de deken opzij, en Mallon liet de elleboog van de zakkenroller los. 'Oké, je bent thuis,' zei hij, en de zakkenroller dook zonder een woord te zeggen naar binnen.

De oude vrouw rukte, met de deken nog in haar hand, haar hoofd in de richting van de deuropening.

'Nee, dat kan ik niet doen,' zei Mallon.

'*Avanti*,' zei ze ongeduldig, in een flits van gouden tanden.

Mallon ging naar binnen.

Verbaasd over zijn volgzaamheid en onpasselijk van angst ging Mallon naar binnen. Vanwaar die angst? Wat verwachtte hij toen hij met een knoop in zijn maag over de drempel stapte? Zeker niet dit vertrek, het gedempte licht, het keurig opgemaakte bed in de hoek, de glanzende gele bank met bijpassende fauteuil, de kunstpalm. Niet dit vertrek, noch de twee knappe kinderen die met open mond naar hem opkeken. Het ene kind was een meisje van een jaar of acht, negen, het andere een jongen die iets ouder was, en allebei waren ze mager en donker, met grote ogen. Ze stonden aan weerskanten naast de zakkenroller, het meisje had zijn arm vast en vlijde zich tegen hem aan. De kinderen stapten achteruit toen de oude vrouw langs Mallon schoof, de zakkenroller bij de schouders van zijn leren jack pakte en het van hem af trok met een reeks harde rukken die hem aan het wankelen brachten. Zonder het jack zag hij er nog kleiner uit, kleiner en ronder. Ze duwde hem met een grom in de richting van het bed en zei iets tegen het meisje, dat hem hielp te gaan liggen en daarna knielde om zijn kleine schoenen uit te trekken.

De oude vrouw keek toe, met één hand op haar heup. Daarna wendde ze zich tot Mallon. 'Zitten!' zei ze. Voor hij antwoord kon geven, wees ze naar de gele fauteuil en wachtte tot hij gehoorzaamde. Toen zei ze: 'Daar blijven!' en verliet de kamer.

De zakkenroller lag diep zuchtend op zijn rug. Het meisje bekeek Mallon vanaf het voeteneinde van het bed, de jongen vanaf het grote raam aan de andere kant van het vertrek. Het raam was dichtgemaakt met plastic dat een diffuus parelgrijs licht doorliet. Het meisje had lange dunne armen met grote knokige ellebogen en droeg een T-shirt met een panda erop. Mallon glimlachte tegen haar. 'Je papa?' vroeg hij, naar de zakkenroller knikkend.

Geen antwoord, maar ze deed een stap in Mallons richting.

'Je oom?'

De jongen en het meisje keken elkaar aan en daarna lachte ze op een uitgesproken volwassen manier en trok ze de boord van het T-shirt als een sluier over haar mond.

De oude vrouw riep ergens vandaan iets. Het meisje sloeg zedig haar ogen neer, legde haar handen samengevouwen tegen haar middel en liep door de kamer met korte trippelpasjes alsof ze een vrouw met afgebonden voeten imiteerde. De jongen bleef hem aangapen. Mallon dacht erover om weg te glippen, maar het was een diepe, zachte fauteuil en voor hij de wilskracht kon opbrengen om zich eruit te hijsen kwam het meisje terug en stond ze pal voor hem met een schaal uitgepakte chocolaatjes en een plastic fles Coca-Cola. Hoewel Mallon zijn hoofd schudde, bleef ze deze gaven aanbieden en hield daarbij voortdurend knikkend zijn ogen vast met de hare, zodat weigeren onmogelijk leek. Hij pakte de fles. De cola was warm en vulde zijn mond met schuim, maar hij deed alsof hij het heerlijk vond en liet met gesloten ogen zijn hoofd achteroverzakken voor hij de fles op de vloer zette.

De zakkenroller kreunde en rolde zich mompelend naar de muur. Het meisje draaide zich om en keek naar hem en daarna naar de jongen, die nu voorzichtigjes naar de andere kant van Mallons stoel kwam aandrentelen. Het meisje leunde achterover tegen Mallons knie en veerde ritmisch, werktuigelijk heen en weer, zoals een kind doet wanneer een verre gedachte of een interessant object zijn aandacht heeft. Puur uit instinct sloeg hij een arm om haar middel en trok haar op zijn knie, keek toen naar de jongen die daar alleen naast hem stond en nam hem ook bij zich op schoot. Het voelde volkomen natuurlijk aan, voor hen kennelijk ook; ze vlijden zich losjes en ontspannen tegen hem aan, met hun hoofden tegen zijn borst. Van boven zagen ze er identiek uit. Er steeg een prettige, kleiachtige geur op van hun haar. De zakkenroller draaide zich weer op zijn rug en begon te snurken. 'Miri,' fluisterde de jongen, daarna begon hij hem te imiteren met een boosaardig accuraat gesmak en gesnurk. Het meisje zat te schudden. Ze legde haar handen over haar mond maar het gelach barstte door haar vingers naar buiten.

Mallon liet zijn hoofd achterover zinken. Hij was moe en de stoel was comfortabel en de jongen en het meisje lagen warm en vertrouwd tegen hem aan. Hij sloot zijn ogen. De jongen hield zijn komische nummer niet lang vol. Hij werd stil en het meisje ook. Mallon voelde hen ademhalen, in een jong en licht, eigenaardig synchroon ritme. Hij bedacht dat ze misschien wel een tweeling waren. Suffig over het mysterie van tweelingen nadenkend herinnerde hij zich voor het eerst in jaren een paar jongens met wie hij was opgegroeid – Jerry en Terry, of heetten ze Jerry en Larry? –, maar hij raakte de draad kwijt en liet het maar zo en begon soezend weg te drijven op het gesnurk van de zakkenroller, tot het bijna was of hij zichzelf hoorde. Later vroeg hij zich af hoe lang dit had geduurd. Niet lang, dacht hij, maar toen hij merkte dat de kinderen van hem af klommen en hij met tegenzin zijn ogen opende, voelde hij zich verkwikt alsof hij uren had geslapen.

De oude vrouw stond voor de stoel. 'Die man daar moet u hebben,' zei ze.

Ze zaten weer op de Via Tiburtina en het was nog een flink eind naar het centrum en zijn hotel, de meter stond al op honderdzestien euro, toen Mallon zijn hand tegen zijn borst sloeg. De chauffeur bemerkte het gebaar en sloeg zijn ogen op naar het spiegeltje. Mallon keek door het beregende raam naar buiten en liet niets merken. Het moment ging voorbij. Hij gaapte ostentatief, tastte daarna onder het mom van even verzitten en rekken zijn zakken af en constateerde dat zijn portefeuille inderdaad was verdwenen.

Ze reden een stortbui vol schitterende koplampen tegemoet. Het was nog maar net zes uur, maar de hemel was zwart en hier en daar flikkerden bliksemschichten. Mallons mond was droog. Hij haalde zo diep adem dat de chauffeur weer opkeek toen hij de lucht liet ontsnappen.

'Ik heb een probleem.'

De ogen van de chauffeur schoten heen en weer tussen de weg en het spiegeltje.

'Ik ben mijn portefeuille kwijt.'

'Wat?'

'Mijn portefeuille is weg.'

'U zegt u hebt geen geld?'

'Niet bij me, nee. Ik kan in het hotel wel wat krijgen. De manager schiet het me wel voor.'

De chauffeur tuurde voorovergebogen in de schuin neerkomende regen en zette de richtingaanwijzer aan.

'Misschien kan ik het vanavond niet krijgen, maar morgen zeker. Het hangt ervan af of de manager er is. Signor Marinelli. Hij kent me.' Het klonk Mallon in de oren als het geklets van een oplichter, maar hij voegde eraan toe: 'Ik betaal u wel.'

'U wist het,' zei de chauffeur.

'Wat? Wat zegt u?'

Geen antwoord. De chauffeur stuurde de taxi rustig de vluchtstrook op en stopte. Er ging een zekere dreiging uit van zijn doelbewuste gedrag, zijn zwijgen, de rigide stand van zijn nek. Hij zat recht voor zich uit te kijken, met zijn handen op het stuur. 'Mister American,' zei hij en maakte een geluid tussen zijn tanden. Er reden auto's voorbij. De regen roffelde op het dak. Mallon wilde iets zeggen maar durfde het niet, alsof de haat van de chauffeur een gas was dat bij één woord kon exploderen. Hij had het gevoel dat hij op de een of andere manier zijn recht van spreken had verloren.

'Eruit,' zei de chauffeur.

Tegen de tijd dat Mallon zich uit de taxi had gevouwen en het portier had dichtgegooid, plakten zijn broekspijpen al nat tegen zijn benen. Pas toen de chauffeur wegreed herinnerde hij zich de paraplu. De regen stroomde over zijn gezicht. Hij trok zijn colbert uit en drapeerde het over zijn hoofd, hield de kraag als een klep naar voren en sjokte een eind door de berm, liep vervolgens achterwaarts verder toen de wind recht in zijn gezicht blies. Zijn voet bleef ergens aan haken zodat hij bijna onderuit ging. Hij was gestruikeld over een half begraven stuk beton waarbij de hak van zijn schoen was gescheurd. Hij raapte de hak op en bekeek hem even, gooide hem toen weg en liep door.

Wat bedoelde de chauffeur met dat 'u wist het'? Wat wist hij? En waarom had hij zich bij die woorden betrapt, ontmaskerd gevoeld? De chauffeur kon niet hebben geweten wat Mallon wist, maar Mallon wist wel wat Mallon wist. Hij was het zich pas bewust geworden door die beschuldiging, maar hij wist het wel, had het al geweten op dat moment in die kamer, toen hij zat te rusten maar niet sliep en die hand tussen zijn colbert en overhemd over zijn borst voelde glijden, toen hij de discrete streling van de vrijkomende portefeuille voelde en de lichtheid die erop volgde, alsof het een loden last was geweest. Die lichtheid – heel merkwaardig!

Ergens rommelde een donderslag. De voortjagende regen pletste Mallons overhemd tegen zijn rug en glinsterde in de koplampen van de auto's die hem tegemoet raasden. In een opwelling stak hij zijn duim op. Hij had sinds zijn studententijd niet meer gelift, en toen ook niet vaak. Misschien zou de stropdas helpen. Of misschien gaf het een verkeerde indruk, van berekening of doortrapte opzet, van gevaar. Hij was natuurlijk ook drijfnat, zoals iedereen kon zien. Zou hij zichzelf een lift aanbieden? Hij gaf het algauw op, en toen hij zich omdraaide, zag hij niet ver voor zich uit de achterlichten van een auto, en een man die haastig met een geopende paraplu naar hem toe liep.

Het was de taxichauffeur. Hij had korte benen en zakte steeds hinkend door één knie. Hij liep naar Mallon toe en reikte hem de paraplu aan, die opbolde en heen en weer wapperde in de wind.

'Te laat,' zei Mallon.

'Nee, alstublieft.' Hij hield hem zinloos boven Mallons hoofd. 'Kom mee, alstublieft. Kom.' Hij leidde hem terug naar de taxi en opende het portier. 'Alstublieft,' zei de chauffeur opnieuw toen Mallon aarzelde.

Hij stapte in. 'Ik ga u wel betalen,' zei hij.

'Nee. Niet betalen. Kijk!' Hij tikte op de meter. Hij stond uit.

'Onzin. Natuurlijk ga ik u betalen.'

'Nee, gratis. Maar alstublieft niet aangeven, oké?'

Mallon zag de ogen van de man in het spiegeltje. 'Aha,' zei hij.

'Niet aangeven?'

'Ik zal u niet aangeven. Maar ik ga u wel betalen.'

'Voor u gratis. Amerikaan, ja? California?'

Mallon koos de makkelijkste weg en zei van ja. Illinois bracht mensen alleen maar in verwarring; hij was er trouwens al jaren niet meer geweest.

'Wat voor auto hebt u? Chevrolet? Deze taxi, deze is van vader van mijn vrouw. Michele. Hij is ziek. Geen geld, begrijpt u?'

De chauffeur babbelde maar door: over de ziekte van zijn schoonvader, de ziekte van zijn zuster, een probleem met de taxivergunning. Al pratend keek hij in het spiegeltje hoe Mallon reageerde. Hij klonk als een projectleider die met smoesjes en geflikflooi zijn hachje probeert te redden. Het verveelde Mallon en hij was teleurgesteld. Dat was dan de zoon van zo'n woest bergvolk, de onverzoenlijke wreker die hij in zijn verbeelding al had gevreesd.

Mallons natte kleren waren klam geworden. Zijn voeten sopten in de bedorven schoenen. Gaf niet, hij had op zijn kamer nog een paar schoenen, en nog een pak, en thuis had hij nog veel meer. Natuurlijk zou de hotelmanager hem met kreten van medeleven begroeten en hem geven wat hij nodig had tot het geld de volgende morgen uit Genève was overgemaakt. Over enkele minuten stond hij onder een warme douche. Hij zou uit die douche zijn kamer met airco binnenstappen en voor het raam gaan staan. De badjas was van dikke, zachte badstof en hij zou er behaaglijk, met zijn handen diep in de zakken, in wegduiken terwijl hij de mensen daar beneden in de straat gadesloeg. Morgenmiddag had hij een nieuw paspoort, nieuw krediet, het hele pakket. Hij wist dat veel mensen, de meeste mensen zelfs, hulpeloos zouden zijn in deze wereld als ze, zoals hij vandaag, hun geld en ja, het bewijs van hun identiteit waren kwijtgeraakt. Hij behoorde niet tot die mensen. Hem was zo'n teloorgang niet vergund. En had hij het, ondanks zijn getob over het vervreemdend effect van comfort en privileges, anders gewild? Nee, hij veronderstelde van niet. Hij keek er beslist naar uit dit kleine avontuur af te sluiten.

Tegen de tijd dat ze voor het hotel stopten, was het onweer voorbij en moest de portier zijn ogen afschermen tegen een schitterende streep avondlicht boven aan de straat. De chauffeur was de man te snel af, hield het portier voor Mallon open en reikte hem een helpende hand alsof hij een vrouw was. Mallon negeerde hem en kwam nat, met zijn ogen knipperend tevoorschijn.

'Oké?' zei de chauffeur. 'De paraplu, waar is uw paraplu?' Hij dook voor Mallon langs in de taxi. 'Hier! Vrienden, oké?'

'Ik zal u niet aangeven,' zei Mallon.

'Mister California!' zei de chauffeur. 'Hollywood, ja?'

'Natuurlijk,' zei Mallon. 'Hollywood.'

Innige zoen

Toen Joe Reed een jongen van vijftien was, werd zijn krankzinnige verliefdheid op een meisje zo'n last voor zijn familie en zo'n onderwerp in het dorp waar hij woonde, dat zijn moeder dreigde hem weg te sturen naar zijn getrouwde zus in San Diego. Maar voor dit kon gebeuren overleed Joe's vader en ontving zijn moeder een grote som van de verzekering, waarna ze hun drogisterij verkocht en met Joe naar Californië verhuisde.

Er ging dertig jaar voorbij. In die tijd hoorde hij niets van het meisje, Mary Claude Moore, maar nu en dan bereikte hem een bericht over haar via mensen die nog in Dunston woonden. Ze was voor haar eindexamen van school gegaan en had een kind gekregen, ze was getrouwd, gescheiden en een paar jaar later hertrouwd. Dat tweede huwelijk was het laatste wat Joe van Mary Claude wist tot hij hoorde van haar dood.

Hij was op een zondagmiddag bij zijn moeder langsgegaan. Ze was alleen en nu haar gezondheid achteruitging kon ze het huis niet meer onderhouden en had ze er eindelijk in toegestemd een flat te kopen in een 'verzorgingshuis' – o, wat haatte ze dat woord, wat kwam het koud uit haar mond. Joe was langsgekomen om te kijken of alles in orde was voor de inspectie van de makelaar later die week. Ze dronken koffie, en toen vertelde ze hem over Mary Claude en gaf ze hem de brief. Hij wilde er niet over nadenken hoe zijn reactie eruit zou zien, of eruit zou moeten zien, daarom excuseerde hij zich en liep met de brief naar buiten, de achtertuin in.

Volgens het krantenknipsel dat de vriendin van zijn moeder

had bijgesloten, was Mary Claude kennelijk achter het stuur in slaap gevallen en op de weghelft van het tegemoetkomend verkeer terechtgekomen. Ze was op slag dood, evenals de bestuurder van de auto waar ze tegenop was gebotst, een tandarts uit Bellingham op weg naar huis na een weekend vissen. Aldus het krantenbericht. De onofficiële versie, die de vriendin van zijn moeder weigerde te geloven maar niettemin doorvertelde, was dat Mary Claude een affaire had met een makelaar die Chip Ryan heette. Hij had dezelfde ongewone auto als de tandarts, een rode Mercedes stationcar, en Mary Claude had een even opvallende oude Mustang, een kobaltblauwe cabrio. Ze woonden alle twee buiten het dorp en kwamen elkaar dikwijls onderweg tegen. Het verhaal ging dat ze, telkens als ze elkaar op een leeg stuk tegemoet reden, een spel deden waarbij ze op het laatste moment van weghelft wisselden. Een soort minnaarsduel. Mary Claude had de auto van de tandarts voor die van Chip aangezien, en dat was het dan.

Joe wist niet wat hij van het verhaal moest denken. De vriendin van zijn moeder betwijfelde of het waar was, maar gaf toe dat het wel een raadsel was hoe Mary Claude krap dertig meter na een reeks scherpe bochten in slaap had kunnen vallen. Maar ja, schreef ze, waarschijnlijk waren er andere verklaringen die geen smet zouden werpen op haar nagedachtenis en haar familie geen onnodig leed zouden berokkenen.

In het krantenbericht stond dat Mary Claude en haar man een café hadden. De zaak liep kennelijk goed; niet lang voor dit alles had de Kamer van Koophandel hen uitgeroepen tot zakenechtpaar van het jaar. Ze liet een man, drie kinderen en twee kleinkinderen achter. Om de een of andere reden had de krant geen foto van haar bij het stuk geplaatst. Joe was blij met deze omissie.

Joe had een tweede, verborgen leven geleid naast het bestaan dat de mensen om hem heen kenden. In dat andere leven was hij niet naar Californië verhuisd maar met Mary Claude in Dunston gebleven. Hij verviel in die droom tijdens de eerste maanden na hun verhuizing, in de onmetelijkheid van een zomer in een zonovergoten straat waar oude mensen angstig van achter hun blinden naar buiten gluurden en 's avonds de sproeiers werden aangezet op gazons die alleen werden betreden door de Mexicanen die ze maaiden. Als zijn moeder lang genoeg uit haar verduisterde slaapkamer kwam om hem de deur uit te jagen, ging Joe met de *Saturday Evening Post* naar een zwembad in een nabijgelegen park en keek hoe de meisjes elkaar insmeerden en gilden als rondhangende lefgozertjes hen nat spatten. Dan lag hij op zijn buik naar de krant te staren en leidde zijn droomleven met Mary Claude.

Toen Joe's school was begonnen, nam zijn moeder een baan als boekhouder bij een handel in kantoormeubelen. Een paar maanden later vormde ze met een andere vrouw een vennootschap en kochten ze de eigenaar uit. Joe's moeder begon zich elegant te kleden. Ze stak haar haar niet meer op maar droeg het recht omlaag en liet er een streep grijs doorheen schemeren. Op een avond onder het eten zei ze zo dwingend 'Joe!' dat hij zich realiseerde dat ze tegen hem had gesproken zonder dat hij het besefte, en toen hij haar aankeek zei ze: 'Je kunt hem niet terughalen, jongen. Je moet hem loslaten.' Dat ze er zo naast kon zitten vervulde Joe met gêne, maar hij ging er niet tegenin en liet haar maar denken dat ze zijn gedachten kon lezen.

De middelbare school was ondergebracht in een nieuw, helder gebouw van enorme afmetingen. In de echoënde gangen vermengden de stemmen van de leerlingen zich tot een geraas dat Joe ging horen als een element van de stilte waarin hij zijn dagen doorbracht. Soms ging hij naar huis zonder dat hij met iemand één woord had gewisseld. Hij had het gevoel dat het misschien wel het hele jaar zo zou doorgaan, en het volgende jaar ook, tot hij zijn eindexamen had gedaan, maar algauw raakte hij bevriend met zijn buurman in het biologielokaal, die hem meenam naar feestjes en aan meisjes voorstelde. Toen Joe dat voorjaar zijn rijbewijs had gehaald, begon hij uit te gaan met Carla. Hij haalde hoge cijfers en speelde agent Krupke in *West Side Story*. In de herfst van zijn laatste schooljaar gingen hij en Carla vroeg weg van een dansavond om naar een motel te gaan. Het was voor hen allebei de eerste keer, en het werd niets. Ze probeerden het een paar dagen later in Carla's slaapkamer nog een keer en hadden toen meer succes, en tegen Kerstmis had Joe stiekem ook iets met Courtney. Ze had niet echt zijn voorkeur, maar het leek onvermijdelijk dat of hij of Carla vroeg of laat vreemd zou gaan, en dan had hij liever dat hij het was. Het werd allemaal een stuk ingewikkelder dan hij had verwacht. Joe werd algauw ontmaskerd en door beide meisjes aan de schandpaal genageld als een harteloze bedrieger, wat andere meisjes er niet volledig van bleek te weerhouden met hem uit te gaan.

En al die tijd bleef hij zijn fantoomleven met Mary Claude voortzetten. Hij lag op een open plek in een bos met haar op een deken in het maanlicht of ze zaten in een auto aan de rivier met Ray Charles op de radio, haar vingertoppen krieuwelig in zijn nek, haar mond open onder de zijne, haar karamelsmaak op zijn lippen en tong en diep in zijn keel. Alleen de zoen was een herinnering, alleen de zoen was echt. Hij was nauwelijks ergens met haar geweest behalve wanneer ze er op school tussenuit konden knijpen, en de paar keer dat ze samen in het dorp waren. Maar vanaf die zoen had hij al het andere erbij gehaald, of was al het andere er vanzelf bij gekomen, want zo ging het – zonder zich iets te hoeven inbeelden, zonder het gevoel dat het niet echt was, zag hij zijn leven met Mary Claude doorgaan zoals hij het zich ooit had voorgesteld. De scènes werden met het verstrijken van de tijd uitvoeriger, elke nieuwe scène omlijst door alles wat eraan vooraf was gegaan, met centraal daarin steeds die zoen.

In Berkeley ging Joe met Lauren, en toen zij voor een jaar naar de Sorbonne was vertrokken, was er Toni, daarna Candace. Hij en Candace deelden tot hun examen een huis met twee andere stellen en daarna, tijdens Joe's eerste jaar medicijnen, hadden ze een eigen appartement. Toen ging Candace bij haar ouders in New York op bezoek en kwam ze nooit meer terug. Ze stuurde Joe een brief waarin ze hem om vergeving vroeg voor de problemen die ze had veroorzaakt met haar alcoholisme, dat ze nu bezig was aan te pakken. Ze zei dat ze niet kon terugkeren naar het leven dat ze in Berkeley had geleid, zoals hij vast wel zou begrijpen.

Nee, Joe begreep het niet. Ze hadden hun problemen gehad samen; hij had dag en nacht gewerkt, net als Candace, die een studie danstherapie deed en 's avonds als serveerster werkte. Natuurlijk waren er problemen geweest, maar het was allemaal niet zo erg en een beetje ontspanning zou hij haar zeker niet misgunnen. Maar toen Joe's moeder hoorde dat Candace bij hem was weggegaan, was haar eerste reactie dat ze hoopte dat Candace nu hulp zou zoeken voor haar drankprobleem. Joe had niets over de brief gezegd.

Tot hij was afgestudeerd en de vrouw had ontmoet die hij zou trouwen, had Joe geen liefdesrelaties meer, alleen af en toe een vluchtige ontmoeting met vrouwen die zelf te hard werkten om veel meer van hem te willen. Die pragmatische benadering verleende de hele onderneming een strikt biologisch karakter, zodat Joe zich nerveus bewust werd van zijn mannelijke taak en zich met deprimerende regelmaat ontmand voelde. Tegen de tijd dat hij in Seattle zijn praktijk begon, verkeerde hij in een staat van bijna-quarantaine waardoor zijn schaduwleven dromeriger en gedetailleerder werd dan ooit.

Vanuit Seattle was het maar drie uur rijden naar Dunston. Joe dacht er soms over op een vrije middag naar het noorden te rijden, maar hij deed het nooit. Hij had inmiddels gehoord dat Mary Claude was hertrouwd. Het had geen zin de reis te maken behalve om haar te zien, en hij was bang dat ze hem niet zou willen zien, en tegelijk bang dat ze het wel zou willen. Daarvoor was het te laat. Ze had een dochter en een man en een huishouden, ze had haar werk. Hij ook, nuttig, veeleisend werk. Het vereiste een helderheid van geest waarvan Joe wist dat hij er niet op kon vertrouwen, dat hij het elke dag opnieuw moest zien op te brengen. Hij was die helderheid al eens eerder kwijtgeraakt en kon niet riskeren dat het nog eens gebeurde.

Toen Mary Claude verongelukte, was Joe zeventien jaar getrouwd. Zijn vrouw Liz was kinderarts in dezelfde kliniek waar hij als internist werkzaam was. Ze hadden een zoon in de vierde klas van de middelbare school en een dochter die een jaar jonger was. De jongen was een begaafd cellist, wereldvreemd, een estheet. Hun dochter was meer berekenend, maar ook vuriger in haar relaties als ze die eenmaal was aangegaan. Joe nam haar al mee bergbeklimmen toen ze nog op de lagere school zat en vond in haar de meest onverschrokken en vindingrijke partner die hij ooit had gehad.

Toen brak er een periode aan waarin zijn dochter hem niet langer in vertrouwen nam. Zowel zijn dochter als zijn zoon vonden eigen bronnen van vermaak, en Joe begon een zekere neerbuigendheid te bespeuren in de manier waarop ze hem bejegenden. Zijn kinderen waren bezig weg te glippen, de wildernis in; hij probeerde hen niet op te jagen met de paniek die hij voelde bij de toenemende voortekenen van hun vertrek.

Liz bleef ook steeds veranderen. Toen ze elkaar voor het eerst hadden ontmoet was ze meisjesachtig en onzeker ondanks het feit dat ze drie jaar ouder was dan Joe, maar sindsdien was ze bedaard en majesteitelijk geworden, wat hem van

zijn stuk bracht en tegelijkertijd opwond. Bij het vrijen bena-
derde hij haar bijna weemoedig hunkerend en sloot hij soms
af met een kreet van triomf, alsof hij een beruchte maagd op
haar rug had gekregen. Een dag of twee zonder haar en Joe wist
nauwelijks nog wie hij was.

En toch bleef hij door al die jaren heen aan Mary Claude denken. In zijn gedachten zag hij haar tegenover zich aan een keu-
kentafel zitten, nauwelijks wakker, met een kop koffie. De
keuken was klein en rommelig en Mary Claudes badjas gleed
open toen ze zich vooroverboog om een slokje te nemen. Ze zag
hem kijken en keek terug. Hij kwam overeind. Ze zette haar
kop neer en wachtte af. Hij zag hen op een veranda staan en
hun wegrijdende vrienden uitzwaaien. Toen ze alleen waren,
draaide Mary Claude zich naar hem toe en schoof een arm om
zijn middel, en daarna liepen ze langzaam naar binnen en de
trap op naar boven en bleven op de overloop even staan voor
een zoen. Soms dacht hij aan wat erop zou volgen, maar dat was
het moment waarover hij bleef mijmeren, die zoen. Joe herinnerde zich heel goed hoe het was om Mary Claude te zoenen;
hij had het zo dikwijls mogelijk gedaan zolang ze met elkaar
gingen, en dat was iets meer dan drie maanden.

Haar vader had een zuivelboerderij enkele kilometers buiten
het dorp. Haar moeder was bij hem weggegaan toen Mary
Claude elf was en had haar meegenomen. Ze was hertrouwd,
maar het ging niet goed tussen haar dochter en die nieuwe man,
en toen Mary Claude vijftien was stuurde ze haar terug naar
haar vader. Op de lagere school had Joe haar nauwelijks opgemerkt, dat saaie boerengrietje, maar toen ze terugkwam was ze
een ander meisje, uitdagend en ongrijpbaar. Ze gaf de leraren
een grote mond en liep door de school met een holle rug en een
pruilmondje. Ze had geen vriendinnen behalve een nichtje dat
ook geen vriendinnen had. Bij partijtjes volleybal in de gymles

sarde ze de andere meisjes door de bal opzettelijk buiten de lijnen of in het net te slaan. Ze spijbelde en rookte en vrijde met de vriendjes van andere meisjes, dat zeiden ze tenminste, en Joe, die dat gerucht graag wilde testen, ontdekte dat het waar was: Mary Claude verdween met hem achter de school tijdens een dansavond waar hij met een ander meisje was, en hield hem daar meer dan een uur bezig. Hij wist dat ze het deed om zijn vriendinnetje voor schut te zetten – aanvankelijk in ieder geval, tot ze hem leuk begon te vinden – maar toen hij eenmaal was begonnen haar te zoenen kon hij niet meer ophouden.

Joe had inmiddels diverse meisjes gezoend en dacht dat hij een aardig idee had van de mogelijkheden. Zoenen was lekker, maar hij was geneigd het te zien als een bruggenhoofd vanwaar scricuzere operaties gestart konden worden, of als een veilige thuishaven wanneer hij onvermijdelijk weer gedwongen was zich terug te trekken. Maar hij herinnerde zich niet dat hij die avond meer had geprobeerd terwijl hij daar tegen de muur van de gymzaal leunde met die meid die zo heerlijk smaakte en zich zo vol tegen hem aan drukte, die in zijn oor neuriede als ze even ophielden om adem te halen en meewiegde met de muziek die boven hun hoofd tegen de hoge ramen trilde. Er stonden nog meer stelletjes tegen de muur, en Joe wist dat zijn vriendinnetje dit te horen zou krijgen, maar toen hij zijn gezicht wilde afwenden legde Mary Claude haar vingers tegen zijn wang en leidde zijn mond terug naar de hare, en daarna dacht hij niet meer aan weggaan. Hij zou er de hele avond zijn gebleven, zonder enig besef van tijd, maar ten slotte kwam er een meisje tegen Mary Claude zeggen dat de auto klaarstond om haar naar huis te brengen. Ze draaide zich al om, maar bleef toen staan om Joe nog eens te zoenen. Hij liep twee keer om de school heen voor hij weer naar binnen ging. De gymzaal was bijna leeg. Zijn vriendinnetje was met andere meisjes vertrokken.

Toen hij Mary Claude op maandagmorgen in de gang zag

465

deed hij niet alsof er niets was gebeurd. Zij ook niet. Ze liet hem haar boeken dragen en met haar naar het lokaal lopen. Tijdens de lunchpauze gingen ze in de kantine tegenover elkaar zitten. Hij wist wat er zou gebeuren – de stilte om hen heen, de blikken, zelfs van zijn vrienden. Joe kende de regels. Hij was een zak geweest en had een aardig meisje gekwetst, en dat allemaal voor die Mary Claude. Je kon wel rotzooien met Mary Claude, maar dan moest je er naderhand om lachen en haar straal negeren. Ze aten zonder iets te zeggen. Ze had een kleur, verder was er niets aan haar te merken. Ze schepte zijn worteltjes op haar bord, en dat was het dan. Ze waren een stel.

Achter de school was een greppel vol varens. Er was de tribune bij het sportveld. Er waren lege klaslokalen. Ze ontmoetten elkaar voor school en in de lunchpauze en na school ook nog even, tot haar bus vertrok. Joe zei niet veel. Als hij zichzelf hoorde praten, werd hij wanhopig. Mary Claude was ofwel stil of ze babbelde aan één stuk door. Ze kwam vaak tussen de zoenen door op gang als ze stonden te vrijen, in een aanhoudend, vaag, knus gemurmel over alles wat in haar opkwam. Joe hoorde haar zachte stem graag tegen zijn borst trillen maar schonk weinig aandacht aan de dingen die ze zei en kon er zich naderhand bijna niets van herinneren.

Ze smaakte naar lipstick en sigaretten en snoep. Als ze haar mond opende voor de zijne en de spanning tintelend uit zijn nek en schouders wegvloeide, was het eerste wat hij voelde een schok van verlichting. En dan wiegde hij met haar mee en dronk hij dat rokerige zoet en vergat hij het huiswerk dat hij niet gedaan had, het gestotter dat hij steeds vaker voelde opkomen, het verdoofde, bleke gezicht van zijn moeder, de kamer aan het eind van de gang waar zijn vader naar adem lag te happen als een forel op een rivieroever. Hij vergat te bedenken wat hij hierna zou proberen, waar hij haar zou aanraken, hoe hard hij zou duwen. Hij dacht niet langer vooruit; er was geen hierna, geen toen en geen straks. Hij smachtte van dorst en was tegelijkertijd diep voldaan.

En Mary Claude smachtte naar hem. Hij had dat nooit eerder meegemaakt, dat een meisje hem zo graag wilde proeven, zo gulzig was. Ze liet zich niet graag onderbreken; als hij zich even opzij boog om adem te halen, grepen haar vingers zijn haar steviger vast en trok ze hem weer naar zich toe. Soms zei ze op zachte, bijna spottende toon zijn naam als ze aanstalten maakten om weer naar hun klas te gaan, en bij het horen van haar stem draaide hij zich haastig weer om, alsof ze een ruk aan zijn riem gaf.

Algauw maakte Mary Claude zich niet meer zo druk over hun privacy. Het kon haar niet schelen door wie ze gezien werden, of wanneer. Ze verlangde een zoen – een innige zoen – als ze in haar bus stapte, of in de gang, zelfs op straat als haar vader haar na school wat boodschappen liet doen in het dorp. Joe wist dat dit verder ging dan onverschilligheid, dat ze koketteerde met hun lust, misschien vooral met zijn lust voor haar. Hij zag dat ze trots was op haar macht over hem, en dat maakte hem ook trots en brutaal. Hij vond het niet erg als mensen hen bespottelijk vonden, zelfs moesten lachen om twee jongelui die zo 'mondeling aan elkaar gehecht' waren, zoals zijn moeder het noemde. Ze had natuurlijk over hen gehoord; in de drogisterij hoorde ze alles.

Aanvankelijk maakte ze er zijdelingse opmerkingen over, daarna verloor ze haar geduld. Was dit het moment om met een of ander grietje te gaan scharrelen? Dit was niet het moment, begreep hij dat niet? Nu, uitgerekend nu! Kon hij niet een poosje bij zijn vader gaan zitten in plaats van op zijn kamer te liggen zwijmelen en de telefoon bezet te houden? Was dat echt te veel gevraagd? Joe wist dat hij het erg moest vinden dat hij zijn moeder last bezorgde, maar het raakte hem niet wat ze zei. Het was niet uit bezorgdheid om haar dat hij alles verpestte.

Hij zat met Mary Claude op de tribune bij een basketbalwedstrijd. Ze vond er niets aan en wilde weg, naar buiten. Joe bleef haar afhouden; het was een spannende wedstrijd. Ze begon met het haar onder in zijn nek te spelen. Hij vond het een lekker gevoel en gaf zich er bijna aan over, toen kreeg hij iets over zich en schudde hij haar hand van zich af. Hij voelde Mary Claude naast zich verstarren. Hij wist dat ze naar hem keek, maar hij hield zijn blik op de spelers gericht en slaakte zelfs een kreet toen een van hen een pass verprutste. Mary Claude schoof haar vingers weer in zijn haar, greep het stevig vast en begon zijn hoofd naar het hare toe te keren. Zonder zijn ogen van de wedstrijd af te houden schudde hij haar ruw van zich af en schoof weg. Mary Claude kwam overeind en bleef nog even staan. Hoewel Joe wist dat hij zich nog steeds naar haar toe kon draaien, deed hij het zelfs toen niet. Ze baande zich een weg naar het gangpad. Hij keek hoe ze de treden af daalde en voor de tribune langs de gymzaal uit liep. De wedstrijd deed hem niets meer, maar hij zat hem tot het eind uit. Zijn mond was droog, zijn hart bonsde alsof hij hol was vanbinnen.

Joe belde Mary Claude toen hij thuiskwam. Er werd niet opgenomen. Vlak voor hij naar bed ging belde hij nog eens en iemand nam op maar zei niets. 'Mary Claude,' zei hij. 'Mary Claude, alsjeblieft.'

Ze wilde geen antwoord geven. Hij wist dat ze wachtte tot hij met een verklaring zou komen om zijn gedrag te rechtvaardigen, en hij kon niet bedenken wat hij moest zeggen. Uiteindelijk kon hij alleen haar naam zeggen. 'Mary Claude.'

Toen hing ze op.

Telkens als hij belde hing ze op. Hij schoof briefjes in haar kluisje en kreeg geen antwoord. Hij wachtte haar elke morgen op bij de bushalte en ze liep straal langs hem heen. Hij wachtte bij haar klaslokaal en volgde haar na school door de gang naar buiten naar de bushalte. Hij wist dat hij zich belachelijk maakte, maar hij had geen keus; er was geen andere manier om dicht bij haar te zijn. Toen zijn moeder eiste dat hij het meisje met rust liet, maakte dat geen verschil. Hij bleef haar nalopen. En nog gaf Mary Claude niet toe.

Ze hadden één les samen, geschiedenis van de staat Washington. Ze zat twee plaatsen voor hem in de rij links van de zijne. Hij kon naar Mary Claude kijken zonder dat zij het zag, al wist ze het natuurlijk. Toen ze nog met elkaar gingen, voor hij alles had verpest, keek ze af en toe naar hem om en zag dan steevast zijn ogen op haar gericht. Nu draaide ze zich niet om, maar ze moest het weten – zoals ze nog eens geeuwde, met beide handen het haar van haar nek optilde en het weer liet vallen – ze moest weten dat hij naar haar keek. Zoals ze één voet uit haar instapper schoof en er langzaam haar andere enkel mee krabde – het was allemaal om de pijn nog erger te maken. De lijn van haar hals terwijl ze haar nagels inspecteerde. Haar lippen, getuit van ongeduld terwijl de les maar voortduurde.

Hij was alert op elke beweging die hem een blik op Mary Claudes mond zou gunnen. Ze draaide haar hoofd vaak opzij om op de klok boven de deur te kijken, en Joe miste niet eenmaal die glimp van haar gezicht en profil. Als hij haar mond zag, boog hij zich naar voren om de afstand in elk geval met dat beetje te verkleinen. Het was verkeerd dat hij zijn mond niet op de hare kon drukken, het was een onbestaanbare vergissing die hem verward en nerveus maakte.

Ze moest voelen wat hij voelde, dat wist Joe zeker. Als hij haar kwijt was, was zij hem kwijt. Als het eenmaal voorbij was, zou alles weer hetzelfde zijn tussen hen, misschien zelfs beter, omdat ze meer zouden waarderen wat ze hadden verloren en weer moesten terugvinden, maar het ging maar door en Joe begon te begrijpen dat Mary Claude niet wist hoe ze er een eind aan kon maken, dat ze wachtte tot hij het zou doen. Maar wat kon hij doen als ze niet met hem wilde praten? Als ze hem niet eens aan wilde kijken?

Toen begon ze op te trekken met Al Dodge, een rustige, geliefde jongen uit de hoogste klas die moeite had met leren en hinkte omdat hij vroeger polio had gehad. Hij woonde niet ver van Mary Claude aan dezelfde weg en kwam met de auto naar school, en ze begon met hem mee te rijden in plaats van de bus te nemen. Soms aten ze samen in de lunchpauze. In het begin was Joe uit het lood geslagen; daarna zag hij dat dit het teken was dat hij actie moest ondernemen. Hij wachtte buiten het houtbewerkingslokaal op Al en begon hem over Mary Claude en zichzelf te vertellen, dat ze voor elkaar bestemd waren. Al probeerde langs hem heen te schuiven, maar Joe was nog niet uitgepraat en versperde hem de weg. Al gaf hem een duw en zijn slechte been begaf het en hij ging neer, zijn metalen brace sloeg kletterend tegen het beton. Toen Joe zich bukte om hem overeind te helpen, kwamen er twee jongens aanrennen en werd hij met een schouderduw aan de kant geschoven. Een van hen wierp Joe een blik toe terwijl hij Al met veel moeite overeind hees. Joe wilde alles uitleggen, en de onmogelijkheid dat ooit voor elkaar te krijgen liet hem geen andere keuze dan tegen de jongen te glimlachen en hem te zeggen dat hij de klere kon krijgen.

Toen hij thuiskwam zag hij dat zijn moeder er al van wist. Ze zette hem aan het werk in de drogisterij en sprak alleen tegen hem als het nodig was. Toen hij die avond stond af te wassen kwam ze de keuken in en vertelde hem dat zijn zus en haar man bereid waren Joe bij hen te laten wonen tot het achter de rug was — tot zijn vader dood was, verkoos hij daaruit op te maken. Haar gezicht was rood aangelopen, haar ogen schitterden, ze stond kaarsrecht in de deur en dwong hem haar aan te kijken. Ze was magnifiek, en dat stoorde hem. Wilde hij naar San Diego? Wilde hij dat? Nee? Wist hij het zeker? Goed, zei ze. Ze had hem hier nodig. Maar nog één zo'n akkefietje en hij zat in de eerste bus naar San Diego. Had hij dat goed begrepen? Mooi zo. Nu wilde ze dat Joe naar zijn vader ging en hem hetzelfde beloofde.

Dat deed Joe niet. Hij luisterde naar de bizarre metalen duikbootgeluiden die uit zijn vaders zuurstoftank weerklonken en bestudeerde het patroon van het kleed, gaf antwoord op een paar hijgende vragen over zijn huiswerk en maakte toen dat hij er wegkwam, maar niet voor zijn vader zijn dorre gele hand op Joe's pols had gelegd en hem omlaag had getrokken voor een omhelzing die hem misselijk maakte van afschuw.

Hij liep Mary Claude niet meer door de school achterna. Ze reed naar school met Al Dodge en liep soms met hem op tussen de lessen, maar Joe kon zien dat ze niets met elkaar hadden. Ze was alleen, zoals tevoren. Hij ook, meer dan ooit, de gast die het op mankepoten voorzien had. Hoewel hij Mary Claude niet meer volgde, keek Joe nog wel naar haar, van dichtbij wanneer dat kon maar meestal van een afstand, terwijl ze met uitgestoken heup de deur van haar kluisje openhield, terwijl ze aan het eind van een tafel in de kantine zat en de schil van een sinaasappel rukte met haar sterke vingers. Het was eind mei. Over een paar weken was de school afgelopen en was er geen hoop meer dat hij de ban zou kunnen verbreken die hij over hen had afgeroepen.

Hij besloot dat hij haar zou zoenen. Ze was net als hij. Als ze de eerste had geproefd wilde ze er altijd nog een, en nog een, tot ze erin opging. Dat hadden ze nodig, ze moesten weer helemaal in elkaar opgaan.

Mary Claudes gymlerares nam de meisjes op warme dagen mee naar buiten voor softbal en atletiek. Joe had op dat uur Frans, maar soms ging hij vroeg weg om aan de voorkant van het veld in de schaduw van de bomen te gaan staan en vandaar naar Mary Claude te kijken. Ze ging wel met de andere meisjes het veld op maar slenterde meestal weg naar de tribune om te roken en wat te kletsen met haar nichtje Ruth, die half indiaans was en nooit met iemand praatte behalve met haar familieleden. Mary Claude had al een lichte huid, en naast Ruth glansde ze als een witte steen in een rivierbedding. Als de lerares de klas weer naar binnen leidde, zorgde Mary Claude er altijd voor dat ze achterbleef, alsof de macht die de anderen voortdreef geen vat op haar had. Zelfs Ruth kon dit superieure getreuzel niet verdragen en liet haar achter.

Mary Claude had haar blik op de grond gericht, haar armen over elkaar geslagen, toen ze van het veld kwam aanlopen. Joe wist niet of ze hem had gezien of niet. Hij stond onder een paardenkastanje aan het pad naar de kleedkamers. De boom stond in bloei, en zijn ogen waren gaan tranen van het stuifmeel. Toen ze dichterbij kwam, zei hij haar naam en keek ze zonder enige verrassing op. Hij had helemaal voorbereid wat hij zou gaan zeggen, maar nu hij dicht bij haar was, wist hij het niet meer.

Ze wachtte, met haar armen nog over elkaar. Toen zei ze: 'Heb je gehúíld?'

Joe wist niet zeker wat er vervolgens gebeurde. Zelfs vlak nadat het gebeurd was, had hij geen vertrouwen in welke lezing dan ook, zelfs niet in zijn eigen herinneringen, en hij aanvaardde de beschuldigingen die tegen hem werden geuit zonder protest en zonder ze te geloven.

Maar hij wist wel dat het begon met Mary Claudes opmerking over zijn ogen. Hij hoorde vergeving in haar spot, vergeving en een oproep. Het bracht een vurige blos op zijn gezicht. Hij voelde het nu nog, als hij eraan terugdacht. Daarna raakte hij de draad kwijt. Hij herinnerde zich dat hij een van haar handen met beide handen vasthield, dat Mary Claude terugdeinsde en hem aankeek, maar dat ze zich verzette? Misschien. Daarna herinnerde hij zich dat hij met haar onder de boom stond, met zijn armen om haar heen, al kon hij niet zeggen hoe ze daar terecht waren gekomen. Misschien had hij haar er gewoon heen geleid, misschien had hij haar ook echt gedwongen. Het enige wat hij zeker wist was dat haar mond openging onder de zijne toen de gymlerares hem bij zijn kraag greep. Zelfs terwijl ze hem al achteruit sleurde, met zijn hemd strak tegen zijn keel, bleef hij nog reikhalzen om die zoen af te maken. Toen draaide Mary Claude zich opzij en begon ze te huilen, en wist hij dat hij weer van voren af aan moest beginnen.

Wat ze ook zeiden, hij sprak het niet tegen. Zijn moeder verraste hem met haar poging de rector te bepraten tot die medelijden met haar kreeg, iets wat hij haar nog nooit had zien doen, maar het leverde niets op; hij weigerde Joe zijn schooljaar te laten afmaken. Terwijl hij zijn kluisje leeg stond te halen liepen er een paar zesdeklassers langs. Ze maakten smakkende geluiden en andere leerlingen namen het over toen Joe met zijn spullen door de gang liep.

Zijn moeder had het erover hem dat weekeinde naar San Diego te sturen. Hij had zich voorgenomen te weigeren, maar het kwam niet tot een confrontatie. Woensdag laat in de middag raakte zijn vader in coma; tot hij die avond stierf waakte Joe met zijn moeder bij hem, waarbij hij in de kamer rondzwierf terwijl zijn moeder de hand van haar man vasthield. Nu en dan keek Joe naar de figuur in bed en wendde zich dan af, naar het raam met het vervagende uitzicht op de tuin van de buren, naar de boekenkast, naar de foto's op de kaptafel en het nachtkastje. Joe in honkbaltenue. Joe die over de rand van zijn ledikantje keek. Joe met zijn vader op de oever van de Skagit, een paar grote regenboogforellen in de hoogte houdend.

Hij hielp zijn moeder de diverse mensen te bellen en de uitvaart te regelen. Hij gaf zijn vaders beste vriend al zijn visgerei en pakte zijn kleren in dozen voor de kringloopwinkel. Hij stond zijn moeder galant terzijde, standvastig, ernstig. Op de avond na de begrafenis glipte hij naar beneden en tastte naar de autosleuteltjes aan het haakje waar ze altijd hingen. Ze hingen er niet. De volgende avond ook niet. Dus zijn moeder had hem door. Het verbaasde Joe dat ze ondanks haar verdriet zo koel kon blijven denken. Het maakte dat hij anders over haar ging denken. Positiever, en ook negatiever.

Huis en winkel waren binnen een week verkocht aan een echtpaar uit Vancouver. Het was allemaal maanden geleden al geregeld, in afwachting van zijn vaders dood. Joe was met een klembord op de vloer geknield bezig een inventarislijst op te maken voor de nieuwe eigenaar, toen hij iemand door het gangpad hoorde aankomen die achter hem bleef staan. Hij keek om, en daar stond de vader van Mary Claude.

Joe had meneer Moore een paar keer van een afstand gezien, maar nooit echt over hem nagedacht, hem louter gezien als een vage schim achter Mary Claude; hij was er niet op voorbereid de man in levenden lijve voor zich te zien. Meneer Moore torende hoog boven Joe uit en kreeg een stoffige lichtbundel pal in zijn gezicht. In de slappe rechterhoek van zijn mond glansde vocht en zijn rechterschouder hing omlaag alsof hij een emmer vasthield. Hij droeg een nieuwe tuinbroek en had zijn werkschoenen net schoon geschraapt, de strepen van de stok waren nog zichtbaar in het fijne laagje opgedroogde modder op de neuzen. Hij rook sterk naar kamfer. Zijn ogen waren een bleek, waterig blauw. Hij vernauwde ze niet tegen het licht maar keek aandachtig op Joe neer. Joe was ervan overtuigd dat hij alles wist, niet alleen wat hij met zijn dochter had gedaan, en had willen doen, maar ook alles waarvan hij had gedroomd, zelfs zijn plan om haar op de een of andere manier in de auto te krijgen om ervandoor te gaan naar Canada.

Meneer Moore leek op het punt iets te zeggen, maar in plaats daarvan boog hij zich voorover en kneep Joe even in zijn schouder. Daarna draaide hij zich om en liep door het gangpad weg.

Joe liep met de brief de tuin van zijn moeder in en las hem aandachtig. Ineengedoken in een tuinstoel, met zijn ellebogen op zijn knieën, wachtte hij op de klap die zou komen. Verderop in de straat schalde een wals van Strauss door een open raam naar buiten, en hij volgde de muziek onwillekeurig, dirigeerde haar zelfs met minuscule hoofdbeweginkjes, al was zijn liefde voor het oude Wenen bekoeld sinds Candace in het jaar voor ze hem verliet bezeten was geraakt van Strauss. De stoel leek droog toen hij erin ging zitten, maar er hingen nog druppeltjes ochtenddauw tussen de repen canvas en het vocht drong warm en plakkerig in zijn broek. Het gras moest gemaaid worden. Joe wist dat hij, als hij nu opkeek, zijn moeder naar hem zou zien kijken vanuit het keukenraam, met een treurig gezicht om wat hij in haar voorstelling moest voelen. Wat hij werkelijk voelde was gêne over die melodramatische poging om verdriet te creëren door het te imiteren.

Hij kwam met een zwaai overeind, keek mistroostig om zich heen en liep toen naar de schuur waar de grasmaaier stond. De klap zou later komen, als hij al kwam. Soms bleef hij uit. Hij had patiënten verloren en nauwelijks nog aan ze gedacht, en als hij het deed moest hij erkennen dat zijn verdriet niet veel meer was dan een formaliteit.

Nee, als de klap kwam zou hij van achteren komen en hem in zo'n diep gat duwen dat hij zou vergeten hoe het daarbuiten was. Zo was het gegaan met zijn prachtige nichtje Angela, het enige kind van zijn zus. Joe had haar gewaarschuwd, ze had diabetes en dronk veel, maar op de een of andere manier had hij het toch niet zien aankomen. Een paar weken na haar dood was hij ineens verpletterd, lamgeslagen. En iets dergelijks overkwam hem ook na de geboorte van zijn zoon. Toen hij op een avond met de baby in zijn armen stond, herinnerde hij zich met verdachte helderheid hoe zijn eigen vader hem in zijn armen hield en glimlachend op hem neerkeek, met die schalkse spleet tussen zijn voortanden, die malle opgetrokken wenk-brauw. Het was een blik van onbevangen welwillendheid. Joe kende die blik, hij was opgegroeid in de warme gloed van het plezier dat zijn vader in hem had, en nu dacht hij dat hij die blik met een mentale truc had toegevoegd aan een scène die te ver terugging voor zijn herinnering.

Vals of niet, hij kon de herinnering niet van zich af schud-den. Er volgden andere waarvan hij wist dat ze echt waren, al had hij er jaren niet meer aan gedacht: zijn vaders geamuseer-de, eindeloze geduld toen hij hem leerde autorijden of vliegen binden of uitlegde hoe de kassa werkte. De verhalen die hij vertelde over zijn wilde jeugd in landelijk Georgia en over zijn oudere broer Chet. Chet was gesneuveld op Peleliu, zijn li-chaam was nooit gevonden en Joe's vader was nooit in staat het verdriet te verbergen dat hem nog steeds overweldigde als hij aan zijn dood dacht.

Joe's ouders waren bijna veertig toen hij werd geboren. Hij dacht dat het een ongelukje moest zijn geweest, maar wel een welkom ongelukje, vooral voor zijn vader. Ze waren vrienden. En toch was Joe de ziekte van zijn vader vol wrok als verraad gaan beschouwen, als een vorm van desertie. Hij dacht er niet in die termen over na, hij dacht er helemaal niet over na, maar zo voelde het destijds, alsof zijn vader zich moedwillig – tegen-draads – had overgegeven aan de zwakke, hijgende, vergeelde zieke die zijn plaats had ingenomen. Joe was zich maar heel langzaam bewust geworden van zijn eigen, echte desertie, hoe onrechtvaardig en wreed hij was geweest. Tot de geboorte van zijn zoon had hij het redelijk goed aangekund, daarna nauwe-lijks nog. Wekenlang leek het of elk nieuw moment van vreug-de werd overschaduwd door herinneringen en schaamte. Zijn vrouw verloor haar geduld en kreeg ten slotte genoeg van zijn stemmingen. Maar wat kon hij doen? Anderen zouden je mis-schien vergeven – hij wist dat zijn vader dat zou doen – maar hoe vergeef je jezelf? Dat doe je niet, eigenlijk. Maar op een dag drukt de last minder, de dag erna nog wat minder, en dan voel je hem nauwelijks nog, als hij er nog is. Zo gaat het met de beste en de slechtste mensen, en zo ging het ook met Joe.

Een van de messen was krom en de maaier schudde heftig terwijl hij hem door de tuin manoeuvreerde. Het was dom hem in deze staat te gebruiken, maar het duwen voelde prettig en hij bleef hem met geweld voortdrijven. Hij tolde een hoek om en zag zijn moeder in het keukenraam, haar gezicht bestrooid met bladschaduwen van het sinaasappelboompje. Ze keek bezorgd. Joe stak een hand op en ze wuifde zwakjes terug, met hetzelfde spijtige gebaar dat ze vanuit de wegrijdende auto maakte als zijn ouders hem in de zomer achterlieten in het welpenkamp, behalve dat ze toen sterk en mooi was – nu was ze oud en moest ze een luier dragen. Hij richtte zijn aandacht op het rotstuintje waar hij de vorige keer het mes op had verbogen, en toen hij weer opkeek was ze verdwenen.

Hij maaide in vierkanten en bleef naar het midden toe werken. Het schudden van de grasmaaier hield hem niet meer bezig. Het maakte deel uit van de cadans, zoals de strakke hoeken die hij maakte en de extra duw als hij een dikke pol tegenkwam. Zijn handen tintelden, het zweet drupte van zijn voorhoofd, zijn hemd was doorweekt. Al werkend dacht hij niet meer na, of merkte hij niet meer dat hij nadacht, en toen schoot het hem te binnen. Chip Ryan, die makelaar waar Mary Claude mee rotzooide... kleine Chippie! Hij had hem eerst niet kunnen plaatsen omdat hij nog zo jong was, een jochie van amper zeven of acht, toen Joe uit Dunston wegging. Chips oudere broer was een vriend van hem geweest. Chip hing altijd om hen heen terwijl ze platen draaiden en zaten te kletsen, maar hij kwam er niet tussen en deed niet vervelend. Dat was Joe opgevallen, dat het zo'n aardig joch was, de kleine Chip, zoals hij daar zat met zijn konijn op schoot en zijn oren streelde terwijl hij opkeek naar de grote jongens.

Kleine Chip en Mary Claude.

In de brief stond niet of Chip getrouwd was of vrijgezel. Hij was in ieder geval op jacht, anders zou dat verhaal niet rondgaan. En van alle vrouwen in die lange groene vallei moest hij uitgerekend op Mary Claude vallen. Als het waar was. Natuurlijk was het waar. Je kon het wel aan Mary Claude overlaten om zo'n spelletje te verzinnen, alles of niets, geen marge voor fouten.

Hij dwong de maaier door de laatste paar bochten en zette de motor af. Er hing een wolk uitlaatgas boven de tuin. Hij hoorde de muziek weer. Violen. Nog altijd Strauss. Hij knikte onwillekeurig met de muziek mee terwijl hij zich met zijn hemd afdroogde. Hij had het stuk vijftig, misschien wel honderd keer gehoord terwijl Candace naakt door hun appartement danste op de rijzende en dalende golven, glimmend van het zweet, haar ogen half gesloten, maar als hij naar de titel tastte voelde hij hem wegglippen. Het verbijsterde hem dat hij iets wat hij zo goed had gekend niet kon vasthouden en stond in zijn verwarring als aan de grond genageld terwijl de muziek aanzwol tot de finale en wegstierf, en ergens een hond blafte, en een nieuwe wals werd ingezet.